Ken Follett

Nachtwakers

Van Holkema & Warendorf

Oorspronkelijke titel: *Hornet Flight*
Oorspronkelijke uitgave: Dutton
© 2002 Ken Follett

© 2003 Nederlandstalige uitgave:
Unieboek bv, Postbus 97, 3990 DB Houten

www.unieboek.nl
www.ken-follett.com

Vertaling: Piet en Lilian Dal
Omslagontwerp: Wil Immink
Foto auteur: Barbara Follett
Opmaak: ZetSpiegel, Best

ISBN 90 269 8327 1 / NUGI 337 + 338

Een gedeelte van wat hierna volgt is écht gebeurd.

Voorwoord

Een man met een houten been liep door de gang van een ziekenhuis. Hij was klein en maakte met zijn atletische bouw een energieke indruk. Hij droeg een eenvoudig donkergrijs kostuum en schoenen met zwarte neuzen. Hij had een kwieke manier van lopen, maar een lichte onregelmatigheid in zijn stap maakte duidelijk dat hij mank was: tap-táp, tap-táp. Er lag een grimmige uitdrukking op zijn gezicht, wat de indruk wekte dat hij een heftige emotie onderdrukte.
Hij bereikte het einde van de gang en bleef staan voor het bureau van de verpleegster. 'Kapitein-vlieger Hoare?' vroeg hij.
De verpleegster keek op van een namenlijst. Ze was een knap meisje met zwart haar en ze sprak met het zangerige accent van Cork. 'U bent familie, neem ik aan,' zei ze met een vriendelijke glimlach.
Haar charme had geen effect. 'Broer,' zei de bezoeker. 'Welk bed?'
'Laatste aan de linkerkant.'
Hij draaide zich op zijn hak om en beende door het middenpad naar het eind van de ziekenzaal. In een stoel naast het bed zat een figuur in een bruine kamerjas uit het raam te kijken en te roken.
De bezoeker aarzelde. 'Bart?'
De man stond op uit zijn stoel en draaide zich om. Er zat een verband om zijn hoofd en zijn linkerarm hing in een mitella, maar hij glimlachte. Hij leek sprekend op de bezoeker, alleen was hij jonger en langer. 'Hallo, Digby.'
Digby sloeg zijn armen om zijn broer en omhelsde hem stevig. 'Ik dacht dat je dood was,' zei hij.
Toen begon hij te huilen.

'Ik vloog een Whitley,' zei Bart. De Armstrong Whitworth Whitley was een lompe bommenwerper met een lange staart die op een vreemde manier met de neus naar beneden vloog. In de lente van 1941 had Bomber Command een honderdtal van deze toestellen bij een totale sterkte van ongeveer zevenhonderd vliegtuigen. 'Een Messerschmitt schoot op ons en we kregen een paar treffers,' ging Bart verder. 'Maar waarschijnlijk had hij bijna geen brandstof meer, want hij ging ervandoor zonder ons af te maken. Ik vond dat het mijn geluksdag was. Toen begonnen we hoogte te verliezen. De Messerschmitt had waarschijnlijk allebei de motoren beschadigd. We gooiden alles eruit wat niet vastzat om lichter te worden, maar het hielp niet veel en ik begreep dat we een duik in de Noordzee moesten maken.'

Digby ging op de rand van het ziekenhuisbed zitten. Met inmiddels droge ogen sloeg hij het gezicht van zijn broer gade en zag de starende blik toen Bart het weer beleefde.

'Ik zei tegen de bemanning dat ze het achterste luik moesten afwerpen en zich dan in de positie voor een noodlanding tegen het tussenschot schrap moesten zetten.' De Whitley had een vijfkoppige bemanning, herinnerde Digby zich. 'Toen we op zeeniveau waren, trok ik de knuppel naar achteren en zette de gashendels vol open, maar het vliegtuig wilde niet vlak komen en we raakten het water met een vreselijke klap. Ik raakte bewusteloos.'

Ze waren halfbroers en scheelden acht jaar. Digby's moeder was overleden toen hij dertien was en zijn vader was hertrouwd met een weduwe die ook een zoon had. Vanaf het eerste begin had Digby voor zijn broertje gezorgd, hem beschermd tegen andere jongens en hem geholpen met zijn huiswerk. Ze waren allebei bezeten geweest van vliegtuigen en hadden ervan gedroomd om piloot te worden. Digby verloor zijn rechterbeen bij een motorongeluk, werd ingenieur en ging vliegtuigen ontwerpen; maar Bart maakte de droom waar.

'Toen ik bijkwam, rook ik een brandlucht. Het vliegtuig dreef en de stuurboordvleugel stond in brand. De nacht was zo donker als het graf, maar bij het licht van de vlammen kon ik wat zien. Ik kroop door de romp en vond het pak met het reddingsvlot. Ik smeet het door het luik naar buiten en sprong. Jezus, wat was dat water koud.'

Zijn stem klonk zacht en kalm, maar hij trok hard aan zijn sigaret, zoog de rook diep in zijn longen en blies die in een lange stoot tussen strak gespannen lippen uit. 'Ik droeg een zwemvest en schoot als een kurk naar het oppervlak. Er stond een behoorlijke golfslag en ik ging op en neer als de onderbroek van een snol, maar ik kon niet op het vlot komen. Gelukkig dreef het pak met het vlot pal voor mijn neus. Ik trok aan het koord en het blies zichzelf op. Ik miste alleen de kracht om mezelf uit het water te tillen. Ik begreep er niets van – ik besefte gewoon niet dat ik een schouder uit de kom had, een gebroken pols, drie kapotte ribben en nog wat dingetjes. Ik bleef me er dus aan vastklampen en vroor langzaam dood.'

Er was een tijd geweest, herinnerde Digby zich, dat hij had gedacht dat Bart altijd geluk had.

'Uiteindelijk verschenen Jones en Croft. Ze hadden zich aan de staart vastgehouden tot de kist zonk. Ze konden geen van beiden zwemmen, maar ze werden gered door hun Mae West en ze slaagden erin op het vlot te klimmen en mij erop te trekken.' Hij stak een nieuwe sigaret op. 'Ik heb Pickering niet meer gezien. Ik weet niet wat er met hem is gebeurd, maar ik neem aan dat hij op de bodem van de zee ligt.'

Hij zweeg. Er werd één bemanningslid vermist, besefte Digby. Na een korte stilte vroeg hij: 'En de vijfde man?'

'John Rowley, de bommenrichter, was nog in leven. We hoorden hem roepen. Ik was half buiten westen, maar Jones en Croft probeerden naar de stem te roeien.' Hij schudde zijn hoofd in een gebaar van hopeloosheid. 'Je kunt je niet voorstellen hoe moeilijk het was. De golven waren waarschijnlijk zo'n meter hoog, de vlammen begonnen uit te doven, dus konden we niet veel zien en de wind huilde verdorie als een jammerend spook. Jones schreeuwde en hij heeft een harde stem. Rowley riep terug en toen werd het vlot omhooggetild door een golf, het dook aan de andere kant in het golfdal en tolde tegelijk rond. Toen hij weer riep, leek zijn stem uit een totaal andere richting te komen. Ik weet niet hoe lang het zo doorging. Rowley bleef roepen, maar zijn stem werd zwakker toen de kou hem te pakken kreeg.' Het gezicht van Bart verstrakte. 'Hij begon nogal pathetisch te klinken. Hij riep God en zijn moeder aan en dat soort flauwekul. Ten slotte liet hij niets meer horen.'

Digby merkte dat hij zijn adem inhield, alsof alleen al het geluid van ademhalen inbreuk zou maken op zo'n vreselijke herinnering.

'Kort nadat het licht was geworden, werden we gevonden door een patrouillerende torpedobootjager die op U-bootjacht was. Ze zetten een sloep uit en haalden ons aan boord.' Bart keek uit het raam zonder het groene landschap van Hertfordshire te zien. Heel in de verte zag hij een ander tafereel. 'We hadden verrekte veel geluk,' zei hij.

Ze zaten een poosje zwijgend bij elkaar en toen vroeg Bart: 'Was de raid een succes? Niemand wil me vertellen hoeveel er thuis zijn gekomen.'

'Rampzalig,' zei Digby.

'En mijn squadron?'

'Sergeant Jenkins is veilig teruggekomen met zijn bemanning.' Digby haalde een stukje papier uit zijn zak. 'Datzelfde geldt voor piloot officier Arasaratnam. Waar komt hij vandaan?'

'Ceylon.'

'En het toestel van sergeant Riley werd geraakt, maar haalde het naar huis.'

'En de rest?' vroeg Bart.

Digby schudde slechts zijn hoofd.

'Maar zes kisten van mijn squadron deden mee aan die raid!' protesteerde Bart.

'Ik weet het. Afgezien van jou zijn er nog twee neergeschoten. Blijkbaar geen overlevenden.'

'Dus Creighton-Smith is dood. En Billy Shaw. En... o, god.' Hij draaide zich om.

'Het spijt me.'

De stemming van Bart sloeg van wanhoop om in woede. 'Spijt is niet genoeg,' zei hij. 'We werden daarheen gestuurd om te sterven.'

'Ik weet het.'

'In hemelsnaam, Digby, jij maakt verdorie deel uit van de regering.'

'Ik werk inderdaad voor de premier.' Churchill haalde graag mensen uit de industrie in de regering en Digby, die voor de oorlog een succesvol vliegtuigontwerper was geweest, was een van zijn troubleshooters.

'Dan is het evengoed jouw schuld. Je zou geen tijd moeten verdoen met het bezoeken van zieken. Maak dat je hier wegkomt en doe er wat aan.'

'Daar ben ik mee bezig,' zei Digby kalm. 'Ik heb de opdracht gekregen om uit te zoeken waarom dit is gebeurd. We hebben op die raid vijftig procent van de toestellen verloren.'

'Laaghartig verraad aan de top, neem ik aan. Of een achterlijke luchtmaarschalk die in zijn club rondbazuint dat er morgen een raid is, terwijl de nazi-barkeeper aantekeningen maakt achter de bierpomp.'

'Dat is een van de mogelijkheden.'

Bart zuchtte. 'Het spijt me, Diggers,' zei hij en hij gebruikte een bijnaam uit hun jeugd. 'Het is niet jouw schuld, ik moet alleen even stoom afblazen.'

'In alle ernst, heb jij er enig idee van hoe het komt dat er zoveel zijn neergeschoten? Jij hebt bijna vijftien missies gevlogen. Wat denk je ervan?'

Bart keek nadenkend. 'Ik riep niet zomaar iets over spionnen. Als wij boven Duitsland komen, zijn ze klaar voor ons. Ze weten gewoon dat wij eraan komen.'

'Hoe kom je daarbij?'

'Hun jagers zijn in de lucht en wachten ons op. Je weet hoe moeilijk het voor de luchtverdediging is om het juiste tijdstip te bepalen. Het squadron jagers moet op precies het goede moment opstijgen. Dan moeten ze van hun vliegveld naar het gebied navigeren waar ze denken dat wij misschien zullen zijn, vervolgens moeten ze tot boven ons plafond klimmen en wanneer ze dat allemaal hebben gedaan, moeten ze ons bij het maanlicht proberen te vinden. Het hele proces kost zoveel tijd dat wij in staat zouden moeten zijn om onze bommenlading te laten vallen en er als een haas vandoor te gaan, voordat ze ons te pakken krijgen. Maar zo gaat het niet.'

Digby knikte. De ervaring van Bart kwam overeen met die van andere piloten die hij had ondervraagd. Hij stond op het punt dat te zeggen, toen Bart opkeek en over de schouder van Digby naar iemand glimlachte. Digby draaide zich om en zag een neger in het uniform van een squadronleider. Net als Bart was hij jong voor zijn rang en

Digby nam aan dat zijn promoties gelijke tred hadden gehouden met zijn gevechtservaring – kapitein-vlieger na twaalf vluchten, squadron-leider na vijftien.

Bart zei: 'Hallo, Charles.'

'We maakten ons allemaal zorgen om je, Bartlett. Hoe gaat het?' De nieuwkomer had een Caraïbisch accent met de langgerekte klinkers van Oxbridge.

'Ze zeggen dat ik mag blijven leven.'

Met een vingertop ging Charles over de rug van Barts hand waar die uit de mitella kwam. Het was een opvallend gebaar van genegenheid, vond Digby. 'Dat doet me verrekte veel plezier,' zei Charles.

'Charles, maak kennis met mijn broer Digby. Digby, dit is Charles Ford. We zaten samen op Trinity tot we daar weggingen om dienst te nemen bij de luchtmacht.'

'Het was de enige manier om te voorkomen dat we examen moesten doen,' zei Charles onder het schudden van Digby's hand.

Bart vroeg: 'Hoe word je behandeld door de Afrikanen?'

Charles glimlachte en gaf Digby een verklaring: 'Er is een squadron Rhodesiërs op ons vliegveld gelegerd. Voortreffelijke vliegers, maar ze weten niet goed hoe ze moeten omgaan met een officier met mijn huidskleur. Wij noemen ze Afrikanen waaraan ze zich een beetje lijken te ergeren. Ik kan me niet voorstellen waarom.'

Digby zei: 'Kennelijk ga je er niet onder gebukt.'

'Ik geloof dat we met geduld en een betere scholing uiteindelijk in staat zullen zijn dergelijke mensen beschaving bij te brengen, ook al komen ze nu misschien primitief over.' Charles keek een andere kant op en Digby ving een glimp op van de woede die schuil ging achter zijn vrolijkheid.

'Ik vroeg Bart net wat volgens hem de reden is dat we zoveel bommenwerpers verliezen,' zei Digby. 'Wat denk jij ervan?'

'Ik deed niet mee aan deze raid,' zei Charles. 'Als ik afga op wat ik zo allemaal hoor, mag ik me gelukkig prijzen. Aan de andere kant zijn de laatste tijd ook andere operaties behoorlijk slecht afgelopen. Ik krijg het gevoel dat de Luftwaffe ons door de wolken kan volgen. Misschien hebben ze apparatuur aan boord waarmee ze onze plaats kunnen bepalen, ook als we niet zichtbaar zijn?'

Digby schudde zijn hoofd. 'Elk neergestort vijandelijk vliegtuig is heel nauwgezet onderzocht en zoiets zijn we nooit tegengekomen. We zijn hard aan het werk om een dergelijk apparaat uit te vinden en ik weet zeker dat de vijand er ook mee bezig is. Maar het zal nog een hele tijd duren voordat we iets hebben wat werkt en we zijn er eigenlijk van overtuigd dat zij een stuk op ons achterliggen. Ik denk niet dat het zoiets is.'

'Nou, zo voelt het wel.'

'Ik denk nog steeds dat het spionnen zijn,' zei Bart.

'Interessant.' Digby stond op. 'Ik moet terug naar Whitehall. Bedankt voor jullie mening. Het is nuttig om te praten met mannen die het zelf meemaken.' Hij schudde Charles de hand en kneep Bart in zijn goede schouder. 'Hou je gemak en word gauw beter.'

'Ze zeggen dat ik over een paar weken weer kan vliegen.'

'Ik kan niet zeggen dat ik er blij mee ben.'

Toen Digby zich omdraaide, vroeg Charles: 'Mag ik iets vragen?'

'Natuurlijk.'

'Bij een dergelijke raid moeten onze kosten om de verloren toestellen te vervangen hoger zijn dan de kosten die de vijand moet maken om de schade van onze bommen te herstellen.'

'Ongetwijfeld.'

'Maar...' Charles spreidde zijn armen om zijn onbegrip tot uiting te brengen. 'Waarom doen we het dan? Wat is de zin van de bombardementen?'

'Ja,' zei Bart, 'dat zou ik ook wel willen weten.'

'Wat kunnen we anders doen?' zei Digby. 'De nazi's beheersen Europa: Oostenrijk, Tsjecho-Slowakije, Holland, België, Frankrijk, Denemarken, Noorwegen. Italië is een bondgenoot, Spanje sympathiseert met hen, Zweden is neutraal en ze hebben een pact met de Sovjet Unie gesloten. Wij hebben geen strijdkrachten op het continent. We hebben geen andere manier om terug te vechten.'

Charles knikte. 'Wij zijn dus alles wat jullie hebben.'

'Precies,' zei Digby. 'Als de bombardementen ophouden, is de oorlog voorbij – en heeft Hitler gewonnen.'

De eerste minister zat naar *The Maltese Falcon* te kijken. In de oude keukens van Admiralty House was kort geleden een privé-bioscoop gebouwd. Er stonden tussen de vijftig en zestig pluchen stoelen in en er hing een rood fluwelen gordijn, maar de bioscoop werd gebruikt voor het vertonen van films van bombardementen en propagandafilmpjes voordat ze aan het publiek werden getoond.

Laat op de avond, nadat alle memoranda waren gedicteerd, telegrammen verzonden, rapporten van opmerkingen voorzien en notulen geparafeerd, zat Churchill graag met een glas cognac in een van de grote VIP-stoelen op de eerste rij om zich te vermaken met de laatste fantasieproducten uit Hollywood, wanneer hij te bezorgd en kwaad en gespannen was om te kunnen slapen.

Toen Digby binnen kwam lopen, was Humphrey Bogart aan Mary Astor aan het uitleggen dat van een man verwacht wordt dat hij iets doet, wanneer zijn partner is vermoord. De lucht was zwaar van de sigarenrook. Churchill wees naar een stoel. Digby ging zitten en keek naar de laatste paar minuten van de film. Toen de aftiteling verscheen met het beeldje van een zwarte valk op de achtergrond, vertelde Digby zijn baas dat het leek alsof de Luftwaffe wist wanneer Bomber Command kwam.

Toen hij was uitgesproken, staarde Churchill enkele ogenblikken naar het scherm, alsof hij wachtte op de naam van de acteur die voor Bryan had gespeeld. Er waren momenten dat hij charmant was, met een aanstekelijke glimlach en een twinkeling in zijn blauwe ogen, maar vanavond leek hij overspoeld te worden door somberheid. Ten slotte vroeg hij: 'Wat denkt de RAF ervan?'

'Ze wijten het aan slecht formatievliegen. Als bommenwerpers in gesloten formatie vliegen, zou hun bewapening in theorie de hele hemel moeten bestrijken, waardoor elke opdoemende vijandelijke jager meteen neergeschoten zou moeten worden.'

'En wat zeg jij daarop?'

'Onzin. Formatievliegen heeft nog nooit gewerkt. Er is een nieuwe factor die meespeelt.'

'Ben ik het mee eens. Maar wat?'

'Mijn broer geeft de schuld aan spionnen.'

'Alle spionnen die we hebben gepakt waren amateurs – maar dat is natuurlijk de reden waarom we ze konden pakken. Het kan heel goed zijn dat de bekwame spionnen door de mazen van het net zijn geglipt. Misschien hebben de Duitsers een technische doorbraak bereikt.'

'De geheime dienst vertelt me dat de vijand ver op ons achterligt bij de ontwikkeling van radar.'

'Vertrouwt u op hun oordeel?'

'Nee.' Het licht ging aan. Churchill was gekleed in smoking. Hij zag er altijd verzorgd uit, maar zijn gezicht was gegroefd door vermoeidheid. Hij haalde een opgevouwen stukje papier uit zijn vestzakje. 'Dit is de sleutel,' zei hij en hij overhandigde het aan Digby.

Digby bestudeerde het papier. Het leek op een ontcijferd radiobericht van de Luftwaffe, in het Duits en in het Engels. Er stond in dat de nieuwe strategie van de Luftwaffe met nachtjagers – *Dunkle Nachtjagd* – verantwoordelijk was voor een grote triomf, dankzij de uitstekende informatie van Freya. Digby las het bericht in het Engels en toen nog een keer in het Duits. 'Freya' was in geen van beide talen een bestaand woord. 'Wat kan dit betekenen?' vroeg hij.

'Ik wil dat jij dat uitzoekt.' Churchill stond op en trok met schokkende schouders zijn jasje aan. 'Loop met me mee,' zei hij. Toen hij vertrok, riep hij: 'Bedankt!'

Een stem uit de projectiekamer antwoordde: 'Graag gedaan, meneer.' Terwijl ze door het gebouw liepen, verschenen twee mannen achter hen: inspecteur Thompson van Scotland Yard en de eigen lijfwacht van Churchill. Ze liepen naar buiten de paradeplaats op waar een ploeg bezig was met een versperringsballon en vervolgden hun weg door een poort in het hek van prikkeldraad de straat op. Londen was verduisterd, maar een halvemaan gaf voldoende licht om de weg te vinden.

Ze legden naast elkaar de paar meter af langs Horse Guards Parade Number One, Storey's Gate. Een bom had de achterzijde beschadigd van Downing Street nummer tien, de traditionele residentie van de eerste minister, dus woonde Churchill in het nabij gelegen bijgebouw boven de Cabinet War Rooms. De ingang werd beschermd door een bomvrije muur. De loop van een mitrailleur stak door een opening in de muur.

'Goedenacht, meneer,' zei Digby.

'Het kan zo niet doorgaan,' zei Churchill. 'In dit tempo bestaat er met Kerstmis geen Bomber Command meer. Ik moet weten wie of wat Freya is.'

'Ik zal het uitzoeken.'

'Doe dat met de grootst mogelijke spoed.'

'Jawel, meneer.'

'Goedenacht,' zei de eerste minister en hij liep naar binnen.

DEEL 1

1

Op de laatste dag van mei 1941 werd een vreemd voertuig waargenomen in de straten van Morlunde, een stad aan de westkust van Denemarken.

Het was een Nimbus, een motor van Deens fabrikaat met een zijspan. Dat was op zich al ongebruikelijk, want er was alleen maar benzine voor artsen, de politie en natuurlijk voor de Duitse bezettingstroepen. Maar deze Nimbus was aangepast. De benzinemotor met vier cilinders was vervangen door een stoommachine uit een afgedankte riviersloep. De zitting was uit het zijspan gesloopt om ruimte te maken voor een ketel, vuurkist en schoorsteen. De vervangende motor had maar weinig vermogen en de motorfiets bereikte een topsnelheid van ongeveer vijfendertig kilometer per uur. In plaats van het gebruikelijke gebrul van een motoruitlaat klonk slechts het zachte gesis van stoom. De griezelige stilte en de geringe snelheid gaven het voertuig iets statigs.

Op het zadel zat Harald Olufsen, een lange jongeman van achttien met een lichte huidskleur en blond haar dat uit zijn hoge voorhoofd naar achteren was gekamd. Hij zag eruit als een viking met een schooluniform. Hij had een jaar lang gespaard om de Nimbus te kunnen kopen die hem zeshonderd kronen had gekost – en de dag nadat hij hem had gekregen, hadden de Duitsers de beperkende maatregelen op brandstof afgekondigd.

Harald was woedend geweest. Daar hadden ze het recht toch niet toe? Maar hij was opgevoed met het idee dat het beter was om te handelen dan te klagen.

Het had hem nog een jaar gekost om de motorfiets aan te passen. Hij had eraan gewerkt tijdens de schoolvakanties en terwijl hij studeerde voor zijn universitaire toelatingsexamen. Hij was vandaag thuis geweest omdat de kostschool voor de pinkstervakantie was gesloten. Hij had de hele ochtend natuurkundige vergelijkingen in zijn hoofd gestampt en 's middags een kettingwiel van een roestige grasmaaier aan het achterwiel bevestigd. Nu werkte de motorfiets perfect en was hij op weg naar een bar waar hij hoopte naar jazzmuziek te kunnen luisteren en misschien wel een paar meisjes te ontmoeten.

Harald was dol op jazz. Naast techniek was die muziek het interessantste wat hem was overkomen. Amerikaanse musici waren natuurlijk de beste, maar ook hun Deense imitators waren het beluisteren waard. Soms werd er goede jazz gespeeld in Morlunde, misschien omdat het een internationale haven was waar zeelieden van de hele wereld kwamen.

Maar toen Harald midden in de havenwijk stopte voor de Club Hot, was de deur gesloten en zaten de luiken voor de ramen.

Hij wist niet wat hij zag. Het was zaterdagavond acht uur en dit was een van de populairste plekken van de stad. Alles zou hier moeten swingen.

Terwijl hij naar het stille gebouw zat te staren, bleef een voorbijganger staan om naar zijn voertuig te kijken. 'Wat is dat voor een apparaat?'

'Een Nimbus met een stoommachine. Weet u iets van deze club?'

'Ik ben de eigenaar. Wat voor brandstof gebruik je in die motor?'

'Alles wat kan branden. Ik gebruik nu turf.' Hij wees op de stapel achter in het zijspan.

'Túrf?' De man lachte.

'Waarom is de zaak gesloten?'

'Dat hebben de nazi's gedaan.'

'Waarom?' vroeg Harald verbijsterd.

'Ik had negermuzikanten in dienst.'

Harald had nog nooit in het echt zwarte musici gezien, maar van platen wist hij dat zij de beste waren. 'De nazi's zijn stomme dikkoppen,' zei hij kwaad. Zijn avond was verpest.

De eigenaar van de club keek de straat af om er zeker van zijn dat niemand het had gehoord. De bezetter was niet echt streng voor de bevolking van Denemarken, maar toch waren er weinig mensen die de nazi's openlijk durfden te beledigen. Er was echter niemand te zien.

Hij keek weer naar de motorfiets. 'Werkt dat?'

'Natuurlijk.'

'Wie heeft hem voor jou aangepast?'

'Dat heb ik zelf gedaan.'

De vrolijkheid van de man maakte plaats voor bewondering. 'Dat is erg knap.'

'Bedankt.' Harald opende de afsluiter die stoom naar de machine voerde. 'Het spijt me van uw club.'

'Ik hoop dat ze me over een paar weken weer toestemming geven om open te gaan. Maar ik zal moeten beloven blanke muzikanten in dienst te nemen.'

'Jazz zonder negers?' Harald schudde afkeurend zijn hoofd. 'Dat is net zoiets als Franse koks uit alle restaurants verbannen.' Hij haalde zijn voet van de rem en de motorfiets kwam langzaam in beweging.

Hij dacht erover naar het centrum te gaan om te kijken of er in de cafés en bars rond de markt iemand zat die hij kende, maar zijn teleurstelling over de jazzclub was zo groot, dat hij bang was daar neerslachtig van te worden. Harald reed in de richting van de haven.

Zijn vader was predikant van de kerk op Sande, een eilandje dat een paar mijl uit de kust lag. De kleine veerboot die de verbinding met het eiland onderhield lag aan de kade en hij reed er meteen op. Er waren veel mensen aan boord die hij kende. Er was een vrolijke groep vissers die naar een voetbalwedstrijd waren geweest en na afloop nog iets hadden gedronken; twee welgestelde vrouwen die een hoed en handschoenen droegen en met een stapel boodschappen in een ponykarretje zaten; en een gezin van vijf personen dat in de stad op familiebezoek was geweest. Een goed gekleed paar dat hij niet kende, ging waarschijnlijk op het eiland dineren in het hotel dat een uitstekend restaurant had. Zijn motorfiets trok de belangstelling van iedereen en hij moest nogmaals de werking van de stoommachine uitleggen.

Op het laatste moment reed een in Duitsland gebouwde Ford sedan aan boord. Harald herkende de auto als die van Axel Flemming, de eigenaar van het hotel op het eiland. De Flemmings waren allesbehalve vrienden van Haralds familie. Alex Flemming vond dat hij de natuurlijke leider was van de eilandbevolking, een rol die dominee Olufsen zich had toegeëigend en de wrijving tussen de hoofden van beide families had ook zijn weerslag op de andere familieleden. Harald vroeg zich af hoe Flemming erin geslaagd was benzine voor zijn auto te krijgen. Hij veronderstelde dat voor rijke mensen niets onmogelijk was.

De zee was ruw en er dreven donkere wolken boven de westelijke horizon. Er was een storm op komst, maar volgens de vissers zouden ze net op tijd thuis zijn. Harald haalde een krant tevoorschijn die hij in de stad had bemachtigd. Het was de *Waarheid,* een illegale krant die tegen de zin van de bezetter werd gedrukt en die gratis werd weggeven. De Deense politie had niet geprobeerd de publicatie te verhinderen en de Duitsers leken er minachtend op neer te kijken. In Kopenhagen lazen mensen de krant openlijk in treinen en bussen. Hier waren mensen voorzichtiger en Harald vouwde hem zo dat de naam niet te zien, was terwijl hij een artikel las over het tekort aan boter. Denemarken produceerde jaarlijks miljoenen kilo's boter, maar bijna alles werd nu naar Duitsland verscheept en voor de Denen was er bijna niet aan te komen. Zo'n artikel zou je nooit lezen in de gecensureerde toegelaten kranten.

De bekende platte vorm van het eiland kwam naderbij. Het was bijna twintig kilometer lang en ruim anderhalve kilometer breed met een dorp aan elk van de uiteinden. De vissershuisjes en de kerk met de pastorie vormden het oudere dorp aan de zuidpunt van het eiland. Daar lag ook een zeevaartschool die allang niet meer werd gebruikt en die de Duitsers hadden overgenomen om er een militaire basis van de maken. Het hotel en de grotere huizen lagen op de noordpunt.

Daartussenin bestond het eiland hoofdzakelijk uit duinen, struikgewas en een paar bomen. Er waren geen heuvels of bergen, maar aan de zeezijde lag zestien kilometer schitterend strand.

Harald voelde een paar regendruppels toen de veerboot de kade aan de noordkant van het eiland naderde. De door een paard getrokken taxi van het hotel stond te wachten op het goed geklede paar. De vissers werden door de vrouw van een van hen opgewacht met een paard en wagen. Harald besloot het eiland over te steken en over het strand naar huis te rijden. Het zand was hard genoeg om op te rijden; het werd zelfs gebruikt voor snelheidsproeven van raceauto's.

Hij vertrok van de kade en was halverwege de weg naar het hotel toen hij zonder stoom kwam te staan.

Hij gebruikte de benzinetank van de motorfiets als waterreservoir en besefte nu dat die niet groot genoeg was. Hij zou een vol olieblik van vijf liter in het zijspan moeten zetten. Maar nu had hij water nodig om thuis te komen.

Er was slechts één huis te zien en helaas was dat het huis van Axel Flemming. Ondanks hun rivaliteit spraken de Olufsens en Flemmings nog wel met elkaar. Alle leden van de familie Flemming kwamen op zondag naar de kerk en zaten dan in de voorste bank. Alex was zelfs diaken. Toch was Harald niet blij met het idee dat hij de vijandige Flemmings om hulp moest vragen. Hij dacht na over de mogelijkheid om een halve kilometer verder naar het volgende huis te lopen, maar besloot toen dat dat belachelijk zou zijn. Met een zucht begon hij de lange oprijlaan op te lopen.

In plaats van aan te bellen aan de voordeur, liep hij om het huis heen naar de stallen. Tot zijn genoegen zag hij een bediende de Ford in de garage zetten. 'Hallo Gunnar,' zei Harald. 'Zou ik wat water mogen hebben?'

'Ga je gang,' zei hij vriendelijk. 'Er is een kraan op de binnenplaats.'

Harald vond een emmer naast de kraan en vulde die. Hij liep terug naar de weg en goot het water in de tank. Het zag ernaar uit dat hij de familie kon vermijden. Maar toen hij de emmer terugbracht naar de binnenplaats, stond Peter Flemming daar.

Peter, de zoon van Axel, was een lange, arrogante man van een jaar of dertig in een maatkostuum van lichtbeige tweed. Voordat de families onenigheid met elkaar hadden gekregen, was hij de boezemvriend geweest van Haralds broer Arne. Tijdens hun tienerjaren hadden ze bekend gestaan als ladykillers, waarbij Arne meisjes inpalmde met zijn enorme charme en Peter met zijn afstandelijke distinctie. Peter woonde nu in Kopenhagen, maar Harald nam aan dat hij voor het pinksterweekend naar huis was gekomen.

Peter stond de *Waarheid* te lezen. Hij keek op en zag Harald. 'Wat doe jij hier?' vroeg hij.

'Hallo, Peter, ik had gevraagd of ik wat water kon krijgen.'

'Ik neem aan dat dit vod van jou is?'

Harald voelde aan zijn jaszak en besefte ontdaan dat de krant eruit gevallen moest zijn toen hij zich bukte om de emmer te pakken.

Peter zag de beweging en begreep wat die inhield. 'Kennelijk wel,' zei hij. 'Besef je niet dat je alleen al voor het bezit achter de tralies kunt verdwijnen?'

Dat was geen loos dreigement, want Peter was rechercheur bij de politie. Harald zei: 'Iedereen in de stad leest het.' Hij probeerde zijn stem nonchalant te laten klinken, maar in feite was hij een beetje bang. Peter was gemeen genoeg om hem te arresteren.

'Dit is Kopenhagen niet,' verklaarde Peter plechtig.

Harald wist dat Peter maar al te graag elke gelegenheid aangreep om een Olufsen in diskrediet te brengen. Toch aarzelde hij en Harald dacht te weten waarom. 'Je zou een belachelijke indruk maken als je een schooljongen op Sande zou arresteren voor iets wat de halve bevolking doet. Vooral als iedereen erachter komt dat je een wrok tegen mijn vader koestert.'

Peter werd zichtbaar heen en weer geslingerd tussen het verlangen om Harald een toontje lager te laten zingen en de vrees om zich belachelijk te maken. 'Niemand heeft het recht de wet te overtreden,' zei hij.

'Welke wet – die van ons of die van de Duitsers?'

'Wet is wet.'

Harald voelde zijn zelfvertrouwen groeien. Peter zou niet zo terughoudend praten als hij van plan was hem te arresteren. 'Dat zeg je alleen omdat je vader zoveel geld verdient aan de nazi's die hij gastvrij in zijn hotel ontvangt.'

Die opmerking was raak. Het hotel was populair bij Duitse officieren die meer hadden uit te geven dan de Denen. Peter liep rood aan van woede. 'Jouw vader houdt opruiende preken,' reageerde hij. Dat was waar. De dominee had tegen de nazi's gepreekt met als thema: 'Jezus was een jood.' Peter vervolgde: 'Beseft hij wel hoeveel ellende hij kan veroorzaken als hij mensen opruit?'

'Daar ben ik zeker van. De stichter van de christelijke godsdienst was zelf ook een soort onruststoker.'

'Praat me niet over godsdienst. Ik moet de orde hier beneden op aarde handhaven.'

'Die orde kan me gestolen worden, we zijn bezet!' Haralds ergernis over zijn verpeste avond zocht een uitweg. 'Wat voor recht hebben de nazi's om ons te vertellen wat we moeten doen. We zouden dat hele zooitje ons land uit moeten trappen!'

'Je moet geen hekel aan de Duitsers hebben. Ze zijn onze vrienden,' zei Peter op een toon van vrome zelfgenoegzaamheid die Harald razend maakte.

'Ik heb geen hekel aan de Duitsers, stomkop. Ik heb Duitse familie.'
De zuster van de dominee was getrouwd met een succesvolle tand-
arts uit Hamburg die in de jaren twintig zijn vakantie op Sande door-
bracht. Hun dochter Monika was het eerste meisje dat Harald had gekust. 'Zij hebben meer van de nazi's te lijden gehad dan wij,' voegde
Harald eraan toe. Oom Joachim was van joodse afkomst en ook al was
hij christelijk gedoopt en ouderling van zijn kerk, de nazi's hadden
toch bepaald dat hij alleen joden mocht behandelen en hadden daarmee zijn praktijk kapotgemaakt. Een jaar geleden was hij gearresteerd
op verdenking van het verzamelen van goud en naar een speciale gevangenis gestuurd die een *Konzentrationslager* werd genoemd en in
de buurt van het Beierse plaatsje Dachau lag.
'Mensen brengen zichzelf in moeilijkheden,' zei Peter op een wereld-
wijze manier. 'Jouw vader had zijn zus nooit met een jood moeten
laten trouwen.' Hij gooide de krant op de grond en beende weg.
Aanvankelijk was Harald te verbijsterd om iets terug te zeggen. Hij
boog zich voorover en pakte de krant op. Toen zei hij tegen Peters
verdwijnende rug: 'Je begint zelf ook als een nazi te klinken.'
Zonder aandacht aan hem te besteden liep Peter de keuken in en
sloeg de deur dicht.
Harald had het gevoel dat hij de discussie had verloren en dat maakte hem kwaad, omdat hij wist dat wat Peter had gezegd, ongehoord
was.
Het begon hard te regenen toen hij terugliep naar de weg. Eenmaal
bij de motorfiets bleek het vuur onder de ketel te zijn uitgegaan.
Hij probeerde het opnieuw aan te steken. Hij verkreukelde zijn exemplaar van de *Waarheid* en pakte het doosje met goede houten lucifers uit zijn zak, maar hij had de balg niet meegenomen die hij eerder
die dag had gebruikt om het vuur aan te steken. Na twintig frustre-
rende minuten in de regen over de vuurkist gebogen te hebben gezeten, gaf hij het op. Hij zou naar huis moeten lopen.
Hij zette de kraag van zijn jasje op.
Hij duwde de motor de driekwart kilometer naar het hotel, liet hem
staan op de kleine parkeerplaats en begon over het strand te lopen. In
deze tijd van het jaar, drie weken voor de zomerse zonnewende, duur-
den de Scandinavische avonden tot elf uur, maar vanavond verduister-
den donkere wolken de hemel en werd het zicht nog verder beperkt
door de gietende regen. Harald volgde de duinrand en vond zijn weg
half op de tast en met het geluid van de zee in zijn rechteroor. Het
duurde niet lang of zijn kleren waren zo doorweekt dat hij evengoed
naar huis had kunnen zwemmen zonder veel natter te worden.
Hij was een sterke jongeman met de conditie van een hazewindhond,
maar twee uur later voelde hij zich moe en koud en ellendig, toen hij
bij het hek kwam dat om de nieuwe Duitse basis was gezet. Hij be-

sefte dat hij een omweg van vierenhalve kilometer moest maken om bij zijn huis te komen dat slechts een paar honderd meter verderop lag.

Als het eb was geweest, zou hij langs het strand verder zijn gelopen, want ook al was dat verboden gebied, in dit weer zouden de wachtposten hem niet kunnen zien. Het was echter vloed en het hek liep tot in de zee. Even kwam de gedachte bij hem op om het laatste stuk te zwemmen, maar dat zette hij meteen uit zijn hoofd. Net als iedereen in deze vissersgemeenschap had Harald een heilig respect voor de zee, het zou gevaarlijk zijn om 's nachts in dit weer te gaan zwemmen terwijl hij al uitgeput was.

Maar hij kon over het hek klimmen.

Het was opgehouden met regenen en een halvemaan scheen af en toe door de voorbijrazende wolken en wierp een schimmig licht over het doorweekte landschap. Harald kon het bijna twee meter hoge hek van kippengaas met bovenop twee rijen prikkeldraad duidelijk zien. Het was een behoorlijk obstakel, maar niet moeilijk genoeg voor een vastberaden en fitte jongen. Vijftig meter landinwaarts liep het door een bosje van ondermaatse bomen en wat struiken die het aan het zicht onttrokken. Dat was de plaats om erover te klimmen.

Hij wist wat er achter het hek lag. De vorige zomer had hij daar als arbeider op de bouw gewerkt. Op dat moment had hij niet geweten dat het een militaire basis moest worden. De aannemer, een bedrijf uit Kopenhagen, had iedereen verteld dat het een nieuw station van de kustwacht zou worden. Ze zouden waarschijnlijk moeilijk aan personeel zijn gekomen als ze de waarheid hadden verteld – als Harald het had geweten, had hij zeker niet voor de nazi's gewerkt. Toen de gebouwen waren opgeleverd en het hek af was, waren alle Denen weggestuurd om plaats te maken voor Duitsers die apparatuur kwamen installeren. Maar Harald kende er de weg. De oude zeevaartschool was opgeknapt en aan weerszijden waren twee nieuwe gebouwen opgetrokken. Alle gebouwen lagen op een behoorlijke afstand van het strand, dus kon hij de basis oversteken zonder erbij in de buurt te komen. Bovendien was het terrein aan deze kant bezaaid met laag struikgewas waarin hij zich kon verbergen. Hij zou alleen moeten oppassen voor patrouillerende wachtposten.

Hij zocht zijn weg naar het bosje, klom behendig over het hek en het prikkeldraad en sprong aan de andere kant naar beneden. Hij landde zacht in het natte zand. Turend in het duister keek hij om zich heen en zag alleen de vage vormen van bomen. De gebouwen lagen buiten zijn gezichtsveld, maar hij kon in de verte muziek en af en toe gelach horen. Het was zaterdagavond, dus misschien dronken de soldaten een paar biertjes, terwijl hun officieren dineerden in het hotel van Axel Flemming.

Hij begon zo snel als hij durfde bij het wisselvallige maanlicht de basis over te steken, waarbij hij zich oriënteerde op de golven rechts en de muziek links van hem. Hij kwam voorbij een hoog bouwsel dat hij in het donker herkende als een zoeklichttoren. Het hele terrein kon in geval van nood worden verlicht, maar normaal was het verduisterd.

Een plotselinge uitbarsting van geluid aan zijn linkerkant deed hem schrikken. Met kloppend hart dook hij ineen. Hij keek naar de gebouwen. Er stond een deur open waardoor licht naar buiten viel. Hij zag een soldaat die naar buiten kwam en over het terrein rende. In een ander gebouw ging een deur open waardoor de soldaat naar binnen verdween.

Haralds hartslag ging minder snel.

Hij liep door een bosje coniferen en daalde af in een uitholling. Toen hij de bodem bereikte, zag hij een soort bouwsel in de duisternis voor zich opdoemen. Hij kon het niet duidelijk onderscheiden, maar hij herinnerde zich niet dat er op deze plaats ooit iets was gebouwd. Toen hij dichterbij kwam, zag hij een gebogen betonnen muur die ongeveer manshoog was. Boven de muur bewoog iets en hij hoorde een zacht gezoem als van een elektromotor.

Dit moest door de Duitsers zijn gebouwd, nadat de plaatselijke arbeiders waren vertrokken. Hij vroeg zich af waarom hij het bouwsel nooit van buiten het hek had gezien, maar toen drong het tot hem door dat de bomen en de lage ligging het van alle kanten onzichtbaar maakten. Het strand vormde misschien een uitzondering, maar dat mocht ter hoogte van de basis niet betreden worden.

Toen hij omhoogkeek en wat meer probeerde te onderscheiden, sloeg de regen in zijn gezicht en prikte in zijn ogen. Maar hij was te nieuwsgierig om zonder meer verder te gaan. De maan scheen even helder en met toegeknepen ogen keek hij weer. Boven de gebogen muur ontdekte hij een rasterwerk van metaal of draad dat leek op een bovenmaatse springveren matras van drieënhalve meter breed. Het hele apparaat tolde om de paar tellen rond als een mallemolen.

Harald werd erdoor gefascineerd. Het was een machine zoals hij nog nooit had gezien en de technicus in hem werd er mateloos door geboeid. Wat deed het? Waarom draaide het rond? Het geluid maakte hem niet veel wijzer – dat was gewoon de motor die het ding liet draaien. Hij was er zeker van dat het geen kanon was, althans geen conventioneel kanon, want er was geen loop. Hij gokte dat het iets te maken had met radio.

In de buurt hoestte iemand.

Harald reageerde instinctief. Hij sprong, sloeg zijn armen over de rand van de muur en trok zichzelf op. Een tel lang lag hij op de smalle bovenkant, toen liet hij zich aan de binnenkant zakken. Hij was even bang dat zijn voeten misschien in aanraking zouden komen met een bewegende machine, maar aan de andere kant was hij er bijna zeker van dat er om het apparaat heen gelopen kon worden om er onderhoud aan te verrichten. Na een ogenblik van spanning raakte hij een betonnen vloer. Het gezoem was hier luider en hij kon motorolie ruiken. Op zijn tong proefde hij de vreemde smaak van statische elektriciteit.

Wie had er gehoest? Hij nam aan dat er een schildwacht voorbijkwam. De voetstappen van de man moesten zijn overstemd door de wind en de regen. Gelukkig was daardoor ook het geluid van Harald niet te horen geweest, toen hij over de muur klom. Maar had de schildwacht hem gezien?

Hij drukte zich tegen de gebogen binnenkant van de muur, ademde zwaar en wachtte op de lichtbundel van een krachtige zaklamp. Hij vroeg zich af wat er zou gebeuren als hij werd betrapt. De Duitsers waren vriendelijk. Hier op het platteland paradeerden de meesten niet rond als veroveraars, maar leken ze zich bijna ongemakkelijk te voelen omdat zij de baas waren. Ze zouden hem waarschijnlijk overdragen aan de Deense politie. Hij wist niet zeker hoe die zouden handelen. Als Peter Flemming bij de plaatselijke politie had gezeten, zou hij het Harald ongetwijfeld zo moeilijk mogelijk hebben gemaakt, maar gelukkig was hij in Kopenhagen gestationeerd. Meer dan voor welke officiële straf ook was Harald bang voor de toorn van zijn vader. Hij hoorde de sarcastische vragen van zijn vader al: 'Jij klom over het hek? En je betrad een geheim militair terrein? Midden in de nacht? Om de weg af te snijden? Omdat het regende?'

Maar er scheen geen licht op Harald. Hij wachtte en staarde naar de donkere vorm van het apparaat voor hem. Hij dacht dat hij dikke kabels uit de onderkant van het raster kon zien komen die aan de andere kant in het duister verdwenen. Dit moest iets zijn om radiosignalen te versturen of te ontvangen, dacht hij.

Toen enkele minuten traag waren voorbijgegaan, was hij er zeker van dat de schildwacht was doorgelopen. Hij klom op de bovenkant van de muur en probeerde door de regen te kijken. Aan weerszijden van het bouwsel ontdekte hij twee kleinere donkere vormen, maar die bewogen niet en hij ging ervan uit dat ze deel uitmaakten van het apparaat. Er was geen mens te zien. Hij liet zich aan de buitenkant van de muur glijden en begon weer door de duinen te lopen.

Op een donker moment, toen de maan achter een dikke wolk was verdwenen, liep hij met een klap tegen een houten wand. Geschrokken en bang slaakte hij een onderdrukte vloek. Een tel later besefte hij dat hij tegen een oud botenhuis van de zeevaartschool was aangelopen. Het was vervallen en de Duitsers hadden het niet gerepareerd, omdat het voor hen kennelijk geen nut had. Hij bleef een ogenblik stil staan luisteren, maar hoorde alleen het bonzen van zijn hart. Hij liep verder.

Hij bereikte zonder verdere problemen het hek aan de andere kant. Hij klom eroverheen en liep naar huis.

Eerst kwam hij voorbij de kerk. Er scheen licht door de lange rij vierkante ramen aan de zeezijde. Verrast dat er iemand zo laat op een zaterdagavond in het gebouw was, keek hij naar binnen.

De kerk was lang met een laag plafond. Bij speciale gelegenheden kon de hele eilandbevolking van vierhonderd zielen er net in. Rijen banken stonden voor een houten preekstoel. Er was geen altaar. Afgezien van een paar ingelijste teksten waren de muren kaal.

Denen waren niet erg dogmatisch op het gebied van godsdienst en de meesten waren lid van de Lutherse kerk. De vissersbevolking van Sande was een eeuw eerder echter bekeerd tot een strengere geloofsovertuiging. Gedurende de laatste dertig jaar had Haralds vader hun geloof levend gehouden door van zijn eigen leven een toonbeeld van puriteinse onbuigzaamheid te maken, de standvastigheid van zijn gemeente elke week te stutten met donderpreken en de slappelingen persoonlijk aan te spreken met de onweerstaanbare overtuigingskracht van zijn blauwe ogen. Ondanks het voorbeeld van zijn vlammende overtuiging, geloofde zijn zoon niet. Als hij thuis was, ging Harald naar de dienst, omdat hij zijn vader niet wilde kwetsen, maar in wezen was hij een andere mening toegedaan. Hij had zich nog geen mening gevormd over godsdienst in het algemeen, maar hij wist wel dat hij niet geloofde in een God van kleingeestige regels en wraakzuchtige straffen.

Toen hij door het raam keek, hoorde hij muziek. Zijn broer Arne zat achter de piano en speelde met een lichte aanslag een jazznummer. Harald glimlachte blij. Arne was thuisgekomen voor het pinksterweekend en zou de pastorie opvrolijken met zijn grappen en mooie verhalen.

Harald liep naar de ingang en stapte naar binnen. Zonder om te kijken liet Arne de muziek naadloos overgaan in de wijs van een gezang. Harald grinnikte. Arne had de deur horen opengaan en dacht dat hun vader misschien binnenkwam. De dominee keurde jazzmuziek af en zou zeker niet goedvinden dat het in zijn kerk werd gespeeld. 'Ik ben het maar,' zei Harald.

Arne draaide zich om. Hij droeg zijn bruine legeruniform. Arne was tien jaar ouder dan Harald en instructeur bij de vliegopleiding van het leger die was gevestigd in de buurt van Kopenhagen. De Duitsers hadden een eind gemaakt aan alle Deense militaire activiteiten en de vliegtuigen stonden het grootste deel van de tijd aan de grond, maar de instructeurs mochten lessen geven in zweeftoestellen.

'Toen ik je uit mijn ooghoek zag, dacht ik dat je onze oude heer was.'

Arne nam Harald vol genegenheid van hoofd tot voeten op. 'Je begint steeds meer op hem te lijken.'

'Wil dat zeggen dat ik ook kaal word?'

'Waarschijnlijk.'

'En jij?'

'Ik denk het niet. Ik lijk op moeder.'

Dat was inderdaad zo. Arne had het dikke, donkere haar en de bruine ogen van hun moeder. Harald was blond, net zoals hun vader, en hij had ook de doordringende blauwe ogen geërfd, waarmee de dominee zijn kudde in het gareel hield. Zowel Harald als zijn vader waren erg lang waardoor Arne met zijn ruim één meter tachtig klein leek.

'Ik moet je iets laten horen,' zei Harald. Arne stond op van de kruk en Harald ging achter de piano zitten. 'Ik heb dit geleerd van een plaat die iemand mee naar school had genomen. Ken je Mads Kirke?'

'Een neef van mijn collega Poul.'

'Inderdaad. Hij ontdekte een Amerikaanse pianist die Clarence Pine Top Smith heet.' Harald aarzelde. 'Wat is de oude heer op het moment aan het doen?'

'Hij schrijft de preek van morgen.'

'Mooi.' De piano was niet te horen vanuit de pastorie die vijftig meter verderop stond en het was onwaarschijnlijk dat de dominee zijn voorbereidende werkzaamheden zou onderbreken om een wandelingetje naar de kerk te maken, zeker niet met dit weer. Harald begon 'Pine Top's Boogie-Woogie' te spelen en de ruimte werd gevuld met de smeuïge klanken van het Amerikaanse Zuiden. Hij was een enthousiaste pianist, hoewel zijn moeder had gezegd dat hij een zware aanslag had. Hij kon tijdens het spelen niet stil blijven zitten, dus stond hij op, trapte de kruk naar achteren die omviel en speelde staand, met zijn lange lijf over de toetsen gebogen. Hij maakte zo meer fouten, maar dat leek niet uit te maken, zolang hij het dwingende ritme volhield. Hij bonkte het laatste akkoord en zei in het Engels: 'That's what I'm talkin' about!' net als Pine Top op de plaat.

Arne lachte. 'Niet slecht!'

'Je zou het origineel moeten horen.'

'Kom mee naar het portaal. Ik wil roken.'

Harald stond op. 'Dat zal de oude heer niet leuk vinden.'

'Ik ben achtentwintig,' zei Arne. 'Ik ben te oud om me door mijn vader te laten vertellen wat ik moet doen.'

'Ik ben het ermee eens – maar is hij dat ook?'

'Ben je bang voor hem?'

'Natuurlijk. Net als moeder en ongeveer iedereen op dit eiland – zelfs jij.'

Arne grinnikte. 'Goed, misschien een beetje.'

Ze stonden buiten de kerkdeur, tegen de regen beschut door een klein portaal. Aan de andere kant van een zanderig stuk grond konden ze de donkere vorm van de pastorie onderscheiden. Er scheen licht door het ruitvormige raam van de keukendeur. Arne haalde zijn sigaretten tevoorschijn.

'Heb je nog iets van Hermia gehoord?' vroeg Harald hem. Arne was verloofd met een Engels meisje dat hij sinds de Duitse bezetting van Denemarken, nu meer dan een jaar geleden, niet meer had gezien.

Arne schudde zijn hoofd. 'Ik heb geprobeerd haar te schrijven. Ik vond het adres van het Britse consulaat in Gothenburg.' De Denen mochten brieven naar Zweden sturen dat neutraal was. 'Ik heb de brief aan haar gestuurd met het adres van dat huis zonder het consulaat op de envelop te noemen. Ik vond het behoorlijk slim, maar je houdt de mensen van de censuur niet zo gemakkelijk voor de gek. Mijn commandant gaf me de brief terug en zei dat als ik ooit nog eens zoiets probeerde, ik voor de krijgsraad zou komen.'

Harald mocht Hermia graag. Een paar van de vriendinnen van Arne waren, domme blondjes geweest, maar Hermia had hersens en lef. Ze was bij de eerste ontmoeting nogal indrukwekkend geweest met haar dramatisch donkere uiterlijk en haar directe manier van spreken. Maar ze had bij Harald het ijs gebroken door hem te behandelen als een man en niet als het kleine broertje. En in een zwempak zag ze er sensationeel en sensueel uit. 'Wil je nog steeds met haar trouwen?'

'God, ja – als ze nog in leven is. Ze zou in Londen gedood kunnen zijn door een bom.'

'Het moet erg moeilijk zijn als je niets weet.'

Arne knikte en zei toen: 'En jij? Bij jou sprake van actie?'

Harald haalde zijn schouders op. 'Meisjes van mijn leeftijd hebben geen belangstelling voor schooljongens.' Hij zei het luchtig, maar verborg daarmee een echt gevoelde wrevel. Hij was een paar keer minder leuk afgewezen.

'Ik neem aan dat ze uit willen gaan met jongens die wat geld hebben om uit te geven.'

'Precies. En jongere meisjes... Ik heb met Pasen een meisje ontmoet, Birgit Claussen.'

'Claussen? Van de botenbouwers in Morlunde?'

'Ja. Ze is knap, maar pas zestien en heel saai om mee te praten.'

'Maar goed ook. De familie is katholiek. De oude heer zou ertegen zijn.'

'Ik weet het.' Harald trok zijn wenkbrauwen op. 'Maar hij is wel vreemd. Met Pasen preekte hij over verdraagzaamheid.'

'Hij is ongeveer even verdraagzaam als Attila de Hun.' Arne gooide zijn peukje weg. 'Laten we met de oude tiran gaan praten.'

'Voordat we naar binnen gaan...'

'Ja?'

'Hoe staan de zaken in het leger?'
'Moeilijk. We kunnen ons land niet verdedigen en het grootste deel van de tijd mag ik niet vliegen.'
'Hoe lang kan dit nog doorgaan?'
'Wie zal het zeggen? Misschien wel voor altijd. De nazi's hebben alles gewonnen. Er is geen tegenstand meer, afgezien dan van de Britten en die hangen aan een zijden draadje.'
Harald dempte zijn stem hoewel er niemand was om hen af te luisteren. 'Er moet in Kopenhagen toch wel iemand zijn die een verzetsbeweging begint?'
Arne haalde zijn schouders op. 'Als dat zo was en ik wist er iets van, dan zou ik het je toch niet kunnen vertellen, nietwaar?' Voordat Harald er nog iets over kon zeggen, rende Arne door de regen naar het licht dat uit de keuken scheen.

2

Hermia Mount keek vol ontzetting naar haar lunch – twee aangebrande worstjes, een kwak waterige aardappelpuree en een berg te lang gekookte kool – en verlangde terug naar een bar aan de haven van Kopenhagen waar ze drie soorten haring met salade, zure uitjes, warm brood en bier serveerden.

Ze was opgegroeid in Denemarken. Haar vader was een Britse diplomaat geweest die het grootste deel van zijn carrière had doorgebracht in Scandinavië. Hermia had gewerkt op de Britse ambassade in Kopenhagen, eerst als secretaresse, later als assistente van de marine-attaché die in feite deel uitmaakte van MI6, de geheime inlichtingendienst. Toen haar vader overleed en haar moeder terugkeerde naar Londen, bleef Hermia in Denemarken, deels vanwege haar baan, maar voornamelijk omdat ze was verloofd met een Deense piloot, Arne Olufsen.

Toen viel Hitler op 9 april 1940 Denemarken binnen. Vier bange dagen later waren Hermia en een groep Britse ambtenaren vertrokken in een speciale diplomatieke trein die hen door Duitsland naar de Nederlandse grens bracht, waarna ze door het neutrale Nederland verder reisden naar Londen.

Hermia was inmiddels dertig en had als inlichtingenanaliste de leiding over de afdeling Denemarken van MI6. Samen met het grootste deel van de dienst was ze uit het Londense hoofdkwartier op Broadway 54 in de buurt van Buckingham Palace geëvacueerd naar Bletchley Park, een groot landhuis aan de rand van een dorp tachtig kilometer ten noorden van de hoofdstad.

Een nissenhut die haastig op het terrein was neergezet, deed dienst als kantine. Hermia was blij dat ze was ontkomen aan de Blitz, maar ze wenste dat ze op een of andere miraculeuze wijze ook een van de charmante Italiaanse of Franse restaurantjes uit Londen hadden kunnen evacueren, want dan had ze tenminste iets te eten gehad. Ze schoof met haar vork wat puree in haar mond en dwong zichzelf te slikken.

Om haar gedachten af te leiden van het eten legde ze de *Daily Express* naast haar bord. De Britten hadden net het eiland Kreta in de Middellandse Zee moeten opgeven. De *Express* probeerde er nog iets heldhaftigs van te maken door te beweren dat Hitler in de strijd achttienduizend man had verloren, maar de deprimerende waarheid was dat de nazi's de ene overwinning na de andere behaalden.

Toen ze opkeek, zag ze een kleine man van ongeveer haar leeftijd met een kop thee naar haar toe komen. Zijn kordate houding kon niet verhullen dat hij mank liep. 'Mag ik bij je komen zitten?' vroeg hij vrolijk en ging zonder op antwoord te wachten tegenover haar zitten. 'Ik ben Digby Hoare. Ik weet wie jij bent.'

Ze trok een wenkbrauw op. 'Doe of je thuis bent.'

Hij leek de ironische ondertoon in haar stem niet te horen. 'Dank je,' zei hij eenvoudig.

Ze had hem een paar keer eerder gezien. Hij maakte ondanks zijn mankheid een energieke indruk. Hij was geen filmster met zijn weerbarstige donkere haar, maar hij had vriendelijke blauwe ogen en zijn gelaatstrekken waren prettig stoer als die van Humphrey Bogart. 'Op welke afdeling zit jij?' vroeg ze hem.

'Ik werk eigenlijk in Londen.'

Dat was geen antwoord op haar vraag, merkte ze. Ze duwde haar bord opzij.

'Vind je het eten niet lekker?' vroeg hij.

'Jij wel?'

'Ik zal je wat vertellen. Ik heb een paar piloten ondervraagd die boven Frankrijk waren neergeschoten en weer thuis zijn gekomen. Wij denken dat wij het krap hebben, maar we kennen de betekenis van het woord niet eens. De Fransozen lijden echt honger. Na het horen van die verhalen smaakt alles me goed.'

'Schaarste is geen excuus voor onsmakelijk koken,' zei Hermia fel.

Hij grinnikte. 'Ze vertelden me al dat jij nogal opvliegend bent.'

'Wat hebben ze je nog meer verteld?'

'Dat je vloeiend Engels en Deens spreekt – en ik neem aan dat je om die reden aan het hoofd staat van de afdeling Denemarken.'

'Nee. De reden daarvoor is de oorlog. Vroeger kwam geen enkele vrouw bij MI6 verder dan het niveau van assistent-secretaresse. Wij hadden geen analytische geest, weet je nog? Wij waren beter geschikt voor het huishouden en de opvoeding van de kinderen. Maar sinds het uitbreken van de oorlog hebben de hersenen van vrouwen een opmerkelijke verandering ondergaan en zijn wij geschikt verklaard voor werk dat vroeger alleen door het mannelijke intellect kon worden verricht.'

Hij slikte haar sarcasme welgemoed. 'Dat is mij ook opgevallen,' zei hij. 'De wonderen zijn de wereld nog niet uit.'

'Waarom heb je navraag naar mij gedaan?'

'Twee redenen. Ten eerste, omdat je de mooiste vrouw bent die ik ooit heb gezien.' Deze keer grinnikte hij niet.

Het was hem gelukt haar te verrassen. Mannen zeiden niet zo vaak dat ze mooi was. Knap, misschien; aantrekkelijk, soms; imponerend, vaak. Haar gezicht was lang, ovaal en volmaakt regelmatig met bijna zwart haar, half geloken ogen en een neus die te groot was om haar knap te maken. Ze kon geen ad rem antwoord bedenken. 'En de andere reden?' Hij wierp een blik opzij. Aan hun tafel zaten nog twee oudere vrouwen die weliswaar druk zaten te kletsen, maar waarschijnlijk ook met een half oor naar Digby en Hermia luisterden. 'Dat zal ik je zo vertellen,' zei hij. 'Zou je met mij aan de zwier willen gaan?'

Hij had haar weer verrast. 'Wat?'

'Zou je met mij uit willen gaan?'

'Zeker niet.'

Even maakte hij een onthutste indruk. Toen keerde zijn grijns terug en zei hij: 'Verzacht de pil niet, vertel het recht voor z'n raap.'

Onwillekeurig moest ze glimlachen.

'We zouden naar de film kunnen gaan,' drong hij aan. 'Of naar de Shoulder of Mutton, de pub in Old Bletchley. Of allebei.'

Ze schudde haar hoofd. 'Nee, dank je,' zei ze resoluut.

'O.' Hij keek beteuterd.

Dacht hij dat ze hem afwees vanwege zijn handicap? Ze haastte zich om dat recht te zetten. 'Ik ben verloofd,' zei ze en toonde hem de ring aan haar linkerhand.

'Dat had ik niet gezien.'

'Dat zien mannen nooit.'

'Wie is de gelukkige?'

'Een Deense militaire piloot.'

'Nog aan de andere kant, neem ik aan?'

'Voorzover ik weet wel. Ik heb al een jaar lang niets van hem gehoord.'

De twee dames stonden op van hun tafel en Digby's manier van doen veranderde. Zijn gezicht kreeg een ernstige uitdrukking en zijn stem werd rustig maar indringend. 'Zou je hier alsjeblieft naar willen kijken.' Hij haalde een stukje papier uit zijn zak en gaf het haar.

Ze had hier in Bletchley Park meer van dat soort papiertjes gezien. Zoals verwacht was het een gedecodeerd vijandelijk radiobericht.

'Ik neem aan dat ik je niet hoef te vertellen hoe vreselijk geheim dit is,' zei Digby.

'Niet nodig.'

'Ik geloof dat je naast Deens ook Duits spreekt?'

Ze knikte. 'In Denemarken leren alle kinderen op school Duits en ook nog Engels en Latijn.' Ze bekeek de tekst een ogenblik. 'Informatie van Freya?'

'Dat stelt ons voor raadsels. Het is geen Duits woord. Ik dacht dat het in een van de Scandinavische talen misschien iets betekende.'

'In zekere zin betekent het iets,' zei ze. 'Freya is een Noorse godin – eigenlijk is ze de Venus van de vikingen, de godin van de liefde.'

'Aha!' Digby keek nadenkend. 'Dat is een begin. Het brengt ons alleen niet ver.'

'Waar gaat dit allemaal over?'

'We verliezen te veel bommenwerpers.'

Hermia fronste haar wenkbrauwen. 'Ik heb in de kranten over de laatste grote raid gelezen. Ze zeiden dat het een groot succes was.'

Digby keek haar alleen maar aan.

'O, ik begrijp het al,' zei ze. 'Jullie vertellen de kranten niet de hele waarheid.'

Hij bleef zwijgen.

'Feitelijk is mijn hele indruk van de bombardementscampagne zuivere propaganda,' probeerde ze verder. 'In werkelijkheid is het een complete ramp.' Tot haar ontzetting sprak hij haar nog steeds niet tegen.

'Hoeveel toestellen hebben we in hemelsnaam verloren?'

'Vijftig procent.'

'Lieve hemel.' Hermia draaide haar hoofd weg. Sommige van die piloten waren verloofd, dacht ze. 'Maar als dit zo doorgaat…'

'Precies.'

Ze keek weer naar het ontcijferde bericht. 'Is Freya een spion?'

'Ik heb de opdracht gekregen dat uit te zoeken.'

'Wat kan ik doen?'

'Vertel me meer over de godin.'

Hermia groef in haar geheugen. Op school had ze de Noorse mythen geleerd, maar dat was een hele tijd geleden. 'Freya heeft een gouden collier dat erg kostbaar is. Het was een geschenk van vier dwergen. Het wordt bewaakt door de schildwacht van de goden… ik geloof dat hij Heimdal heet.'

'Een schildwacht. Dat klinkt logisch.'

'Freya zou een spionne kunnen zijn die op voorhand toegang heeft tot informatie over bombardementsvluchten.'

'Ze zou ook een apparaat kunnen zijn dat naderende vliegtuigen ontdekt, voordat die in het zicht komen.'

'Ik heb gehoord dat wij van die apparaten hebben, maar ik heb er geen idee van hoe ze werken.'

'Drie mogelijke manieren: infrarood, lidar en radar. Infrarode detectors zouden de stralen opvangen die worden uitgezonden door een hete vliegtuigmotor of de uitlaat. Lidar is een systeem van optische pulsen die worden uitgezonden door het detectieapparaat en reflecteren tegen het vliegtuig. Radar doet hetzelfde met radiopulsen.'

'Er is me net iets anders ingevallen. Heimdal kan overdag of 's nachts honderden kilometers ver kijken.'

'Dat klinkt meer als een apparaat.'

'Dacht ik ook.'

Digby dronk zijn kop thee leeg en stond op. 'Als je nog meer ideeën hebt, wil je me die dan laten weten?'

'Natuurlijk. Waar kan ik je vinden?'

'Downing Street nummer tien.'

'O!' Ze was onder de indruk.

'Tot ziens.'

'Tot ziens,' zei ze en keek hem na.

Ze bleef enkele ogenblikken zitten. In meer dan één opzicht was het een belangwekkend gesprek geweest. Digby Hoare was een machtig man. De eerste minister moest zich dus ook zorgen maken over het verlies van bommenwerpers. Was het gebruik van de codenaam Freya zuiver toeval of hield die verband met Scandinavië?

Ze had het leuk gevonden dat Digby haar mee uit vroeg. Hoewel ze geen belangstelling had voor een andere man, was het prettig om gevraagd te worden.

Na een poosje begon de aanblik van haar nauwelijks aangeroerde lunch haar neerslachtig te maken. Ze droeg haar dienblad naar de afwastafel en schraapte haar bord leeg boven de vuilnisbak. Vervolgens liep ze naar het damestoilet.

Ze zat op het toilet toen ze een groepje jonge vrouwen druk kletsend hoorde binnenkomen. Ze wilde net naar buiten gaan, toen een van hen zei: 'Die Digby Hoare verspilt geen tijd – over een snelle werker gesproken.'

Hermia bleef stokstijf staan met haar hand op de deurknop.

'Ik zag hem op miss Mount afstevenen,' zei een oudere stem. 'Hij zal wel van tieten houden.'

De anderen giechelden. Hermia trok haar wenkbrauwen op bij het horen van de verwijzing naar haar weelderige figuur.

'Ik denk trouwens dat ze hem heeft afgepoeierd,' zei het eerste meisje.

'Zou jij dat dan ook niet doen? Een man met een houten been, ik moet er niet aan denken.'

Een derde meisje met een Schots accent mengde zich in het gesprek. 'Ik vraag me af of hij het afdoet als hij een wip met je maakt,' zei ze, waarop ze allemaal begonnen te lachen.

Hermia had genoeg gehoord. Ze opende de deur, stapte naar buiten en zei: 'Als ik erachter kom, zal ik het jullie laten weten.'

De drie meisjes zwegen geschrokken en Hermia was verdwenen voordat ze de tijd kregen om zich te herstellen.

Ze liep het houten gebouw uit. Het uitgestrekte groene gazon met de ceders en de zwanenvijver was lelijk geworden door de hutten die haastig waren opgetrokken om de honderden mensen uit Londen onderdak te verschaffen. Ze vervolgde haar weg door het park naar het huis, een sierlijk Victoriaans herenhuis van rode baksteen.

Ze liep door het statige portaal naar haar kantoor in de oude personeelsvleugel, een L-vormig kamertje dat vroeger waarschijnlijk de laarzenkamer was geweest. Er was één raam dat te hoog in de muur zat om naar buiten te kunnen kijken, dus werkte ze de hele dag bij kunstlicht. Er stond een telefoon op haar bureau en een typemachine op een bijzettafel. Haar voorganger had een secretaresse gehad, maar van vrouwen werd verwacht dat ze hun eigen typewerk deden. Op haar bureau vond ze een pakketje uit Kopenhagen.

Nadat Hitler Polen was binnengevallen, had ze in Denemarken de basis gelegd van een klein spionagenetwerk. De leider ervan was Poul Kirke, de vriend van haar verloofde. Hij had een groep van jongemannen samengesteld die dachten dat hun kleine land onder de voet zou worden gelopen door de grotere buur en dat samenwerken met de Britten de enige manier was om te vechten voor hun vrijheid. Poul had verklaard dat zijn mannen, die zich de Nachtwakers noemden, geen sabotages of moorden zouden plegen, maar dat ze wel militaire informatie zouden doorspelen aan de Britse inlichtingendienst. Deze prestatie van Hermia – uniek voor een vrouw – had haar de promotie tot hoofd van de afdeling Denemarken bezorgd.

Het pakketje bevatte enkele vruchten van haar vooruitziende blik. Er was een stapel rapporten, al voor haar gedecodeerd door de afdeling Coderingen, over de Duitse militaire aanwezigheid in Denemarken: legerbases op het hoofdeiland Funen; bewegingen van de marine in het Kattegat, de zeestraat die de scheiding vormde tussen Denemarken en Zweden; en de namen van hoge Duitse officieren in Kopenhagen.

In het pakje zat ook een exemplaar van een ondergrondse krant die *Waarheid* heette. De ondergrondse pers was in Denemarken tot dusver het enige teken van verzet tegen de nazi's. Ze bladerde de krant door en las een verontwaardigd artikel waarin werd beweerd dat het tekort aan boter kwam doordat alles naar Duitsland werd verscheept.

Het pakketje was Denemarken uit gesmokkeld naar een verbindingsman in Zweden die het had overgedragen aan de man van MI6 op het Britse gezantschap in Stockholm. In het pakket zat ook een briefje van de verbindingsman die schreef dat hij een exemplaar van *Waarheid* aan het nieuwsagentschap van Reuters in Stockholm had doorgegeven. Hermia las het fronsend. Op het eerste oog leek het een goed idee om nieuws over de omstandigheden onder de bezetting te publiceren, maar het stond haar niet aan dat agenten spionage mengden met ander werk. Verzetswerk kon de aandacht van de overheid op een spion vestigen, terwijl die anders misschien jarenlang onopgemerkt kon werken.

De gedachte aan de Nachtwakers herinnerde haar pijnlijk aan haar verloofde. Arne maakte geen deel uit van de groep. Zijn karakter maakte hem ongeschikt. Ze hield van hem vanwege zijn zorgeloze *joie de vivre*. Hij zorgde ervoor dat ze met name in bed ontspande. Maar een zorgeloos type dat absoluut geen oog had voor alledaagse details, was niet geschikt voor ondergronds werk. Als ze heel eerlijk was, moest ze zichzelf toegeven dat ze niet wist of hij er wel de moed voor bezat. Hij was een waaghals op de skipistes – ze hadden elkaar ontmoet op een piste in Noorwegen waar Arne de enige skiër was geweest die beter met de latten overweg kon dan Hermia – maar ze wist niet zeker hoe hij zou reageren op de subtielere angsten die gepaard gingen met geheime operaties.

Ze had overwogen om te proberen hem een boodschap te sturen via de Nachtwakers. Poul Kirke werkte op de luchtvaartschool en als Arne daar ook nog instructeur was, moesten ze elkaar dagelijks zien. Het zou schandalig onprofessioneel zijn geweest om het spionagenetwerk te gebruiken als persoonlijke boodschappendienst, maar dat had haar niet weerhouden. Natuurlijk zou het ontdekt worden, want haar boodschappen moesten worden gecodeerd, maar zelfs dat had haar niet afgeschrokken. Wat haar had tegengehouden, was het gevaar dat Arne zou lopen. Geheime boodschappen konden in handen van de vijand vallen. De codes die MI6 gebruikte, waren niet erg ingewikkeld en gebaseerd op gedichten, overblijfselen uit vredestijd, die gemakkelijk konden worden gebroken. Als de naam van Arne voorkwam in een boodschap van de Britse inlichtingendienst aan Deense spionnen, zou waarschijnlijk zijn leven in gevaar komen. Een verzoek om informatie van Hermia kon zijn doodvonnis worden. Dus zat ze in haar kamer en werd ze inwendig verteerd door bezorgdheid.

Ze stelde een boodschap op voor de Zweedse verbindingsman, waarin ze hem meedeelde zich niet te mengen in de propagandaoorlog en zich te beperken tot zijn werk als koerier. Toen typte ze voor haar baas een rapport dat alle militaire inlichtingen uit het pakket bevatte en maakte tegelijk doorslagen voor de andere afdelingen.

Om vier uur vertrok ze. Er lag nog meer werk en vanavond zou ze een paar uur terugkomen, maar nu had ze een afspraak met haar moeder. Margaret Mount woonde in een huisje in Chelsea. Nadat Hermia's vader was overleden aan kanker toen hij tegen de vijftig liep, was haar moeder gaan samenwonen met een ongetrouwde schoolvriendin die Elizabeth heette. Ze noemden elkaar Mags en Bets, hun bijnamen uit de puberteit. Vandaag waren ze samen met de trein naar Bletchley gekomen om te kijken hoe Hermia woonde.

Ze liep snel door het dorp naar de straat waar ze een kamer had gehuurd. Ze vond Mags en Bets in de zitkamer waar ze zaten te praten met haar hospita, mevrouw Bevan. Hermia's moeder droeg haar uniform van chauffeuse van een ambulance met een lange broek en een pet. Bets was een knappe vrouw van vijftig die was gekleed in een gebloemde jurk met korte mouwen. Hermia omhelsde haar moeder en gaf Bets een zoen op haar wang. Ze had met Bets nooit een echte band gekregen en Hermia vermoedde soms dat Bets jaloers was op de hechte relatie die ze met haar moeder had.

Hermia nam ze mee naar boven. Bets keek kritisch rond in het armzalige kamertje met het eenpersoonsbed, maar Hermia's moeder zei opgewekt: 'Voor oorlogstijd is dit helemaal niet zo slecht.'

'Ik breng hier niet veel tijd door,' loog Hermia, maar in feite zat ze hier lange, eenzame avonden te lezen en naar de radio te luisteren.

Ze stak de gaspit aan om thee te zetten en sneed plakken van een cake die ze voor de gelegenheid had gekocht.

Haar moeder vroeg: 'Ik neem aan dat je nog niets van Arne hebt gehoord?'

'Nee, ik heb hem geschreven via het Britse gezantschap in Stockholm en zij hebben de brief doorgestuurd, maar ik heb niets meer gehoord, dus weet ik niet of hij hem heeft gekregen.'

'Ach, liefje.'

Bets zei: 'Ik zou willen dat ik hem had ontmoet. Hoe is hij?'

Verliefd worden op Arne was het beste te vergelijken met skiën, dacht Hermia: een duwtje om op gang te komen, een plotselinge toename van de snelheid en dan, voordat je er eigenlijk klaar voor was, het opwindende gevoel dat je kreeg als je met een halsbrekende vaart de piste afraasde en niet meer in staat was om te stoppen. Maar hoe kon ze dat uitleggen? 'Hij ziet eruit als een filmster, hij is een topatleet en hij heeft de charme van een Ier, maar daar gaat het eigenlijk niet om,' zei Hermia. 'Samen met hem zijn is heel ontspannen. Wat er ook gebeurt, hij lacht erom. Ik word soms kwaad – alleen nooit op hem – en hij kijkt me glimlachend aan en zegt: "Er is niemand zoals jij, Hermia, echt niet." Lieve hemel, wat mis ik hem.' Ze onderdrukte de tranen.

Haar moeder zei bondig: 'Er zijn massa's mannen verliefd op jou geworden, maar er zijn er niet veel die jou kunnen bijhouden.' Mags' manier van praten was even onomwonden als die van Hermia. 'Je had hem moeten vastketenen toen je de kans had.'

Hermia veranderde van onderwerp en vroeg naar de Blitz. Bets zat tijdens de luchtaanvallen onder de keukentafel, maar Mags reed met haar ambulance tussen de bommen door. Hermia's moeder was altijd een formidabele vrouw geweest, misschien wat te direct en niet erg tactvol voor de vrouw van een diplomaat, maar de oorlog had haar kracht en moed aan de oppervlakte gebracht, zoals een geheime dienst die plotseling een tekort had aan mannen, Hermia in staat had gesteld om op te bloeien. 'De Luftwaffe kan dit niet blijven volhouden,' zei Mags. 'Ze hebben geen eindeloze voorraad vliegtuigen en piloten. Als onze bommenwerpers de Duitse industrie blijven bestoken, moet dat uiteindelijk effect hebben.'

'En intussen lijden onschuldige Duitse vrouwen en kinderen net zo als wij,' zei Bets.

'Ik weet het,' reageerde Mags. 'Maar zo gaat het in een oorlog.'

Hermia dacht terug aan haar gesprek met Digby Hoare. Mensen als Mags en Bets dachten dat de Britse bombardementscampagne de nazi's ondermijnde. Het was maar goed dat ze er geen vermoeden van hadden dat de helft van de bommenwerpers werd neergeschoten. Als de mensen de waarheid kenden, zouden ze de moed misschien opgeven.

Mags begon een lang verhaal te vertellen over de redding van een hond uit een brandend gebouw. Hermia luisterde met een half oor en dacht aan Digby. Als Freya een apparaat was dat de Duitsers gebruikten om hun grenzen te verdedigen, kon het heel goed in Denemarken staan. Kon ze daar op een of andere manier onderzoek naar doen? Digby had gezegd dat het apparaat een soort straling uitzond die bestond uit optische pulsen of radiogolven. Zulke uitzendingen moesten op te sporen zijn. Misschien konden haar Nachtwakers iets doen. Het idee wond haar op. Ze kon een boodschap sturen naar de Nachtwakers. Maar eerst moest ze meer informatie hebben. Ze zou er vanavond aan gaan werken, besloot ze, zodra ze Mags en Bets weer op de trein had gezet.

'Nog wat cake, moeder?' vroeg ze.

3

Jansborg Skole was driehonderd jaar oud en ging daar prat op. Oorspronkelijk had de school bestaan uit een kerk en één huis waar de jongens aten, sliepen en les kregen. Nu was het een complex van oude en nieuwe bakstenen gebouwen. De bibliotheek, ooit de beste van Denemarken, was gevestigd in een apart gebouw dat even groot was als de kerk. Er waren laboratoria, moderne studentenhuizen, een ziekenhuis en een sportzaal in een omgebouwde boerenschuur.

Harald Olufsen liep van de eetzaal naar de sportzaal. Het was twaalf uur 's middags en de jongens hadden net de lunch gehad – een boterham die ze zelf moesten beleggen met koud varkensvlees en augurken, dezelfde maaltijd die hij iedere woensdag voorgezet had gekregen in de zeven jaar dat hij hier op school zat.

Hij bedacht dat het stom was om prat te gaan op de ouderdom van het instituut. Wanneer de leraren met eerbied spraken over de geschiedenis van de school, moest hij altijd denken aan de oude vissersvrouwen van Sande die met een bedeesde glimlach zeiden: 'Ik ben al over de zeventig,' alsof het een soort prestatie was.

Toen hij langs het huis van het schoolhoofd liep, kwam diens vrouw naar buiten en glimlachte tegen hem. 'Goedemorgen, Mia,' zei hij beleefd. Het schoolhoofd werd altijd Heis genoemd, het Oud-Griekse woord voor nummer één, dus was zijn vrouw Mia, de vrouwelijke vorm van hetzelfde Griekse woord. De school was vijf jaar geleden gestopt met het onderwijzen van Grieks, maar tradities waren een lang leven beschoren.

'Nog nieuws, Harald?' vroeg ze.

Harald had zelf een radio gemaakt waarmee hij de BBC kon ontvangen. 'De Iraakse rebellen zijn verslagen,' zei hij. 'De Engelsen zijn Bagdad binnengetrokken.'

'Een Engelse overwinning,' zei ze. 'Dat is weer eens iets anders.'

Mia was een gewone vrouw met een alledaags gezicht en slap bruin haar die altijd vormeloze kleren droeg, maar ze was een van de enige twee vrouwen op de school en de jongens speculeerden voortdurend hoe ze er naakt uit zou zien. Harald vroeg zich af of er ooit een eind zou komen aan zijn obsessie met seks. Theoretisch dacht hij dat het een gewoonte en misschien wel saai moest worden, nadat je jarenlang elke nacht bij je vrouw had geslapen, maar hij kon zich dat nu nog niet voorstellen.

Normaal had de volgende les bestaan uit twee uur wiskunde, maar vandaag was er een bezoeker. Hij heette Svend Agger, was een oud-leerling van de school en vertegenwoordigde nu zijn woonplaats in de Rigsdag, het Deense parlement. De hele school was verzameld in de sportzaal, de enige ruimte die groot genoeg was om alle honderd-twintig jongens te bevatten, om hem te horen spreken. Harald had liever wiskunde gehad.

Hij kon zich niet meer precies herinneren wanneer hij school in-teressant was gaan vinden. Als kleine jongen had hij elke les be-schouwd als een uiterst vervelende onderbreking van belangrijke zaken als het afdammen van beekjes en het bouwen van boomhut-ten. Rond zijn veertiende was hij bijna zonder het te merken natuur-en scheikunde spannender gaan vinden dan in de bossen spelen. Opgetogen had hij ontdekt dat de kwantummechanica was ontwik-keld door Niels Bohr, een Deense wetenschapper. Bohrs interpreta-tie van het periodiek systeem van de elementen, waarbij chemische reacties werden verklaard uit de atoomstructuur van de betrokken elementen, kwam op Harald over als een goddelijke inspiratie, een fundamentele en bijzonder bevredigende weergave van de bouw-stenen van het heelal. Bohr was zijn idool op de manier waarop an-dere jongens Kaj Hansen – 'Kleine Kaj' – aanbaden, de voetbalheld die midvoor speelde bij B93 København. Harald had zich aangemeld voor de studie natuurkunde aan de universiteit van Kopenhagen, waar Bohr aan het hoofd stond van het Instituut voor theoretische fysica.

Opleidingen kosten geld. Gelukkig had Haralds grootvader voor zijn kleinzonen gezorgd, toen hij besefte dat zijn zoon een beroep had ge-kozen dat hem zijn hele leven arm zou houden. Zijn erfenis had er-voor gezorgd dat Arne en Harald de Jansborg Skole konden bezoe-ken. En daaruit zou ook Haralds studie aan de universiteit worden bekostigd.

Hij betrad de sportzaal. De jongere jongens hadden banken opgesteld in keurige rijen. Harald ging achterin zitten naast Josef Duchwitz. Josef was erg klein en zijn achternaam klonk als het Engelse woord 'duck' dus was zijn bijnaam Anaticula geworden, het Latijnse woord voor eendje. In de loop der jaren was dat afgekort tot Tik. De twee jongens hadden een totaal verschillende achtergrond – Tik kwam uit een rijke joodse familie – maar toch waren ze de hele schooltijd boe-zemvrienden geweest.

Enkele ogenblikken later kwam Mads Kirke naast Harald zitten. Mads zat in dezelfde klas. Hij kwam uit een voorname militaire familie: zijn grootvader was generaal geweest en zijn inmiddels overleden vader was in de jaren dertig minister van defensie geweest. Zijn neef Poul was net als Arne piloot op de luchtvaartschool.

De drie vrienden studeerden natuurkunde. Meestal trokken ze samen op en komisch genoeg leken ze totaal niet op elkaar – Harald lang en blond, Tik klein en donker, Mads sproetig en roodharig – dus toen een geestige Engelse leraar ze had aangeduid als de Three Stooges, was die bijnaam blijven hangen.

Heis, het schoolhoofd, kwam binnen met de bezoeker en de jongens stonden beleefd op. Heis was lang en mager met een bril die op de brug van een haakneus rustte. Hij had tien jaar in het leger gediend, maar het was heel duidelijk waarom hij was overgestapt op lesgeven. Hij was een zachtaardige man die zich leek te verontschuldigen dat de autoriteit bij hem berustte. Hij was veeleer geliefd dan gevreesd. De jongens luisterden naar hem, omdat ze zijn gevoelens niet wilden kwetsen.

Toen ze weer waren gaan zitten, introduceerde Heis het parlementslid, een kleine man die zo weinig indruk maakte dat iedereen gedacht zou hebben dat hij de schoolmeester was en Heis de geëerde gast. Agger begon over de Duitse bezetting te praten.

Harald herinnerde zich de dag, veertien maanden geleden, waarop het was begonnen. Hij was midden in de nacht wakker geworden van het gebulder van laag overkomende vliegtuigen. De Three Stooges waren naar het dak van het studentenhuis geklommen om te kijken, maar nadat er een dozijn vliegtuigen was overgekomen, gebeurde er niets meer, dus waren ze weer naar bed gegaan.

Pas de volgende ochtend had hij meer gehoord. Hij had zijn tanden staan poetsen in de gemeenschappelijke badkamer, toen een leraar naar binnen was komen rennen. 'De Duitsers zijn geland!' had hij geroepen. Na het ontbijt, toen de jongens zich om acht uur in de sportzaal hadden verzameld voor het ochtendgezang en mededelingen, had het schoolhoofd hun het nieuws verteld. 'Ga naar jullie kamer en vernietig alles wat kan duiden op verzet tegen de nazi's of waardering voor de Engelsen,' had hij gezegd. Harald had zijn favoriete poster van de muur gehaald, een foto van een Tiger Moth tweedekker met de kentekens van de RAF op de vleugels.

Later die dag – een dinsdag – hadden de oudere jongens de opdracht gekregen zandzakken te vullen en die naar de kerk te sjouwen om de onschatbare antieke beeldhouwwerken en stenen doodskisten te beschermen. Achter het altaar lag het graf van de stichter van de school, versierd met zijn stenen evenbeeld in een middeleeuwse wapenrusting met een sterk in het oog lopende broekklep. Harald had de lachers op zijn hand gekregen door een zandzak recht op de bult te zetten. Heis had de grap niet op prijs gesteld en Harald had voor straf de hele middag schilderijen naar de crypte mogen dragen waar ze veilig lagen.

Alle voorzorgen waren overbodig geweest. De school lag in een dorp

41

buiten Kopenhagen en het duurde een jaar voordat ze de eerste Duitsers zagen. Van bombardementen of zelfs geschutsvuur was nooit sprake geweest.

Denemarken had zich binnen vierentwintig uur overgegeven. 'De daarop volgende gebeurtenissen hebben de wijsheid van die beslissing aangetoond,' zei de spreker op een ergerlijk zelfvoldane toon, die werd gevolgd door een afwijzend geroezemoes toen de jongens ongemakkelijk op hun plaats heen en weer schoven en opmerkingen fluisterden.

'Onze koning zit nog steeds op de troon,' ging Agger verder. Naast Harald, gromde Mads vol afkeer. Harald deelde de ergernis van Mads. Koning Christian X maakte bijna dagelijks een rit te paard door de straten van Kopenhagen om zich aan het volk te laten zien, maar het leek een nietszeggend gebaar.

'De Duitse aanwezigheid is over het geheel genomen welwillend geweest,' vervolgde de spreker. 'Denemarken heeft bewezen dat een gedeeltelijk verlies van onafhankelijkheid als gevolg van de eisen die de oorlog stelt, niet noodzakelijk hoeft te leiden tot overmatige ontberingen en conflicten. De les die jongens zoals jullie hieruit kunnen trekken, is dat onderwerping en gehoorzaamheid misschien wel eervoller kunnen zijn dan onbezonnen opstandigheid.' Hij ging zitten.

Heis klapte beleefd en de jongens deden hetzelfde, maar zonder enthousiasme. Als het schoolhoofd de stemming van het gehoor beter had aangevoeld, had hij de bijeenkomst op dat moment beëindigd. In plaats daarvan glimlachte hij en zei: 'Goed, jongens, wil iemand onze gast wat vragen?'

Mads schoot overeind. 'Meneer, Noorwegen werd op dezelfde dag binnengevallen als Denemarken, maar de Noren vochten twee maanden. Maakt dat van ons geen lafaards?' Zijn toon was angstvallig beleefd, maar de vraag was uitdagend en de jongens mompelden instemmend.

'Een naïef standpunt,' zei Agger. Zijn laatdunkende toon maakte Harald kwaad.

Heis kwam tussenbeide. 'Noorwegen is een land van bergen en fjorden en dus moeilijk te veroveren,' zei hij met zijn militaire ervaring. 'Denemarken is een vlak land met een goed wegennet – onmogelijk te verdedigen tegen een groot gemotoriseerd leger.'

Agger viel hem bij: 'In zo'n situatie de strijd aangaan zou tot nodeloos bloedvergieten hebben geleid en het resultaat zou uiteindelijk niet anders zijn geweest.'

Mads zei bot: 'Behalve dat we met opgeheven hoofd hadden kunnen lopen. In plaats daarvan moeten we het nu beschaamd buigen.' Het klonk Harald in de oren als iets dat hij waarschijnlijk thuis van zijn militaire familieleden had gehoord.

Agger bloosde. 'Voorzichtigheid is de moeder van alle wijsheid, schreef Shakespeare al.'

'In feite, meneer,' reageerde Mads, 'werd dat gezegd door Falstaff, de bekendste lafaard uit de wereldliteratuur.' De jongens lachten en klapten.

'Best, Kirke,' zei Heis vriendelijk. 'Ik weet dat je dit erg aan het hart gaat, maar het hoeft niet onbeleefd te worden.' Hij keek door de zaal en wees een van de jongere jongens aan. 'Ja, Borr.'

'Meneer, denkt u niet dat de filosofie van Herr Hitler over nationale trots en raszuiverheid ook gunstig voor Denemarken zou kunnen zijn als dat hier werd ingevoerd?' Woldemar Borr was de zoon van een vooraanstaande Deense nazi.

'Elementen ervan, misschien,' zei Agger. 'Maar Duitsland en Denemarken zijn verschillende landen.' Dat was een overduidelijke uitvlucht, dacht Harald nijdig. Kon de man de moed niet opbrengen om te zeggen dat vervolging op grond van ras verkeerd was?

Heis zei op klagende toon: 'Wil geen enkele jongen meneer Agger iets vragen over zijn dagelijkse werk als lid van de Rigsdag?'

Tik stond op. Aggers zelfvoldane toon had hem ook geërgerd. 'Voelt u zich geen marionet?' vroeg hij. 'Tenslotte zijn het de Duitsers die de lakens uitdelen. U doet maar alsof.'

'Ons land wordt nog altijd geregeerd door ons Deense parlement,' antwoordde Agger.

Tik mompelde: 'Ja, dus hou jij je baantje.' De jongens in de buurt hoorden het en moesten lachen.

'Ook de politieke partijen bestaan nog steeds – zelfs de communisten,' ging Agger verder. 'We hebben onze eigen politie en onze strijdkrachten.'

'Maar op het moment dat de Rigsdag iets doet waar de Duitsers het niet mee eens zijn, zal die worden ontbonden en zullen politie en leger worden ontwapend,' bracht Tik naar voren. 'Dus u speelt mee in een klucht.'

Heis begon geïrriteerd te kijken. 'Let alsjeblieft op je manieren, Duchwitz,' zei hij gemelijk.

'Dat maakt niet uit, Heis,' zei Agger. 'Ik hou wel van een levendige discussie. Als Duchwitz denkt dat ons parlement nutteloos is, dan zou hij onze omstandigheden moeten vergelijken met wat er in Frankrijk gebeurt. Vanwege onze politiek van samenwerking met de Duitsers is het leven voor het Deense volk heel wat beter dan het anders zou zijn geweest.'

Harald had genoeg gehoord. Hij stond op en sprak zonder op toestemming van Heis te wachten. 'En stel dat de nazi's Duchwitz komen halen?' zei hij. 'Adviseert u dan ook om vriendschappelijk met ze samen te werken?'

'Waarom zouden ze Duchwitz komen halen?'

'Dezelfde reden waarom ze mijn oom in Hamburg hebben opgepakt – omdat hij jood is.'

Een paar jongens keken nieuwsgierig achterom. Ze hadden waarschijnlijk niet beseft dat Tik een jood was. De familie Duchwitz was niet religieus en Tik woonde net als iedereen de diensten in de oude bakstenen kerk bij.

Agger toonde voor het eerst irritatie. 'De bezettingsmacht heeft de Deense joden geen strobreed in de weg gelegd.'

'Tot dusver niet,' voerde Harald aan. 'Maar stel dat ze van gedachten veranderen? Stel dat ze besluiten dat Tik even joods is als mijn oom Joachim? Wat adviseert u ons dan? Moeten wij aan de kant blijven toekijken, terwijl zij naar binnen marcheren en hem oppakken? Of moeten we nu een verzetsbeweging organiseren om op die dag voorbereid te zijn?'

'Het beste is om ervoor te zorgen dat je nooit geconfronteerd zult worden met zo'n beslissing door de politiek van samenwerking met de bezettingsmacht te steunen.'

De gladde manier waarop de vraag werd omzeild, maakte Harald razend. 'Maar stel dat het niet werkt?' hield hij vol. 'Waarom geeft u geen antwoord op mijn vraag? Wat moeten we doen als de nazi's onze vrienden komen halen?'

Heis kwam tussenbeide: 'Je stelt een zogenaamd hypothetische vraag, Olufsen,' zei hij. 'Mannen in een openbaar ambt pakken de koe liever direct bij de horens.'

'De vraag is hoever zijn politiek van samenwerking moet gaan,' zei Harald verhit. 'En er zal geen tijd voor discussie zijn wanneer ze midden in de nacht op uw deur bonzen, Heis.'

Even leek Heis Harald een standje te willen geven voor zijn lompheid, maar uiteindelijk reageerde hij vriendelijk. 'Je hebt een belangwekkend punt aangeroerd en meneer Agger heeft er zeer diepgaand op geantwoord,' zei hij. 'Goed, ik denk dat we een prima discussie hebben gevoerd en dat het tijd wordt om terug te keren naar onze lessen. Maar laten we eerst onze gast nog bedanken voor de tijd die hij heeft vrijgemaakt om ons te bezoeken.' Hij bracht zijn handen omhoog voor een applaus.

Harald hield hem tegen. 'Laat hem de vraag beantwoorden!' riep hij. 'Moeten wij een verzetsbeweging hebben of laten we de nazi's alles doen wat ze willen? In hemelsnaam, lessen kunnen toch nooit belangrijker zijn dan dit?'

Het werd stil in de zaal. Discussiëren met de leraren was tot op zekere hoogte toegestaan, maar Harald had de grens overschreden.

'Ik denk dat je ons beter kunt verlaten,' zei Heis. 'Naar buiten jij en ik spreek je later nog wel.'

Het maakte Harald woedend. Ziedend van frustratie stond hij op. Het bleef stil in de zaal toen de jongens hem naar de deur zagen lopen. Hij wist dat hij rustig moest vertrekken, maar hij kon het niet. Bij de deur draaide hij zich om en richtte een beschuldigende vinger op Heis. 'U zult de Gestapo niet weg kunnen sturen!' zei hij.

Toen stapte hij naar buiten en sloeg de deur achter zich dicht.

4

De wekker van Peter Flemming liep om halfzes 's ochtends af. Hij
zette hem af, deed het licht aan en ging rechtop in bed zitten. Inge lag
met open ogen, even wezenloos als een lijk, naar het plafond te staren. Hij keek even naar haar en stond toen op.

Hij liep de kleine keuken van hun appartement in Kopenhagen in en
zette de radio aan. Een Deense verslaggever las een sentimentele verklaring voor van de Duitsers over de dood van admiraal Lutjens, die
tien dagen geleden met de *Bismarck* ten onder was gegaan. Peter
zette een pannetje met havermout op het fornuis en legde een dienblad klaar. Hij smeerde een snee roggebrood en zette surrogaatkoffie.
Hij voelde zich optimistisch en even later herinnerde hij zich waarom.
Gisteren was er een doorbraak geweest in de zaak waaraan hij werkte.
Hij was inspecteur bij de Veiligheidsafdeling, een onderdeel van de afdeling recherche van de politie van Kopenhagen die tot taak had vakbondsleiders, communisten, vreemdelingen en andere mogelijke onruststokers in het oog te houden. Zijn chef, het hoofd van de afdeling,
was hoofdinspecteur Frederik Juel, een intelligente maar luie man.
Juel, een oud-leerling van de befaamde Jansborg Skole, was dol op het
Latijnse spreekwoord *quieta non movere*, je moet geen slapende
honden wakker maken. Hij stamde af van een held uit de Deense ma-
ritieme geschiedenis, maar na zoveel generaties was er bij hem niets
meer van agressie over.

In de afgelopen veertien maanden was hun werk sterk toegenomen,
omdat tegenstanders van de Duitse overheersing waren toegevoegd
aan de lijst van mensen die de afdeling in het oog moest houden.

Tot dusver was het enige uiterlijke blijk van verzet het verschijnen
van ondergrondse kranten als de *Waarheid* geweest, die de jongen
van Olufsen had laten vallen. Juel dacht dat de illegale kranten onschuldig waren en misschien wel goed als een soort uitlaatklep. Hij
wilde de uitgevers dus niet vervolgen. Deze houding schoot bij Peter
in het verkeerde keelgat. Criminelen laten lopen, zodat ze door konden gaan met hun overtredingen, vond hij krankzinnig.

De Duitsers waren niet echt blij met Juels lakse houding, maar tot
dusver hadden ze niet aangestuurd op een confrontatie. Juels liaison
met de bezettingsmacht was generaal Walter Braun, een beroepssoldaat die bij de gevechten in Frankrijk een long had verloren. Het doel
van Braun was om Denemarken tot elke prijs rustig te houden. Hij
zou Juel tot niets dwingen, tenzij hij niet anders kon.

Kort geleden had Peter ontdekt dat exemplaren van de *Waarheid* naar Zweden werden gesmokkeld. Tot nu toe was hij verplicht geweest om volgens de regel van zijn chef niets te doen, maar hij hoopte dat Juels zelfgenoegzaamheid een flinke knauw zou krijgen van het nieuws dat de kranten het land uit gingen. Gisteravond had een Zweedse rechercheur die een persoonlijke vriend van Peter was, gebeld om mee te delen dat de krant volgens hem werd vervoerd met een Lufthansa-vlucht van Berlijn naar Stockholm die een tussenlanding maakte in Kopenhagen. Dat was de doorbraak waardoor Peter zich zo opgetogen voelde toen hij wakker werd. Hij had de overwinning misschien voor het grijpen.

Toen de havermout klaar was, deed hij er melk en suiker bij en bracht het dienblad toen naar de slaapkamer.

Hij hielp Inge overeind tot een zittende positie. Hij proefde de havermout om zich ervan te vergewissen dat die niet te heet was en begon haar toen met een lepel te voeren.

Een jaar geleden, vlak voordat de benzine op de bon ging, waren Peter en Inge op weg geweest naar het strand, toen een jongeman in een nieuwe sportauto frontaal op hun auto was gebotst. Peter had allebei zijn benen gebroken en was snel weer hersteld. Inge had haar schedel gebroken en zou nooit meer de oude worden.

De andere chauffeur, Finn Jonk, de zoon van een bekende professor aan de universiteit, was uit de auto geslingerd en ongedeerd in een struik terechtgekomen.

Hij had geen rijbewijs – dat was hem door de rechter ontnomen na een eerder ongeluk – en hij had gedronken. Maar de familie Jonk had een van de beste advocaten aangetrokken. Die was erin geslaagd het proces een jaar lang te vertragen, waardoor Finn nog steeds niet was gestraft voor het verwoesten van Inges geest. De persoonlijke tragedie van Inge en Peter was ook een voorbeeld van de schandelijke manier waarop misdaden in de moderne maatschappij ongestraft bleven. Wat je ook van de nazi's kon zeggen, ze traden streng op tegen misdadigers.

Toen Inge haar ontbijt op had, bracht Peter haar naar het toilet en waste haar vervolgens. Ze was altijd uiterst netjes en schoon geweest. Het was een van de redenen waarom hij van haar hield. Ze was vooral schoon als het om seks ging en waste zich achteraf altijd zorgvuldig – iets wat hij op prijs stelde. Niet alle meisjes waren zo. Hij had wel eens geslapen met een vrouw, een nachtclubzangeres die hij tijdens een politie-inval had ontmoet en met wie hij een korte verhouding had gehad, die er bezwaar tegen had als hij zich na de seks waste, omdat ze het niet romantisch vond.

Inge toonde geen reactie toen hij haar in bad deed. Hij had geleerd even onaangedaan te blijven, ook wanneer hij haar intiemste lichaamsdelen beroerde. Hij droogde haar zachte huid met een grote hand-doek en kleedde haar toen aan. Het moeilijkste was het aantrekken van haar kousen. Eerst rolde hij de kous op, zodat alleen de teen er nog uitstak. Dan schoof hij die over haar voet en rolde de kous over haar kuit en knie om hem ten slotte vast te maken aan de jarretelle-gordel. Toen hij hiermee was begonnen, had hij telkens ladders in de kousen getrokken, maar hij was een vasthoudend man en hij kon erg geduldig zijn als hij per se iets wilde bereiken. Inmiddels was hij er een expert in.

Hij hielp haar in een vrolijke jurk van gele katoen en deed haar een gouden horloge en een armband om. Ze kon geen klok meer kijken, maar soms dacht hij een vage glimlach te ontwaren als ze de juwelen om haar polsen zag glimmen.

Nadat hij haar haren had geborsteld, keken ze samen naar haar beeld in de spiegel. Ze was een knappe blondine met een bleke teint en voor het ongeluk had ze flirtend geglimlacht en koket met haar wim-pers geknipperd. Nu vertoonde haar gezicht geen enkele uitdrukking.

Toen ze met Pinksteren een bezoek hadden gebracht aan Sande had Peters vader geprobeerd hem over te halen om Inge in een particu-lier verpleeghuis onder te brengen. Peter kon het niet betalen, maar Axel wilde het graag voor hem doen. Hij had gezegd dat hij wilde dat Peter vrij was, maar in werkelijkheid wilde hij heel graag een klein-zoon hebben die zijn naam droeg. Peter zag het echter als zijn plicht om voor zijn vrouw te zorgen. Wat hem betreft was er voor een man niets belangrijker dan zijn plicht. Als hij op dat punt verzaakte, zou hij zijn zelfrespect verliezen.

Samen met Inge ging hij naar de woonkamer en zette haar bij het raam. Hij liet de radio zachte muziek spelen en keerde toen terug naar de badkamer.

Het gezicht in de scheerspiegel was regelmatig en goed geproportio-neerd. Inge had altijd gezegd dat hij eruitzag als een filmster. Na het ongeluk had hij een paar grijze haren ontdekt tussen zijn rossige stoppels en er waren rimpels van vermoeidheid verschenen rond zijn geelbruine ogen. Maar er sprak trots uit de houding van zijn hoofd en de onwrikbaar rechte lijn van zijn lippen.

Toen hij zich had geschoren, knoopte hij zijn das en gespte zijn schouderholster om met het standaard Walther 7.65 mm pistool, de kleinere 'PPK'-uitvoering met zeven patronen dat was ontworpen als onopvallend wapen voor rechercheurs. Vervolgens at hij staande in de keuken drie sneetjes droog brood omdat hij Inge de schaarse boter gunde.

De verpleegster moest er om acht uur zijn.

Tussen acht uur en vijf over acht veranderde de stemming van Peter. Hij begon door de kleine gang van het appartement te ijsberen. Hij stak een sigaret op en drukte die ongeduldig weer uit. Om de paar tellen keek hij op zijn horloge.

Tussen vijf en tien over acht begon hij kwaad te worden. Moest hij al niet genoeg doen? Hij combineerde de zorg voor zijn hulpeloze vrouw met een veeleisende en zeer verantwoordelijke baan als rechercheur bij de politie. De verpleegster had gewoon geen recht om hem in de steek te laten.

Toen om kwart over acht de bel ging, rukte hij de deur open en schreeuwde: 'Hoe durf je te laat te komen?'

Ze was een mollig meisje van negentien in een zorgvuldig geperst uniform. Haar haren waren keurig opgestoken onder het kapje en haar ronde gezicht was licht opgemaakt. Ze schrok van zijn woede. 'Het spijt me,' zei ze.

Hij deed een stap opzij om haar binnen te laten. Hij voelde een sterke aandrang om haar een klap te geven en kennelijk voelde ze dat, want nerveus stapte ze haastig langs hem naar binnen.

Hij volgde haar de woonkamer in. 'Je had wel tijd om je haren te doen en je op te maken,' zei hij boos.

'Ik zei dat het me speet.'

'Besef je niet dat ik een erg veeleisende baan heb? Jij hebt niets belangrijkers aan je hoofd dan met jongens door het Tivoli Park lopen – en toch kun je niet eens op tijd op je werk komen!'

Ze keek zenuwachtig naar zijn wapen in de schouderholster, alsof ze bang was dat hij haar ging neerschieten. 'De bus was te laat,' zei ze met een beverig stemmetje.

'Neem dan een bus eerder, lui kalf!'

'O!' Ze keek of ze in huilen zou uitbarsten.

Peter draaide zich om en bedwong de neiging om dat dikke gezicht een klap te geven. Als ze niet meer kwam, zou hij er erger aan toe zijn. Hij trok zijn jasje aan en liep naar de deur. 'Kom nooit meer te laat!' riep hij en liep het appartement uit.

Buiten op straat sprong hij op een tram die naar het centrum ging. Hij stak een sigaret op en nam enkele snelle trekken in een poging te kalmeren. Hij was nog steeds kwaad toen hij uitstapte voor de Politigaarden, het gedurfde moderne hoofdbureau van politie, maar de aanblik van het gebouw bracht hem tot rust. De gedrongen vorm gaf een geruststellende indruk van kracht, de verblindend witte stenen drukten zuiverheid uit en de rijen identieke ramen stonden symbool voor de orde en voorspelbaarheid van het recht. Hij liep door de donkere hal. Verborgen in het midden van het gebouw lag een grote, ronde open binnenplaats met een dubbele ring zuilen aan weerszijden van een overdekte gang als in een klooster. Peter stak de binnenplaats over naar zijn afdeling.

Hij werd begroet door agent Tilde Jespersen, een van de handvol vrouwen die bij het korps van Kopenhagen werkte. Ze was de weduwe van een politieman en even onverzettelijk en kundig als welke mannelijke agent dan ook. Peter zette haar vaak in voor surveillances, omdat een vrouw minder gauw argwaan wekte. Ze was behoorlijk aantrekkelijk met blauwe ogen, blond krullend haar en het kleine, gevulde figuur dat vrouwen te dik noemden en mannen net goed vonden. 'Bus te laat?' vroeg ze meelevend.

'Nee. De verpleegster van Inge kwam een kwartier te laat. De stomme kip zonder kop.'

'O, hemel.'

'Iets aan de hand?'

'Ik ben bang van wel. Generaal Braun zit bij Juel. Ze wilden jou zien zodra je binnen was.'

Dat was pech. Braun die op bezoek kwam op de dag dat Peter te laat was. 'Verdomde verpleegster,' mopperde hij en ging op weg naar het kantoor van Juel.

Juels kaarsrechte gestalte en doordringende blauwe ogen zouden niet hebben misstaan bij zijn naamgenoot van de marine. Als hoffelijke geste tegenover Braun sprak hij Duits. Alle Denen met een middelbare opleiding konden zich goed uitdrukken in het Duits en Engels. 'Waar bleef je, Flemming?' zei hij tegen Peter. 'We zaten te wachten.'

'Mijn verontschuldigingen,' zei Peter in dezelfde taal. Hij gaf geen verklaring voor het feit dat hij te laat was, dat was beneden zijn waardigheid.

Generaal Braun was in de veertig. Waarschijnlijk was hij ooit een knappe man geweest, maar met de explosie die hem zijn long had gekost, was ook een deel van zijn kaak verdwenen en de rechterkant van zijn gezicht was misvormd. Misschien dat hij juist vanwege zijn geschonden uiterlijk altijd een onberispelijk uniform droeg, compleet met hoge laarzen en een pistool in een holster.

Hij sprak beleefd en met een zachte stem die bijna fluisterde. 'Zou u hier een blik op willen werpen, inspecteur Flemming,' zei hij. Hij had verschillende kranten opengevouwen op het bureau gelegd om de aandacht te vestigen op een bepaald artikel. In alle kranten ging het om hetzelfde artikel, zag Peter. Het ging over het tekort aan boter in Denemarken, omdat de Duitsers alles in beslag namen. De kranten waar het om ging waren de *Toronto Globe and Mail*, de *Washington Post* en de *Los Angeles Times*. Op het bureau lag ook de *Waarheid*, de Deense ondergrondse krant, die met de slechte druk een amateuristische indruk maakte naast de legitieme publicaties, maar die wel het oorspronkelijke artikel bevatte dat de andere kranten hadden overgenomen. Het was een kleine propagandistische overwinning.

Juel zei: 'We kennen de meeste mensen die deze krantjes uitgeven.' Hij zei het op een toon van lome zelfverzekerdheid die Peter ergerde. Uit zijn manier van doen zou je kunnen opmaken dat hij het was geweest en niet zijn beroemde voorvader die de Zweedse vloot had verslagen bij de slag van de Koge Baai. 'Wij zouden ze natuurlijk allemaal op kunnen pakken. Maar ik laat ze liever hun gang gaan om ze in het oog te kunnen houden. Als ze dan iets ernstigs doen, zoals het opblazen van een brug, weten we wie we moeten arresteren.'

Peter vond dat stom. Ze zouden nu gearresteerd moeten worden om te voorkomen dat ze bruggen gingen opblazen. Maar hij had deze discussie eerder met Juel gevoerd, dus klemde hij zijn tanden op elkaar en zei niets.

'Dat zou aanvaardbaar zijn geweest,' reageerde Braun, 'wanneer hun activiteiten beperkt waren gebleven tot Denemarken. Maar dit artikel is de hele wereld over gegaan! Berlijn is woedend. En het laatste waar wij behoefte aan hebben, zijn dwangmaatregelen. Dan wordt de hele stad vergeven van die vervloekte lui van de Gestapo met hun stampende laarzen die overal ellende veroorzaken en mensen in de gevangenis smijten. God mag weten waar dat op uitdraait.'

Peter was tevreden. Het nieuws had het effect wat hij wilde. 'Ik ben hier al mee bezig,' zei hij. 'Al deze Amerikaanse kranten kregen het artikel van Reuters nieuwsagentschap uit Stockholm. Ik geloof dat de *Waarheid* naar Zweden wordt gesmokkeld.'

'Goed werk!' zei Braun.

Peter wierp even een blik op Juel die kwaad keek. En terecht. Peter was een betere rechercheur dan zijn chef en dat bleek uit dit soort voorvallen. Twee jaar geleden, toen de functie van chef van de veiligheidseenheid vacant was gekomen, had Peter ernaar gesolliciteerd, maar Juel had de baan gekregen. Peter was een paar jaar jonger dan Juel, maar had meer zaken succesvol afgesloten. Juel behoorde echter tot de hoofdstedelijke elite waarvan de leden allemaal dezelfde scholen hadden bezocht en Peter was er zeker van dat ze alles in het werk stelden om elkaar de beste baantjes toe te spelen en getalenteerde buitenstaanders buiten de deur te houden.

Nu vroeg Juel: 'Maar hoe zou een krant het land uit gesmokkeld kunnen worden? Alle pakketten worden toch nagekeken door de mensen van de censuur?'

Peter aarzelde. Hij wilde eerst een bevestiging hebben voordat hij onthulde wat hij vermoedde. De informatie uit Zweden kon ernaast zitten. Braun stond echter voor hem als een briesend paard dat op de grond stampte en ongeduldig op zijn bit beet. Dit was niet het ogenblik om voorzichtig te zijn. 'Ik heb een tip gehad. Gisteravond heb ik met een Stockholmse collega gesproken die omzichtig wat vragen heeft gesteld bij het agentschap. Hij denkt dat de krant meekomt met de Lufthansa-vlucht van Berlijn naar Stockholm die hier een tussenlanding maakt.'

Braun knikte opgetogen. 'Als we dus elke passagier fouilleren die hier in Kopenhagen aan boord van dat vliegtuig stapt, zouden we de laatste uitgave moeten vinden.'

'Ja.'

'Is er vandaag een vlucht?'

Peter werd minder enthousiast. Zo werkte het niet. Hij gaf er de voorkeur aan om informatie eerst te controleren voordat hij ingreep. Hij was wel blij met de felle houding van Braun – die vormde een aardig contrast met de luiheid en omzichtigheid van Juel. Hij kon de lawine van Brauns gretigheid hoe dan ook toch niet tegenhouden. 'Ja, over een paar uur,' zei hij zonder blijk te geven van zijn twijfel.

'Laten we dan gaan!'

Overhaast ingrijpen kon alles bederven. Peter kon Braun niet zijn gang laten gaan bij de operatie. 'Mag ik een voorstel doen, generaal?'

'Uiteraard.'

'We moeten onopvallend te werk gaan om te voorkomen dat onze boosdoener er lucht van krijgt. Laten we een team samenstellen van Deense rechercheurs en Duitse officieren, maar dat tot de laatste minuut hier op het hoofdkwartier houden. De passagiers moeten de kans krijgen zich te verzamelen voor de vlucht, voordat wij ingrijpen. Ik zal alleen naar het vliegveld Kastrup gaan om het een en ander te regelen. Wanneer de passagiers hun bagage hebben afgegeven, het vliegtuig is geland en bijgetankt en ze op het punt staan aan boord te stappen, zal het te laat zijn om nog onopgemerkt te verdwijnen – en dat is het moment waarop wij toeslaan.'

Braun glimlachte veelzeggend. 'U bent bang dat een heleboel rondmarcherende Duitsers de zaak zouden verraden.'

'Helemaal niet, meneer,' zei Peter met een onbewogen gezicht. Wanneer de bezetters zichzelf op de hak namen, was het niet verstandig daaraan mee te doen. 'Het is belangrijk dat u en uw mannen ons vergezellen, voor het geval dat er Duitse passagiers ondervraagd moeten worden.'

Het gezicht van Braun verstrakte, nu zijn kwinkslag geen doel had getroffen. 'Heel goed,' zei hij. Hij liep naar de deur. 'Bel naar mijn kantoor als het team klaarstaat om te vertrekken.' Hij liep het vertrek uit.

Peter was opgelucht. Hij had de zaak tenminste weer in handen. Zijn enige zorg was dat Braun met zijn enthousiasme hem misschien zou dwingen te snel in actie te komen.

'Mooi dat je de smokkelroute hebt ontdekt,' zei Juel neerbuigend. 'Knap recherchewerk. Maar het zou van tact hebben getuigd, wanneer je het eerst aan mij had verteld.'

'Het spijt me, meneer,' zei Peter. Het was feitelijk onmogelijk geweest. Juel was gisteravond al naar huis toen de Zweedse rechercheur had gebeld. Maar Peter voerde dat excuus niet aan.

'Goed,' zei Juel. 'Stel een ploeg samen en stuur die naar mij om instructies te krijgen. Dan ga je naar het vliegveld en belt me wanneer de passagiers op het punt staan om aan boord tegaan.'

Peter verliet het kantoor van Juel en keerde terug naar het bureau van Tilde in het grote kantoor. Ze droeg een jasje, blouse en rok in verschillende tinten lichtblauw; net een meisje op een Frans schilderij.

'Hoe ging het?' vroeg ze.

'Ik was te laat, maar ik heb het goedgemaakt.'

'Mooi zo.'

'Er komt vanochtend een politieactie op het vliegveld,' zei hij tegen haar. Hij wist welke rechercheurs hij mee wilde nemen. 'Ik neem Bent Conrad, Peder Dresler en Knut Ellegard mee.' Brigadier Conrad was een enthousiaste aanhanger van de Duitsers. De agenten Dresler en Ellegard waren niet politiek geïnteresseerd en evenmin echt vaderlandslievend, maar wel gewetensvolle politiemensen die bevelen opvolgden en goed werkten. 'En als je het goedvindt, wil ik jou ook graag mee hebben, voor het geval er vrouwelijke verdachten gefouilleerd moeten worden.'

'Natuurlijk.'

'Juel zal jullie allemaal instrueren. Ik ga vast naar Kastrup.' Peter liep naar de deur en draaide zich toen om. 'Hoe gaat het met kleine Stig?'

Tilde had een zoon van zes jaar, die ze overdag – tijdens het werk – bij zijn grootmoeder bracht.

Ze glimlachte. 'Prima. Hij begint al heel aardig te lezen.'

'Hij wordt nog wel eens commissaris van politie.'

Haar gezicht betrok. 'Ik wil niet dat hij politieman wordt.'

Peter knikte. Haar man was om het leven gekomen bij een vuurgevecht met een smokkelbende. 'Dat begrijp ik.'

Ze voegde er verdedigend aan toe: 'Zou jij willen dat jouw zoon dit werk deed?'

Hij haalde zijn schouders op. 'Ik heb geen kinderen en zal die waarschijnlijk ook nooit krijgen.'

Ze keek hem ondoorgrondelijk aan. 'Je weet nooit wat in het verschiet ligt.'

'Dat is zo.' Hij draaide zich om. Hij wilde op een drukke dag niet over zoiets praten. 'Ik zal bellen.'

'Goed.'

Peter nam een van de onopvallende zwarte Buicks van het bureau die kortgeleden was uitgerust met zend- en ontvangapparatuur. Hij reed de stad uit en over een brug naar het eiland Amager, waar het vliegveld Kastrup lag. Het was een zonnige dag en vanaf de weg kon hij mensen op het strand zien.

Hij leek op een zakenman of een advocaat in zijn conservatieve krijtstreepje en zijn weinig opvallende das. Hij had geen tas maar om de

53

juiste indruk te wekken had hij een dossiermap meegenomen die hij had gevuld met papieren uit een afvalbak.

Hij voelde zich gespannen toen hij het vliegveld naderde. Als hij er nog een dag of twee aan had kunnen werken, had hij misschien kunnen vaststellen of op elke vlucht illegale pakketjes meegingen of slechts op enkele. De uiterst vervelende mogelijkheid was dat hij vandaag niets vond en dat zijn actie de ondergrondse groep alarmeerde die dan misschien een andere route zou kiezen. In dat geval zou hij weer opnieuw moeten beginnen.

De luchthaven bestond uit een verspreide verzameling lage gebouwen aan een kant van een enkele start- en landingsbaan. Alles werd zwaar bewaakt door Duitse troepen, maar er werden nog steeds vluchten uitgevoerd door de Deense luchtvaartmaatschappij DDL, de Zweedse ABA en de Lufthansa.

Peter parkeerde buiten het kantoor van de luchthavendirectie. Hij zei tegen de secretaresse dat hij van de overheidsdienst voor de luchtveiligheid was en werd meteen binnengelaten. De manager, Christian Varde, was een kleine man met de vlotte glimlach van een handelsreiziger. Peter liet zijn politiekaart zien. 'Er komt een speciale veiligheidscontrole van de Lufthansavlucht met bestemming Stockholm,' zei hij. 'Er is toestemming gegeven door generaal Braun, die straks komt. Wij moeten alles in gereedheid brengen.'

Het gezicht van de manager vertoonde een angstige uitdrukking. Hij stak een hand uit naar de telefoon op zijn bureau, maar Peter legde zijn eigen hand op het apparaat. 'Nee,' zei hij. 'Niemand waarschuwen, alstublieft. Hebt u een lijst van de passagiers die hier aan boord moeten stappen?'

'Die heeft mijn secretaresse.'

'Vraag haar om die te brengen.'

Varde belde zijn secretaresse die binnenkwam met een vel papier. Hij gaf het aan Peter.

'Is het vliegtuig uit Berlijn op tijd?' vroeg Peter.

'Ja.' Varde keek op zijn horloge. 'Het moet over drie kwartier landen.'

Er was dus net genoeg tijd.

Het zou de taak van Peter vereenvoudigen als hij alleen rekening hoefde te houden met de passagiers die in Denemarken aan boord stapten. 'Ik wil dat u de piloot oproept en hem mededeelt dat vandaag niemand toestemming krijgt om in Kastrup uit te stappen. Dat betreft zowel passagiers als bemanning.'

'Heel goed.'

Hij keek op de lijst die de secretaresse had gebracht. Er stonden vier namen op: twee Deense mannen, een Deense vrouw en een Duitse man. 'Waar zijn de passagiers nu?'

'Die moeten aan het inchecken zijn.'

'Neem hun bagage aan, maar laad niets in het vliegtuig tot mijn mannen alles hebben doorzocht.'

'Heel goed.'

'De passagiers zullen gefouilleerd worden voordat ze aan boord stappen. Wordt er hier nog meer geladen behalve de passagiers en hun bagage?'

'Koffie en broodjes voor de vlucht en een postzak. En de brandstof natuurlijk.'

'Voedsel en drank moeten worden onderzocht, net als de postzak. Een van mijn mannen zal toezicht houden op het tanken.'

'Prima.'

'Ga nu de boodschap aan de piloot versturen. Wanneer alle passagiers hebben ingecheckt kunt u mij in de vertrekhal vinden. Maar probeer alstublieft de indruk te wekken dat er niets bijzonders aan de hand is.'

Varde liep het kantoor uit.

Peter liep in de richting van de vertrekhal en pijnigde zijn hersens om er zeker van te zijn dat hij aan alles had gedacht. Hij ging in de hal zitten en bekeek tersluiks de andere passagiers, waarbij hij zich afvroeg wie van hen vandaag achter de tralies zou belanden in plaats van in een vliegtuig. Vanochtend stonden er vluchten op het programma naar Berlijn, Hamburg, de Noorse hoofdstad Oslo, de Zuid-Zweedse stad Malmö en het Deense vakantie-eiland Bornholm, dus kon hij niet met zekerheid zeggen welke passagiers Stockholm als bestemming hadden.

Er waren slechts twee vrouwen in het vertrek: een jonge moeder met twee kinderen en een prachtig geklede oudere vrouw met lichtgrijs haar. De oudere vrouw kon de smokkelaarster zijn, dacht Peter, en haar uiterlijke verschijning kon bedoeld zijn om verdenking te vermijden.

Drie van de passagiers droegen een Duits uniform. Peter controleerde zijn lijst. Er stond een kolonel Von Schwarzkopf op. Slechts één van de militairen was kolonel. Maar het was erg onwaarschijnlijk dat een Duitse officier een Deense ondergrondse krant zou smokkelen.

De andere mannen leken op Peter; ze droegen een kostuum met das en hielden hun hoed op hun schoot.

Terwijl hij een verveelde maar geduldige indruk probeerde te maken alsof hij op een vlucht wachtte, sloeg hij iedereen nauwlettend gade. Hij lette aandachtig op tekens waaruit bleek dat iemand iets had gemerkt van de komende controle. Sommige passagiers deden zenuwachtig, maar dat kon ook gewoon vliegangst zijn. Peter lette er vooral op dat niemand een pakketje probeerde weg te gooien of ergens in de hal papieren probeerde te verbergen.

Varde verscheen. Stralend, alsof hij verheugd was Peter weer te zien, zei hij: 'Alle vier de passagiers hebben ingecheckt.'

'Mooi.' Het was tijd om te beginnen. 'Vertel ze dat Lufthansa ze een bijzonder blijk van gastvrijheid wil bieden en neem ze dan mee naar uw kantoor. Ik zal volgen.'

Varde knikte en liep naar de Lufthansa-balie. Terwijl hij de passagiers voor Stockholm vroeg zich te melden, liep Peter naar een telefooncel, belde Tilde en vertelde haar dat alles klaar was voor de actie. Varde leidde de groep van vier passagiers weg en Peter volgde de kleine optocht.

Toen ze allemaal in het kantoor van Varde waren, onthulde Peter zijn identiteit. Hij toonde zijn politiepenning aan de Duitse kolonel. 'Ik handel in opdracht van generaal Braun,' zei hij om protesten voor te zijn. 'Hij is op weg hierheen en zal een verklaring voor alles geven.'

De kolonel keek geërgerd, maar hij ging zonder commentaar zitten en de andere drie passagiers – de grijze dame en twee Deense zakenlieden – deden hetzelfde. Peter leunde tegen de muur en sloeg ze gade, bedacht op verdacht gedrag. Allemaal hadden ze een soort tas bij zich: de oudere dame een grote handtas, de officier een smalle aktetas, de zakenlieden leren tassen. Elk van hen kon exemplaren van een illegale krant bij zich hebben.

Varde vroeg opgeruimd: 'Mag ik u tijdens het wachten thee en koffie aanbieden?'

Peter keek op zijn horloge. De vlucht uit Berlijn kon elk moment landen. Hij keek uit het raam van Vardes kantoor en zag het toestel aan komen vliegen. Het was een driemotorige Junkers Ju-52 – een lelijk vliegtuig, vond hij, met die golfplaten romp als een schuurdak en de derde motor die uit de neus stak waardoor die op de snuit van een varken leek. Maar de Junkers kwam aanvliegen met een opvallend lage snelheid voor zo'n zwaar toestel en het effect was eigenlijk heel majestueus. Het raakte de grond en taxiede naar het luchthavengebouw. De deur ging open en de bemanning gooide de klampen naar buiten die de wielen moesten vasthouden als het vliegtuig geparkeerd stond.

Braun en Juel verschenen met de vier rechercheurs die Peter had uitgekozen, terwijl de passagiers surrogaatkoffie dronken.

Peter lette scherp op zijn rechercheurs die de tassen van de mannen en de handtas van de dame leegden. Het was heel goed mogelijk dat de spion de illegale krant in zijn handbagage had, dacht hij. Dan kon de verrader beweren dat hij hem had gekocht om in het vliegtuig te lezen. Niet dat het hem zou helpen.

Maar de inhoud van de tassen leverde niets op.

Tilde nam de dame mee naar een andere kamer voor het fouilleren, terwijl de drie mannelijke verdachten hun overkleding uittrokken. Braun fouilleerde de kolonel en brigadier Conrad deed hetzelfde bij de Denen. Er werd niets gevonden.

Peter was teleurgesteld, maar hield zichzelf voor dat het veel waarschijnlijker was dat de smokkelwaar in de bagage zat.

De passagiers mochten terugkeren naar de hal, maar nog niet aan boord van het vliegtuig gaan. Hun bagage werd klaargezet op de transportband buiten het luchthavengebouw: twee nieuwe koffers van krokodillenleer die ongetwijfeld van de oudere dame waren, een plunjezak die waarschijnlijk van de kolonel was, een lichtbruine, leren koffer en een goedkope kartonnen koffer.

Peter wist bijna zeker dat hij een exemplaar van de *Waarheid* in die bagage zou vinden.

Bent Conrad kreeg de sleuteltjes van de passagiers. 'Ik wed dat het de oude vrouw is,' mompelde hij tegen Peter. 'Ik vind dat ze er joods uitziet.'

'Maak gewoon de bagage open,' zei Peter.

Conrad opende alle koffers en Peter begon ze te doorzoeken met Juel en Braun die over zijn schouder meekeken en een menigte mensen die alles van achter de ramen van de vertrekhal volgde. In zijn verbeelding zag hij het moment waarop hij triomfantelijk de krant tevoorschijn zou halen om die aan iedereen te laten zien.

De koffers van krokodillenleer zaten vol met dure, ouderwetse kleding die hij op de grond gooide. De plunjezak bevatte scheergerei, schoon ondergoed en een keurig geperst uniformhemd. De lichtbruine leren koffer bevatte kleding en papieren die Peter stuk voor stuk zorgvuldig doorkeek, maar er zat geen krant tussen of iets anders wat verdacht was.

Hij had de goedkope kartonnen koffer tot het laatst bewaard, omdat hij de kans het grootst achtte dat de minst rijke zakenman de spion van het gezelschap was.

De koffer was halfleeg en bevatte een wit overhemd en een zwarte das als bevestiging van het verhaal van de man dat hij naar een begrafenis ging. Er zat ook een veelgebruikte bijbel in de koffer. Maar geen krant.

Peter begon zich wanhopig af te vragen of zijn vrees gegrond was geweest en dit de verkeerde dag zou blijken te zijn. Hij voelde boosheid opkomen, omdat hij zich had laten dwingen voortijdig in actie te komen. Hij onderdrukte zijn woede. Hij was immers nog niet klaar.

Hij haalde een pennenmesje uit zijn zak. De punt ervan duwde hij in de voering van een dure koffer van de oudere dame en trok een rafelige scheur in de witte zijde. Hij hoorde Juel grommen van verrassing door de plotselinge gewelddadigheid van het gebaar. Peter stak zijn hand achter de gescheurde voering. Tot zijn ergernis zat er niets achter verborgen.

Hij deed hetzelfde met de leren koffer van de zakenman en met hetzelfde resultaat. De kartonnen koffer van de tweede zakenman had geen voering en Peter zag niets wat als geheime bergplaats kon dienen. Gefrustreerd en slecht op zijn gemak voelde hij zijn gezicht rood worden, toen hij de stiksels van de leren bodem van de canvas plunjezak van de kolonel doorsneed en voelde of er verborgen papieren in zaten. Er was niets.

Hij keek op en zag dat Braun, Juel en de rechercheurs hem aanstaarden. De uitdrukking op hun gezicht was een combinatie van geboeidheid en een lichte angst. Zijn gedrag begon er nogal krankzinnig uit te zien, besefte hij.

Naar de verdoemenis ermee.

Juel zei traag: 'Misschien was de informatie niet juist, Flemming.'

Wat zou jij dat leuk vinden, dacht Peter verbolgen. Maar hij was nog niet klaar.

Hij zag dat Varde in de vertrekhal stond te kijken en wenkte hem.

De man glimlachte gespannen toen hij naar de ruïne keek die er was overgebleven van de bagage van zijn klanten. 'Waar is de postzak?' vroeg Peter.

'In het bagagekantoor.'

'Nou, waar wacht u nog op? Breng hem hier, idioot!'

Varde liep weg. Peter wees met een gebaar van afschuw op de bagage en zei tegen de rechercheurs: 'Zorg dat dit verdwijnt.'

Dresler en Ellegard pakten de koffers weer in. Een kruier kwam aanlopen om ze naar de Junkers te brengen. 'Wacht,' zei Peter, toen de man de koffers begon op te pakken. 'Fouilleer hem, brigadier.' Conrad fouilleerde de man en vond niets.

Varde bracht de postzak en Peter gooide alle brieven op de grond. Ze vertoonden allemaal de stempel van de censuur. Er waren slechts twee enveloppen groot genoeg om een krant te bevatten, een witte en een bruine. Hij scheurde de witte open. Die bevatte zes exemplaren van een juridisch document, een soort contract. De bruine envelop bevatte de catalogus van een Kopenhaagse glasfabriek. Peter vloekte hardop.

Een karretje met een schaal broodjes en verschillende koffiepotten werd naar Peter toe geduwd om te worden geïnspecteerd. Dit was Peters laatste hoop. Hij opende elke pot en goot de koffie op de grond. Juel mopperde dat dit totaal onnodig was, maar Peter was te wanhopig om zich er iets van aan te trekken. Hij trok de linnen servetten van de schaal en voelde tussen de broodjes. Met een gevoel van afschuw moest hij toegeven dat er niets was. Woedend pakte hij de schaal op en gooide de broodjes op de grond in de hoop dat er een krant onder zat, maar daar lag alleen een ander linnen servet.

Hij besefte dat hij een absoluut belachelijk figuur begon te slaan en dat maakte hem nog kwader.

'Begin met tanken,' zei hij. 'Ik zal er toezicht op houden.'

Een tankauto werd naar de Junkers gereden. De rechercheurs doofden hun sigaretten en keken toe terwijl vliegtuigbrandstof in de vleugels van het toestel werd gepompt. Peter wist dat het zinloos was, maar met een strak gezicht bleef hij koppig volhouden, omdat hij niet wist wat hij anders zou moeten doen. Passagiers keken nieuwsgierig door de rechthoekige raampjes van de Junkers. Zonder twijfel vroegen ze zich af waarom een Duitse generaal en zes burgers toezicht moesten houden op het tanken.

De tanks waren vol en de doppen dichtgedraaid.

Peter kon niets meer bedenken om de start uit te stellen. Hij had het bij het verkeerde eind gehad en maakte nu een belachelijke indruk. 'Laat de passagiers aan boord gaan,' zei hij met onderdrukte razernij. Totaal vernederd keerde hij terug naar de vertrekhal. Hij wilde iemand wurgen. Ten overstaan van generaal Braun en hoofdinspecteur Juel had hij er een janboel van gemaakt. De benoemingscommissie zou van mening zijn dat Juel terecht de baan had gekregen in plaats van Peter. Juel zou dit fiasco misschien wel benutten om Peter op een zijspoor te rangeren, naar een minder belangrijke afdeling als Verkeer.

Hij bleef in de vertrekhal naar het opstijgen kijken. Juel, Braun en de rechercheurs hielden hem gezelschap. Varde stond in de buurt en deed zijn best om te kijken alsof er niets bijzonders was gebeurd. Ze keken toe hoe de vier boze passagiers aan boord stapten. De klampen werden onder de wielen weggetrokken door het grondpersoneel en aan boord gegooid. Toen werd de deur gesloten.

Terwijl het vliegtuig van zijn plaats begon te rollen, kreeg Peter een inval. 'Stop het vliegtuig,' zei hij tegen Varde.

'In 's hemelsnaam…' begon Juel.

Varde keek alsof hij in huilen zou uitbarsten. Hij wendde zich tot generaal Braun. 'Meneer, mijn passagiers…'

'Stop het vliegtuig!' herhaalde Peter.

Varde bleef Braun smekend aankijken. Na een ogenblik knikte Braun. 'Doe wat hij zegt.'

Varde pakte een telefoon.

'Mijn god, Flemming,' zei Juel, 'dit kan maar beter wat opleveren.'

Het vliegtuig rolde naar de startbaan, draaide helemaal rond en kwam terug naar het platform. De deur ging open en de klampen werden naar het grondpersoneel gegooid.

Peter ging de andere rechercheurs voor naar buiten. De propellers gingen langzamer draaien en stopten. Twee mannen in overall duwden de klampen voor de grote wielen. Peter sprak een van hen aan. 'Geef me die klamp aan.'

De man keek angstig, maar deed wat hem was gevraagd.

Peter nam de klamp van hem over. Het was een simpel driehoekig blok hout van ongeveer dertig centimeter hoog – vuil, zwaar en massief.

'En de andere,' zei Peter. De mecanicien dook onder de romp door, pakte de andere en gaf die aan Peter.

Hij zag er hetzelfde uit, maar voelde lichter aan. Toen hij hem omdraaide, zag hij dat een zijkant bestond uit een schuif. Hij opende die. Eronder zat een zorgvuldig in oliedoek gewikkeld pakketje.

Peter zuchtte van voldoening.

De mecanicien draaide zich om en zette het op een lopen.

'Houd hem tegen!' riep Peter, maar dat was overbodig. De man bleef uit de buurt van de mannen en probeerde langs Tilde te rennen, ongetwijfeld omdat hij dacht haar eenvoudig opzij te kunnen duwen. Ze draaide als een danseres, liet hem passeren en stak toen haar voet uit om hem te laten struikelen. Hij kwam plat op zijn buik terecht.

Dresler sprong bovenop hem, trok hem overeind en draaide zijn arm achter zijn rug.

Peter knikte naar Ellegard. 'Arresteer de andere mecanicien. Die moet ervan geweten hebben.'

Peter richtte zijn aandacht op het pakketje. Hij wikkelde het oliedoek los. Erin zaten twee exemplaren van de *Waarheid*. Hij overhandigde ze aan Juel.

Juel keek naar de kranten en toen weer omhoog naar Peter.

Peter keek hem verwachtingsvol aan en wachtte zonder iets te zeggen.

Juel zei schoorvoetend: 'Goed gedaan, Flemming.'

Peter glimlachte. 'Ik deed gewoon mijn werk, meneer.'

Juel draaide zich om.

Peter zei tegen de rechercheurs: 'Sla allebei de mecaniciens in de boeien en breng ze naar het hoofdkwartier voor ondervraging.'

Er zat nog iets anders in het pakketje. Peter haalde een bundeltje aan elkaar geniete papieren tevoorschijn. Ze stonden vol met getypte letters in groepen van vijf waaraan geen touw was vast te knopen. Hij keek er een ogenblik verbaasd naar. Toen daagde het en besefte hij dat zijn triomf groter was dan hij had durven hopen.

De papieren die hij in zijn hand hield bevatten een boodschap in code.

Peter overhandigde de papieren aan Braun. 'Ik denk dat we een spionagenetwerk hebben opgerold, generaal.'

Braun keek naar de papieren en verbleekte. 'Mijn god, je hebt gelijk.'

'Misschien heeft het Duitse leger een afdeling die is gespecialiseerd in het breken van vijandelijke codes?'

'Die heeft het leger zeker.'

'Mooi,' zei Peter.

5

Een ouderwetse koets getrokken door twee paarden haalde Harald
Olufsen en Tik Duchwitz van het station van Kirstenslot, Tiks woonplaats. Tik legde uit dat de koets jarenlang in een schuur had staan
wegrotten, maar van stal was gehaald toen de Duitsers het gebruik
van benzine beperkten. De koets glansde van de nieuwe verf, maar
het span bestond kennelijk uit gewone karrenpaarden die waren geleend van een boerderij. De koetsier wekte de indruk dat hij zich achter een ploeg meer op zijn gemak had gevoeld.
Harald begreep niet goed waarom Tik hem voor het weekend had uit-
genodigd. De Three Stooges waren nooit bij elkaar thuis geweest, ook
al waren ze op school al zeven jaar lang boezemvrienden. Misschien
was de uitnodiging het gevolg van Haralds uitval tegen de nazi's. Mogelijk wilden de ouders van Tik wel eens kennismaken met de domineeszoon die zo begaan was met vervolgde joden.
Van het station reden ze door een dorpje met een kerk en een herberg. Aan de rand van het dorp sloegen ze een oprit in tussen twee
massieve stenen leeuwen. Aan het eind van de oprit die bijna een
kilometer lang was, zag Harald een sprookjeskasteel met kantelen en
torens.
Denemarken telde driehonderd kastelen. Harald putte daar soms
troost uit. Ook al was het een klein land, het had zich niet altijd laf-
hartig overgegeven aan oorlogszuchtige buurlanden. Misschien was
er nog iets over van de geest van de vikingen.
Sommige kastelen waren historische monumenten waarin musea
waren gevestigd en die werden bezocht door toeristen. De meeste
waren niet meer dan landhuizen die werden bewoond door welgestelde boerenfamilies. Daarnaast waren een paar spectaculaire bouwwerken het eigendom van de rijksten van het land. Kirstenslot - het
huis had dezelfde naam als het dorp - behoorde tot die categorie.
Harald was onder de indruk. Hij had geweten dat de familie Duchwitz
rijk was - de vader en oom van Tik waren bankier - maar dit had hij
niet verwacht. Hij vroeg zich bezorgd af of hij wel de juiste manieren
kende. Zijn jeugd in de pastorie had hem natuurlijk nooit op zoiets
voorbereid.
Het was zaterdagmiddag laat toen de koets hen afzette bij de kathe-
draalachtige voordeur. Harald liep met zijn koffertje naar binnen. In
de marmeren hal zag hij antiek meubilair, sierlijke vazen, beeldjes en
grote olieverfschilderijen. Bij Harald thuis werd het tweede gebod vrij

letterlijk genomen en dat verbood het maken van gelijkende afbeeldingen van alles in de hemel of op aarde, dus waren er geen schilderijen of foto's in de pastorie (ook al wist Harald dat Arne en hij als baby heimelijk waren gefotografeerd, want hij had de foto's gevonden in de la waarin zijn moeder haar kousen opborg). Bij de rijkdom aan kunst in huize Duchwitz voelde hij zich niet helemaal op zijn gemak.

Tik bracht hem via een brede trap naar een slaapkamer. 'Dit is mijn kamer,' zei hij. Hier stonden geen oude meesters of Chinese vazen maar alleen de spullen van een achttienjarige schooljongen: een voetbal, een foto van een pruilende Marlene Dietrich, een klarinet en een ingelijste advertentie voor een Lancia Aprilla sportwagen naar een ontwerp van Pininfarina.

Harald pakte een ingelijste foto op. Die toonde de Tik van ongeveer vier jaar geleden met een meisje van zijn leeftijd. 'Wie is het vriendinnetje?'

'Mijn tweelingzus Karen.'

'O.' Harald herinnerde zich vaag dat Tik de helft van een tweeling was. Op de foto was ze langer dan Tik. Het was een zwart-witfoto, maar ze leek een lichtere teint te hebben. 'Kennelijk geen eeneiige tweeling, ze ziet er ook goed uit.'

'Eeneiige tweelingen zijn altijd van hetzelfde geslacht, stomkop.'

'Waar gaat ze naar school?'

'Het Koninklijk Ballet van Denemarken.'

'Ik wist niet dat die een school hadden.'

'Als je deel wilt uitmaken van het gezelschap, moet je de school bezoeken. Sommige meisjes beginnen al op vijfjarige leeftijd. Ze volgen alle gebruikelijke lessen en dansen daarnaast.'

'Vindt ze het leuk?'

Tik haalde zijn schouders op. 'Ze zegt dat het zwaar is.' Hij opende een deur en liep door een korte gang naar een badkamer en een tweede, kleinere slaapkamer. Harald volgde hem. 'Jij slaapt hier, als je het goedvindt,' zei Tik. 'We gebruiken samen de badkamer.'

'Geweldig,' zei Harald die zijn koffer op het bed liet vallen.

'Je kunt ook een grotere kamer krijgen, maar die ligt kilometers verder.'

'Dit is beter.'

'Kom mee, dan gaan we mijn moeder begroeten.'

Harald volgde Tik door de grote gang van de eerste verdieping. Tik klopte op een deur, opende die op een kier en vroeg: 'Ontvang je mannelijk bezoek, moeder?'

Een stem antwoordde: 'Kom binnen, Josef.'

Harald volgde Tik het boudoir van mevrouw Duchwitz in. Het was een mooie kamer met ingelijste foto's op elk horizontaal oppervlak. Tik leek op zijn moeder. Ze was erg klein, hoewel mollig waar Tik mager was, en ze had dezelfde donkere ogen. Ze was ongeveer veertig, maar er liepen al grijze strepen door haar zwarte haar.

Tik stelde Harald voor en die schudde haar met een kleine buiging de hand. Mevrouw Duchwitz bood de jongens een stoel aan en stelde vragen over school. Ze was vriendelijk en gemakkelijk in de omgang, dus begon Harald zich minder zorgen te maken over het weekend.

Na een poosje zei ze: 'Jullie kunnen je nu op gaan frissen voor het diner.' De jongens keerden terug naar de kamer van Tik. 'Jullie dragen toch niets bijzonders voor het diner?' vroeg Harald bezorgd.

'Jouw blazer en das zijn prima.'

Meer had Harald ook niet. De blazer, broek, overjas en pet van de school, samen met een sportuitrusting, waren voor de familie Olufsen een grote uitgave die voortdurend nieuw moesten worden gekocht, omdat hij elk jaar weer ettelijke centimeters groeide. Afgezien van truien voor de winter en korte broeken voor de zomer had hij geen andere kleren. 'Wat draag jij?' vroeg hij Tik.

'Een zwart jasje en een grijze flanellen broek.'

Harald was blij dat hij een schoon wit overhemd had meegenomen.

'Wil jij eerst een bad nemen?' vroeg Tik.

'Best.' Het idee om voor het diner een bad te nemen maakte een vreemde indruk op Harald, maar hij zei tegen zichzelf dat hij de levenswijze van de rijken leerde.

Hij waste zijn haren in het bad en tegelijkertijd stond Tik zich te scheren. 'Op school scheer jij je niet twee keer per dag,' merkte Harald op. 'Moeder is nogal pietluttig. En mijn baard is donker. Volgens haar zie ik eruit als een mijnwerker als ik me 's middags niet scheer.' Harald trok zijn schone overhemd en zijn schoolbroek aan en liep toen de slaapkamer in om voor de toilettafel zijn vochtige haren te kammen. Terwijl hij daarmee bezig was, kwam een meisje zonder kloppen naar binnen. 'Hallo,' zei ze. 'Jij moet Harald zijn.'

Het was het meisje van de foto, maar de zwart-witafdruk had haar geen recht gedaan. Ze had een blanke huid en groene ogen en haar krullende haar had een diepe, koperrode kleur. Met haar lange gestalte gehuld in een donkergroene jurk die tot op haar enkels viel, gleed ze als een geest door de kamer. Met de kracht en het gemak van een atleet pakte ze een zware stoel bij de rugleuning op, draaide die om en ging zitten. Ze sloeg haar lange benen over elkaar en vroeg: 'Nou? Ben jij Harald?'

Hij slaagde erin iets te zeggen. 'Ja, dat ben ik.' Hij was zich sterk bewust van zijn blote voeten. 'En jij bent de zus van Tik.'

'Tik?'

'Zo noemen we hem op school.'

'Nou, ik ben Karen en ik heb geen bijnaam. Ik heb gehoord van jouw uitbarsting op school. Ik vind dat je helemaal gelijk hebt. Ik heb een hekel aan de nazi's – wie denken ze wel dat ze zijn?'

Tik kwam uit de badkamer met een handdoek om zijn heupen gewikkeld. 'Heb jij geen respect voor de privacy van heren?' vroeg hij.

'Nee, dat heb ik niet,' reageerde ze. 'Ik wil een cocktail en die willen ze me niet serveren, tenzij er tenminste één man in de kamer is. Volgens mij verzinnen de bedienden die regels zelf.'

'Kijk dan maar even de andere kant op,' zei Tik en tot Haralds verrassing liet hij de handdoek vallen.

Karen stoorde zich niet aan de naaktheid van haar broer en keek ook niet een andere kant op. 'Hoe gaat het trouwens met jou, zwartogige dwerg?' vroeg ze vriendelijk, terwijl hij een schone witte onderbroek aanschoot.

'Met mij gaat het prima, hoewel het beter zal gaan als de examens voorbij zijn.'

'Wat ga je doen als je zakt?'

'Op de bank werken, neem ik aan. Vader zal me waarschijnlijk helemaal onderaan laten beginnen met het vullen van de inktpotten van de jongste bediendes.'

Harald zei tegen Karen: 'Hij zakt niet voor de examens.'

'Ik neem aan dat jij even intelligent bent als Josef.'

'Hij is feitelijk veel intelligenter,' zei Tik.

Harald kon dat in alle eerlijkheid niet ontkennen. Verlegen vroeg hij: 'Hoe is de balletschool?'

'Een kruising tussen dienstplicht en gevangenis.'

Harald staarde Karen geboeid aan. Hij wist niet of hij haar moest beschouwen als een van de jongens of als een van de goden. Ze praatte schertsend met haar broer alsof ze een jongen was. Toch was ze buitengewoon gracieus. Ze zat alleen maar op een stoel, zwaaide met haar arm, wees of liet haar kin op haar hand rusten, maar ze leek te dansen. Al haar bewegingen waren harmonieus. Toch betekende die houding voor haar geen inperking en Harald keek als betoverd naar haar wisselende gezichtsuitdrukkingen. Ze had volle lippen en een brede glimlach waarbij ze haar mond wat scheef trok. In feite was haar hele gezicht een beetje onregelmatig – haar neus was niet helemaal recht en haar kin was ongelijk – maar het totale effect was prachtig. Eigenlijk, bedacht hij, was ze het mooiste meisje dat hij ooit had ontmoet.

'Je kunt beter een paar schoenen aantrekken,' zei Tik tegen Harald.

Harald verdween naar zijn kamer en kleedde zich verder aan. Toen hij terugkeerde, zag Tik er chic uit in een zwart jasje, wit overhemd en eenvoudige donkere stropdas. Harald voelde zich in zijn blazer heel erg de schooljongen.

Karen ging hen voor naar beneden. Ze betraden een lange, rommelige kamer met verschillende grote sofa's, een vleugel en een oude hond die op een kleedje voor de haard lag. De ontspannen sfeer verschilde sterk van de benauwende formaliteit van de hal, hoewel de muren ook hier vol hingen met olieverfschilderijen.

Een jonge vrouw in een zwarte jurk en een witte schort vroeg Harald wat hij wilde drinken. 'Hetzelfde als Josef,' antwoordde hij. In de pastorie werd geen alcohol geschonken. Op school mochten de jongens in het laatste jaar één glas bier drinken tijdens de bijeenkomst op vrijdagavond. Harald had nog nooit een cocktail gedronken en wist niet goed wat het was.

Om iets te doen te hebben boog hij voorover en aaide de hond. Het was een grote, magere Ierse setter met hier en daar wat grijs in de roodachtige vacht. Hij opende een oog en kwispelde een keer met zijn staart als beleefde reactie op de aandacht van Harald.

Karen zei: 'Dat is Thor.'

'De god van de donder,' zei Harald met een glimlach.

'Ik geef toe dat het belachelijk is, maar Josef heeft de naam verzonnen.'

'Jij wilde hem Boterbloem noemen!' protesteerde Tik.

'Ik was toen pas acht jaar.'

'Ik ook. Bovendien is Thor niet zo belachelijk. Hij klinkt als de donder wanneer hij een wind laat.'

Op dat moment kwam Tiks vader binnen en hij leek zoveel op de hond dat Harald bijna begon te lachen. Hij was een lange, magere man en elegant gekleed in een fluwelen colbert en een zwart vlinderdasje. Zijn rossige krulhaar begon grijs te worden. Harald stond op en schudde hem de hand.

Meneer Duchwitz begroette hem met dezelfde trage hoffelijkheid als de hond. 'Ik ben heel blij je te ontmoeten,' zei hij lijzig. 'Josef heeft het steeds over jou.'

'Nu ken je de hele familie,' zei Tik.

'Hoe gaat het op school, na jouw uitbarsting?' vroeg meneer Duchwitz aan Harald.

'Vreemd genoeg ben ik niet gestraft,' antwoordde Harald. 'Vroeger moest ik het gras knippen met een nagelschaartje als ik alleen maar "Onzin" zei wanneer een leraar een stomme opmerking maakte. Tegen meneer Agger heb ik veel botter gedaan. Maar Heis, dat is het schoolhoofd, heeft me alleen een preek gegeven die erop neerkwam dat ik mijn standpunt veel beter duidelijk had kunnen maken als ik kalm was gebleven.'

'En hij gaf zelf het voorbeeld door niet kwaad op jou te worden,' zei meneer Duchwitz met een glimlach. Harald besefte dat Heis dat inderdaad had gedaan.

'Ik denk dat Heis het verkeerd ziet,' zei Karen. 'Soms moet je heibel maken om ervoor te zorgen dat mensen naar je luisteren.'

Harald vond dat ze gelijk had en wenste dat hij eraan had gedacht om dat tegen Heis te zeggen. Karen was niet alleen mooi, maar ook intelligent. Hij had echter een vraag voor meneer Duchwitz en had gewacht op een gelegenheid om die te stellen. 'Meneer, maakt u zich geen zorgen over wat de nazi's u zouden kunnen aandoen? We weten hoe slecht de joden in Duitsland en Polen worden behandeld.'

'Ik maak me zeker zorgen. Maar Denemarken is Duitsland niet en de Duitsers lijken ons eerst te zien als Denen en dan pas als joden.'

'Tenminste tot dusver,' merkte Tik op.

'Zeker. Maar dan staan we voor de vraag welke mogelijkheden we hebben. Ik neem aan dat ik een zakenreis naar Zweden zou kunnen maken om daar vervolgens een aanvraag in te dienen voor een visum voor de Verenigde Staten. De hele familie het land uit krijgen zou veel moeilijker zijn. En denk je eens in wat we achter zouden laten: een onderneming die is opgericht door mijn overgrootvader, dit huis waarin mijn kinderen zijn geboren, een verzameling schilderijen waaraan ik een heel leven heb besteed... Wanneer je het van die kant bekijkt, lijkt hier blijven en er het beste van hopen de eenvoudigste oplossing.'

'Trouwens, we zijn verdorie toch geen winkeliers,' zei Karen luchthartig. 'Ik heb een hekel aan de nazi's, maar wat zouden ze moeten doen met de familie die de grootste bank van het land bezit?'

Harald vond dat een domme redenering. 'De nazi's kunnen alles doen wat ze willen, dat zou je inmiddels moeten weten,' zei hij geringschattend.

'O, moet ik dat?' zei Karen koeltjes en hij begreep dat hij haar had beledigd.

Hij wilde haar uitleggen hoe oom Joachim was vervolgd, maar op dat moment voegde mevrouw Duchwitz zich bij hen en ze begonnen te praten over *Les Sylphides,* de huidige productie van het Koninklijk Ballet van Denemarken.

'Ik hou van de muziek,' zei Harald. Hij had het op de radio gehoord en kon stukjes ervan op de piano spelen.

'Heb je het ballet gezien?' vroeg mevrouw Duchwitz hem.

'Nee.' Hij wilde het liefst de indruk wekken dat hij veel balletten had gezien, maar dit toevallig had gemist. Toen besefte hij hoe gevaarlijk het zou zijn om zoiets te veinzen bij deze familie die er erg veel van wist. 'Eerlijk gezegd, ben ik nooit naar het theater geweest,' bekende hij.

'Wat vreselijk,' zei Karen uit de hoogte.

Mevrouw Duchwitz wierp haar een afkeurende blik toe. 'Dan moet Karen je een keer meenemen,' zei ze.

'Moeder, ik heb het ontzettend druk,' protesteerde Karen. 'Ik ben een hoofdrol aan het leren om in te kunnen vallen!'

Harald voelde zich gekwetst door haar afwijzing. Maar hij nam aan dat hij werd gestraft, omdat hij laatdunkend tegen haar had gepraat over de nazi's.

Hij dronk zijn glas leeg. Hij had genoten van de bitterzoete smaak van de cocktail en het had hem een ontspannen gevoel van welbehagen gegeven, maar misschien had het hem ook zorgeloos gemaakt in zijn uitlatingen. Hij betreurde het dat hij Karen had gekrenkt. Nu ze plotseling zo koel deed, begreep hij pas hoe leuk hij haar was gaan vinden.

Het dienstmeisje dat de drankjes had geserveerd, kwam zeggen dat het diner was opgediend en opende een paar deuren die toegang gaven tot de eetkamer. Ze liepen erheen en gingen aan de lange tafel zitten. Het dienstmeisje vroeg aan Harald of hij wijn wilde, maar hij weigerde.

Ze hadden groentesoep, kabeljauw met botersaus en lamskoteletten met vleessaus. Er was genoeg te eten ondanks de rantsoenering en mevrouw Duchwitz legde uit dat veel van wat op tafel stond van het landgoed kwam. Tijdens de maaltijd zei Karen niets rechtstreeks tegen Harald, maar richtte zich tot het gezelschap in het algemeen. Zelfs wanneer hij haar een vraag stelde, keek ze bij het antwoord de anderen aan. Harald vond het helemaal niet leuk. Ze was het lieftalligste meisje dat hij ooit had ontmoet en al na een paar uur had hij haar tegen zich in het harnas gejaagd.

Na het diner keerden ze terug naar de zitkamer en dronken echte koffie. Harald vroeg zich af waar mevrouw Duchwitz die had gekocht. Koffie was zoiets als goudstof en ze had die zeker niet geteeld in een Deense tuin.

Karen liep het terras op om een sigaret te roken en Tik legde uit dat hun ouderwetse ouders het niet prettig vonden om een meisje te zien roken. Harald voelde ontzag voor zo'n modern meisje dat cocktails dronk en ook nog rookte.

Toen Karen weer naar binnen kwam, ging meneer Duchwitz achter de piano zitten en begon te bladeren door de muziek op de standaard. Mevrouw Duchwitz kwam achter hem staan. 'Beethoven?' vroeg hij en ze knikte. Hij speelde een paar noten en ze begon in het Duits een lied te zingen. Harald was onder de indruk en hij applaudisseerde toen het uit was.

'Zing er nog een, moeder,' zei Tik.

'Goed,' zei ze, 'maar dan moeten jullie ook iets spelen.'

De ouders vertolkten nog een lied, waarna Tik zijn klarinet pakte en een eenvoudig wiegelied van Mozart speelde. Meneer Duchwitz keerde terug naar de piano en speelde een wals van Chopin uit *Les Sylphides* waarop Karen haar schoenen uitschopte om een van de dansen te laten zien die ze aan het instuderen was.

Toen keken ze allemaal verwachtingsvol naar Harald.

Hij begreep dat hij ook iets moest spelen. Hij kon alleen Deense volksliedjes brullen, dus zou hij moeten spelen. 'Ik ben niet erg goed in klassieke muziek,' zei hij.

'Onzin,' zei Tik. 'Je hebt me verteld dat je piano speelt in de kerk van je vader.'

Harald ging voor de toetsen zitten. Hij kon een beschaafde joodse familie toch echt niet onthalen op bezielende Lutherse hymnen. Hij aarzelde en begon toen 'Pine Top's Boogie-Woogie' te spelen. Hij begon met de rechterhand een melodische triller te spelen. Daarna begon de linkerhand met de indringende ritmische bassen en de rechterhand de dissonante blues-akkoorden die zo verleidelijk waren. Na enkele ogenblikken vergat hij zijn twijfels en begon de muziek te voelen. Hij speelde luider en nadrukkelijker en riep net als Pine Top: 'Everybody, boogie-woogie!' De melodie bereikte de climax en hij zei: 'That's what I'm talkin' about!'

Toen hij was uitgespeeld, hing er een doodse stilte in de kamer. Meneer Duchwitz toonde de gekwelde uitdrukking van een man die toevallig iets had ingeslikt wat verrot was. Zelfs Tik keek ontdaan. Mevrouw Duchwitz zei: 'Volgens mij hebben we in deze kamer nog nooit zoiets gehoord.'

Harald besefte dat hij een fout had gemaakt. De intellectuele familie Duchwitz keurde jazz even sterk af als zijn eigen ouders. Ze waren ontwikkeld, maar dat maakte hen niet ontvankelijk voor andere dingen. 'Och jee,' zei hij. 'Ik zie dat het niet gepast was.'

'Inderdaad,' zei meneer Duchwitz.

Harald zag dat Karen vanachter de sofa naar hem keek. Hij verwachtte een laatdunkende glimlach op haar gezicht te zien, maar tot zijn verbazing en verrukking zag hij een dikke knipoog.

Dat maakte het de moeite waard.

Zondagochtend werd hij wakker met de gedachte aan Karen.

Hij hoopte dat ze naar de kamer van de jongens zou komen om te kletsen zoals ze gisteren had gedaan, maar hij zag haar niet. Ze verscheen niet aan het ontbijt. Harald, die alles in het werk stelde om nonchalant te klinken, vroeg Tik waar ze was. Tik toonde weinig belangstelling en zei dat ze waarschijnlijk bezig was met haar oefeningen.

Na het ontbijt repeteerden Harald en Tik twee uur voor het eindexamen. Ze verwachtten allebei moeiteloos te zullen slagen, maar wilden niets aan het toeval overlaten, omdat hun cijfers zouden bepalen of ze naar de universiteit konden. Om elf uur gingen ze een wandeling maken over het landgoed.

Bijna aan het eind van de lange oprit lag de ruïne van een klooster die gedeeltelijk schuilging achter bomen. 'Na de Reformatie werd het overgenomen door de koning en gedurende honderd jaar gebruikt als woning,' zei Tik. 'Vervolgens werd Kirstenslot gebouwd en raakten de oude gebouwen in verval.'

Ze verkenden de kloostergangen waar de monniken hadden gelopen. De cellen waren nu opslagruimten voor tuingereedschap. 'Naar een deel van deze spullen is al tientallen jaren niet gekeken,' zei Tik die met de punt van zijn schoen tegen een roestig ijzeren wiel schopte. Hij opende de deur van een groot, goed verlicht vertrek. Er zat geen glas in de smalle ramen, maar de kamer was schoon en droog. 'Dit was vroeger de slaapzaal,' zei Tik. 'In de zomer wordt hij nog steeds gebruikt door seizoenarbeiders van de boerderij.'

Ze betraden de niet meer gebruikte kerk die nu een rommelhok was. Er hing een muffe lucht. Een magere zwart-witte kat staarde hen aan alsof ze wilde vragen waar ze het recht vandaan haalden om zomaar binnen te komen en toen verdween ze door een glasloos raam.

Harald tilde een canvas laken op waardoor een glanzende Rolls-Royce sedan zichtbaar werd die op blokken was gezet. 'Van jouw vader?' vroeg Harald.

'Ja, opgeborgen tot er weer benzine te koop is.'

Er stond een duidelijk gebruikte houten werkbank met een bankschroef en een verzameling gereedschap die kennelijk was gebruikt voor het onderhoud van de auto toen die nog reed. In de hoek stond een wastafel met een enkele kraan. Tegen de muur waren houten kratten opgestapeld die ooit zeep en sinaasappels hadden bevat. Harald keek in een ervan en vond een massa speelgoedautootjes van beschilderd tin. Hij pakte er een. Op de raampjes was een chauffeur afgebeeld, in profiel op de zijraampjes en van voren op de voorruit. Hij herinnerde zich de tijd toen hij zulk speelgoed heel graag had willen hebben. Hij zette het autootje voorzichtig terug.

In de verste hoek stond een vliegtuig met een enkele motor, maar geen vleugels.

Harald bekeek het toestel met belangstelling. 'Wat is dat?'

'Een Hornet Moth van de Engelse fabriek van De Havilland. Vader heeft het toestel vijf jaar geleden gekocht, maar hij heeft nooit geleerd om ermee te vliegen.'

'Ben jij ermee de lucht in geweest?'

'O ja, toen het nieuw was hebben we er schitterende tochten mee gemaakt.'

Harald streelde de grote propeller die bijna twee meter lang was. De mathematische precisie van de gebogen vorm maakte er in zijn ogen een kunstwerk van. Het vliegtuig helde iets naar één kant over en hij zag dat het onderstel was beschadigd en een band lek was.

Hij legde een hand op de romp en ontdekte tot zijn verrassing dat die bestond uit een soort stof die strak gespannen zat over een geraamte. Hier en daar zaten kleine winkelhaken en plooien. Het toestel was lichtblauw geverfd met een donkere lijn die van de neus in een spitse punt naar de staart liep, maar het verfwerk dat ooit misschien vrolijk was geweest, zag er nu dof en stoffig uit en overal zaten olievlekken. Het toestel had wel vleugels, zag hij nu – dubbele vleugels die zilver waren geverfd – maar ze waren opgeklapt en wezen naar achteren.

Hij keek door het zijraampje in de cabine. Die leek wel wat op een auto. Er stonden twee stoelen naast elkaar en er was een gevernist houten instrumentenpaneel met een heleboel wijzerplaten. De bekleding van een van de stoelen was kapot en de vulling kwam eruit. Het zag eruit alsof muizen daar een nest hadden gemaakt.

Hij vond de deurkruk en klom naar binnen zonder aandacht te besteden aan de ritselende geluiden die hij hoorde. Hij ging op de enige hele stoel zitten. De bediening leek eenvoudig. In het midden stond een Y-vormige knuppel die op beide plaatsen kon worden bediend. Hij greep de knuppel en zette zijn voeten op de pedalen. Hij dacht dat vliegen nog opwindender zou zijn dan motorrijden. Hij stelde zich voor hoe hij als een reusachtige vogel over het kasteel scheerde met het gebrul van de motor in zijn oren.

'Heb je er ooit zelf mee gevlogen?' vroeg hij Tik.

'Nee. Karen heeft wel les gehad.'

'Echt?'

'Ze was niet oud genoeg om examen te doen, maar ze was erg goed.'

Harald experimenteerde met de bediening. Hij zag een paar 'aan-uit'-schakelaars en zette ze allebei om, maar er gebeurde niets. De knuppel en de pedalen voelden erg los aan, alsof ze nergens mee verbonden waren. Tik, die zag wat hij deed, zei: 'Afgelopen jaar is een gedeelte van de kabels eruit gesloopt om een machine van de boerderij te repareren. Kom mee, we gaan verder.'

Harald had nog wel een uur door kunnen brengen in het vliegtuig, maar Tik was ongeduldig, dus klom hij eruit.

Ze verlieten het klooster aan de achterkant en volgden een karrenspoor door een bos. Een grote boerderij maakte deel uit van Kirstenslot. 'Die is al van voor mijn geboorte verpacht aan de familie Nielsen,' zei Tik. 'Ze houden varkens voor de ham, ze hebben een melkveestapel waarmee ze prijzen winnen en ze hebben een paar honderd hectare met graangewassen.'

Ze liepen rond een groot korenveld, staken een wei over vol zwartbonte koeien en roken de varkens al van een afstand. Op de zandweg naar de boerderij stuitten ze op een tractor met een aanhangwagen. Een jongeman in een overall tuurde naar de motor. Tik schudde de man de hand en vroeg: 'Hallo Frederik, wat is er aan de hand?'

'De motor stopte er midden op de weg mee. Ik bracht meneer Nielsen en de familie op de aanhangwagen naar de kerk.' Harald keek nog eens naar de aanhangwagen en zag dat er twee banken op stonden. 'Nu zijn de volwassenen naar de kerk gaan lopen en de kinderen zijn thuis gebracht.'

'Mijn vriend Harald hier is een tovenaar met alle soorten motors.'

'Ik zou het niet erg vinden als hij er een keer naar keek.'

De tractor was een modern model met een dieselmotor en rubber in plaats van stalen wielen. Harald boog voorover om het inwendige te bekijken. 'Wat gebeurt er als je start?'

'Ik zal het je laten zien.' Frederik trok aan een knop. De startmotor loeide, maar de motor pakte niet. 'Ik denk dat de brandstofpomp vernieuwd moet worden.' Frederik schudde wanhopig zijn hoofd. 'We kunnen voor geen enkele machine reserveonderdelen krijgen.'

Harald fronste sceptisch zijn wenkbrauwen. Hij kon diesel ruiken wat erop duidde dat de pomp werkte, maar dat de brandstof de cilinders niet bereikte. 'Zou je nog een keer willen starten?'

Frederik trok aan de knop. Harald dacht dat hij de pijp achter het brandstoffilter zag bewegen. Toen hij beter keek, zag hij dat er dieselolie uit de uitstroomklep lekte. Hij stak zijn hand uit en trok aan de moer. Het hele klephuis kwam los van het filter. 'Dat is het probleem,' zei hij. 'De schroefdraad in deze moer is door de een of andere reden versleten, waardoor hij brandstof lekt. Heb je een stuk draad?'

Frederik voelde in de zakken van zijn tweed broek. 'Ik heb hier een flink stuk touw.'

'Dat zal voorlopig wel genoeg zijn.' Harald duwde de klep terug en bond hem met het touw aan het filter vast, zodat hij niet kon bewegen. 'Probeer nog eens te starten.'

Frederik trok aan de knop en de motor startte. 'Wel heb ik ooit,' zei hij. 'Je hebt hem gemaakt.'

'Zodra je de kans krijgt, moet je het touw vervangen door ijzerdraad. Dan heb je geen reserveonderdeel nodig.'

'Ik neem aan dat je niet van plan bent om hier een week of twee te blijven?' zei Frederik. 'Overal op de boerderij staan kapotte machines.'

'Nee, het spijt me – ik moet terug naar school.'

'Nou, succes dan.' Frederik klom op zijn tractor. 'Ik kan nu dankzij jou wel op tijd bij de kerk zijn om de Nielsens thuis te brengen.'

Hij reed weg.

Harald en Tik slenterden terug naar het kasteel. 'Dat was indrukwekkend,' zei Tik.

Harald haalde zijn schouders op. Zolang hij zich kon herinneren had hij machines kunnen maken.

'De oude Nielsen let altijd op de nieuwste vindingen,' voegde Tik eraan toe. 'Machines om te zaaien, te oogsten en zelfs te melken.'

'Kan hij daar brandstof voor krijgen?'

'Ja. Als het voor voedselproductie is, kun je eraan komen. Maar niemand kan voor wat dan ook reserveonderdelen krijgen.'

Harald keek op zijn horloge. Hij keek uit naar de ontmoeting met Karen bij de lunch. Hij wilde haar vragen over haar vlieglessen.

In het dorp legden ze aan bij de herberg. Tik trakteerde op een glas bier en ze gingen buiten zitten om te genieten van de zon. Aan de overkant van de straat kwamen mensen uit de bakstenen kerk. Frederik reed voorbij op de tractor en zwaaide. De grote man met het witte haar en de rode gelaatskleur van de buitenlucht moest Nielsen zijn, dacht Harald.

Een man in een zwart politieuniform kwam naar buiten met een iel vrouwtje en twee kleine kinderen. Hij keek Tik vijandig aan toen hij dichterbij kwam.

Een van de kinderen, een meisje van een jaar of zeven, vroeg met een luide stem: 'Waarom gaan zij niet naar de kerk, papa?'

'Omdat ze joden zijn,' zei de man. 'Ze geloven niet in de Heer.'

Harald keek Tik aan.

'De dorpsveldwachter, Per Hansen,' zei Tik rustig. 'En de plaatselijke vertegenwoordiger van de Deense nationaal-socialistische arbeiderspartij.'

Harald knikte. De Deense nazipartij. Bij de laatste verkiezingen van twee jaar geleden hadden ze slechts drie zetels in de Rigsdag gekregen. Maar de bezetting had hun meer hoop gegeven en natuurlijk hadden de Duitsers er bij de Deense regering op aangedrongen om de nazileider Fritz Clausen een ministerspost te geven. Koning Christian was zich daartegen blijven verzetten en de Duitsers hadden ingebonden. Partijleden als Hansen waren teleurgesteld, maar schenen te wachten op een ommekeer. Ze leken erop te vertrouwen dat hun tijd nog zou komen. Harald was bang dat ze wel eens gelijk konden hebben.

Tik dronk zijn glas leeg. 'Tijd voor de lunch.'

Ze keerden terug naar het kasteel. Op het voorplein zag Harald tot zijn verrassing Poul Kirke, de neef van hun klasgenoot Mads en de vriend van zijn broer Arne. Poul droeg een korte broek en tegen het grote bakstenen portiek stond een fiets. Harald had hem verscheidene keren ontmoet en nu bleef hij met hem staan praten, terwijl Tik naar binnen ging.

'Werk je hier?' vroeg Poul hem.

'Nee, op bezoek. De school is nog niet afgelopen.'

'Ik weet dat de boerderij studenten in dienst neemt voor het oogsten. Wat ben je van plan deze zomer te doen?'

'Ik weet het nog niet. Afgelopen jaar heb ik als bouwvakker op Sande gewerkt.' Hij trok een gezicht. 'Het bleek ten slotte een Duitse basis te zijn, hoewel ze dat pas later bekendmaakten.'

Poul leek belangstelling te hebben. 'O? Wat voor soort basis?'

'Een soort radiostation, denk ik. Ze ontsloegen alle Denen voordat ze de apparatuur installeerden. Ik zal deze zomer waarschijnlijk op de vissersboten werken en me alvast wat voorbereiden op mijn studie aan de universiteit. Ik hoop onder Niels Bohr natuurkunde te studeren.'

'Echt iets voor jou. Mads beweert altijd dat jij een genie bent.'

Harald stond op het punt Poul te vragen wat hij hier op Kirstenslot deed, toen dat vanzelf duidelijk werd. Karen kwam met een fiets om de hoek van het huis.

Ze zag er betoverend uit in een korte kaki broek die de aandacht vestigde op haar lange benen.

'Goedemorgen, Harald,' zei ze. Ze liep naar Poul toe en kuste hem. Harald zag met een steek van jaloezie dat het een kus op de mond was, zij het een korte. 'Hallo,' zei ze.

Harald was diep teleurgesteld. Hij had gehoopt op een uur met Karen aan de lunch. Maar ze ging een fietstocht maken met Poul die kennelijk haar vriend was, ook al was hij tien jaar ouder. Harald zag nu voor het eerst dat Poul een erg knappe man was met regelmatige gelaatstrekken en de glimlach van een filmster die een volmaakt gebit liet zien.

Poul hield Karens hand vast en bekeek haar van top tot teen. 'Je ziet er absoluut verrukkelijk uit,' zei hij. 'Ik zou zo wel een foto van je willen hebben.'

Ze glimlachte minzaam. 'Dank je.'

'Klaar?'

'Helemaal.'

Ze stapten op hun fiets.

Harald voelde zich ellendig. Hij zag ze naast elkaar in het zonlicht de oprit afrijden. 'Een fijne tocht!' riep hij.

Karen zwaaide zonder zich om te draaien.

6

Hermia Mount stond op het punt haar ontslag te krijgen.

Dit was haar nooit eerder overkomen. Ze was intelligent en plichts-getrouw en ondanks haar scherpe tong hadden haar werkgevers haar altijd beschouwd als een aanwinst. Maar haar huidige baas, Herbert Woodie, ging haar vertellen dat ze was ontslagen, zodra hij de moed daarvoor had verzameld.

Twee Denen die voor MI6 werkten waren op het vliegveld Kastrup gearresteerd. Ze zaten nu in hechtenis en werden ongetwijfeld ver-hoord. Het was een zware klap voor de Nachtwakers. Woodie werkte al voor de oorlog bij MI6 en was een bureaucraat met een lange staat van dienst. Hij moest de schuld op iemand kunnen schuiven en Her-mia was een geschikte kandidaat.

Hermia begreep dat. Ze werkte al een decennium voor de Britse over-heid en wist hoe het ging. Als Woodie noodgedwongen moest toe-geven dat de schuld bij zijn afdeling lag, dan zou hij die in de schoe-nen schuiven van de medewerker met de laagste rang. Woodie had het werken met een vrouw trouwens nooit prettig gevonden en hij zou haar met alle plezier vervangen door een man.

Aanvankelijk was Hermia geneigd zichzelf aan te bieden als het spreekwoordelijke slachtoffer. Ze had de twee mecaniciens nooit ont-moet – ze waren gerekruteerd door Poul Kirke – maar het netwerk was haar schepping en zij was verantwoordelijk voor het lot van de gearresteerde mannen. Als ze al waren gestorven, had ze niet meer ontdaan kunnen zijn en ze wilde er niet meer mee doorgaan.

Hoeveel, dacht ze, had ze tenslotte echt bijgedragen aan de oorlogs-inspanning? Ze verzamelde alleen maar informatie waarmee nog nooit iets was gedaan. Mannen riskeerden hun leven, omdat ze haar foto's stuurden van de haven van Kopenhagen waar toch niet veel ge-beurde. Het leek belachelijk.

Maar ze kende wel degelijk het belang van dit zware routinewerk. Op een dag in de toekomst zou een verkenningsvliegtuig een foto maken van de haven vol schepen en de militaire plannenmakers moesten dan weten of dit normaal scheepvaartverkeer was of de plotselinge toename voorafgaand aan een invasie – en op dat moment zouden de foto's van Hermia uiterst belangrijk worden.

Bovendien had het bezoek van Digby Hoare haar werkzaamheden in-eens erg dringend gemaakt. Het vliegtuigdetectiesysteem van de Duit-sers kon het wapen zijn waarmee de oorlog zou worden gewonnen.

Hoe meer ze erover nadacht, hoe waarschijnlijker het leek dat de kern van het probleem in Denemarken lag. De Deense westkust leek de ideale locatie voor een station dat moest waarschuwen tegen bommenwerpers die richting Duitsland vlogen.

En bij MI6 zat niemand die Denemarken kende zoals zij. Ze kende Poul Kirke persoonlijk en hij vertrouwde haar. Het kon rampzalig zijn wanneer een vreemde haar werk overnam. Ze moest haar baan behouden. En dat betekende dat ze slimmer moest zijn dan haar baas.

'Dit is slecht nieuws,' zei Woodie somber toen ze voor zijn bureau stond.

Zijn kantoor was gevestigd in een slaapkamer van het oude landhuis van Bletchley Park. Bloemetjesbehang en muurlampen met zijden kapjes deden vermoeden dat het voor de oorlog de slaapkamer van een dame was geweest. Nu stonden er archiefkasten in plaats van klerenkasten vol jurken en een stalen kaartentafel stond op de plaats waar ooit misschien een kaptafel met slanke poten en een driedelige spiegel had gestaan. En de kamer werd niet bewoond door een elegante vrouw in een kostbaar zijden négligé, maar door een kleine, opgeblazen man in een grijs pak en met een brilletje.

Hermia wekte de schijn dat ze kalm was. 'Er is natuurlijk altijd gevaar wanneer een agent wordt verhoord,' zei ze. 'Maar...' ze dacht aan de twee dappere mannen die werden ondervraagd en gemarteld en even stokte de adem in haar keel. Toen herstelde ze zich. 'Maar in dit geval is er volgens mij weinig gevaar.'

Woodie gromde sceptisch. 'Misschien moeten we een onderzoek instellen.'

Dat was een domper. Een onderzoek betekende een onderzoeker van buiten de afdeling. Hij zou voor de dag moeten komen met een zondebok en zij was de voor de hand liggende keus. Ze begon met de verdediging die ze had voorbereid. 'De twee gearresteerde mannen kennen geen geheimen die ze kunnen verraden,' zei ze. 'Ze behoorden tot het grondpersoneel van het vliegveld. Een van de Nachtwakers gaf ze de papieren die het land uit gesmokkeld moesten worden en zij stopten alles in een hol wielblok.' Ze wist dat ze ook dan nog schijnbaar onschuldige details konden onthullen over hoe ze waren gerekruteerd en de papieren kregen, details die een slimme medewerker van de contraspionage kon gebruiken om andere agenten op te sporen.

'Van wie kregen ze de papieren?'

'Matthies Hertz, een luitenant in het leger. Hij is ondergedoken. En de mecaniciens kennen niemand anders van het netwerk.'

'Dus door onze erg veilige manier van werken is de schade aan de organisatie beperkt gebleven.'

Hermia vermoedde dat Woodie een zin repeteerde die hij misschien tegenover zijn meerderen wilde gebruiken en ze dwong zich hem op een vleiende manier bij te vallen. 'Inderdaad meneer, zo kan het heel goed worden uitgedrukt.'

'Maar hoe heeft de Deense politie lucht gekregen van onze mensen?' Hermia had die vraag voorzien en haar antwoord zorgvuldig voorbereid. 'Ik denk dat het lek aan de Zweedse kant moet worden gezocht.'

'Aha.' Het gezicht van Woodie klaarde op. Zweden lag als neutraal land buiten zijn bevoegdheid. Hij zou de schuld maar al te graag op een andere afdeling schuiven. 'Ga zitten, juffrouw Mount.'

'Dank u.' Hermia begon het zonniger in te zien. Woodie reageerde zoals ze had gehoopt. Ze sloeg haar benen over elkaar en ging verder: 'Ik denk dat de Zweedse tussenpersoon exemplaren van de illegale kranten heeft doorgespeeld aan Reuter in Stockholm en dat de Duitsers daardoor zijn gealarmeerd. U hebt altijd de strikte regel gehanteerd dat onze agenten zich moeten beperken tot het vergaren van inlichtingen en dat ze bijkomstige activiteiten als propaganda moeten vermijden.' Ook dit was gevlei. Ze had Woodie nog nooit zoiets horen zeggen, maar het was een algemene regel in het spionagevak.

Hij knikte echter wijs. 'Inderdaad.'

'Ik heb de Zweden op uw regel gewezen, zodra ik ontdekte wat er aan de hand was, maar ik vrees dat de schade al was aangericht.'

Woodie keek nadenkend. Hij zou het heel aardig vinden als hij kon beweren dat zijn advies in de wind was geslagen. Eigenlijk vond hij het niet plezierig als mensen deden wat hij opperde, omdat ze het dan ook op hun eigen conto schreven als alles goed verliep. Hij had liever dat ze geen aandacht aan zijn raad schonken en dat alles verkeerd liep. Dan kon hij zeggen: 'Ik had het toch gezegd.'

Hermia zei: 'Zal ik u een memo sturen waarin ik uw regel aanhaal met een kopie van mijn bericht aan het Zweedse gezantschap?'

'Goed idee.' Dat stond Woodie nog meer aan. Hij zou de schuld niet zelf toewijzen, maar louter een ondergeschikte citeren die hem toevallig aanduidde als de persoon die de vinger op de zere plek had gelegd.

'Vervolgens zullen we een nieuwe manier moeten vinden om inlichtingen uit Denemarken te halen. We kunnen geen radio gebruiken voor dit soort materiaal, omdat de uitzending te lang zou duren.'

Woodie had er geen idee van hoe hij een alternatieve smokkelroute op moest zetten. 'Ach ja, dat is een probleem,' zei hij met een ondertoon van paniek.

'Gelukkig hebben we gezorgd voor een alternatief, waarbij gebruik wordt gemaakt van de boottrein die van Elsinore in Denemarken oversteekt naar Helsingborg in Zweden.'

Woodie was opgelucht. 'Voortreffelijk,' zei hij.

'Misschien moet ik in het memo vermelden dat u me hebt geautoriseerd om dat op te zetten.'

'Prima.'

Ze aarzelde. 'En… het onderzoek?'

'Ach, ik weet niet zeker of dat wel noodzakelijk is. Uw memo moet antwoord kunnen geven op eventuele vragen.'

Ze verborg haar opluchting. Ze werd toch niet ontslagen.

Ze wist dat ze moest stoppen nu ze op koers lag, maar er was een ander probleem waarover ze heel graag met hem wilde praten. Dit leek een ideale gelegenheid. 'Er is iets wat we kunnen doen om onze beveiliging enorm te verbeteren, meneer.'

'O ja?' De gelaatsuitdrukking van Woodie gaf aan dat als er zo'n procedure was, hij er uiteraard al aan gedacht zou hebben.'

'We zouden een meer geavanceerde code kunnen gebruiken.'

'Wat is er mis met onze codes die zijn gebaseerd op gedichten en boeken? Agenten van MI6 gebruiken die al jaren.'

'Ik vrees dat de Duitsers hebben ontdekt hoe ze die kunnen breken.' Woodie glimlachte alwetend. 'Dat denk ik niet, mijn beste juffrouw Mount.'

Hermia besloot het risico te nemen om hem tegen te spreken. 'Mag ik u laten zien wat ik bedoel?' Zonder op zijn antwoord te wachten, ging ze verder: 'Kijkt u eens naar deze gecodeerde boodschap.' Snel schreef ze op haar blocnote:

Gsff cff jo uif dbouffo

Ze zei: 'De meest voorkomende letter is de f.'

'Duidelijk.'

'In het Engels is de letter die het vaakst voorkomt de e, dus het eerste wat iemand doet die de code probeert te breken, is aannemen dat de f de plaats heeft ingenomen van de e en dat geeft dit.'

GsEE cEEs jo uiE dbouEEo

'Dat zou nog steeds van alles kunnen betekenen,' zei Woodie.

'Niet echt. Hoeveel woorden van vier letters kent u die eindigen op dubbel e?'

'Ik heb er absoluut geen idee van.'

'Dat zijn er maar een paar: flee, free, glee en tree. Kijk nu eens naar de tweede groep.'

'Juffrouw Mount, ik heb echt geen tijd…'

'Nog een paar tellen, meneer. Er zijn veel woorden van vier letters met een dubbel e in het midden. Wat zou de eerste letter kunnen zijn? Uiteraard geen a, maar wel een b. Denk dus aan woorden die beginnen met bee en logisch klinken in combinatie met het eerste woord. Flee been zegt niets, free bees klinkt vreemd, hoewel tree bees goed zou kunnen zijn…'

Woodie viel haar in de rede. 'Free beer!' zei hij triomfantelijk.

'Laten we dat eens proberen. De volgende groep bestaat uit twee letters en er zijn niet veel tweeletterwoorden: an, at, in, if, it, on, of, or en up zijn de meest gebruikte. De derde groep is een drieletterwoord dat eindigt op een e. Daar zijn er veel van, maar het gebruikelijkst is the.'

Woodie begon tegen wil en dank belangstelling te tonen. 'Free beer at the nog iets.'

'Of in de nog iets. En dat nog iets is een zevenletterig woord met een dubbele e, dus eindigt het op eed, eef, eek, eel, eem, een, eep…'

'Free beer in the canteen!' zei Woodie triomfantelijk.

'Ja,' zei Hermia. Ze keek Woodie zwijgend aan om de betekenis van wat er net was gebeurd te laten doordringen. Na enkele ogenblikken zei ze: 'Zo gemakkelijk zijn onze codes te breken, meneer.' Ze keek op haar horloge. 'U had er drie minuten voor nodig.'

Hij gromde. 'Een leuke truc voor een feestje, juffrouw Mount, maar de oude rotten van MI6 weten meer van dit soort dingen dan u, neem dat van mij aan.'

Het had geen zin, besefte ze wanhopig. Hij zou vandaag niet overgehaald kunnen worden. Ze zou het later nog eens moeten proberen. Ze dwong zichzelf om beleefd toe te geven. 'Heel goed, meneer.'

'Concentreer u op uw eigen verantwoordelijkheden. Waar zijn de andere Nachtwakers mee bezig?'

'Ik ga ze vragen om hun ogen open te houden voor tekenen die erop wijzen dat de Duitsers een vliegtuigdetectie voor lange afstand hebben ontwikkeld.'

'Goede hemel, doe dat niet!'

'Waarom niet?'

'Als de vijand erachter komt dat we daarnaar vragen, zal hij vermoeden dat wij het hebben.'

'Maar meneer – stel dat ze zo'n systeem wel hebben?'

'Dat hebben ze niet. Maak je maar geen zorgen.'

'De heer van Downing Street die hier vorige week was, scheen er anders over te denken.'

'In vertrouwen, juffrouw Mount, een MI6 commissie heeft zich kort geleden over de hele radarzaak gebogen en is tot de slotsom gekomen dat het nog zo'n achttien maanden zal duren voordat de vijand een dergelijk systeem heeft ontwikkeld.'

Dus, dacht Hermia, het werd radar genoemd. Ze glimlachte. 'Dat is heel geruststellend,' loog ze. 'Ik neem aan dat u zelf deel uitmaakte van die commissie, meneer?'

Woodie knikte. 'Ik was er zelfs voorzitter van.'

'Bedankt dat u me gerust hebt gesteld. Ik zal dat memo gaan schrijven.'

'Voortreffelijk.'

Hermia liep het kantoor uit. Haar gezicht was verkrampt van het glimlachen en ze was uitgeput omdat ze voortdurend Woodie te slim af had moeten zijn. Ze had haar baan nog en ze vond dat ze zich wel even tevreden mocht voelen, toen ze terugliep naar haar eigen kantoor. Maar met de codes had ze bakzeil moeten halen. Ze had de naam ontdekt van het detectiesysteem – radar – maar het was duidelijk dat Woodie haar geen toestemming zou geven om te onderzoeken of de Duitsers zo'n systeem in Denemarken hadden geïnstalleerd.

Ze verlangde ernaar iets te doen dat meteen van waarde was voor de oorlogsinspanning. Al dit routinewerk maakte haar ongeduldig en gefrustreerd. Het zou zo bevredigend zijn om eens echt resultaten te zien. En het zou zelfs een rechtvaardiging kunnen zijn voor wat die twee arme mecaniciens op Kastrup was overkomen.

Ze kon natuurlijk onderzoek doen naar een vijandelijke radar zonder Woodie erin te kennen. Hij kon erachter komen, maar dat risico wilde ze wel lopen. Ze wist echter niet wat ze tegen haar Nachtwakers moest zeggen. Waar moesten ze naar zoeken en op welke plaats? Ze had meer informatie nodig voordat ze Poul Kirke kon inlichten. En Woodie zou haar die niet geven.

Maar hij was niet haar enige hoop.

Ze ging achter haar bureau zitten, pakte de telefoon op en zei: 'Verbind me alsjeblieft met Downing Street nummer tien.'

Ze ontmoette Digby Hoare op Trafalgar Square. Ze stond aan de voet van Nelsons zuil en zag hem de weg van Whitehall oversteken. Ze glimlachte om de energieke, maar manke pas die ze al kenmerkend voor hem was gaan vinden. Ze schudden elkaar de hand en wandelden toen naar Soho.

Het was een warme zomeravond en het West End van Londen was druk. Op de trottoirs verdrongen mensen zich op weg naar theaters, bioscopen, bars en restaurants. Het vrolijke beeld werd alleen verstoord door de schade die bommen hadden aangericht, de geblakerde ruïne die hier en daar opdoemde in een rij gebouwen en opviel als een rotte tand in een glimlach.

Ze had gedacht dat ze iets gingen drinken in een pub, maar Digby bracht haar naar een Frans restaurantje. De tafeltjes in de omgeving waren niet bezet, dus konden ze praten zonder te worden afgeluisterd.

Digby droeg hetzelfde grijze kostuum, maar vanavond had hij dat gecombineerd met een lichtblauw overhemd waarbij zijn blauwe ogen goed uitkwamen. Hermia was blij dat ze had besloten haar favoriete sieraad te dragen, de broche van een panter met smaragdgroene ogen.

Ze wilde zo snel mogelijk ter zake komen. Ze had geweigerd om met Digby uit te gaan en ze wilde hem niet het idee geven dat ze zich had bedacht. Zodra ze hadden besteld, zei ze: 'Ik wil mijn agenten in Denemarken inzetten om te ontdekken of de Duitsers radar hebben.'

Hij keek haar aan door toegeknepen og͘e͘n. 'De zaak ligt iets ingewikkelder. Er bestaat nu geen enkele twijfel meer dat ze net als wij radar hebben. Maar die van hen is doeltreffender dan de onze – vernietigend veel beter.'

'O,' zei ze onthutst. 'Woodie vertelde me... maakt ook niet uit.'

'Wij willen ontzettend graag ontdekken waarom hun systeem zo goed is. Ofwel ze hebben iets uitgevonden dat beter is dan wat wij hebben, of ze hebben een manier ontdekt om het doeltreffender in te zetten – of allebei.'

'Goed.' Ze paste haar ideeën snel aan bij wat ze net had gehoord. 'Dat neemt niet weg dat het zeer waarschijnlijk is dat een deel van die apparatuur in Denemarken staat.'

'Het zou een logische locatie zijn – de codenaam "Freya" duidt op Scandinavië.'

'Waar moeten mijn mensen naar zoeken?'

'Dat is moeilijk.' Hij trok een frons in zijn voorhoofd. 'We weten niet hoe hun apparatuur eruitziet – daar draait het juist om, nietwaar?'

'Ik neem aan dat het radiogolven uitzendt.'

'Ja, natuurlijk.'

'En vermoedelijk leggen die signalen een behoorlijke afstand af – anders zou de waarschuwing niet vroeg genoeg komen.'

'Ja. Het zou nutteloos zijn tenzij de signalen minstens een, pakweg tachtig kilometer ver zouden reiken. Waarschijnlijk verder.'

'Zouden we ernaar kunnen luisteren?'

Hij trok verrast zijn wenkbrauwen op. 'Ja, met een radio-ontvanger. Slim bedacht – ik weet niet waarom niemand anders daar opgekomen is.'

'Kunnen de signalen worden onderscheiden van normale uitzendingen zoals van het nieuws en zo?'

Hij knikte. 'Je zou moeten luisteren naar een serie, waarschijnlijk erg snelle pulsen. Zeg zo'n duizend per seconde. Je zou dat horen als een aanhoudende noot. Je zult dus weten dat het niet de BBC is. En het zou heel anders klinken dan de punten en strepen van militair radioverkeer.'

'Jij bent ingenieur. Kun jij een radio-ontvanger bouwen die geschikt is om zulke signalen op te vangen?'

Hij keek nadenkend. 'Hij zou vermoedelijk draagbaar moeten zijn.'

'Hij zou in een koffer moeten passen.'

'En moeten werken op een batterij, zodat hij overal kan worden gebruikt.'

'Ja.'

'Het zou tot de mogelijkheden moeten behoren. Er zit een groep bollebozen in Welwyn die de hele dag niets anders doen.' Welwyn was een stadje tussen Bletchley en Londen. 'Ontploffende rapen, radiozenders die verborgen zitten in een baksteen, dat soort dingen. Ze kunnen waarschijnlijk wel iets in elkaar flansen.'

Hun eten werd opgediend. Hermia had een tomatensalade besteld. Die werd geserveerd met gesnipperde uitjes en wat munt. Ze vroeg zich af waarom Engelse koks in plaats van ingeblikte sardines en gekookte kool geen eten konden klaarmaken dat even eenvoudig en lekker was als dit.

'Waarom ben je begonnen met de Nachtwakers?' vroeg Digby haar.

Ze begreep niet helemaal wat hij bedoelde. 'Het leek een goed idee.'

'Toch is het geen idee waarop de gemiddelde jonge vrouw zou komen, als ik het mag zeggen.'

Ze dacht eraan terug, herinnerde zich de problemen die ze had gehad met een andere bureaucratische chef, en vroeg zich af waarom ze had doorgezet. 'Ik wilde de nazi's bestrijden. Ze hebben iets wat ik absoluut verderfelijk vind.'

'Het fascisme wijt problemen aan een verkeerde oorzaak – mensen van een ander ras.'

'Ik weet het, maar dat is het niet. Het zijn de uniformen, het opgeblazen gedoe en de manier waarop ze die afschuwelijke toespraken brallen. Ik word er misselijk van.'

'Wanneer heb je dat dan meegemaakt? Er zijn niet veel nazi's in Denemarken.'

'In de jaren dertig heb ik een jaar in Berlijn gewoond. Ik heb ze zien marcheren en salueren en ik zag hoe ze op mensen spuugden en de etalages van joodse winkeliers ingooiden. Ik weet nog dat ik dacht: die lui moeten worden tegengehouden voordat ze de hele wereld bederven. Dat denk ik nog steeds. Ik weet het heel zeker.'

Hij glimlachte. 'Ik ook.'

Hermia had een fricassee van zeebanket en weer viel het haar op wat een Franse kok, ondanks de rantsoenering, kon doen met gewone ingrediënten. De schotel bevatte schijfjes aal, een paar alikruiken die geliefd waren bij Londenaren en stukjes kabeljauw, maar alles was vers en goed gekruid en ze at er met smaak van.

Regelmatig zag ze dat Digby naar haar keek met steeds diezelfde blik die een mengelmoes was van aanbidding en wellust. Het verontrustte haar. Als hij verliefd op haar werd, kon dat alleen maar problemen en verdriet veroorzaken. Maar het was ook prettig om te merken dat een man haar duidelijk begeerde. Op een gegeven moment merkte ze dat ze bloosde en ze bracht haar hand naar haar keel om de blos te verbergen.

Doelbewust begon ze aan Arne te denken. De eerste keer dat ze hem in de bar van het skihotel in Noorwegen had ontmoet, wist ze dat ze had gevonden wat tot dan toe in haar leven had ontbroken. 'Nu begrijp ik, waarom ik nooit een bevredigende relatie met een man heb gehad,' had ze aan haar moeder geschreven. 'Dat komt, omdat ik Arne niet had ontmoet.' Toen hij haar ten huwelijk vroeg, had ze gezegd: 'Als ik had geweten dat er mannen zijn zoals jij, was ik al jaren eerder getrouwd.'

Ze zei ja op alles wat hij voorstelde. Normaal gesproken was ze zo op zichzelf, dat ze nooit een appartement met een vriendin had kunnen delen, maar bij Arne verloor ze haar wilskracht. Elke keer als hij haar vroeg met hem uit te gaan, stemde ze toe; steeds weer als hij haar kuste, kuste ze hem terug; wanneer hij haar borsten onder haar ski-trui streelde, zuchtte ze alleen maar van genot; en wanneer hij om middernacht op de deur van haar hotelkamer klopte, zei ze: 'Ik ben zo blij dat je hier bent.'

De gedachte aan Arne hielp haar om afstand te bewaren tegenover Digby en toen ze hun eten op hadden, bracht ze het gesprek op de oorlog. Een geallieerd leger van Engelsen, soldaten uit het Gemenebest en vrije Fransen was Syrië binnengevallen. Het was een schermutseling en heel ver van huis en allebei konden ze zich niet voorstellen dat het resultaat belangrijk was. Het draaide tenslotte om het conflict in Europa. En hier was het een strijd van bommenwerpers.

Toen ze het restaurant verlieten, was het donker, maar het was vollemaan. Ze liepen naar het zuiden richting het huis van haar moeder in Pimlico, waar Hermia de nacht zou doorbrengen. Toen ze door St. James Park liepen, verdween de maan achter een wolk en Digby draaide zich naar haar toe en kuste haar.

Ongewild moest ze bewondering hebben voor de snelle directheid van zijn bewegingen. Zijn lippen lagen op de hare voordat ze zich weg kon draaien. Met een sterke hand trok hij haar lichaam tegen het zijne en haar borsten duwden tegen hem aan. Ze wist dat ze verontwaardigd zou moeten doen, maar tot haar ontzetting merkte ze dat ze reageerde. Plotseling herinnerde ze zich hoe het was om het harde lichaam en de warme huid van een man te voelen en in een opwelling van begeerte opende ze haar mond.

Een minuut lang kusten ze elkaar hongerig, toen ging zijn hand naar haar borst en dat verbrak de betovering. Ze was te oud en fatsoenlijk om in een park betast te worden. Ze maakte zich los uit de omhelzing.

Ze dacht er even aan om hem mee naar huis te nemen. Ze stelde zich de verontwaardigde afkeuring van Mags en Bets voor en dat beeld maakte haar aan het lachen.

'Wat is er?' vroeg hij.

Ze zag zijn gekwetste blik. Hij dacht waarschijnlijk dat haar lach iets had te maken met zijn handicap. Ik moet eraan denken hoe gevoelig hij is voor spot, dacht ze. Haastig legde zij uit: 'Mijn moeder is weduwe en woont samen met een ongetrouwde vrouw van middelbare leeftijd. Ik bedacht net hoe ze zouden reageren als ik ze vertelde dat ik een man mee naar huis wilde nemen.'

De gekwetste blik verdween. 'Ik vind het wel leuk wat jij denkt,' zei hij en probeerde haar weer te kussen.

Ze kwam in de verleiding om mee te doen, maar dacht aan Arne en zette een hand tegen Digby's borst. 'Genoeg,' zei ze kordaat. 'Breng me naar huis.'

Ze verlieten het park. Het korte gevoel van euforie trok uit haar weg en ze begon zich ontdaan te voelen. Hoe kon ze van de kus van Digby genieten als ze van Arne hield? Toen ze langs de Big Ben en Westminster Abby liepen, verdreef een luchtalarm al die gedachten uit haar hoofd.

'Wil je een schuilkelder zoeken?' vroeg Digby.

Veel Londenaren zochten geen dekking meer tijdens luchtaanvallen. Omdat ze genoeg hadden van slapeloze nachten, hadden sommigen besloten liever het risico van de bommen te nemen. Anderen waren fatalistisch geworden en zeiden dat als een bom jouw nummer had, je er toch niets aan kon doen. Hermia was niet zo blasé, maar aan de andere kant voelde ze er ook weinig voor om met de amoureuze Digby de nacht in een schuilkelder door te brengen. 'Het is nog maar een paar minuten lopen,' antwoordde ze. 'Vind je het erg als we doorgaan?'

'Misschien moet ik de nacht toch wel doorbrengen bij jouw moeder thuis.'

'Ik zal in elk geval een chaperonne hebben.'

Ze haasten zich door Westminster naar Pimlico. Zoeklichten tastten de verspreide wolken af en toen hoorden ze het sinistere lage gedreun van zware vliegtuigen. Ze maakten een geluid als een groot roofdier dat diep in zijn keel hongerig gromt. Ergens blafte luchtafweergeschut en granaten ontploften in de hemel als vuurwerk. Hermia vroeg zich af of haar moeder vannacht in haar ambulance reed.

Tot Hermia's afschuw begonnen er bommen in de buurt te vallen, hoewel het normaal het industriële East End was, dat het zwaarst werd getroffen. Er klonk een oorverdovende klap die uit de volgende straat leek te komen. Een minuut later reed brullend een brandweerauto voorbij. Hermia liep zo snel als ze kon.

Digby vroeg: 'Je bent zo rustig, ben je niet bang?'

'Natuurlijk ben ik bang,' zei ze ongeduldig. 'Ik raak alleen niet in paniek.'

Ze sloegen de hoek om en zagen een brandend huis. De brandweerauto stond ervoor en mannen rolden slangen uit.

'Hoever nog?' vroeg Digby.

'Volgende straat,' zei Hermia hijgend.

Toen ze de volgende hoek omsloegen, zagen ze een andere brandweerauto aan het uiteinde van de straat in de buurt van Mags' huis.

'O, god,' zei Hermia en ze begon te rennen. Haar hart bonsde van angst, terwijl ze over het trottoir schoot. Er stond een ambulance, zag ze, en minstens één huis in het blok van haar moeder was getroffen. 'Nee, alsjeblieft,' zei ze hardop.

Toen ze dichterbij kwam, zag ze tot haar verbazing dat het huis van haar moeder niet was te vinden, maar wel was duidelijk dat het huis ernaast in brand stond. Ze bleef staan en met grote ogen probeerde ze te begrijpen wat ze zag. Toen drong het eindelijk tot haar door dat het huis van haar moeder was verdwenen. Er was niets meer van over, alleen een opening in het huizenblok en een hoop puin. Ze kreunde van wanhoop.

'Is dat het huis?' vroeg Digby.

Hermia knikte, niet in staat om iets te zeggen.

Digby riep met autoritaire stem een brandweerman. 'Jij!' zei hij. 'Enig teken van de bewoners van dit huis?'

'Ja, meneer,' zei de brandweerman. 'Eén persoon is door de ontploffing naar buiten geblazen.' Hij wees naar het voortuintje van het onbeschadigde huis aan de andere kant. Er lag een lichaam op een stretcher op de grond. Het gezicht was bedekt.

Hermia voelde dat Digby haar arm pakte. Samen liepen ze de tuin in. Hermia knielde en Digby trok het laken van het gezicht.

'Het is Bets,' zei Hermia met een vreselijk schuldig gevoel van opluchting.

Digby keek om zich heen. 'Wie zit daar op de muur?'

Hermia keek op en haar hart sloeg over toen ze de gestalte van haar moeder herkende. Gekleed in haar ambulance-uniform met de helm zat ze ineengedoken op het muurtje alsof al het leven uit haar was gevloeid. 'Moeder?' zei ze.

Haar moeder keek op en Hermia zag dat de tranen over haar wangen stroomden.

Hermia liep naar haar toe en sloeg haar armen om haar heen.

'Bets is dood,' zei haar moeder.

'Het spijt me, moeder.'

'Ze hield zoveel van mij,' snikte haar moeder.

'Ik weet het.'

'Echt? Weet je het? Ze heeft haar hele leven op mij gewacht. Besefte je dat? Heel haar leven.'

Hermia trok haar moeder stevig tegen zich aan. 'Het spijt me zo verschrikkelijk,' zei ze.

Op de ochtend van 9 april 1940, toen Hitler Denemarken binnenviel, waren er ongeveer tweehonderd Deense schepen op zee. Heel die dag werden zeelieden in Deenstalige uitzendingen van de BBC opgeroepen om koers te zetten naar geallieerde havens en niet terug te keren naar een veroverd land. In totaal namen ongeveer vijfduizend mannen het aanbod van een toevluchtsoord aan. De meeste schepen zochten een veilige haven aan de oostkust van Engeland, hesen de Engelse vlag en bleven gedurende de hele oorlog onder Britse vlag doorvaren. Als gevolg daarvan waren halverwege het volgende jaar in verschillende Engelse havensteden kleine Deense gemeenschappen ontstaan.

Hermia besloot naar de vissersplaats Stokeby te gaan. Ze had de plaats twee keer eerder bezocht om er met Denen te praten. Deze keer had ze tegen haar chef Herbert Woodie gezegd dat ze haar enigszins verouderde kaarten van de belangrijkste Deense havens wilde controleren om zonodig aanpassingen te maken.

Hij geloofde haar.

Digby Hoare vertelde ze een ander verhaal.

Twee dagen nadat de bom het huis van haar moeder had verwoest, kwam Digby naar Bletchley met een radio-ontvanger en richtingzoeker, alles keurig verpakt in een wat versleten ogende bruinleren koffer. Toen hij haar liet zien hoe ze de apparatuur moest bedienen, dacht ze met een schuldig geweten aan de kus in het park en hoeveel ze daarvan had genoten. Ongemakkelijk vroeg ze zich af hoe ze Arne onder ogen kon komen.

Oorspronkelijk was ze van plan geweest de radio naar de Nachtwakers te smokkelen, maar daarna had ze iets eenvoudigers bedacht. De signalen van de radarapparatuur zouden waarschijnlijk even gemakkelijk op zee als op het land opgevangen kunnen worden. Ze zei tegen Digby dat ze de koffer aan de kapitein van een vissersboot ging geven en dat ze hem de bediening zou leren. Digby stemde daarmee in.

Dat plan had heel goed kunnen werken, maar in werkelijkheid wilde ze zo'n belangrijke taak niet aan iemand anders overlaten. Ze was van plan om zelf te gaan.

In de Noordzee tussen Engeland en Denemarken ligt een grote zandbank die bekendstaat als de Doggerbank. De zee is daar op plaatsen maar vijftien meter diep en het is er goed vissen. Zowel Engelse als Deense schepen gooiden daar hun netten uit. Strikt gesproken mochten schepen uit Denemarken zich niet zo ver uit de kust wagen, maar Duitsland had haring nodig, dus werd het verbod zelden gehandhaafd en regelmatig overtreden. Gedurende enige tijd had Hermia in haar achterhoofd met de gedachte gespeeld dat boodschappen – of zelfs mensen – op vissersboten tussen de twee landen heen en weer konden reizen, waarbij halverwege van de Engelse op de Deense werd overgestapt en omgekeerd. Nu had ze echter een beter idee. De andere kant van de Doggerbank lag op slechts zo'n honderdvijftig kilometer van de Deense kust. Als ze goed had gegokt, moesten de signalen van de Freyamachine vanaf de visgronden te horen zijn.

Op vrijdagavond stapte ze op een trein. Ze was gekleed in een lange broek, laarzen en een losse trui. Haar haren had ze weggestopt onder een geruite mannenpet. Terwijl de trein door het vlakke moerasland van Oost-Engeland rolde, vroeg ze zich bezorgd af of haar plan zou slagen. Zou ze een schip vinden dat bereid was haar mee te nemen? Zou ze de signalen opvangen die ze verwachtte? Of was de hele zaak tijdverspilling?

Na een poosje gingen haar gedachten naar haar moeder. Moeder was gisteren bij de begrafenis van Bets weer beheerst geweest. Ze werd niet meer verteerd door verdriet, maar maakte een rustige en bedroefde indruk en vandaag was ze naar Cornwall gegaan om te logeren bij haar zuster, Hermia's tante Bella. Maar in de nacht van de bom was haar ziel blootgelegd.

De twee vrouwen waren boezemvriendinnen geweest, maar er was kennelijk meer. Hermia wilde er niet echt over nadenken wat er nog meer zou kunnen zijn, maar onwillekeurig was ze er nieuwsgierig naar. Ze zette de gênante gedachte aan een mogelijke lichamelijke relatie tussen Mags en Bets uit haar hoofd, maar het was wel een schok voor haar dat haar moeder een leven lang zorgvuldig een hartstochtelijke genegenheid verborgen had gehouden voor Hermia en waarschijnlijk ook voor haar man, Hermia's vader.

Ze kwam om acht uur in Stokeby aan. Het was een zachte zomeravond en ze liep van het station rechtstreeks naar de Shipwright Arms, een pub die op de kade lag. Het kostte haar maar een paar minuten rondvragen om te ontdekken dat Sten Munch, een Deense kapitein die ze tijdens haar laatste bezoek had ontmoet, de volgende ochtend vroeg met zijn boot *Morganmand* wilde uitvaren. Ze vond Sten in zijn huis tegen de heuvel, waar hij als een geboren Engelsman de heg van zijn voortuin stond te knippen. Hij vroeg haar binnen te komen.

Hij was weduwnaar en woonde bij zijn zoon Lars, die op 9 april 1940 bij hem op de boot had gezeten. Lars was inmiddels getrouwd met een plaatselijk meisje, Carol. Toen Hermia binnenkwam, was Carol een baby'tje van een paar dagen oud aan het voeden. Lars zette thee. Ze spraken allemaal Engels ter wille van Carol.

Hermia legde uit dat ze wilde proberen om zo dicht mogelijk bij de Deense kust te komen om een draadloze Duitse verbinding af te luisteren – ze zei niet om wat voor signalen het ging. Sten twijfelde niet aan haar verhaal. 'Natuurlijk!' zei hij gul. 'Ik doe alles wat kan meehelpen om de nazi's te verslaan. Maar mijn boot is niet echt geschikt.'

'Waarom niet?'

'Ze is erg klein – nog geen elf meter – en we zullen ongeveer drie dagen buitengaats zijn.'

Hermia had dit verwacht. Ze had Woodie verteld dat ze haar moeder moest installeren in een nieuwe woning en dat ze ergens volgende week zou terugkomen. 'Dat maakt niet uit,' zei ze tegen Sten, 'ik heb de tijd.'

'Mijn boot heeft maar drie kooien. We slapen in ploegen. Ze is niet gebouwd voor dames. Je zou een grotere boot moeten zoeken.'

'Is er een die morgen vertrekt?'

Sten keek Lars aan en die zei: 'Nee. Gisteren zijn er drie uitgevaren en die komen pas volgende week thuis. Peter Gorning zou morgen terug moeten komen. Hij zal midden volgende week weer uitvaren.'

Ze schudde haar hoofd. 'Te laat.'

Carol keek op van haar baby. 'Ze slapen in hun kleren, weet je. Daarom stinken ze zo als ze thuiskomen. Het is erger dan de stank van de vis.'

Hermia mocht haar meteen, omdat ze zo eenvoudig en direct was. 'Dat zal voor mij geen probleem zijn,' zei ze. 'Ik kan in mijn kleren slapen in een bed dat nog warm is van de vorige slaper. Ik zal er niet dood aan gaan.'

Sten zei: 'Je weet dat ik wil helpen. Maar de zee is niets voor vrouwen. Jullie zijn gemaakt voor de mooie dingen in het leven.'

Carol snoof smalend. 'Zoals baren?'

Hermia glimlachte dankbaar, omdat Carol aan haar kant stond. 'Zo is het. Wij zijn heel goed bestand tegen ongemak.'

Carol knikte resoluut. 'Denk aan wat Charlie moet doorstaan in de woestijn,' zei ze. 'Mijn broer Charlie zit met het leger ergens in Noord-Afrika,' legde ze aan Hermia uit.

Sten leek geen weerwoord meer te hebben. Hij wilde Hermia eigenlijk niet meenemen, maar durfde dat ook niet rechtuit te zeggen, omdat hij een vaderlandslievende en dappere indruk wilde maken. 'We vertrekken om drie uur in de ochtend.'

'Ik zal er zijn.'

'Je kunt hier net zo goed blijven logeren,' zei Carol. 'We hebben nog een kamer over.' Ze keek naar haar schoonvader. 'Als jij het goedvindt, pa.'

Hij had geen uitvluchten meer. 'Natuurlijk!' zei hij.

'Dank u,' zei Hermia. 'Dat is erg vriendelijk van u.'

Ze gingen vroeg naar bed. Hermia kleedde zich niet uit, maar bleef in haar kamer zitten met het licht aan. Ze was bang dat Sten zonder haar zou vertrekken als ze zich versliep. De Munchs waren geen grote lezers en het enige boek dat ze kon vinden was de bijbel in het Deens, maar het hield haar wakker. Om twee uur ging ze naar de badkamer en waste zich snel. Toen liep ze op haar tenen de trap af en zette de ketel op het vuur. Sten verscheen om halfdrie. Toen hij Hermia in de keuken zag, keek hij verrast en teleurgesteld tegelijk. Ze schonk thee in een grote mok en hij nam die dankbaar aan.

Hermia, Sten en Lars liepen een paar minuten voor drie de heuvel af naar de haven. Op de kade stonden nog twee Denen te wachten. De *Morganmand* was erg klein. Elf meter was ongeveer de lengte van een Londense bus. Het vaartuig was gebouwd van hout en had een mast en een dieselmotor. Op het dek stond een kleine stuurhut en het ruim was afgedekt met een aantal luiken. Vanuit de stuurhut liep een kajuittrap naar het woonverblijf. Op de achtersteven stonden de massieve bomen en lieren voor de netten.

De dag brak aan op het moment dat het kleine vaartuig zich een weg zocht door het mijnenveld dat de havenmond afschermde. Het weer was goed maar ze kregen te maken met golven van anderhalf tot twee meter hoog toen ze buiten de luwte van het land kwamen. Gelukkig was Hermia nooit zeeziek.

De hele dag probeerde ze zich nuttig te maken op de boot. Zeemanschap was haar vreemd, dus hield ze de kombuis schoon. De mannen waren eraan gewend hun eigen eten klaar te maken, maar zij waste de borden af en de braadpan waarin ze bijna al hun eten kookten. Ze zorgde ervoor om in het Deens met de twee bemanningsleden te praten waardoor er een respectvolle vriendschap ontstond. Wanneer ze niets anders te doen had, ging ze op dek zitten en genoot van de zon.

Tegen de middag bereikten ze Outer Silver Pit op de zuidoosthoek van de Doggerbank en begonnen te slepen. De boot minderde snelheid en koerste naar het noordoosten. Aanvankelijk konden ze geen vis vinden en kwamen de netten bijna leeg naar boven. Maar tegen het eind van de middag begon het te lopen.

Tegen het vallen van de avond ging Hermia benedendeks op een kooi liggen. Ze dacht dat ze niet zou slapen, maar ze was zesendertig uur in touw geweest en de vermoeidheid won het van de spanning. Binnen een paar minuten was ze vertrokken.

In de loop van de nacht werd ze een keer gewekt door het vulkanische gedreun van bommenwerpers. Ze vroeg zich slaperig af of het de RAF was op weg naar Duitsland of de Luftwaffe die de andere kant op ging en viel toen weer in slaap.

Het volgende waarvan ze zich bewust werd, was Lars die haar wakker schudde. 'We naderen het punt waar we het dichtst bij Denemarken komen,' zei hij. 'We zijn zo'n tweehonderd kilometer van Morlunde.'

Hermia nam de koffer met de ontvanger mee aan dek. Het was al volop dag. De mannen haalden een net vol vissen binnen – voornamelijk haring en makreel – die in het ruim verdwenen. Hermia vond het vreselijk om te zien en keek de andere kant op.

Ze sloot de batterij op de radio aan en zag tot haar opluchting de metertjes bewegen. De antenne bevestigde ze aan de mast met een stuk draad dat Digby haar met een vooruitziende blik had meegegeven. Ze liet de radio warm worden en zette de koptelefoon op.

Terwijl de boot naar het noordoosten koerste, zocht Hermia de frequenties af. Afgezien van de uitzendingen van de BBC in het Engels ontving ze Franse, Hollandse, Duitse en Deense radioprogramma's en daarnaast een heleboel morseseinen waarvan ze aannam dat het militaire berichten waren van beide zijden. De eerste keer dat ze de frequenties doorliep, hoorde ze niets dat radar had kunnen zijn.

Ze deed het nog eens, maar nu langzamer om zeker niets te missen. Tenslotte had ze tijd genoeg. Maar weer hoorde ze niets bijzonders. Ze bleef het proberen.

Na twee uur merkte ze dat de mannen waren gestopt met vissen en naar haar keken. Ze keek Lars aan die vroeg: 'Lukt het?'

Ze zette de koptelefoon af. 'Ik vang niet het signaal op, dat ik verwachtte,' zei ze in het Deens.

Sten antwoordde in dezelfde taal. 'We hebben de hele nacht goed gevangen. Het ruim is vol. We zijn klaar om haar huis te gaan.'

'Zou je nog een poosje naar het noorden willen varen? Ik moet proberen dit signaal te vinden – het is echt belangrijk.'

Sten keek bedenkelijk, maar zijn zoon zei: 'We kunnen het ons veroorloven. We hebben een goede nacht gehad.'

Sten stribbelde tegen. 'Stel dat er een Duits verkenningsvliegtuig overkomt?'

'Jullie zouden de netten uit kunnen gooien om net te doen alsof jullie vissen,' zei Hermia.

'Waar jij naartoe wilt, is geen visgrond.'

'Dat weten die Duitse piloten niet.'

Een van de bemanningsleden merkte op: 'Als het meehelpt voor de bevrijding van Denemarken...'

De andere matroos knikte nadrukkelijk.

Weer werd Hermia gered door het feit dat Sten tegenover de anderen geen laffe indruk wilde maken. 'Goed,' zei hij. 'We koersen naar het noorden.'

'Blijf zo'n tweehonderd kilometer uit de kust,' zei Hermia, terwijl ze de koptelefoon weer opzette.

Ze bleef de frequenties afzoeken. Met het verstrijken van de tijd werd ze minder hoopvol. De waarschijnlijkste plaats voor een radarstation was het zuidelijke deel van de Deense kust in de buurt van de Duitse grens. Ze had gedacht de signalen algauw te zullen opvangen. Maar haar hoop verflauwde met het uur dat de boot verder naar het noorden koerste.

Ze wilde haar ontvanger niet langer dan een minuut of twee alleen laten, dus brachten de vissers haar met tussenpozen thee en rond het middaguur een kom soep uit blik. Onder het luisteren staarde ze naar het oosten. Ze kon Denemarken niet zien, maar ze wist dat Arne daar ergens was en ze genoot van het gevoel dichter bij hem te zijn.

Tegen het vallen van de avond knielde Sten op het dek naast haar om te praten en ze zette de koptelefoon af. 'We liggen ter hoogte van de noordelijke punt van Jutland,' zei hij. 'We moeten terug.'

Wanhopig vroeg ze: 'Kunnen we iets dichterbij gaan? Misschien is tweehonderd kilometer buitengaats te ver weg om het signaal op te vangen.'

'We moeten op huis aan koersen.'

'Zouden we op de tegengestelde koers de kust naar het zuiden kunnen volgen, maar dan dichter bij het land?'

'Te gevaarlijk.'

'Het is bijna donker. 's Nachts zijn er geen verkenningsvliegtuigen.'

'Het staat me niets aan.'

'Alstublieft. Het is erg belangrijk.' Ze wierp een smekende blik op Lars die in de buurt stond te luisteren. Hij was driester dan zijn vader, misschien omdat zijn toekomst in Engeland lag bij zijn Engelse vrouw.

Zoals ze had gehoopt, viel Lars haar bij. 'Wat dacht je van honderdvijfentwintig kilometer uit de kust?'

'Dat zou geweldig zijn.'

Lars keek zijn vader aan. 'We moeten toch naar het zuiden. Het zou de reis maar een paar uur langer maken.'

Sten zei kwaad: 'We zullen onze bemanning in gevaar brengen!'

Lars antwoordde vriendelijk: 'Denk aan de broer van Carol in Afrika. Hij heeft zich in het gevaar begeven. Dit is onze kans om iets te doen.'

'Goed, jij neemt het roer over,' zei Sten nors. 'Ik ga naar bed.' Hij stapte de stuurhut in en liep snel de kajuittrap af.

Hermia wierp Lars een glimlach toe. 'Bedankt.'

'Wij zouden jou moeten bedanken.'

Lars wendde de steven en Hermia bleef de ethergolven afzoeken. De nacht viel. Ze voerden geen navigatielichten, maar de hemel was helder en er stond een driekwart vollemaan, wat Hermia het gevoel gaf dat de boot erg op moest vallen. Ze zagen echter geen vliegtuigen en geen andere schepen. Regelmatig controleerde Lars hun positie met een sextant.

Haar gedachten gingen terug naar de luchtaanval die Digby en zij een paar dagen geleden hadden meegemaakt. Het was de eerste keer geweest dat ze zich tijdens een luchtaanval op straat had bevonden. Ze was erin geslaagd kalm te blijven, maar het was een angstwekkende belevenis geweest: het gedreun van de vliegtuigen, de zoeklichten en het luchtafweergeschut, de zware klappen van vallende bommen en het helse licht van brandende huizen. Toch deed ze nu haar best om ervoor te zorgen dat de RAF Duitse families dezelfde verschrikkingen kon bezorgen. Het leek krankzinnig – maar het alternatief was de nazi's hun gang te laten gaan bij de verovering van de wereld.

Het was een korte midzomernacht en de dageraad brak vroeg aan. De zee was ongebruikelijk kalm. Een ochtendnevel rees van het zeeoppervlak omhoog waardoor het zicht beperkt werd en Hermia zich veiliger voelde. Terwijl de boot naar het zuiden bleef koersen, nam haar bezorgdheid toe. Ze moest het signaal gauw opvangen – tenzij Digby en zij het mis hadden en Herbert Woodie gelijk had.

Stan kwam aan dek met een mok thee in de ene hand en een broodje met ham in de andere. 'Nou?' vroeg hij. 'Heb je gevonden wat je zocht?'

'Het moet zeer waarschijnlijk uit het zuiden van Denemarken komen,' zei ze.

'Of het is er helemaal niet.'

Ze knikte moedeloos. 'Ik begin te denken dat je wel eens gelijk zou kunnen hebben.' Toen hoorde ze iets. 'Wacht!' Ze was door de frequenties omhoog aan het gaan en dacht dat ze een muzieknoot had gehoord. Ze draaide de knop de andere kant op om de juiste plek te vinden. Ze hoorde een heleboel ruis en toen die noot weer – een zuiver mechanische toon ongeveer een octaaf boven de middelste C. 'Ik denk dat dit het zou kunnen zijn!' zei ze blij. De golflengte was 2,4 meter. Ze maakte een aantekening in het boekje dat Digby ook in de koffer had gestopt.

Nu moest ze de richting bepalen. Op de ontvanger zat een meter met een schaalverdeling van 0 tot 360 waarvan de wijzer de richting van de signaalbron aangaf. Digby had benadrukt dat de meter precies in lijn moest liggen met de lengte van de boot. Dan kon de richting van het signaal worden berekend aan de hand van de koers van de boot en de uitslag van de naald van de meter. 'Lars!' riep ze. 'Wat is onze koers?'

'Oostzuidoost,' zei hij.

'Nee, exact.'

'Nou…' Ook al was het prima weer en de zee kalm, toch bewoog de boot de hele tijd en lag de kompasnaald nooit stil.

'Zo nauwkeurig mogelijk,' zei ze.

'Honderdtwintig graden.'

De naald van haar meter gaf 340 aan. Daar 120 bij opgeteld leverde een richting op van ongeveer 100°. Hermia maakte een aantekening. 'En wat is onze positie?'

'Even wachten. Toen ik een ster schoot passeerden we de zesenvijftigste breedtegraad. Hij keek op de log, vervolgens op zijn horloge en riep de lengte en breedte van hun positie. Hermia schreef de getallen op in de wetenschap dat ze slechts een schatting waren.

'Ben je nu tevreden?' vroeg Sten. 'Kunnen we nu naar huis?'

'Ik heb nog een andere plaatsbepaling nodig, zodat we de positie van de bron met driehoeksmeting kunnen bepalen.'

Hij gromde ontstemd en liep weg.

Lars gaf haar een knipoog.

Ze liet de ontvanger afgestemd staan op de noot terwijl ze naar het zuiden voeren. De naald van de richtingzoeker bewoog nauwelijks zichtbaar. Na een halfuur vroeg ze Lars weer wat de koers was.

'Nog steeds honderdtwintig.'

De naald van haar meter stond nu op 335. de richting van het signaal was dus 095°. Ze vroeg hem weer hun geschatte positie en schreef de getallen op.

'Naar huis?' vroeg hij.

'Ja. En bedankt.'

Hij draaide aan het stuurrad.

Hermia voelde zich triomfantelijk, maar ze kon niet wachten om uit te zoeken waar het signaal vandaan kwam. Ze liep het stuurhuis in en vond een kaart met grote schaal. Met de hulp van Lars tekende ze de twee posities aan die ze had opgeschreven en trok vanuit elke positie lijnen die de richting van het signaal aangaven, waarbij rekening werd gehouden met de plaats van de magnetische noordpool. De lijnen sneden elkaar buiten de kust in de buurt van het eiland Sande.

'Mijn hemel,' zei Hermia. 'Daar komt mijn verloofde vandaan.'

'Sande? Dat ken ik – ik ben er een paar jaar geleden gaan kijken naar de snelheidswedstrijden voor raceauto's.'

Ze had wel kunnen juichen. Haar inschatting was juist geweest en haar methode had gewerkt. Het signaal dat ze had verwacht kwam van de meest logische plaats.

Nu moest ze Poul Kirke of een van zijn mannen op verkenning naar Sande sturen. Zodra ze terug was in Bletchley, zou ze een gecodeerde boodschap versturen.

Een paar minuten later bepaalde ze nog een keer de richting. Het signaal was nu zwak, maar de derde lijn op de kaart sneed de andere twee en vormde een driehoek waar het eiland Sande voor het grootste deel in lag. Alle berekeningen waren een benadering, maar de conclusie leek duidelijk. Het radiosignaal kwam van het eiland.

Ze kon nauwelijks wachten om het Digby te vertellen.

7

Harald vond de Tiger Moth het mooiste toestel dat hij ooit had gezien. Het zag eruit als een vlinder die op het punt stond te gaan vliegen met de boven- en ondervleugels wijd gespreid, de speelgoedwielen licht in het gras gedrukt en de spits toelopende lange staart. Het was lekker weer met een zachte bries en het kleine vliegtuig trilde in de wind alsof het heel graag het luchtruim wilde kiezen. In de neus zat een enkele motor die de grote beige geschilderde propeller aandreef. Achter de motor zaten twee open cockpits, de ene achter de andere. Het was een neefje van de verwaarloosde Hornet Moth die hij in de ruïne van het klooster in Kirstenslot had gezien en de twee toestellen waren mechanisch gelijk, met dat verschil dat de Hornet Moth een gesloten cabine had met twee zitplaatsen naast elkaar. De Hornet Moth had echter een zielige indruk gemaakt, schuin hangend op het gebroken onderstel, de gescheurde stof vol olievlekken en de kapotte bekleding van de stoelen. De Tiger Moth zag er daarentegen levendig uit met nieuwe verf op de lichte romp en de zon die glinsterde in de voorruit. De staart rustte op de grond en de neus wees naar boven alsof de lucht werd opgesnoven.

'Jullie kunnen zien dat de vleugels aan de onderkant vlak zijn, maar bol aan de bovenkant,' zei Haralds broer Arne Olufsen. 'Wanneer het vliegtuig beweegt, moet de lucht die over de bovenkant van de vleugel gaat, sneller bewegen dan de lucht die onderlangs gaat.' Hij vertoonde de innemende glimlach waardoor mensen hem alles vergaven. 'Om een reden die ik nooit heb begrepen, tilt dat het vliegtuig van de grond.'

'Het veroorzaakt een drukverschil,' zei Harald.

'Ongetwijfeld,' reageerde Arne droogjes.

De hoogste klas van Jansborg Skole bracht de dag door op de luchtvaartschool van het leger in Vodal. Ze werden rondgeleid door Arne en zijn vriend Poul Kirke. Het was een rekruteringsdag van het leger dat moeite had om intelligente jongens over te halen dienst te nemen bij een krijgsmacht die niets te doen had. Met zijn militaire achtergrond vond Heis het plezierig wanneer elk jaar een of twee leerlingen van Jansborg voor het leger kozen. Voor de jongens was het bezoek een welkome onderbreking van de repetities voor het examen.

'De scharnierende oppervlakken aan de onderste vleugels worden rolroeren genoemd,' kregen ze van Arne te horen. 'Ze zijn via kabels verbonden met de stuurknuppel die soms ook wel de joystick wordt genoemd, maar jullie zijn te jong om dat te begrijpen.' Hij grijnsde weer. 'Wanneer de knuppel naar links wordt bewogen, gaat het linker rolroer naar boven en het rechter naar beneden. Dit zorgt ervoor dat het toestel overhelt en naar links draait.'

Harald luisterde geboeid, maar hij wilde erin stappen en vliegen.

'Jullie zien dat de achterste helft van het staartvlak ook scharniert,' zei Arne. 'Dat wordt het hoogteroer genoemd en zorgt ervoor dat het vliegtuig op- en neergaat. Trek de stuurknuppel naar achteren en het hoogteroer gaat naar boven, wat de staart naar beneden dwingt, zodat het vliegtuig klimt.'

Harald zag dat het rechtopstaande deel van de staart ook een klep had. 'Waar is die voor?' vroeg hij wijzend.

'Dat is het roer en het wordt bediend door een paar pedalen op de vloer van de cockpit. Het werkt net zoals het roer van een boot.'

'Waarom heb je een roer nodig?' vroeg Mads. 'Je gebruikt de rolroeren om van richting te veranderen.'

'Goede opmerking!' zei Arne. 'Daaruit blijkt dat jullie luisteren. Maar kunnen jullie de reden niet bedenken? Waarom zouden we afgezien van de rolroeren ook een roer nodig hebben om het vliegtuig te besturen?'

Harald bedacht: 'Op de startbaan kun je de rolroeren niet gebruiken.'

'Omdat...'

'De vleugels de grond zouden raken.'

'Inderdaad. We gebruiken het roer bij het taxiën als we de vleugels niet kunnen laten overhellen, omdat we dan de grond zouden raken. We gebruiken het roer ook in de lucht om ongewenste zijwaartse bewegingen van het vliegtuig te corrigeren die we giering noemen.'

De vijftien jongens hadden een rondgang over de basis gemaakt, een lezing bijgewoond – over de kansen, betaling en studiemogelijkheden in het leger – en geluncht met een groep jonge leerlingpiloten. Nu wilden ze graag beginnen aan de individuele vliegles die aan allemaal was beloofd als hoogtepunt van de dag. Vijf Tiger Moths stonden op een rij op het gras. Deense militaire vliegtuigen moesten officieel aan de grond blijven sinds het begin van de bezetting, maar er waren uitzonderingen. De luchtvaartschool mocht les geven in zweefvliegtuigen en voor de vluchten van vandaag in de Tiger Moths was speciale toestemming gegeven. Voor het geval dat iemand van plan mocht zijn met een Tiger Moth helemaal naar Zweden te vliegen, stonden twee Messerschmitt Me-109 jagers op de startbaan klaar om iedereen die probeerde te ontsnappen na te jagen en neer te schieten.

Poul Kirke nam de voorlichting van Arne over. 'Ik wil dat julllie een voor een in de cockpit kijken,' zei hij. 'Ga op het zwarte stuk op de onderste vleugel staan. Stap nergens anders op, want dan gaat je schoen door de stof en zullen jullie niet kunnen vliegen.'

Tik Duchwitz was de eerste. Poul legde uit: 'Aan de linkerkant zie je een zilverkleurige gashendel die de snelheid van het vliegtuig regelt. En daaronder een groene trimhendel die zorgt voor veerdruk op de besturing van het hoogteroer. Als de trim op kruissnelheid goed is afgesteld, moet het vliegtuig horizontaal vliegen wanneer je de knuppel loslaat.'

Harald was als laatste aan de beurt. Ondanks zijn verbolgenheid over de arrogante manier waarmee Poul met Karen Duchwitz was weggefietst, was hij een al belangstelling.

Toen hij van de vleugel stapte, vroeg Poul: 'Wat vind je ervan, Harald?' Harald haalde zijn schouders op. 'Het lijkt niet moeilijk.'

'Dan mag jij als eerste,' zei Poul met een grijns.

De anderen lachten, maar Harald was blij.

'Laten we ons allemaal omkleden,' zei Poul.

Ze keerden terug naar de hangar en trokken een vliegpak aan – een overall uit één stuk die aan de voorkant werd dichtgeknoopt. Ze kregen ook een helm en bril uitgereikt. Tot Haralds ergernis wilde Poul hem met alle geweld helpen.

'De laatste keer dat we elkaar ontmoetten, was op Kirstenslot,' zei Poul, terwijl hij de bril van Harald goed zette.

Harald knikte kort, omdat hij daar liever niet aan herinnerd werd. Toch vroeg hij zich onwillekeurig af wat precies de verhouding was tussen Poul en Karen. Gingen ze alleen met elkaar uit of was er meer. Kuste ze hem hartstochtelijk en mocht hij haar lichaam strelen? Spraken ze over trouwen? Waren ze met elkaar naar bed geweest? Hij wilde niet aan dat soort dingen denken, maar kon er niets aan doen.

Toen ze klaar waren keerden de eerste vijf studenten terug naar het veld, elk met een piloot. Harald zou graag met zijn broer naar boven zijn gegaan, maar weer koos Poul Harald. Het leek wel alsof hij Harald beter wilde leren kennen.

Een mecanicien in een overall vol olievlekken was het vliegtuig aan het tanken en stond met één voet op een steun in de romp. De tank zat in het midden van de bovenvleugel, vlak boven de voorste cockpit – een zorgwekkende plaats, dacht Harald. Zou hij al die liters brandbare vloeistof boven zijn hoofd kunnen vergeten?

'Eerst de controle voor de vlucht,' zei Poul. Hij boog de cockpit in. 'We controleren of de magneetontstekers zijn uitgeschakeld en of de gashendel dicht staat.' Hij keek naar de wielen. 'Blokken op hun plaats.' Hij trapte tegen de banden en bewoog de rolroeren. 'Jij vertelde dat je had gewerkt op de nieuwe Duitse basis op Sande,' zei hij terloops. 'Ja.'

'Wat voor soort werk?'

'Gewoon van alles – gaten graven, cement mengen, stenen sjouwen.' Poul liep naar de achterkant van het vliegtuig en controleerde de beweging van het hoogteroer. 'Heb je ontdekt waar de basis voor diende?'

'Toen niet. Zodra het gewone werk aan de gebouwen klaar was, werden de Deense arbeiders ontslagen en namen de Duitsers het over. Maar ik weet bijna zeker dat het een soort radiostation is.'

'Ik geloof dat je dat de laatste keer ook zei. Maar hoe weet je dat?'

'Ik heb de apparatuur gezien.'

Poul keek hem scherp aan en Harald begreep dat dit geen terloopse vragen waren. 'Is dat vanbuiten zichtbaar?'

'Nee. Om het terrein staat een hek en er is bewaking. Bovendien wordt de radioapparatuur beschut door bomen met uitzondering van de zeekant en dat deel van het strand is verboden gebied.'

'Hoe kan jij het dan hebben gezien?'

'Ik had haast om thuis te komen, dus nam ik de kortste weg over de basis.'

Poul hurkte onder het roer en controleerde de staartslof. 'En,' vroeg hij, 'wat heb je gezien?'

'Een grote antenne, de grootste die ik ooit heb gezien, misschien wel drieënhalve meter in het vierkant op een draaiende voet.'

De mecanicien die het vliegtuig had bijgetankt, onderbrak het gesprek. 'Alles klaar, meneer.'

'Klaar om te vliegen?' vroeg Poul aan Harald.

'Voor of achter?'

'De leerling zit altijd achterin.'

Harald klom in het toestel. Hij moest op de kuipstoel gaan staan en zich dan laten zakken. De cockpit was smal en hij vroeg zich net af hoe dikke piloten dit konden doen toen het tot hem doordrong dat er geen dikke piloten waren.

Omdat het vliegtuig met de neus vrij steil omhoog op het gras stond, kon hij voor zich alleen de blauwe hemel zien. Hij moest aan een kant naar buiten leunen om de grond voor hem te zien.

Hij zette zijn voeten op de pedalen van het roer en legde zijn rechterhand op de stuurknuppel. Voorzichtig bewoog hij de knuppel heen en weer en zag de rolroeren op en neer bewegen. Met zijn linkerhand voelde hij de gas- en de trimhendel.

Op de romp buiten zijn cockpit zaten twee kleine knoppen en hij nam aan dat het de schakelaars van de twee magneetontstekers waren.

Poul boog zich naar binnen om de riemen van Harald goed aan te trekken. 'Deze toestellen zijn uitgerust als lestoestel, dus hebben ze een dubbele bediening,' zei hij. 'Terwijl ik vlieg, moet jij je handen en voeten lichtjes op de bediening leggen, zodat je kunt voelen wat ik doe. Ik zal je zeggen wanneer je het toestel over kunt nemen.'

'Hoe praten we met elkaar?'

Poul wees op een Y-vormige rubberslang die leek op de stethoscoop van een dokter. 'Dit werkt net zoals een spreekbuis op een schip.' Hij liet Harald zien hoe hij de uiteinden vast moest maken aan de oorkleppen in zijn vlieghelm. De onderkant van de Y werd in een aluminium pijp geschoven die ongetwijfeld naar de voorste cockpit liep. Een andere buis met een mondstuk werd gebruikt om in te praten.

Poul klom op de voorste stoel. Een ogenblik later hoorde Harald zijn stem door de spreekbuis. 'Kun je me horen?'

'Luid en duidelijk.'

De mecanicien stond links voor bij het vliegtuig en er vond een geschreeuwde dialoog plaats waarbij de mecanicien vragen stelde en Poul antwoord gaf.

'Klaar om te starten, meneer?'

'Klaar om te starten.'

'Brandstof aan, schakelaars uit, gas dicht.'

'Brandstof is aan, schakelaars zijn uit en gas is dicht.'

Harald verwachtte dat de mecanicien aan de propeller zou gaan draaien, maar in plaats daarvan liep hij naar de rechterkant van het vliegtuig, opende de motorkap in de romp en deed iets met de motor – brandstof injecteren, nam Harald aan. Toen sloot hij de motorkap en keerde terug naar de neus van het toestel.

'Inzuigen, meneer,' zei hij en toen stak hij zijn armen omhoog om het propellerblad naar beneden te trekken. Hij herhaalde die handeling drie keer en Harald vermoedde dat op deze manier brandstof in de cilinders werd gezogen.

De mecanicien boog over de onderste vleugel en zette de twee schakelaars vlak buiten Haralds cockpit om. 'Gas ingesteld?'

Harald voelde de gashendel onder zijn hand een centimeter naar voren schuiven en hoorde Poul toen zeggen: 'Gas ingesteld.'

'Contact.'

Poul stak zijn hand uit en zette de schakelaars voor zijn cockpit om. Weer gaf de mecanicien een zwieper aan de propeller, maar deze keer stapte hij meteen vlot naar achteren. De motor sloeg aan en de propeller draaide. Er klonk een gebulder en het vliegtuigje trilde. Harald kreeg ineens een heel levendige indruk hoe licht en fragiel het was en hij herinnerde zich met een schok, dat het niet van metaal was gemaakt, maar van hout en linnen. De trilling leek niet op die van een auto of zelfs een motorfiets die je het gevoel gaven stevig op de grond te staan. Dit leek meer op het klimmen in een jonge boom en voelen hoe de wind aan de slanke takken schudde.

Harald hoorde Pouls stem door de spreekbuis. 'We moeten de motor laten warmdraaien. Dat duurt een paar minuten.'

Harald dacht aan Pouls vragen over de basis op Sande. Hij wist zeker dat het niet zomaar nieuwsgierigheid was. Poul had er een bedoeling mee. Hij wilde weten wat het strategische belang van de basis was.

Waarom? Maakte Poul deel uit van een of andere geheime verzets-beweging? Wat kon het anders zijn?

Magneetontstekers beurtelings uit- en aanzetten – weer een veiligheidscontrole, vermoedde Harald. Toen daalde het geluid tot een stationair gebrom en eindelijk gaf Poul de mecanicien een teken om de wielblokken weg te halen. Harald voelde een schok en het vliegtuig reed vooruit.

De pedalen onder zijn voeten bewogen, toen Poul het roer gebruikte om het vliegtuig over het gras te sturen. Ze taxieden naar de startbaan die was aangegeven met vlaggetjes, en draaiden in de wind. Toen stopten ze en zei Poul: 'Nog een paar controles voordat we opstijgen.' Voor het eerst drong het tot Harald door dat het gevaarlijk was wat hij ging doen. Zijn broer vloog al jaren zonder dat er ooit iets was gebeurd, maar andere piloten waren neergestort en sommigen waren om het leven gekomen. Hij zei tegen zichzelf dat mensen ook stierven in auto's, op motorfietsen en aan boord van schepen – maar om de een of andere reden voelde dit anders aan. Hij dwong zich om niet aan de gevaren te denken. Hij was niet van plan in paniek te raken en ten overstaan van de klas een modderfiguur te slaan.

Plotseling schoof de gashendel onder zijn hand naar voren. De motor brulde luider en de Tiger Moth schoot over de startbaan. Na een paar tellen bewoog de stuurknuppel weg van Haralds knieën en hij voelde hoe hij iets naar voren kantelde toen de staart achter hem omhoog kwam. Rammelend en schuddend over het gras maakte het vliegtuigje meer snelheid. Haralds bloed leek te sidderen van opwinding. De knuppel onder zijn hand bewoog naar achteren, het vliegtuig leek van de grond te springen en ze waren in de lucht.

Het was geweldig. Ze klommen gestaag. Aan de ene kant kon Harald een dorpje zien. In het volle Denemarken waren er niet veel plaatsen waar je geen dorp kon zien. Poul helde over naar rechts. Toen hij zich opzij voelde schuiven, moest Harald het paniekerige idee onderdrukken dat hij uit de cockpit ging vallen.

Om zichzelf te kalmeren keek hij naar de instrumenten. De toerenteller gaf tweeduizend toeren per minuut aan en hun snelheid was zestig knopen per uur. Ze waren al op een hoogte van duizend voet. De naald van de bochtaanwijzer wees recht omhoog.

Het vliegtuig ging recht en horizontaal vliegen. De gashendel schoof naar achteren, het lawaai van de motor werd minder en de toeren liepen terug naar negentienhonderd. 'Hou je de knuppel vast?' vroeg Poul.

'Ja.'

'Controleer de lijn van de horizon. Waarschijnlijk loopt die door mijn hoofd.'

'Het ene oor in en het andere uit.'

'Als ik de besturing loslaat, moet jij gewoon de vleugels vlak houden en ervoor zorgen dat de horizon door mijn oren blijft lopen.'

Met een nerveus gevoel zei Harald: 'Goed.'

'Jij hebt de besturing.'

Harald voelde het vliegtuig tot leven komen onder zijn handen, omdat de geringste beweging van zijn handen van invloed was op de vlucht. De lijn van de horizon ging naar Pouls schouders waaruit bleek dat de neus omhoog kwam en hij begreep dat een nauwelijks bewuste angst om naar de grond te duiken ervoor zorgde dat hij de knuppel naar achteren trok. Hij duwde hem een heel klein beetje naar voren en zag tot zijn voldoening de horizon langzaam omhoog komen naar Pouls oren.

Het vliegtuig schoot opzij en helde over. Harald had het gevoel dat hij de controle kwijt was en dat ze uit de lucht gingen vallen. 'Wat was dat?' gilde hij.

'Alleen maar een windstoot. Corrigeer, maar niet te abrupt.'

Harald onderdrukte de paniek en bewoog de knuppel in tegengestelde richting. Het toestel schoot de andere kant op, maar hij had in elk geval het gevoel dat hij het bestuurde en hij corrigeerde weer met een geringe beweging. Toen zag hij dat hij weer aan het klimmen was en bracht de neus naar beneden. Hij ontdekte dat hij zich heel sterk moest concentreren om te reageren op de kleinste bewegingen van het vliegtuig. Deed hij dat niet, dan week hij van de koers af. Hij had het gevoel dat een vergissing hem zou laten neerstorten.

Toen Poul iets zei, was Harald helemaal niet blij dat hij werd gestoord.

'Dat is heel goed,' zei Poul. 'Je krijgt de slag te pakken.'

Harald had desondanks het gevoel dat hij nog wel een paar jaar zou moeten oefenen.

'Druk nu zacht met beide voeten op de roerpedalen,' zei Poul.

Harald had een poosje niet aan zijn voeten gedacht. 'Goed,' zei hij kortaf.

'Kijk naar de bochtaanwijzer.'

Harald wilde zeggen: *Lieve hemel, hoe kan ik dat doen en tegelijk dit toestel vliegen?* Hij dwong zich om zijn ogen een tel lang van de horizon te halen en op het instrumentenpaneel te kijken. De naald stond nog op twaalf uur. Hij keek weer naar de horizon en ontdekte dat hij de neus weer had opgetrokken. Hij corrigeerde.

'Wanneer ik mijn voeten van het roer haal, zul je zien dat de neus door de turbulentie van links naar rechts zal gieren. Als je het niet zeker weet, kun je op de aanwijzer kijken. Wanneer het vliegtuig naar links giert, zal de naald naar rechts gaan, wat jou vertelt dat je jouw rechtervoet naar beneden moet brengen om dat te corrigeren.'

'Goed.'

Harald voelde geen zijdelingse beweging, maar toen hij enkele ogenblikken later een blik op de meter kon werpen, zag hij dat hij naar links gierde. Hij drukte met zijn rechtervoet op de roerpedaal. De naald bewoog niet. Hij duwde harder. Langzaam schoof de punt van de naald terug naar het midden. Hij keek op en zag dat hij een beetje dook. Hij trok de knuppel naar achteren. Weer controleerde hij de bochtaanwijzer. De naald stond vast in het midden.

Het zou waarschijnlijk allemaal heel gemakkelijk zijn geweest als hij niet op een hoogte van bijna vijfhonderd meter had gevlogen.

'Laten we nu een bocht proberen te maken,' zei Poul.

'O, verrek,' reageerde Harald.

'Eerst kijk je naar links om te zien of er niets in de weg vliegt.'

Harald wierp een blik naar links. Heel in de verte kon hij een andere Tiger Moth zien, waarschijnlijk een toestel met een van zijn klasgenoten aan boord die hetzelfde deed als hij. Dat was bemoedigend.

'Niets in de buurt,' zei hij.

'Beweeg de knuppel naar links.'

Harald deed dat. Het toestel helde naar links over en weer ervoer hij het ziekmakende gevoel dat hij uit de lucht ging vallen. Maar het vliegtuig begon naar links te draaien en Harald voelde een golf van opwinding toen hij besefte dat hij de Tiger Moth echt bestuurde.

'In een bocht heeft de neus de neiging naar beneden te gaan,' zei Poul. Harald zag dat het toestel inderdaad naar beneden ging en hij trok de knuppel naar achteren.

'Let op de bochtaanwijzer,' zei Poul. 'Het lijkt net alsof je op een glijbaan staat.'

Harald keek op de meter en zag dat de wijzer naar rechts was gegaan. Hij drukte met zijn rechtervoet op de roerpedaal. Weer reageerde die heel langzaam.

Het vliegtuig had een bocht van meer dan negentig graden gemaakt en Harald wilde het heel graag horizontaal leggen om zich weer veilig te voelen, maar Poul bleek zijn gedachten te kunnen raden – of misschien voelden alle leerlingen zich op dit punt net zo – en zei: 'Blijf draaien. Het gaat prima.'

De hellingshoek leek Harald gevaarlijk steil, maar hij bleef draaien, hield de neus omhoog en controleerde om de paar tellen de bochtaanwijzer. Uit zijn ooghoek zag hij op de weg beneden een bus rijden alsof er in de lucht helemaal niets bijzonders aan de hand was en er totaal geen gevaar bestond dat een schooljongen van Jansborg boven op het dak uit de hemel viel.

Hij was driekwart rondgedraaid toen Poul eindelijk zei: 'Leg hem recht.'

Opgelucht bewoog Harald de knuppel naar rechts en het vliegtuig kwam recht te liggen.

'Let op de bochtaanwijzer.'

De naald was naar links geschoven. Harald drukte met zijn linkervoet de roerpedaal in.

'Zie je het vliegveld?'

Aanvankelijk kon Harald het niet vinden. Het land beneden hem vormde een patroon van velden met hier en daar gebouwen, maar het zei hem niets. Hij had er geen idee van hoe de luchtmachtbasis er van boven uit zou zien.

Poul hielp hem. 'Een rij lange, witte gebouwen naast een lichtgroen veld. Kijk links van de propeller.'

'Ik zie het.'

'Vlieg die kant op, maar hou het vliegveld links van onze neus.'

Tot op dat moment had Harald absoluut niet stilgestaan bij de koers die ze volgden. Hij had alle moeite moeten doen om het vliegtuig recht te houden. Nu moest hij alle dingen doen die hij eerder had geleerd en tegelijk naar huis vliegen. Er was altijd één ding te veel om aan te denken.

'Je bent aan het klimmen,' zei Poul. 'Gashendel twee centimeter terug en breng ons op duizend voet als we de gebouwen naderen.'

Harald keek op de hoogtemeter en zag dat het toestel op een hoogte van tweeduizend voet vloog. De laatste keer dat hij had gekeken was het vijftienhonderd geweest. Hij gaf minder gas en duwde de knuppel naar voren.

'Laat de neus nog iets verder zakken,' zei Poul.

Harald had het gevoel dat het vliegtuig verticaal naar de grond zou duiken, maar hij dwong zichzelf om de knuppel verder naar voren te duwen.

'Goed,' zei Paul.

Tegen de tijd dat ze op duizend voet zaten, lag de basis al onder hen. 'Draai naar links om de andere kant van dat meertje en breng ons op één lijn met de landingsbaan,' droeg Poul hem op.

Harald begon aan de manoeuvre en controleerde de bochtaanwijzer. Toen hij evenwijdig vloog met de andere oever van het meertje, bewoog hij de knuppel naar links. Deze keer was het gevoel dat hij ging vallen niet zo erg.

'Let op die bochtaanwijzer.'

Hij was het vergeten. Hij corrigeerde met zijn voet en bracht het vliegtuig rond.

'Gashendel twee centimeter terug.'

Harald trok de hendel naar achteren en het lawaai van de motor werd hoorbaar minder.

'Te veel.'

Harald schoof hem weer iets naar voren.

'Laat de neus zakken.'

Harald duwde de stuurknuppel naar voren.

'Goed zo. Maar probeer in de richting van de landingsbaan te blijven vliegen.'

Harald zag dat hij uit de koers was geraakt en stuurde in de richting van de hangars. Hij bracht het vliegtuig in een lichte bocht en corrigeerde met het roer tot hij weer in lijn was met de landingsbaan. Maar nu kon hij zien dat hij te hoog vloog.

'Ik zal het hierna overnemen,' zei Poul.

Harald had gedacht dat Poul hem misschien door een landing zou praten, maar kennelijk beheerste hij het toestel daarvoor nog onvoldoende. Hij voelde zich teleurgesteld.

Poul zette het gas dicht. De motor viel ineens stil en dat gaf Harald het bezorgde gevoel dat er niets was om te voorkomen dat het vliegtuig recht uit de lucht zou vallen, maar in werkelijkheid zweefde het geleidelijk naar de landingsbaan. Een paar tellen voordat ze de grond raakten, trok Poul de knuppel naar achteren. Het vliegtuig leek een paar centimeter boven de aarde te drijven. Harald voelde de pedalen voortdurende bewegen en begreep dat Poul met het roer stuurde nu ze te laag vlogen om een vleugel te laten zakken. Eindelijk klonk er een bons toen de wielen en de staartslof de grond raakten.

Poul draaide van de landingsbaan af en taxiede naar hun parkeerplaats. Harald was verrukt. Het was nog opwindender geweest dan hij had gedacht. Hij was ook uitgeput omdat hij zich zo sterk had moeten concentreren. Het had niet lang geduurd, dacht hij. Toen keek hij op zijn horloge en zag tot zijn verbazing dat ze vijfenveertig minuten in de lucht waren geweest. Voor zijn gevoel had het niet langer dan vijf minuten geleken.

Poul zette de motor uit en klom uit het vliegtuig. Harald schoof zijn bril naar boven, zette zijn helm af, prutste aan zijn riemen en worstelde zich uit de cockpit. Hij stapte op de versterkte strook op de vleugel en sprong op de grond.

'Je deed het erg goed,' zei Poul. 'Je hebt er behoorlijk wat talent voor, net als je broer.'

'Jammer dat ik hem niet naar de landingsbaan kon brengen.'

'Ik betwijfel of één van de andere jongens het zelfs mag proberen. Laten we andere kleren gaan aantrekken.'

Toen Harald zijn vliegpak had uitgetrokken, zei Poul: 'Kom even mee naar mijn kantoor.' Harald liep met hem naar een deur met het opschrift 'Chef Vlieginstructeur' en betrad een kamertje met een archiefkast, een bureau en een paar stoelen.

'Zou je een tekening willen maken van die radioapparatuur die je me eerder hebt beschreven?' Poul zei het op een nonchalante toon, maar zijn lichaam was erg gespannen.

Harald had zich al afgevraagd of dat onderwerp weer ter sprake zou komen. 'Natuurlijk.'

'Het is erg belangrijk. Ik kan alleen niet zeggen waarom.'
'Dat maakt niet uit.'
'Ga aan het bureau zitten. In de la ligt een doosje met potloden en wat papier. Neem er de tijd voor. Werk eraan tot je tevreden bent.'
'Goed.'
'Hoe lang denk je nodig te hebben?'
'Misschien een kwartier. Het was zo donker dat ik geen details kan tekenen. Maar ik heb het silhouet duidelijk in mijn hoofd.'
'Ik zal je alleen laten zodat je minder druk voelt. Over een kwartier kom ik terug.'
Poul vertrok en Harald begon te tekenen. In gedachten ging hij terug naar die zaterdagavond in de stromende regen. Er was een rondlopende betonnen muur geweest, herinnerde hij zich, van ongeveer één tachtig hoog. De antenne had bestaan uit een draadraster dat wat leek op een springveren matras. De voet waarop alles draaide lag binnen de rondlopende muur en de kabels waren van de achterzijde van de antenne in een goot verdwenen.
Eerst tekende hij de muur met daarboven de antenne. Vaag herinnerde hij zich dat er in de buurt een of twee soortgelijke bouwsels hadden gestaan, dus schetste hij die licht. Toen tekende hij het apparaat alsof de muur er niet was, met de voet en de kabels. Hij was geen kunstenaar, maar kon machines nauwkeurig weergeven, waarschijnlijk omdat hij het leuk vond.
Toen hij klaar was, draaide hij het vel papier om en schetste een kaart van het eiland Sande waarop hij de plaats van de basis en het afgesloten stuk strand aangaf.
Poul kwam na een kwartier terug. Hij bekeek de tekening aandachtig en zei toen: 'Dit is voortreffelijk – dank je wel.'
'Graag gedaan.'
Hij wees op de bijgebouwen die Harald had geschetst: 'Wat zijn dit?'
'Ik zou het niet weten. Ik heb niet goed gekeken. Maar ik vond dat ik ze erbij moest tekenen.'
'Heel goed. Nog één vraag. Dit draadraster, dat waarschijnlijk een antenne is, is dat vlak of gebogen?'
Harald pijnigde zijn hersens, maar kon het zich niet herinneren. 'Ik weet het niet zeker,' zei hij. 'Het spijt me.'
'Maakt niet uit.' Poul opende de archiefkast. Alle dossiers droegen een naam, waarschijnlijk van leerlingen van de school van vroeger en nu. Hij koos er een uit met de naam 'Andersen, H.C.' Het was geen ongebruikelijke naam, maar Hans Christiaan Andersen was de beroemdste schrijver van Denemarken en Harald veronderstelde dat het dossier dienstdeed als bergplaats. En inderdaad, Poul deed de tekening in de map en zette die terug op zijn plaats.
'Laten we teruggaan naar de anderen,' zei hij. Hij liep naar de deur.

Met zijn hand op de deurknop bleef hij staan en zei: 'Het maken van tekeningen van Duitse militaire installaties is technisch gesproken een misdaad. Het is beter om er tegen niemand iets over te zeggen – zelfs niet tegen Arne.'

Harald voelde zich verbaasd. Zijn broer was er niet bij betrokken. Zelfs Arnes beste vriend dacht niet dat hij het aankon.

Harald knikte. 'Akkoord – op één voorwaarde.'

Poul was verrast. 'Voorwaarde? Welke?'

'Dat je me eerlijk iets vertelt.'

Hij haalde zijn schouders op. 'Goed. Ik zal het proberen.'

'Er is een verzetsbeweging, nietwaar?'

'Ja,' zei Poul met een ernstige blik. Hij zweeg even en voegde eraan toe: 'En nu maak jij er deel van uit.'

8

Tilde Jespersen droeg een lichte bloemenparfum dat over het terras-
tafeltje dreef en de neusgaten van Peter Flemming prikkelde, maar
net als een vluchtige herinnering was de geur nooit sterk genoeg om
te kunnen bepalen wat het was. Hij stelde zich voor hoe de geur zou
opstijgen van haar warme huid als ze uit haar blouse, rok en onder-
kleding gleed.

'Waar denk je aan?' vroeg ze.

Hij was even in de verleiding om het haar te vertellen. Ze zou geschokt reageren, maar heimelijk blij zijn. Hij voelde aan wanneer een
vrouw klaar was voor dat soort gepraat en hij wist hoe hij het moest
doen: luchtig, met een verlegen glimlachje, maar een ernstige ondertoon.

Toen dacht hij aan zijn vrouw en hield zich in. Hij hechtte waarde aan
de huwelijksgelofte. Andere mensen dachten misschien dat hij een
goede reden had om die gelofte te breken, maar hij had zich een hogere norm gesteld.

Dus zei hij: 'Ik dacht eraan hoe jij die mecanicien van het vliegveld
liet struikelen. Je reageerde erg snel.'

'Ik dacht er niet eens bij na, maar stak gewoon mijn voet uit.'

'Jouw instinct is goed. Ik ben nooit voorstander geweest van vrouwelijke agenten en om je de waarheid te vertellen, ik heb nog altijd
mijn twijfels – maar niemand kan ontkennen dat jij het prima doet.'

Ze haalde haar schouders op. 'Ik heb zelf ook mijn twijfels. Misschien
zouden vrouwen thuis moeten blijven om voor de kinderen te zorgen. Maar na de dood van Oskar…' Oskar, haar man, was rechercheur
geweest bij het korps van Kopenhagen en een vriend van Peter. 'Ik
moest gaan werken en politiewerk is het enige waar ik iets van af-
weet. Mijn vader zat bij de douane, mijn oudste broer zit bij de militaire politie en mijn jongste broer is politieman in Aarhus.'

'Ik zal je vertellen wat ik zo geweldig van jou vind, Tilde – jij probeert
nooit jouw werk in de schoenen van de mannen te schuiven door het
hulpeloze vrouwtje te spelen.'

Hij had zijn opmerking bedoeld als compliment, maar ze keek niet zo
blij als hij had gehoopt. 'Ik vraag nooit om hulp,' zei ze kortaf.

'Waarschijnlijk een goed uitgangspunt.'

Ze schonk hem een blik waaruit hij niets kon opmaken. Verbaasd
over de plotselinge kilte tussen hen vroeg hij zich af of ze misschien
liever niet om hulp vroeg, omdat ze anders meteen zou worden beti-

teld als een hulpeloze vrouw. Hij begreep niet helemaal waarom ze dat niet wilde. Mannen vroegen elkaar tenslotte doorlopend om hulp. 'Maar waarom ben jij bij de politie gegaan?' vroeg ze. 'Jouw vader heeft een bloeiende zaak – wil je die later niet overnemen?'

Hij schudde beslist zijn hoofd. 'Vroeger werkte ik in de vakanties in het hotel. Ik had een hekel aan de gasten met hun eisen en klachten: deze biefstuk is te lang gebraden, mijn matras ligt niet goed, ik heb twintig minuten op een kop koffie moeten wachten. Ik kon er niet tegen.'

De kelner kwam. Peter weerstond de verleiding om haring met uien op zijn smørrebröd te bestellen, omdat de gedachte door zijn achterhoofd speelde dat Tilde misschien dicht genoeg bij hem kwam om zijn adem te ruiken, dus nam hij in plaats daarvan zachte kaas met komkommer. Ze overhandigden hun rantsoenkaarten aan de kelner.

'Heb je nog vooruitgang geboekt in de spionagezaak?'

'Niet echt. De twee mannen die we op het vliegveld hebben gearresteerd, konden ons niets vertellen. Ze zijn naar Hamburg gestuurd voor wat de Gestapo een "diepgaand verhoor" noemt en ze hebben de naam van hun contactpersoon genoemd – Matthies Hertz, een officier in het leger. Maar hij is verdwenen.'

'Een doodlopende weg dus.'

'Ja.' De uitdrukking deed hem denken aan een andere doodlopende weg waarop hij was beland. 'Ken jij joden?'

Ze keek verrast. 'Een paar, denk ik. Niemand bij de politie. Waarom?'

'Ik ben een lijst aan het maken.'

'Een lijst met joden?'

'Ja.'

'Waar? In Kopenhagen?'

'In Denemarken.'

'Waarom?'

'De gebruikelijke reden. Het is mijn werk om onruststokers in de gaten te houden.'

'En joden zijn onruststokers?'

'De Duitsers denken van wel.'

'Je kunt begrijpen waarom zij problemen hebben met joden – maar hebben wij dat ook?'

Dat verraste hem. Hij had verwacht dat ze zijn standpunt zou delen. 'Je kunt beter op alles voorbereid zijn. We hebben lijsten van vakbondsleiders, communisten, buitenlanders en leden van de Deense nazipartij.'

'En jij vindt dat hetzelfde?'

'Het is allemaal informatie. Nieuwe joodse immigranten die de laatste vijftig jaar het land zijn binnengekomen, zijn gemakkelijk te herkennen. Die kleden zich vreemd, ze praten met een opvallend accent en de meesten wonen in dezelfde buurt van Kopenhagen. Maar er zijn ook joodse families die al eeuwenlang Deens zijn. Die zien eruit als Denen en praten net als wij. De meesten eten gebraden varkensvlees en werken op zaterdagochtend. Als we die ooit moeten opsporen, zou dat wel eens moeilijk kunnen zijn. Dus maak ik een lijst.'

'Hoe? Je kunt toch niet aan Jan en alleman gaan vragen of ze joden kennen?'

'Het is een probleem. Ik heb twee beginnende rechercheurs die het telefoonboek en nog een paar lijsten doornemen op joods klinkende namen.'

'Dat is niet erg betrouwbaar. Er zijn massa's mensen die Isaksen heten en niet joods zijn.'

'En heel veel joden met namen als Jan Christiansen. Het liefst zou ik een inval doen in de synagoge. Daar hebben ze waarschijnlijk een lijst van leden.'

Tot zijn verbazing keek ze afkeurend, maar ze zei:'Waarom doe je dat dan niet?'

'Juel zal er geen toestemming voor geven.'

'Ik denk dat hij gelijk heeft.'

'Echt? Waarom?'

'Peter, begrijp je dat dan niet? Waar zou jouw lijst in de toekomst voor gebruikt kunnen worden?'

'Spreekt dat niet voor zich?' zei Peter geërgerd. 'Als joodse groepen verzetsbewegingen tegen de Duitsers beginnen, weten wij waar we verdachten moeten zoeken.'

'En stel dat de nazi's besluiten om alle joden op te pakken en ze naar die concentratiekampen te sturen die ze in Duitsland hebben? Dan zullen ze jouw lijst gebruiken.'

'Maar waarom zouden ze de joden naar kampen sturen?'

'Omdat nazi's joden haten. Maar wij zijn geen nazi's, wij zijn politie-mensen. Wij arresteren mensen omdat ze een misdaad hebben begaan, niet omdat we ze haten.'

'Dat weet ik,' zei Peter kwaad. Wat hem verbijsterde, was dat hij op dat punt werd aangevallen. Tilde zou moeten weten dat handhaven van de wet zijn motief was en niet het ondermijnen ervan. 'Er is altijd een gevaar dat informatie verkeerd wordt gebruikt.'

'Dus zou het dan niet beter zijn die vervloekte lijst niet te maken?'

Hoe kon ze zo dom zijn? Het irriteerde hem mateloos dat hij werd tegengesproken door iemand die hij beschouwde als een medestan-der in de strijd tegen wetsovertreders. 'Nee!' schreeuwde hij. Met moeite slaagde hij erin zijn stem te dempen. 'Als we zo dachten, zou-den we helemaal geen Veiligheidsafdeling hebben.'

Tilde schudde haar hoofd. 'Luister, Peter, de nazi's hebben een hele-boel goede dingen gedaan, dat weten we allebei. Zij staan in principe aan de kant van de politie. Ze hebben een eind gemaakt aan ondermijnende activiteiten, ze handhaven de orde, ze hebben de werkeloosheid teruggedrongen en ga zo maar door. Maar als het om joden gaat, zijn ze geschift.'

'Misschien, maar zij hebben het nu voor het zeggen.'

'Kijk naar de Deense joden – dat zijn gezagsgetrouwe, hard werkende mensen die hun kinderen naar school sturen... het is bespottelijk om een lijst te maken met hun namen en adressen alsof ze allemaal deel uitmaken van een communistische samenzwering.'

Hij leunde achterover en zei beschuldigend: 'Je weigert dus om hierbij met me samen te werken?'

Het was haar beurt om beledigd te zijn: 'Hoe kun je dat zeggen? Ik ben politieagente van beroep en jij bent mijn chef. Ik zal doen wat jij zegt. Dat zou je moeten weten.'

'Meen je dat?'

'Luister, als jij een volledige lijst zou willen maken van alle heksen in Denemarken, dan zou ik je vertellen dat heksen volgens mij geen misdadige of subversieve elementen zijn – maar ik zou je helpen bij het maken van die lijst.'

Hun eten werd opgediend. Er viel een ongemakkelijke stilte toen ze begonnen te eten. Na een paar minuten vroeg Tilde: 'Hoe gaat het thuis?'

Ineens herinnerde Peter zich hoe Inge en hij een paar dagen voor het ongeluk op zondagochtend naar de kerk liepen: twee gezonde en gelukkige jonge mensen in hun beste kleren. Waarom moest het juist zijn vrouw zijn van wie de geest was vernietigd door die dronken lummel in zijn sportwagen, terwijl er zoveel tuig op de wereld rondliep? 'Inge is nog hetzelfde,' zei hij.

'Geen verbetering?'

'Als de hersenbeschadiging zo ernstig is, wordt het nooit meer beter.'

'Het moet zwaar voor jou zijn.'

'Ik heb gelukkig een gulle vader. Van mijn salaris als politieman zou ik me geen verpleegster kunnen veroorloven – Inge was dan in een inrichting terechtgekomen.'

Weer wierp Tilde hem een ondoorgrondelijke blik toe. Het leek bijna alsof ze wilde zeggen dat een inrichting misschien niet zo'n slechte oplossing was. 'En de chauffeur van de sportwagen?'

'Finn Jonk. Zijn proces is gisteren begonnen. Het moet in een dag of twee voorbij zijn.'

'Eindelijk! Wat gaat er gebeuren, denk je?'

'Hij bekent schuld. Ik neem aan dat hij tussen de vijf en tien jaar achter de tralies verdwijnt.'

'Het lijkt niet echt genoeg.'

'Voor het vernietigen van iemands geest? Wat zou dan wel genoeg zijn?'

Na de lunch, toen ze terugliepen naar de Politigaarden, stak Tilde haar arm door die van Peter. Het was een hartelijk gebaar en hij dacht dat ze hem duidelijk wilde maken dat ze hem ondanks hun onenigheid toch graag mocht. Toen ze op het ultramoderne hoofdbureau afliepen, zei hij: 'Het spijt me dat jij mijn lijst met joden afkeurt.'

Ze bleef staan en keek hem aan: 'Je bent geen slechte kerel, Peter.' Tot zijn verrassing leek ze op het punt te staan in tranen uit te barsten. 'Jouw plichtsbesef is je grootste kracht. Maar je plicht doen is niet de enige wet.'

'Ik begrijp niet helemaal wat je bedoelt.'

'Dat weet ik.' Ze draaide zich om en liep alleen het gebouw in.

Terwijl hij naar zijn kantoor liep, probeerde hij de zaak van haar kant te zien. Als de nazi's gezagsgetrouwe joden gevangen zetten, zou dat een misdaad zijn en zou hij met zijn lijst de misdadigers helpen. Maar dat kon je ook zeggen over een vuurwapen of zelfs een auto: het feit dat iets door misdadigers gebruikt kon worden, maakte het op zich niet verkeerd.

Toen hij de open centrale binnenplaats overstak, werd hij geroepen door zijn chef, Frederik Juel. 'Kom mee,' zei Juel kortaf. 'We zijn ontboden bij generaal Braun.' Hij liep voorop waarbij zijn militaire houding de indruk wekte van besluitvaardigheid en competentie. Peter wist echter dat dit ver bezijden de waarheid was.

Het was een korte wandeling van de Politigaarden naar de markt waar de Duitsers een gebouw in bezit hadden genomen dat Dagmarhus heette. Het was omgeven door prikkeldraad en er stonden kanonnen en luchtdoelgeschut op het platte dak. Ze werden naar het kantoor van Walter Braun gebracht, een hoekkamer met uitzicht op het plein die comfortabel was gemeubileerd met een antiek bureau en een leren bank. Er hing een vrij kleine foto van de Führer aan de muur en op het bureau stond een ingelijste foto van twee jongens in schooluniform. Zelfs hier droeg Braun zijn pistool, zag Peter, alsof hij wilde zeggen dat hij wel een gezellig kantoor had, maar toch even zakelijk bleef.

Braun zag er tevreden uit. 'Onze mensen hebben het bericht gedecodeerd dat u in het holle blok hebt gevonden,' zei hij op zijn gebruikelijke fluistertoon.

Peter was opgetogen.

'Heel indrukwekkend,' mompelde Juel.

'Kennelijk was het niet zo moeilijk,' ging Braun verder. 'De Engelsen gebruiken eenvoudige codes die vaak zijn gebaseerd op een gedicht of een beroemd stuk proza. Zodra onze decodeurs een paar woorden hebben, kan een professor Engels de rest gewoonlijk wel aanvullen. Ik heb nooit geweten dat het bestuderen van Engelse literatuur ook nog nuttig kon zijn.' Hij lachte om zijn eigen grap.

'Wat stond er in het bericht?' vroeg Peter ongeduldig.

Braun opende een dossiermap op zijn bureau. 'Het was afkomstig van een groep die zichzelf de Nachtwakers noemt.' Hoewel ze Duits spraken, gebruikte hij het Deense woord *Natvaegterne*. 'Zegt u dat iets?' Peter werd erdoor overvallen. 'Ik zal natuurlijk het archief raadplegen, maar ik weet bijna zeker dat we die naam nooit eerder zijn tegengekomen.' Hij fronste nadenkend zijn voorhoofd. 'Echte nachtwakers zijn meestal politieman of soldaat, nietwaar?'

Juel reageerde kwaad. 'Ik kan me nauwelijks voorstellen dat Deense politiemensen…'

'Ik zeg niet dat het Denen zijn,' viel Peter hem in de rede. 'De spionnen zouden Duitse verraders kunnen zijn.' Hij haalde zijn schouders op. 'Of ze meten zich alleen een militaire status aan.' Hij keek naar Braun. 'Wat is de inhoud van het bericht, generaal?'

'Details van onze militaire aanwezigheid in Denemarken. Kijk maar.' Hij schoof een stapeltje papieren over het bureau. 'Locaties van luchtdoelbatterijen in en om Kopenhagen. Duitse marineschepen die de afgelopen maand de haven hebben aangedaan. Regimenten die zijn gelegerd in Aarhus, Odense en Morlunde.'

'Klopt de informatie?'

Braun aarzelde. 'Niet helemaal. Dicht bij de waarheid, maar niet helemaal.'

Peter knikte. 'Dan zijn de spionnen waarschijnlijk geen Duitsers, want die zouden de juiste details uit de dossiers moeten kunnen halen. Waarschijnlijk zijn het Denen die goed kunnen waarnemen en daarop vrij juiste schattingen kunnen doen.'

Braun knikte. 'Een uitstekende gevolgtrekking. Maar kunt u die mensen vinden?'

'Dat hoop ik wel.'

Braun had nu alleen nog maar aandacht voor Peter. Het leek wel alsof Juel niet bestond of slechts een ondergeschikte was die erbij zat in plaats van de meerdere. 'Denkt u dat dezelfde mensen de illegale kranten verspreiden?'

Peter was blij dat Braun zijn deskundigheid erkende, maar het ergerde hem dat Juel niettemin de baas was. Hij hoopte dat Braun de ironie hiervan ook was opgevallen. Hij schudde zijn hoofd. 'We kennen degenen die de ondergrondse kranten uitgeven en houden hun activiteiten in het oog. Als ze nauwgezette waarnemingen hadden gedaan bij Duitse militaire locaties, dan zou het ons zijn opgevallen. Nee… ik denk dat dit een nieuwe organisatie is die we nog niet zijn tegengekomen.'

'Hoe wilt u ze dan vangen?'

'Er is één groep van mogelijk subversieve elementen die we nooit goed tegen het licht hebben gehouden – de joden.'

Peter hoorde hoe Juel zijn adem naar binnen zoog.

Braun zei: 'Dan kunt u daar beter mee beginnen.'

'Het is niet altijd even gemakkelijk om in dit land te ontdekken wie de joden zijn.'

'Ga dan naar de synagoge!'

'Goed idee,' zei Peter. 'Die hebben misschien een lijst van leden. Dat zou een begin zijn.'

Juel wierp Peter een heel donkere blik toe, maar hij zei niets.

'Mijn meerderen in Berlijn,' zei Braun, 'zijn onder de indruk van de loyaliteit en het doeltreffende optreden van de Deense politie bij het onderscheppen van dit bericht aan de Engelse geheime dienst. Niettemin wilden ze eigenlijk een rechercheteam van de Gestapo sturen. Ik heb ze dat ontraden en heb beloofd dat u de spionagegroep op zult sporen om de verraders voor het gerecht te brengen.' Het was een lange toespraak voor een man met slechts één long en hij raakte buiten adem. Hij zweeg, keek van Peter naar Juel en weer terug. Toen hij weer op adem was, besloot hij: 'Voor uw eigen bestwil en voor de bestwil van iedereen in Denemarken, kunt u beter slagen.'

Juel en Peter stonden op en Juel zei gespannen: 'We zullen al het mogelijke doen.'

Ze vertrokken. Zodra ze buiten stonden, keek Juel Peter aan met ogen die vuur schoten. 'U weet heel goed dat dit niets te maken heeft met de synagoge, verdorie!'

'Dat weet ik helemaal niet.'

'U probeert alleen bij de nazi's in het gevlei te komen, walgelijke onderkruiper.'

'Waarom zouden we ze niet helpen? Zij vertegenwoordigen nu de wet.'

'U denkt dat ze u verder zullen helpen met uw carrière.'

'En waarom niet?' zei Peter geprikkeld. 'De Kopenhaagse elite mag dan vooroordelen hebben jegens mannen uit de provincie – waarschijnlijk zijn de Duitsers eerlijker.'

Juel keek ongelovig. 'Is dat wat u gelooft?'

'Ze zijn tenminste niet blind voor de bekwaamheden van jongens die niet naar de Jansborg Skole zijn geweest.'

'U denkt dat u werd gepasseerd vanwege uw achtergrond? Idioot, u hebt de baan niet gekregen, omdat u te extreem bent! U hebt geen besef van verhoudingen. U zou de misdaad uitroeien door iedereen te arresteren die er verdacht uitziet!' Hij maakte een geluid van afkeer. Als ik er iets over te zeggen had, zou u nooit meer promotie maken. En nu wil ik u niet meer zien.' Hij beende weg.

Peter brandde van verontwaardiging. Wie dacht Juel wel dat hij was? Een beroemde voorouder maakte hem nog niet beter dan iemand anders. Hij was een diender, net als Peter, en hij had het recht niet om te praten alsof hij een hogere levensvorm was.

Maar Peter had zijn zin gekregen. Hij had Juel verslagen. Hij had toestemming voor een inval in de synagoge.

Juel zou voor altijd een hekel aan hem hebben. Maar wat maakte het uit? Braun en niet Juel had het nu voor het zeggen. Hij kon beter de vriend van Braun en de vijand van Juel zijn, dan andersom.

Terug op het hoofdbureau stelde Peter snel zijn team samen waarbij hij dezelfde rechercheurs koos die hem ook naar Kastrup hadden vergezeld: Conrad, Dresler en Ellegard. Hij zei tegen Tilde Jespersen: 'Ik zou je graag meenemen, als je er geen bezwaar tegen hebt.'

'Waarom zou ik er bezwaar tegen hebben?' vroeg ze korzelig.

'Na ons gesprek tijdens de lunch...'

'Alsjeblieft! Het is mijn beroep. Dat heb ik toch verteld.'

'Prima,' zei hij.

Ze reden naar een straat die Krystalgade heette. De synagoge was een gebouw van gele baksteen dat met de zijkant naar de straat stond alsof het zich wilde afzetten tegen een vijandige wereld. Peter stationeerde Ellegard bij het hek om ervoor te zorgen dat niemand er heimelijk vandoor ging.

Een oudere man met een keppeltje kwam uit het joodse bejaardentehuis ernaast. 'Kan ik u helpen?' vroeg hij beleefd.

'Wij zijn van de politie,' zei Peter. 'Wie bent u?'

Het gezicht van de man vertoonde zo'n vreselijk angstige uitdrukking dat Peter bijna medelijden met hem kreeg. 'Gorm Rasmussen, ik doe de dagdienst in het tehuis,' zei hij met een trillende stem.

'Hebt u de sleutels van de synagoge?'

'Ja.'

'Laat ons erin.'

De man haalde een bos sleutels uit zijn zak en opende een deur.

Het grootste deel van het gebouw werd in beslag genomen door de grote hal, een rijk versierd vertrek met vergulde Egyptische zuilen die galerijen boven de rijen langs de zijkant droegen. 'Deze joden hebben geld genoeg,' mompelde Conrad.

Peter zei tegen Rasmussen: 'Laat me uw lijst met leden zien.'

'Leden? Wat bedoelt u daarmee?'

'U moet toch de namen en adressen hebben van uw gemeente.'

'Nee – alle joden zijn welkom.'

Peters instinct zei hem dat de man de waarheid vertelde, maar hij ging het gebouw toch doorzoeken. 'Zijn er hier kantoren?'

'Nee. Alleen een kleedkamertje voor de rabbijn en andere functionarissen en een garderobe waar de bezoekers hun jas kunnen hangen.

Peter knikte naar Dresler en Conrad. 'Doorzoek die.' Hij ging naar de kansel in het midden van het vertrek en beklom een paar treden naar een verhoging. Achter een gordijn vond hij een verborgen nis. 'Wat hebben we hier?'

'De Thorarollen,' zei Rasmussen.

Er waren zes grote en zwaar ogende rollen die liefdevol in fluweel waren gewikkeld, wat ze tot een volmaakte bergplaats maakte voor geheime documenten. 'Maak ze allemaal los,' zei hij. 'Spreid ze uit op de vloer, zodat ik kan zien dat er niets anders in zit.'

'Ja, natuurlijk, meteen.'

Rasmussen deed wat hem werd gevraagd en intussen liep Peter met Tilde iets uit de buurt en vroeg haar, terwijl hij argwanend de bewaarder in het oog hield: 'Alles goed met jou?'

'Dat heb ik toch gezegd.'

'Als we iets vinden, wil je dan toegeven dat ik gelijk had?'

Ze glimlachte. 'Als we niets vinden, wil jij dan toegeven dat je het mis had?'

Hij knikte, blij dat ze niet kwaad op hem was.

Rasmussen spreidde de rollen uit die waren bedekt met Hebreeuwse lettertekens. Peter zag niets verdachts. Hij nam aan dat het mogelijk was dat ze geen ledenregister bijhielden. Het was nog waarschijnlijker dat ze er een hadden gehad dat uit voorzorg was vernietigd op de dag dat de Duitsers binnenvielen. Hij voelde zich teleurgesteld. Hij had een heleboel moeite moeten doen voor deze inval en zich nog minder populair gemaakt bij zijn chef. Het zou heel erg zijn als het niets opleverde.

Dresler en Conrad kwamen terug van de andere kant van het gebouw. Dresler had niets in zijn handen, maar Conrad had een exemplaar van de *Waarheid*.

Peter nam de krant van hem over en liet die aan Rasmussen zien. 'Dit is illegaal.'

'Het spijt me,' zei de man. Hij keek alsof hij in huilen zou uitbarsten. 'Ze duwen die in de brievenbus.'

De mensen die de krant drukten werden niet gezocht door de politie, dus waren degenen die hem alleen maar lazen ook niet in gevaar. Rasmussen wist dat echter niet en Peter buitte dit morele voordeel uit. 'U moet mensen toch af en toe aanschrijven,' zei hij.

'Ja, natuurlijk, de leidende figuren van de joodse gemeenschap. Maar we hebben geen lijst. We weten wie dat zijn.' Hij vertoonde een flauwe glimlach. 'Net als u, neem ik aan.'

Dat was waar. Peter kende de namen van tien of meer vooraanstaande joden: een paar bankiers, een rechter, enkele professoren aan de universiteit, een paar politici, een schilder. Dat waren niet de mensen die hij zocht; zij waren te bekend om spion te zijn. Zulke mensen konden niet op de kade schepen staan tellen zonder opgemerkt te worden. 'Stuurt u geen brieven aan gewone mensen om ze te vragen om een bijdrage voor een goed doel of om ze op de hoogte te stellen van evenementen, picknicks, concerten die u organiseert?'

'Nee,' zei de man. 'We hangen gewoon een kennisgeving op in het gemeenschapcentrum.'

'Aha,' zei Peter met een tevreden glimlach. 'Het gemeenschapcentrum. En waar is dat?'

'Bij Christiansborg, in Ny Kongensgade.'

Dat was zo'n anderhalve kilometer verderop. 'Dresler,' zei Peter, 'hou deze kerel hier een kwartier vast en let erop dat hij niemand waarschuwt.'

Ze reden naar de Ny Kongensgade. Het joods gemeenschapcentrum was een groot achttiende-eeuws gebouw met een binnenplaats en een elegante trap, hoewel het een opknapbeurt verdiende. De cafetaria was gesloten en niemand speelde pingpong in de kelder. Een goedgeklede jongeman met een neerbuigende houding zwaaide de scepter in het kantoor. Hij zei dat hij geen lijst met namen en adressen had, maar de rechercheurs doorzochten toch alles.

De jongeman heette Ingemar Gammel en hij had iets waardoor Peter op zijn hoede was. Wat was het? In tegenstelling tot Rasmussen was Gammel niet bang; maar terwijl Peter bij Rasmussen het gevoel had gehad dat hij bang maar onschuldig was, kreeg hij bij Gammel de tegenovergestelde indruk.

Gammel zat aan een bureau en keek kalm naar het overhoop halen van zijn kantoor. Hij droeg een vest met een horlogeketting en zijn kleren leken duur. Waarom was een rijke jongeman hier secretaris? Dit soort werk werd normaal gedaan door onderbetaalde meisjes of huisvrouwen uit de middenstand van wie de kinderen waren uitgevlogen.

'Ik denk dat we hiernaar op zoek waren, chef,' zei Conrad die Peter een zwarte ringband aangaf. 'Een lijst rattennesten.'

Peter keek erin en zag de ene bladzijde na de andere vol namen en adressen. Het waren enkele honderden. 'Raak,' zei hij. 'Goed gedaan.' Maar zijn instinct vertelde hem dat hier meer te vinden was. 'Blijf zoeken voor het geval er nog iets anders opduikt.'

Hij bladerde door de ringband op zoek naar iets vreemds of bekends of... iets. Hij had een onbevredigd gevoel. Maar er viel hem niets op.

Gammels colbertje hing aan een haakje achter de deur. Peter las het etiket van de kleermaker. Het kostuum was gemaakt door Anderson & Sheppard, Savile Row, Londen in 1938. Peter was jaloers. Hij kocht zijn kleren in de beste zaken van Kopenhagen, maar een Engels kostuum zou hij zich nooit kunnen veroorloven. Er zat een zijden pochet in de borstzak. Hij vond een goedgevulde portemonnee in de linker zijzak. In de rechterzak zat een treinkaartje naar Aarhus, een retourtje, met een keurig gaatje van de tang van de conducteur. 'Wat hebt u in Aarhus gedaan?'

'Vrienden bezocht.'

Het gedecodeerde bericht had de naam van het Duitse regiment bevat dat was gelegerd in Aarhus, herinnerde Peter zich. Aarhus was echter na Kopenhagen de grootste stad van Denemarken en honderden mensen reisden dagelijks tussen de twee steden heen en weer.

In de binnenzak van het jasje vond Peter een kleine agenda. Hij opende die.

'Geniet u van uw werk?' vroeg Gammel op een toon waaruit zijn verachting bleek.

Peter keek met een glimlach op. Hij genoot ervan om opgeblazen rijke mannen die zichzelf verheven voelden boven gewone mensen, kwaad te maken. Maar hij zei: 'Net als een loodgieter zie ik een heleboel stront.' Nadrukkelijk richtte hij zijn aandacht weer op de agenda van Gammel.

Gammels handschrift was even stijlvol als zijn kostuum met grote hoofdletters en zwierige lussen. De aantekeningen in de agenda zagen er normaal uit: lunchafspraken, theater, verjaardag van zijn moeder, Jorgen bellen over Wilder. 'Wie is Jorgen?' vroeg Peter.

'Mijn neef, Jorgen Lumpe. We ruilen boeken.'

'En Wilder?'

'Thornton Wilder.'

'En hij is…'

'De Amerikaanse schrijver. *The Bridge of San Luis Rey.* U moet het hebben gelezen.'

Dat was hatelijk bedoeld en moest impliceren dat politiemensen niet cultureel genoeg waren om buitenlandse romans te lezen, maar Peter besteedde er geen aandacht aan en keek weer in de agenda. Zoals verwacht vond hij een lijst met namen en adressen, sommige met een telefoonnummer. Hij keek naar Gammel en dacht iets van een blos te zien op zijn gladgeschoren wangen. Dat was veelbelovend. Hij bekeek de adressenlijst zorgvuldig.

Hij koos er willekeurig een naam uit. 'Hilde Bjergager – wie is dat?'

'Een vriendin,' antwoordde Gammel koeltjes.

Peter probeerde een andere. 'Bertil Bruun?'

Gammel bleef onverstoorbaar. 'We spelen tennis.'

'Fred Eskilden.'

'Mijn bankier.'

De andere rechercheurs waren opgehouden met zoeken en zwegen, omdat ze de spanning voelden.

'Poul Kirke?'

'Oude vriend.'

'Preben Klausen.'

'Galeriehouder.'

Voor het eerst toonde Gammel iets van emotie, maar het was eerder

opluchting dan schuld. Waarom? Dacht hij dat hij aan iets was ontsnapt? Wat was het belang van galeriehouder Klausen? Of was juist de vorige naam belangrijk? Had Gammel opluchting getoond, omdat Peter was doorgegaan naar Klausen? 'Poul Kirke is een oude vriend?'
'We hebben samen op de universiteit gezeten.' Gammels stem klonk onaangedaan, maar er was iets van angst in zijn ogen te lezen.
Peter wierp een blik op Tilde en zij knikte even. Ook haar was iets opgevallen aan de reactie van Gammel.
Peter keek weer in de agenda. Er stond geen adres achter de naam Kirke, maar naast het telefoonnummer stond opvallend klein de hoofdletter N geschreven. 'Wat wil die letter N zeggen?' vroeg Peter.
'Naestved. Het is zijn nummer in Naestved.'
'Wat is zijn andere nummer?'
'Hij heeft geen ander nummer.'
'Waar is die aanduiding dan voor nodig?'
'Eerlijk gezegd kan ik het me niet herinneren,' zei Gammel geërgerd.
Het zou waar kunnen zijn. Aan de andere kant zou de N kunnen slaan op Nachtwaker.
'Wat voor werk doet hij?' vroeg Peter.
'Piloot.'
'Waarbij?'
'Het leger.'
'Aha.' Peter had rekening gehouden met de mogelijkheid dat de Nachtwakers uit het leger kwamen vanwege hun naam en omdat ze nauwkeurig militaire details waarnamen. 'Op welke basis?'
'Vodal.'
'Ik dacht dat u zei dat hij in Naestved zat.'
'Het is in de buurt.'
'Dertig kilometer is niet in de buurt.'
'Nou, dat is wat ik me herinner.'
Peter knikte bedachtzaam en zei toen tegen Conrad: 'Arresteer deze leugenachtige blaaskaak.'

Het doorzoeken van het appartement van Ingemar Gammel leverde teleurstellend weinig op. Peter vond niets van belang: geen codeboeken, geen ondermijnende literatuur, geen wapens. Hij nam aan dat Gammel slechts een ondergeschikte rol in de spionagegroep vervulde en alleen waarnemingen deed die hij rapporteerde aan de centrale contactpersoon. Die man stelde vervolgens de berichten op en verzond ze naar Engeland. Maar wie was die figuur om wie alles draaide?
Peter hoopte op Poul Kirke.
Voordat hij begon aan de rit van ruim honderd kilometer naar de vliegschool in Vodal waar Poul Kirke was gelegen, bracht Peter een uur met zijn vrouw Inge door. Terwijl hij haar kleine stukje brood met

appel en honing voerde, merkte hij dat hij zat te dagdromen over een huiselijk leven met Tilde Jespersen. In zijn verbeelding zat hij naar Tilde te kijken die zich klaarmaakte om een avond uit te gaan – ze waste haar haren, droogde die stevig met een handdoek, ging aan de toilettafel zitten om haar nagels te vijlen en keek in de spiegel om een zijden sjaaltje om haar hals te knopen. Hij besefte dat hij hunkerde naar een vrouw die dingen zelf kon doen.

Hij moest ophouden met zo te denken. Hij was getrouwd. Het feit dat de vrouw van een man ziek was, mocht geen excuus zijn voor overspel. Tilde was een collega en een vriendin en zij zou voor hem nooit meer zijn dan dat.

Met een rusteloos en ontevreden gevoel zette hij de radio aan en luisterde naar het nieuws, terwijl hij wachtte op de verzorgster voor de avond. De Engelsen hadden een nieuwe aanval in Noord-Afrika gelanceerd waarbij ze met een tankdivisie de Egyptische grens met Libië waren overgestoken in een poging de belegerde stad Tobroek te ontzetten. Zo te horen was het een grote operatie, hoewel het gecensureerde Deense radiostation natuurlijk voorspelde dat het Duitse antitankgeschut de Engelse strijdkrachten zouden decimeren.

De telefoon ging en Peter liep door de kamer om hem op te pakken. 'Met Allan Forslund van de afdeling verkeer.' Forslund was de politieman die de zaak behandelde van Finn Jonk, de dronken chauffeur die tegen de auto van Peter was gebotst. 'Het proces is net afgelopen.'

'Hoe is het gegaan?'

'Jonk heeft zes maanden gekregen.'

'Zes máánden?'

'Het spijt me…'

Er kwam een waas voor Peters ogen. Hij had het gevoel alsof hij ging vallen en steunde met een hand tegen de muur. 'Voor het kapotmaken van de geest van mijn vrouw en mijn leven? Zes maanden?'

'De rechter zei dat hij al genoeg had geleden en dat hij de rest van zijn leven de schuld zou moeten dragen.'

'Wat een larie.'

'Ik weet het.'

'Ik dacht dat het openbaar ministerie een zware straf zou eisen.'

'Dat hebben we ook gedaan. Maar de advocaat van Jonk was erg overtuigend. Hij zei dat de jongen niet meer drinkt, rondrijdt op een fiets en voor architect studeert…'

'Dat kan iedereen wel zeggen.'

'Ik weet het.'

'Ik accepteer dit niet! Ik weiger het te accepteren!'

'We kunnen niet doen…'

'Vergeet het maar.'

'Peter, doe geen overhaaste dingen.'

Peter probeerde te kalmeren. 'Natuurlijk doe ik dat niet.'

'Ben je alleen?'

'Over een paar minuten ga ik weer aan het werk.'

'Als je maar iemand hebt om mee te praten.'

'Ja. Bedankt voor het telefoontje, Allan.'

'Het spijt me heel erg dat we er niet meer uit hebben gehaald.'

'Het is niet jouw schuld. Een gladde advocaat en een stomme rechter. Dat hebben we eerder meegemaakt.' Peter hing op. Hij had zich gedwongen een kalme indruk te maken, maar inwendig kookte hij. Als Jonk vrij rond had gelopen, had hij hem misschien opgezocht en gedood – maar de knul zat veilig in de gevangenis, al was dat maar voor een paar maanden. Hij dacht eraan de advocaat op te zoeken, hem onder een voorwendsel te arresteren en hem dan een vreselijk pak slaag te geven; maar hij wist dat hij dat niet moest doen. De advocaat had geen wetten overtreden.

Hij keek naar Inge. Ze zat waar hij haar had achtergelaten, keek hem met een nietszeggend gezicht aan en wachtte tot hij verderging met haar eten geven. Hij zag dat een stukje appel uit haar mond op het lijfje van haar jurk was gevallen. Ondanks haar toestand at ze normaal heel netjes. Voor het ongeluk was ze uiterst precies geweest op haar uiterlijk. Toen hij het voedsel op haar kin en de vlekken op haar kleding zag, voelde hij plotseling de aanvechting om te gaan huilen.

Hij werd gered door de bel. Hij vermande zich snel en ging opendoen. De verzorgster kwam tegelijk met Bent Conrad die hem kwam ophalen voor de rit naar Vodal. Hij trok zijn jasje aan en liet het schoonmaken van Inge aan de verzorgster over.

Ze gingen in twee auto's, de standaard zwarte Buicks van de politie. Peter vreesde dat het leger misschien zou tegenwerken, dus had hij generaal Braun gevraagd een Duitse officier mee te sturen voor de noodzakelijke autoriteit. Ene majoor Schwarz van Brauns staf zat in de voorste auto.

De reis duurde anderhalf uur. Schwarz rookte een grote sigaar en vulde de auto met rook. Peter probeerde niet te denken aan de belachelijk lichte straf van Finn Jonk. Op de luchtmachtbasis had hij waarschijnlijk al zijn verstand nodig en hij wilde zijn oordeel niet door woede laten beïnvloeden. Hij probeerde zijn laaiende woede te blussen, maar die smeulde door onder een deken van gespeelde kalmte.

Vodal was een vliegveld met een startbaan van gras en een verzameling lage gebouwen aan een kant. De bewaking was licht – het was slechts een vliegopleiding waar niets geheims plaatsvond – en de enige wachtpost aan de poort wuifde hen nonchalant door zonder te vragen wat ze kwamen doen. Een half dozijn Tiger Moths stond in een rij geparkeerd als vogels op een hek. Er stonden ook een paar zweefvliegtuigen en twee Messerschmitt Me-109's.

Toen Peter uit de auto stapte zag hij Arne Olufsen, de rivaal uit zijn jeugd op Sande, die over de parkeerplaats slenterde in zijn keurige bruine legeruniform. Peter proefde de bittere smaak van wrok.

Peter en Arne waren in hun kinderjaren altijd vrienden geweest, tot er twaalf jaar geleden onenigheid tussen hun families ontstond. Het was begonnen toen Axel Flemming, Peters vader, was beschuldigd van belastingfraude. Axel had het belachelijk gevonden dat hij werd vervolgd, omdat hij alleen maar had gedaan wat iedereen deed: zijn winsten drukken door zijn kosten op te voeren. Hij was veroordeeld tot het betalen van een zware boete boven op de achterstallige belasting.

Hij had zijn vrienden en buren overtuigd dat ze de zaak moesten beschouwen als een financieel-technisch verschil van mening en niet als een beschuldiging van fraude. Toen liet dominee Olufsen zich horen.

Er was een kerkelijke regel die bepaalde dat elk lid dat een misdaad had begaan moest worden 'uitgeschreven', ofwel verstoten uit de gemeente. De overtreder kon de dienst de volgende zondag weer bijwonen als hij dat wilde, maar gedurende één week was hij een buitenstaander. De procedure werd niet toegepast bij onbelangrijke overtredingen als te hard rijden en Axel had aangevoerd dat zijn misstap in die categorie thuishoorde. Dominee Olufsen dacht daar anders over.

Deze vernedering was voor Axel veel erger geweest dan de boete waarmee het gerechtshof hem had bestraft. Zijn naam was aan de gemeente voorgelezen, hij had zijn plaats vooraan moeten verlaten en de hele dienst achter in de kerk gezeten en om zijn schande compleet te maken had de dominee een preek gehouden over de tekst 'Geeft aan den keizer wat des keizers is.'

Peter huiverde elke keer als hij eraan moest denken. Axel was trots op zijn positie van succesvol zakenman en leider van de gemeenschap en voor hem was er geen grotere straf denkbaar dan het respect van zijn buren verliezen. Voor Peter was het een marteling geweest om te zien hoe zijn vader in het openbaar werd berispt door een opgeblazen en intolerante zedenprediker als Olufsen. Hij vond dat zijn vader de boete had verdiend, maar niet de vernedering in de kerk. Op dat moment had hij gezworen dat er geen genade zou gelden, wanneer er een lid van de familie Olufsen ooit een overtreding maakte.

Hij durfde nauwelijks te hopen dat Arne was betrokken bij de spionagezaak. Dat zou een zoete wraak zijn.

Arne zag hem. 'Peter!' Hij keek verbaasd, maar niet bang.

'Is dit de plaats waar je werkt?' vroeg Peter.

'Als er iets te werken is.' Arne was even onbezorgd en ontspannen als altijd. Als hij zich ergens schuldig over moest voelen, dan hield hij dat goed verborgen.

'Natuurlijk, je bent piloot.'

'Dit is een opleidingscentrum, maar we hebben niet veel leerlingen. Iets anders, wat doe jij hier?' Arne wierp een blik op de majoor in zijn Duitse uniform die achter Peter stond. 'Is er sprake van een gevaarlijke milieuvervuiling? Of heeft iemand in het donker zonder licht gefietst?'

Peter vond Arnes grap niet echt leuk. 'Routine-onderzoek,' antwoordde hij kortaf. 'Waar kan ik jouw commandant vinden?'

Arne wees op één van de lage gebouwen. 'Hoofdkwartier van de basis. Je moet squadronleider Renthe hebben.'

Peter liet hem staan en liep het gebouw in. Renthe was een slungelachtige man met een borstelige snor en een norse uitdrukking. Peter stelde zichzelf voor en zei: 'Ik ben hier om een van uw mannen te ondervragen, luitenant Poul Kirke.'

De squadronleider keek nadrukkelijk naar majoor Schwarz en vroeg: 'Wat is het probleem?'

De reactie 'dat gaat je geen barst aan' lag Peter op de lippen, maar hij wilde absoluut kalm blijven, dus gebruikte hij een beleefde leugen. 'Hij verhandelt gestolen goederen.'

'Wanneer militair personeel wordt verdácht van een misdaad, geven wij er de voorkeur aan de zaak zelf te onderzoeken.'

'Uiteraard. Maar…' Zijn hand bewoog in de richting van Schwarz. 'Onze Duitse vrienden willen dat de politie het behandelt, dus doen uw voorkeuren niet ter zake. Is Kirke op dit moment op de basis?'

'Hij is toevallig aan het vliegen.'

Peter trok een wenkbrauw op. 'Ik dacht dat uw vliegtuigen aan de grond moesten blijven.'

'In de regel wel, maar er zijn uitzonderingen. We verwachten morgen bezoek van een gezelschap van de Luftwaffe. Ze willen de lucht in met onze trainingstoestellen, dus hebben we toestemming om vandaag testvluchten te maken, zodat we zeker weten dat de vliegtuigen klaar zijn. Kirke landt over een paar minuten.'

'Ik zal intussen zijn kamer doorzoeken. Waar slaapt hij?'

Renthe aarzelde en antwoordde toen met tegenzin: 'Slaapbarak A, aan de andere kant van de landingsbaan.'

'Heeft hij een kantoor of een kastje of iets anders waar hij misschien dingen bewaart?'

'Hij heeft een kantoortje in deze gang. Drie deuren verder.'

'Ik zal daar beginnen. Tilde, jij komt met mij mee. Conrad, jij gaat naar het vliegveld om Kirke op te vangen als hij terugkomt – ik wil niet dat hij ons ontglipt. Dresler en Ellegard, jullie doorzoeken slaapbarak A. Squadronleider, bedankt voor uw medewerking…' Peter zag de ogen van de commandant naar de telefoon op het bureau gaan en voegde eraan toe: 'Bel de komende paar minuten niemand op. Wanneer u iemand waarschuwt dat wij eraan komen, zou dat belemmering van de rechtsgang zijn. Ik zou u in de gevangenis moeten stoppen en dat zou de reputatie van het leger weinig goed doen, nietwaar?'

Renthe antwoordde niet.

Peter, Tilde en Schwarz liepen door de gang naar de deur met het opschrift 'Hoofd Vliegopleiding'. Een bureau en een dossierkast waren in een raamloos kamertje geperst. Peter en Tilde begonnen te zoeken en Schwarz stak een nieuwe sigaar op. De dossierkast bevatte gegevens van leerlingen. Peter en Tilde bekeken geduldig elk vel papier. Het kamertje had geen ontluchting en het vluchtige parfum van Tilde werd overstemd door de sigarenrook van Schwarz.

Na een kwartiertje maakte Tilde een verrast geluidje en zei: 'Dat is gek.'

Peter keek op van de cijferlijst van een leerling die Keld Hansen heette en was gezakt voor zijn navigatieproef.

Tilde overhandigde hem een vel papier. Peter bekeek het met een gefronst voorhoofd. Er stond een nauwgezette schets op van een apparaat dat Peter niet herkende: een grote vierkante antenne op een voet waar een muur omheen stond. Een tweede tekening van hetzelfde apparaat zonder de muur toonde meer details van de voet die leek te kunnen draaien.

Tilde keek over zijn schouder. 'Wat denk je dat het is?'

Hij was zich heel erg bewust van haar nabijheid. 'Ik heb nog nooit zoiets gezien, maar ik durf er alles om te verwedden dat het geheim is. Zit er nog meer in het dossier?'

'Nee.' Ze toonde hem de map met het opschrift 'Andersen, H.C.'.

Peter gromde. 'Hans Christiaan Andersen – dat is op zich al verdacht.' Hij draaide het papier om. Op de achterkant stond een geschetste kaart van een eiland waarvan de langgerekte en smalle vorm voor Peter even vertrouwd was als de kaart van Denemarken. 'Dit is Sande, waar mijn vader woont!' zei hij.

Toen hij beter keek, zag hij dat op de kaart de nieuwe Duitse basis was aangegeven en het gedeelte van het strand dat verboden gebied was.

'Raak,' zei hij zacht.

De blauwe ogen van Tilde glansden van opwinding. 'We hebben een spion te pakken, hè?'

'Nog niet,' zei Peter, 'maar het scheelt niet veel.'

Ze liepen naar buiten gevolgd door de zwijgende Schwarz. De zon was ondergegaan, maar in de zachte schemering van de lange Scandinavische zomeravond was alles duidelijk zichtbaar.

121

Ze liepen naar het vliegveld en gingen naast Conrad staan in de buurt van de parkeerplaats van de vliegtuigen. De toestellen werden opgeborgen voor de nacht. Een vliegtuig werd een hangar ingereden door twee mannen van het grondpersoneel die tegen de vleugels duwden, terwijl een derde de staart van de grond tilde.

Conrad wees naar een vliegtuig dat met de wind mee het vliegveld naderde. 'Dat moet onze man zijn, denk ik.'

Het was ook een Tiger Moth. Toen het in een bocht volgens het boekje daalde en tegen de wind in draaide voor de landing, overwoog Peter dat Poul Kirke zonder enige twijfel een spion was. Het bewijsmateriaal uit de dossierkast zou al voldoende zijn om hem te laten hangen. Maar voordat het zover was, had Peter een heleboel vragen voor hem. Was hij gewoon iemand die gegevens verzamelde, zoals Ingemar Gammel? Was Kirke zelf naar Sande gereisd om de basis te verkennen en het mysterieuze apparaat te schetsen? Of speelde hij de belangrijkere rol van de coördinator die inlichtingen verzamelde en in gecodeerde berichten naar Engeland doorstuurde? Als Kirke de centrale contactpersoon was, wie was dan naar Sande gegaan om de schets te maken? Kon het Arne Olufsen zijn geweest? Dat was mogelijk, maar Arne had een uur geleden, toen Peter onverwacht op de basis was verschenen, absoluut geen schuldig gedrag vertoond. Desondanks zou het misschien de moeite waard zijn om Arne in het oog te houden.

Toen het vliegtuig landde en over het gras huppelde, kwam een van de Buicks op grote snelheid van het andere eind van de landingsbaan aanrijden. De politiewagen kwam slippend tot stilstand en Dresler sprong eruit met iets fel geels in zijn hand.

Peter wierp een nerveuze blik op hem. Hij wilde geen consternatie waardoor Poul Kirke gewaarschuwd zou kunnen worden. Hij keek om zich heen en besefte dat hij zijn waakzaamheid een moment had laten verslappen, waardoor het hem niet was opgevallen dat het groepje aan de rand van de landingsbaan hier nogal uit de toon viel: hij zelf in een donker kostuum, Schwarz in zijn Duitse uniform die een sigaar rookte, een vrouw en nu een man die kennelijk gehaast uit een auto sprong. Ze maakten de indruk van een ontvangstcomité en dat zou bij Kirke wel eens alarmbellen in werking kunnen zetten.

Dresler kwam naar hem toe en zwaaide opgewonden met het gele voorwerp, een boek met een fel gekleurde stofomslag. 'Dit is zijn codeboek!' zei hij.

Dat hield in dat Kirke inderdaad de belangrijke man was. Peter keek naar het vliegtuigje dat van de landingsbaan was gedraaid en nu langs hen heen taxiede naar de parkeerplaats. 'Stop dat boek onder je jas, stomkop,' zei hij tegen Dresler. 'Als hij je daarmee ziet zwaaien, weet hij dat we hem hebben ontmaskerd!'

Hij keek weer naar de Tiger Moth. Hij kon Kirke in de open cockpit zien zitten, maar door de bril, sjaal en helm was de gelaatsuitdrukking van de man niet te onderscheiden.

Wat er vervolgens gebeurde, liet echter geen ruimte voor twijfel.

De motor brulde ineens luider toen er vol gas werd gegeven. Het vliegtuig zwaaide rond, draaide in de wind, maar kwam ook op het groepje rond Peter af. 'Verdorie, hij gaat ervandoor!' riep Peter.

Het vliegtuig maakte snelheid en schoot recht op hen af.

Peter trok zijn pistool.

Hij wilde Kirke levend hebben en hem verhoren – maar hij zou hem nog eerder doden dan hem laten ontsnappen. Hij hield het pistool met beide handen vast en richtte op het naderende vliegtuig. Het was vrijwel onmogelijk om een vliegtuig met een handvuurwapen neer te halen, maar misschien raakte hij de piloot met een gelukkig schot.

De staart van de Tiger Moth kwam van de grond, waardoor de romp horizontaal kwam en hoofd en schouders van Kirke zichtbaar werden. Peter richtte zorgvuldig op de vlieghelm en haalde de trekker over. Het vliegtuig kwam los, Peter richtte hoger en leegde het zevenschotsmagazijn van zijn Walther PPK. Bitter teleurgesteld zag hij dat hij te hoog had gemikt, want een reeks gaatjes verschenen als inktdruppels in de brandstoftank boven het hoofd van de piloot en de benzine spoot in straaltjes de cockpit in. Het vliegtuig bleef doorvliegen.

De anderen wierpen zich plat op de grond.

Een waanzinnige woede maakte zich van Peter meester toen de rondwentelende propeller met een snelheid van honderd kilometer per uur op hem afkwam. Poul Kirke werd de verpersoonlijking van alle misdadigers die ooit aan de gerechtigheid waren ontkomen, ook van Finn Jonk, de autobestuurder die van Inge een levend wrak had gemaakt. Peter ging Kirke tegenhouden, ook al kostte het hem zijn leven.

Uit een ooghoek zag hij dat de sigaar van majoor Schwartz op het gras lag te smeulen en hij kreeg een ingeving.

Terwijl de dubbeldekker op hem afschoot, bukte hij zich, pakte de sigaar en smeet die naar de piloot.

Toen gooide hij zich opzij.

Hij voelde een windstoot toen de onderste vleugel op een paar centimeter na zijn hoofd miste.

Hij raakte de grond, rolde om en keek op.

De Tiger Moth klom de lucht in. De kogels en de brandende sigaar leken niets uit te halen. Peter had gefaald.

Zou Kirke erin slagen te ontsnappen? De Luftwaffe zou meteen de twee Messerschmitts laten opstijgen om hem na te jagen, maar dat zou een paar minuten duren en tegen die tijd zou de Tiger Moth uit het zicht zijn. De brandstoftank van Kirke was beschadigd, maar de gaten zaten misschien niet in het onderste punt van de tank en in dat geval zou hij misschien voldoende brandstof overhouden om over het water Zweden te bereiken dat slechts op ruim dertig kilometer lag. En de duisternis begon al in te vallen.

Kirke had een kans, bedacht Peter verbitterd.

Toen was er het gesuis van een plotseling oplaaiend vuur en steeg een grote steekvlam uit de cockpit omhoog.

Die omsloot met enorme snelheid hoofd en schouders van de piloot wiens kleding doordrenkt moesten zijn met benzine. De vlammen lekten over de romp en verteerden de stoffen bekleding.

Een paar tellen lang bleef het vliegtuig nog klimmen, hoewel het hoofd van de piloot was veranderd in een verkoolde stomp. Toen zakte het lichaam van Kirke in elkaar en duwde de stuurknuppel kennelijk naar voren. De Tiger Moth dook met de neus naar beneden en plofte als een pijl in de grond. De romp kreukelde als een harmonica. Er heerste een geschokte stilte. De vlammen bleven rond de vleugels en de staart likken, ontdeed die van de stof, vrat aan de houten vleugelspanten en onthulde de stalen buizen van de romp als het skelet van een martelaar op de brandstapel.

'Hemel,' zei Tilde, 'wat vreselijk. De arme man.' Ze trilde.

Peter sloeg zijn armen om haar heen. 'Ja,' zei hij. 'En het ergste is dat hij nu geen vragen meer kan beantwoorden.'

DEEL 2

9

Op het bord buiten het gebouw stond 'Deens Instituut voor Volkszang en Volksdans', maar dat was alleen om de autoriteiten op het
verkeerde been te zetten. De trap af, door het dubbele gordijn dat
dienstdeed als lichtsluis, was in de vensterloze kelder een jazzclub gevestigd.

Het vertrek was klein en donker. De vochtige cementen vloer lag bezaaid met peukjes en was plakkerig van gemorst bier. Er stonden een
paar gammele tafels en wat houten stoelen, maar het grootste deel
van het publiek stond. Matrozen en dokwerkers stonden schouder
aan schouder met goedgeklede jonge mensen en een enkele Duitse
soldaat.

Op het kleine podium zat een jonge vrouw aan de piano halfneu-
riënd ballads in een microfoon te zingen. Misschien was het jazz,
maar het was niet de muziek waarvan Harald uit zijn dak ging. Hij
stond te wachten op Memphis Johnny Madison, die weliswaar gekleurd was, maar het grootste deel van zijn leven in Kopenhagen had
gewoond en Memphis waarschijnlijk nooit had gezien.

Het was twee uur 's nachts. Eerder op de avond, nadat op school de
lichten waren uitgegaan, hadden de Three Stooges – Harald, Mads en
Tik – hun kleren weer aangetrokken, waren het slaapgebouw uit ge-
slopen en op de laatste trein naar de stad gestapt. Het was riskant – ze
zouden zwaar in de problemen zitten wanneer het werd ontdekt –
maar Memphis Johnny zien zou het de moeite waard maken.

De aquavit die hij dronk naast glazen tapbier, maakte hem nog uitge-
latener.

In gedachten beleefde hij het opwindende gesprek met Poul Kirke
weer en daarbij kwam het beangstigende feit dat hij nu in het verzet
zat. Hij durfde er nauwelijks aan te denken, want het was iets waarover hij zelfs niet met Mads en Tik kon praten. Hij had geheime militaire informatie doorgegeven aan een spion.

Nadat Poul had toegegeven dat er een geheime organisatie was, had
Harald gezegd dat hij al het mogelijke zou doen om te helpen. Zijn
taak zou bestaan uit het verzamelen van inlichtingen over de strijdkrachten van de bezetter die dan via Poul werden doorgestuurd naar
Engeland. Hij was trots op zichzelf en wilde graag beginnen. Hij was
ook bang, maar probeerde niet te denken aan wat er zou kunnen gebeuren als hij werd gepakt.

Hij vond het nog steeds niet leuk dat Poul was uitgegaan met Karen.

Telkens als hij eraan dacht proefde hij de bittere smaak van jaloezie. Maar omwille van de verzetsbeweging onderdrukte hij dat gevoel. Hij wenste dat Karen hier was. Ze zou de muziek weten te waarderen. Net toen hij dacht dat het aan vrouwelijk gezelschap ontbrak, zag hij dat er net weer iemand was binnengekomen, een vrouw met donker krullend haar die een rode jurk droeg. Ze ging op een kruk aan de bar zittten. Hij kon haar niet goed zien – het was te rokerig of misschien was er iets mis met zijn ogen – maar ze leek alleen te zijn. 'Moet je kijken,' zei hij tegen de anderen.

'Leuk, als je op oudere vrouwen valt,' zei Mads.

Harald tuurde naar haar en probeerde scherper te zien. 'Hoe oud zou ze dan zijn?'

'Minstens dertig.'

Harald haalde zijn schouders op. 'Dat is niet echt oud. Ik vraag me af of ze met iemand zou willen praten.'

Tik, die niet zo dronken was als de andere twee, zei: 'Ze wil vast wel met je praten.'

Harald begreep niet goed waarom Tik zo dwaas stond te grijnzen. Zonder aandacht aan hem te besteden, liep Harald naar de bar. Toen hij dichterbij kwam, zag hij dat de vrouw behoorlijk mollig was en dat haar ronde gezicht zwaar was opgemaakt. 'Hallo, schooljongen,' zei ze, maar ze glimlachte vriendelijk.

'Ik zag dat u alleen was.'

'Op het moment wel.'

'Ik dacht dat u misschien wel met iemand wilde praten.'

'Daarvoor ben ik eigenlijk niet hier.'

'Aha – u luistert liever naar de muziek. Ik ben een grote liefhebber van jazz, al jaren. Wat vindt u van de zangeres? Ze is natuurlijk geen Amerikaanse, maar…'

'Ik vind de muziek vreselijk.'

Harald begreep het niet. 'Waarom…'

'Ik ben een werkende vrouw.'

Ze scheen te denken dat het alles verklaarde, maar voor Harald bleef het een groot raadsel. Ze bleef hem met een vriendelijke glimlach aankijken, maar hij had het gevoel dat ze langs elkaar heen praatten.

'Een werkende vrouw,' herhaalde hij.

'Ja. Wat dacht je dan dat ik was?'

Hij wilde aardig tegen haar zijn, dus zei hij: 'In mijn ogen bent u een prinses.'

Ze lachte.

'Hoe heet u?' vroeg hij haar.

'Betsy.'

Dat was een onwaarschijnlijke naam voor een Deense vrouw uit de arbeidersklasse en Harald veronderstelde dat hij verzonnen was.

Er verscheen een man naast Harald. Harald schrok van het uiterlijk van de nieuwkomer: hij was ongeschoren, had rotte tanden en een blauw oog dat halfdicht zat. Hij droeg een gevlekte smoking en een overhemd zonder kraag. Klein en mager als hij was, maakte hij toch een intimiderende indruk. 'Kom op, jochie,' zei hij, 'neem een besluit.'

Betsy zei tegen Harald: 'Dat is Luther. Laat de jongen met rust, Lou, hij doet niets verkeerds.'

'Hij jaagt de andere klanten weg.'

Harald besefte dat hij geen idee had wat er gebeurde en dat hij misschien erger beschonken was dan hij had gedacht.

'Nou,' zei Luther, 'wil je met haar neuken of niet?'

Harald was verbijsterd. 'Ik ken haar niet eens!'

Betsy barstte in lachen uit.

'Het kost tien kronen, je kunt mij betalen,' zei Luther.

Toen begon het te dagen bij Harald. Hij keek haar aan en zei met een stem die luid klonk van verbazing: 'Bent u een prostituee?'

'Je hoeft het niet te schreeuwen,' zei ze geërgerd.

Luther greep Harald bij zijn overhemd en trok hem naar zich toe. Zijn greep was krachtig en Harald wankelde. 'Ik ken jullie deftige lui,' siste Luther. 'Jullie vinden zoiets grappig.'

Harald rook de slechte adem van de man. 'Maak je niet druk,' zei hij. 'Ik wilde alleen met haar praten.'

Een barman met een doek om zijn hoofd leunde over de bar en zei: 'Geen gedonder, alsjeblieft, Lou. De jongen bedoelt het niet kwaad.'

'Weet je dat zeker? Ik denk dat hij me uitlacht.'

Harald begon zich bezorgd af te vragen of Luther een mes had, toen de manager van de club de microfoon pakte en Memphis Johnny Madison aankondigde. Er werd hard geapplaudisseerd.

Luther duwde Harald weg. 'Verdwijn uit mijn ogen, voordat ik je gore keel opensnijd.'

Harald liep terug naar de anderen. Hij wist dat hij een modderfiguur had geslagen, maar hij was te dronken om het erg te vinden. 'Ik heb een inschattingsfout gemaakt,' zei hij.

Memphis Johnny stapte het podium op en Harald was Luther op slag vergeten.

Johnny ging aan de piano zitten en boog voorover naar de microfoon. In volmaakt Deens, zonder een spoor van accent, zei hij: 'Dank u. Ik wil graag beginnen met een compositie van de allerbeste boogie-woogie pianist, Clarence Pine Top Smith.'

Er werd opnieuw geapplaudisseerd en Harald riep in het Engels: 'Play it, Johnny!'

Er ontstond wat beroering bij de deur, maar Harald besteedde er geen aandacht aan. Johnny speelde vier maten van de inleiding, stopte toen plotseling en zei in de microfoon: 'Heil Hitler, baby.'

Een Duitse officier kwam het podium op.

Harald keek verbaasd om zich heen. Er was militaire politie de club binnengekomen. Ze arresteerden de Duitse soldaten, maar geen Deense burgers.

De officier pakte de microfoon van Johnny af en zei in het Deens: 'Muzikanten van een inferieur ras zijn verboden. Deze club is gesloten.'

'Nee!' riep Harald ontzet. 'Dat kun je niet doen, naziboer!'

Gelukkig ging zijn stem verloren in het algemene rumoer van protest. 'Laten we maken dat we hier wegkomen, voordat jij nog meer inschattingsfouten maakt,' zei Tik. Hij pakte Harald bij een arm.

Harald bood weerstand. 'Kom op!' gilde hij. 'Laat Johnny spelen!'

De officier deed Johnny handboeien om en liep met hem naar buiten. Harald was diepbedroefd. Voor het eerst had hij de kans een echte boogiepianist te horen en nu hadden de nazi's na een paar maten een eind aan het optreden gemaakt. 'Ze hebben het recht niet!' schreeuwde hij.

'Natuurlijk niet,' zei Tik sussend en duwde hem richting de deur.

De drie jonge mannen klommen de trap op naar de straat. Het was midden in de zomer en de korte Scandinavische nacht was al voorbij. De dageraad was aangebroken. De club lag aan de waterkant en het brede kanaal glansde in het schemerlicht. Slapende schepen dreven bewegingloos op hun ankerplaats. Er woei een koele, zoutige zeebries. Harald ademde diep in en voelde zich even duizelig.

'We kunnen net zo goed naar het station gaan en op de eerste trein naar huis wachten,' zei Tik. Ze waren van plan om in bed te liggen en net te doen alsof ze sliepen, voordat iemand op school was opgestaan.

Ze gingen op weg naar het centrum. Op de belangrijke kruispunten hadden de Duitsers betonnen wachtposten neergezet met een achthoek als grondvlak die ongeveer een meter vijfentwintig hoog waren. In het midden kon een soldaat staan die dan vanaf borsthoogte zichtbaar was. 's Nachts waren ze niet bemand. Harald was nog steeds woedend over het sluiten van de club en die woede werd verder aangewakkerd door deze lelijke symbolen van nazi-overheersing. Toen ze voorbij zo'n hokje kwamen, gaf hij er een trap tegen.

'Ze zeggen dat de soldaten die hierin de wacht houden lederhosen dragen, omdat niemand hun benen kan zien,' zei Mads. Harald en Tik lachten.

Een ogenblik later kwamen ze voorbij een berg rommel voor een winkel die was verbouwd en Harald zag toevallig een stel verfblikken boven op de stapel. Dat bracht hem op een idee. Hij boog zich over de stapel en pakte een blik.

'Wat ga jij doen?' vroeg Tik.

Op de bodem zat nog wat zwarte verf die vloeibaar was. Uit de sta-

pel viste Harald ook een stuk hout van zo'n twee centimeter breed
dat dienst kon doen als kwast.

Zonder te letten op de verbaasde vragen van Tik en Mads liep hij
terug naar de wachtpost. Hij knielde ervoor met de verf en de stok.
Hij hoorde Tik iets op een waarschuwende toon zeggen, maar besteedde er geen aandacht aan. Heel zorgvuldig schreef hij met zwarte verf op het beton:

DEZE NAZI

HEEFT GEEN

BROEK

AAN

Hij deed een stap achteruit om zijn werk te bewonderen. De letters
waren groot en van een afstand leesbaar. Later op de ochtend zouden
duizenden Kopenhagenaren op weg naar het werk de grap zien en
erom glimlachen.

'Wat denken jullie daarvan?' vroeg hij. Tik en Mads waren nergens te
zien, maar pal achter hem stonden twee Deense politieagenten.

'Heel grappig,' zei een van hen. 'Je bent gearresteerd.'

Hij bracht de rest van de nacht in een cel van de Politigaarden door
met een oude man die in zijn broek had geplast en een jongen van
zijn leeftijd die had overgegeven op de vloer. Hij walgde zo van hen
en van zichzelf dat hij niet kon slapen. De uren verstreken en hij
begon hoofdpijn en een vreselijke dorst te krijgen.

Maar de kater en de smerigheid vormden niet zijn grootste zorg. Hij
zat meer in over een mogelijk verhoor over de verzetsbeweging. Stel
dat hij werd overgedragen aan de Gestapo die hem ging martelen? Hij
wist niet hoeveel pijn hij kon verdragen. Uiteindelijk zou hij Poul
Kirke misschien verraden. En dat allemaal vanwege een stomme grap!
Wat had hij zich kinderlijk gedragen! Hij schaamde zich diep.

Om acht uur 's ochtends bracht een agent in uniform een blad met
drie mokken surrogaatthee en een bord met bruinbrood waarop dun
iets was gesmeerd wat op boter leek. Harald liet het brood liggen – hij
kon niet eten op een plek die meer op een toilet leek – maar de thee
dronk hij gretig op.

Korte tijd later werd hij uit de cel gehaald en naar een verhoorkamer-
tje gebracht. Na een paar minuten wachten kwam een brigadier binnen met een map en een getypt vel papier. 'Staan!' blafte de brigadier
en Harald sprong overeind.

De brigadier ging aan de tafel zitten en las het rapport. 'Een leerling
van de Jansborg Skole, hè?' zei hij.

'Jawel, meneer.'

'Je zou beter moeten weten, jongen.'

'Jawel, meneer.'

'Waar heb je de drank gekregen?'

'In een jazzclub.'

Hij keek op van het getypte vel. 'Het Deense Instituut?'

'Ja.'

'Dan moet je daar geweest zijn toen de moffen de zaak sloten.'

'Ja.' Het gebruik van het scheldwoord 'moffen' in plaats van 'Duitsers' verbaasde Harald. Het paste niet bij de formele toon.

'Ben je vaak dronken?'

'Nee, meneer. Eerste keer.'

'En toen zag je de wachtpost en vond toevallig een blik verf…'

'Het spijt me heel erg.'

De politieman grinnikte plotseling. 'Nou, het hoeft je niet te spijten. Ik vond het behoorlijk grappig. Geen broek!' Hij lachte.

Harald was verbijsterd. De man had vijandig geleken, maar nu genoot hij van de grap. 'Wat gaat er met mij gebeuren?' vroeg Harald.

'Niets. Wij zijn van de politie en hoeven niet op te treden tegen grappen.' De brigadier scheurde het rapport doormidden en liet het in de prullenbak vallen.

Harald kon het nauwelijks geloven. Kwam hij er echt zo gemakkelijk vanaf? 'Wat… wat moet ik doen?'

'Ga terug naar Jansborg.'

'Dank u!' Harald vroeg zich af of hij zo laat nog ongemerkt de school binnen kon sluipen. Hij had nog tijd om in de trein een verhaal te verzinnen. Misschien zou niemand er ooit achterkomen.

De brigadier stond op. 'Maar neem een raad van me aan. Blijf van de drank af.'

'Dat zal ik doen,' zei Harald hartstochtelijk. Als hij hier zonder kleerscheuren van afkwam, zou hij nooit meer een druppel alcohol drinken.

De brigadier opende de deur en Harald kreeg een vreselijke schok.

Buiten op de gang stond Peter Flemming.

Harald en Peter keken elkaar een ogenblik lang aan.

'Kan ik u helpen, inspecteur?' vroeg de brigadier.

Peter besteedde geen aandacht aan hem, maar zei tegen Harald: 'Kijk eens aan.' Hij sprak op de zelfvoldane toon van iemand die eindelijk gelijk heeft gekregen. 'Ik vroeg het me al af toen ik de naam op de arrestantenlijst van vannacht zag. Kon Harald Olufsen, de dronken bekladder van muren, dezelfde zijn als de domineeszoon van Sande? En kijk nou eens, ze zijn inderdaad een en dezelfde.'

De moed zakte Harald in de schoenen. Net nu hij voorzichtig was gaan hopen dat dit vreselijke voorval misschien met een sisser zou aflopen, was de waarheid ontdekt door iemand die een wrok koesterde tegen zijn hele familie.

Peter keek de brigadier aan en zei op bevelende toon: 'Goed, ik zal dit verder afhandelen.'

De brigadier keek ontstemd. 'Er is geen aanklacht, meneer, dat heeft de hoofdinspecteur besloten.'

'Dat zullen we wel zien.'

Harald kon wel huilen. Bijna was hij de dans ontsprongen. Het leek zo oneerlijk.

De brigadier aarzelde en leek ertegenin te willen gaan, maar Peter zei beslist: 'Dat is alles.'

'Heel goed, meneer,' zei de brigadier en hij vertrok.

Peter keek Harald aan zonder iets te zeggen, tot Harald uiteindelijk zei: 'Wat ga je doen?'

Peter glimlachte en zei toen: 'Ik denk dat ik je naar school terug ga brengen.'

Ze reden het terrein van de Jansborg Skole op in een Buick van de politie met een agent in uniform achter het stuur en Harald als gevangene achterin.

De zon scheen op de grasvelden en de oude bakstenen gebouwen en Harald voelde spijt bij de gedachte aan het eenvoudige en veilige leven dat hij hier de afgelopen zeven jaar had gehad. Wat er ook gebeurde, deze bemoedigend vertrouwde plaats zou voor hem niet veel langer meer een thuis zijn.

De aanblik wekte heel andere gevoelens bij Peter Flemming die wrang tegen de chauffeur mompelde: 'Hier brengen ze onze toekomstige leiders groot.'

'Jawel, meneer,' zei de chauffeur neutraal.

Het was de tijd voor de boterham halverwege de ochtend en de jongens aten die buiten op, zodat het grootste deel van de school stond te kijken naar de auto die naar het hoofdgebouw reed en Harald die uitstapte.

Peter liet zijn politiepenning aan de secretaresse van de school zien, waarop hij en Harald meteen naar de studeerkamer van Heis werden gebracht.

Harald wist niet wat hij moest denken. Het leek erop dat Peter hem niet overdroeg aan de Gestapo, wat zijn grootste angst was. Hij wilde nergens op hopen, maar alles wees erop dat Peter hem beschouwde als een ondeugende schooljongen en niet als een lid van het Deense verzet. Voor de verandering was hij er dankbaar voor om eerder als kind dan als man te worden behandeld.

Maar wat was Peter dan van plan?

Toen ze de kamer binnenliepen, kwam Heis met zijn slungelachtige gestalte achter zijn bureau omhoog en staarde hen enigszins bezorgd aan door de bril die op het puntje van zijn gebogen neus stond. Zijn stem klonk vriendelijk, maar een trilling verried zijn nervositeit. 'Olufsen? Wat is er aan de hand?'

Peter gaf Harald niet de kans de vraag te beantwoorden. Hij wees met een duim in zijn richting en vroeg op irritante toon: 'Is dit er een van u?'

De vriendelijke Heis kromp ineen alsof hij een klap had gekregen. 'Olufsen is een leerling van ons, ja.'

'Hij werd afgelopen nacht gearresteerd voor het bekladden van een Duitse militaire installatie.'

Harald begreep dat Peter ervan genoot om Heis te vernederen en dat hij vastbesloten was er alles uit te halen.

Heis keek geschokt. 'Ik vind het heel erg dat te moeten horen.'

'Hij was ook dronken.'

'Lieve hemel.'

'De politie moet besluiten wat er nu moet gebeuren.'

'Ik weet niet zeker of ik...'

'Eerlijk gezegd willen we een schooljongen liever niet vervolgen voor een kwajongensstreek.'

'Het doet me plezier te horen dat...'

'Aan de andere kant kan het niet ongestraft blijven.'

'Uiteraard niet.'

'Afgezien van al het andere, zullen onze Duitse vrienden willen weten dat de overtreder stevig is aangepakt.'

'Natuurlijk, natuurlijk.'

Harald had medelijden met Heis, maar tegelijk wenste hij dat het schoolhoofd niet zo'n slappeling was. Tot dusver had hij zich alleen maar laten koeioneren door Peter.

'Het resultaat is dus afhankelijk van u,' ging Peter verder.

'O? In wat voor opzicht?'

'Als wij hem laten gaan, verwijdert u hem dan van school?'

Harald begreep meteen waar Peter op uit was. Hij wilde er louter en alleen voor zorgen dat de overtreding van Harald algemeen bekend werd. Hij wilde de familie Olufsen in verlegenheid brengen.

De arrestatie van een schooljongen van Jansborg zou voor koppen in de krant zorgen. De schande voor Heis zou slechts worden overtroffen door die van Haralds ouders. Zijn vader zou ontploffen van woede en zijn moeder zou niet weten hoe ze het had.

Maar Harald besefte dat Peters wrok jegens de familie Olufsen zijn instinct als politieman had aangetast. Hij was zo blij dat hij een dronken Olufsen had betrapt, dat hij de zwaardere misdaad over het hoofd had gezien. Hij had niet eens overwogen of Haralds afkeer van de nazi's verderging dan het kalken van leuzen. Peters kwaadaardigheid had Harald gered.

Heis gaf voor het eerst blijk van enig verzet. 'Van school sturen lijkt een nogal zware...'

'Niet zo zwaar als vervolging en een mogelijke gevangenisstraf.'

'Inderdaad.'

Harald bemoeide zich niet met het gesprek, omdat hij geen enkele uitweg zag die hem in staat zou stellen het voorval geheim te houden. Hij troostte zich met de gedachte dat hij was ontkomen aan de Gestapo. Elke andere straf zou in vergelijking daarmee licht lijken.

Heis zei: 'Het academisch jaar is bijna afgelopen. Hij mist niet veel als hij nu van school wordt gestuurd.'

'Dan zal hij niet veel werk kunnen ontlopen.'

'Dat is een technische kwestie, aangezien hij over een paar weken de school toch zou verlaten.'

'Maar het zal de Duitsers tevredenstellen.'

'Is dat zo? Dat is natuurlijk belangrijk.'

'Als u mij kunt garanderen dat hij van school wordt gestuurd, kan ik zijn hechtenis beëindigen. Anders moet ik hem mee terug nemen naar de Politigaarden.'

Heis wierp een schuldige blik op Harald. 'Het ziet ernaar uit dat de school weinig keus heeft in deze zaak, nietwaar?'

'Ja, meneer.'

Heis keek naar Peter. 'Goed dan, ik zal hem van school sturen.'

Peter glimlachte voldaan. 'Ik ben blij dat we dit op een verstandige manier hebben opgelost.' Hij stond op. 'Probeer in het vervolg niet meer in moeilijkheden te komen, Harald,' zei hij hoogdravend.

Harald keek een andere kant op.

Peter schudde Heis de hand. 'Nou, dank u wel, inspecteur,' zei Heis.

'Blij dat ik heb kunnen helpen.' Peter liep het kantoor uit.

Harald voelde al zijn spieren ontspannen. Hij ontsprong de dans. Thuis zou hij het natuurlijk heel zwaar krijgen, maar het belangrijkste was dat zijn stommiteit Poul Kirke en de verzetsbeweging niet in gevaar had gebracht.

Heis zei: 'Er is iets vreselijks gebeurd, Olufsen.'

'Ik weet dat ik een fout...'

'Nee, dat niet. Ik geloof dat jij de neef van Mads Kirke kent.'

'Poul? Ja.' Harald voelde de spanning weer toenemen. Had Heis op de een of andere manier ontdekt dat Harald was betrokken bij de verzetsbeweging? 'Wat is er met Poul.'

'Hij heeft een vliegtuigongeluk gehad.'

'Hemel! Ik heb een paar dagen geleden nog met hem gevlogen!'

'Het is gisteravond gebeurd op de vliegschool.' Heis aarzelde. 'Wat...?'

'Het spijt me je te moeten vertellen dat Poul Kirke dood is.'

10

'Dood?' zei Herbert Woodie met overslaande stem. 'Hoe kan hij dood zijn?'

'Ze zeggen dat hij is neergestort met zijn Tiger Moth,' antwoordde Hermia. Ze was boos en radeloos.

'De stommeling,' zei Woodie ongevoelig. 'Dit kan alles bederven.'

Hermia keek hem vol afkeer aan. Ze zou hem het liefst een klap in zijn gezicht hebben gegeven.

Ze zaten met Digby Hoare in het kantoor van Woodie in Bletchley Park. Hermia had een bericht naar Poul Kirke gestuurd met het verzoek om te zorgen voor een beschrijving van de radarinstallatie op het eiland Sande. 'Het antwoord kwam van Jens Toksvig, een van de assistenten van Poul,' zei ze, waarbij ze moeite deed om kalm te blijven. 'Zoals gebruikelijk was het gestuurd via het Britse gezantschap in Stockholm, maar het was niet eens gecodeerd – Jens kent de code kennelijk niet. Hij zei dat het neerstorten werd bestempeld als een ongeluk, maar in feite probeerde Poul te ontsnappen aan de politie en die heeft het vliegtuig vervolgens neergeschoten.'

'Arme kerel,' zei Digby.

'Het bericht kwam vanochtend binnen,' voegde Hermia eraan toe. 'Ik wilde het u net komen vertellen, meneer Woodie, toen u me liet roepen.' In werkelijkheid was ze in tranen geweest. Ze huilde niet vaak, maar ze was gebroken door de dood van Poul die zo jong, zo knap en zo vol energie was geweest. Ze wist ook dat zij er verantwoordelijk voor was. Zij had hem gevraagd voor Engeland te spioneren en zijn moedige instemming had tot zijn dood geleid. Ze dacht aan zijn ouders en zijn neef Mads en ze had ook voor hen tranen vergoten. Het allerliefst wilde ze afmaken waarmee hij was begonnen, zodat zijn moordenaars uiteindelijk toch niet zouden winnen.

'Het spijt me heel erg,' zei Digby en hij sloeg meelevend een arm om Hermia's schouders. 'Er sterven een heleboel mannen, maar het doet pijn wanneer het iemand is die je kent.'

Ze knikte. Zijn woorden waren eenvoudig en voor de hand liggend, maar ze was er dankbaar voor. Wat was hij toch een goede man. Ze voelde een grote genegenheid voor hem, dacht toen aan haar verloofde en voelde zich schuldig. Ze wilde dat ze Arne weer kon zien. Met hem praten en hem aanraken zou haar liefde versterken en haar immuun maken voor de aantrekkingskracht van Digby.

'Maar wat betekent dat voor ons?' vroeg Woodie.

Hermia keerde snel terug tot de werkelijkheid. 'Volgens Jens hebben de Nachtwakers besloten zich in elk geval tijdelijk stil te houden en te kijken hoever de politie komt met het onderzoek. Dus om terug te komen op uw vraag, het betekent dat wij geen inlichtingen uit Denemarken krijgen.'

'Daarmee maken we een bijzonder onbekwame indruk,' zei Woodie.

'Dat doet er niet toe,' zei Digby kortaf. 'De nazi's hebben een wapen uitgevonden waarmee ze de oorlog kunnen winnen. Wij dachten dat we met radar jaren op ze voorlagen en nu ontdekken we dat zij het ook hebben en dat hun apparatuur beter is dan de onze! Het kan me geen barst schelen welke indruk jullie maken. De enige vraag is hoe we meer kunnen ontdekken.'

Woodie keek woedend, maar zei niets. 'Hoe staat het met onze andere inlichtingenbronnen?'

'We proberen ze natuurlijk allemaal. En we hebben iets anders gevonden. In ontcijferde berichten van de Luftwaffe is het woord *himmelbett* opgedoken.'

'*Himmelbett?*' zei Woodie. 'Wat mag dat dan wel betekenen?'

'Het is hun woord voor een hemelbed,' zei Hermia tegen hem.

'Dat zegt helemaal niets,' gromde Woodie alsof het haar schuld was.

Ze vroeg Digby: 'Komt het in een bepaalde context voor?'

'Niet echt. Het lijkt erop dat hun radar in een *himmelbett* werkt. We kunnen er geen touw aan vastknopen.'

Hermia nam een besluit. 'Ik zal zelf naar Denemarken moeten gaan,' zei ze.

'Doe niet zo belachelijk,' zei Woodie.

'We hebben geen agenten in het land, dus moet er iemand infiltreren,' zei ze. 'Ik ken het terrein beter dan wie ook bij MI6, daarom sta ik aan het hoofd van de afdeling Denemarken. En ik spreek de taal als een geboren Deen. Ik moet gaan.'

'We laten vrouwen zulke opdrachten niet uitvoeren,' zei hij laatdunkend.

'Dat doen we wel,' zei Digby. Hij keek Hermia aan. 'Je vertrekt vanavond naar Stockholm. Ik ga mee.'

'Waarom zei je dat?' vroeg Hermia de volgende dag aan Digby toen ze door de Gouden Kamer in het Stadhuset, het beroemde stadhuis van Stockholm liepen.

Digby bleef even staan om een mozaïek aan een muur te bewonderen. 'Ik wist dat de eerste minister wil dat ik zo goed mogelijk zicht hou op zo'n belangrijke missie.'

'Ik begrijp het.'

'En ik zag een kans om jou voor mezelf te hebben. Dit leek een goede mogelijkheid.'

'Maar je weet dat ik contact zal opnemen met mijn verloofde. Hij is de enige persoon die ik kan vertrouwen.'

'Ja.'

'En dus zal ik hem waarschijnlijk heel gauw zien.'

'Ik vind het best. Ik kan niet concurreren met een man die zit opgesloten in een land dat honderden kilometers ver weg ligt, die heldhaftig zwijgt en onzichtbaar is, die jouw liefde gevangen houdt met de verborgen koorden van trouw en schuld. Ik heb liever een rivaal van vlees en bloed met menselijke fouten, iemand die op jou moppert, die roos op zijn kraag heeft en aan zijn achterste krabt.'

'Dit is geen wedstrijd,' zei ze wrevelig. 'Ik hou van Arne. Ik ga met hem trouwen.'

'Maar je bent nog niet getrouwd.'

Hermia schudde haar hoofd om afstand te nemen van dit loze gepraat. Eerder had ze genoten van Digby's romantische belangstelling voor haar – zij het met een schuldig gevoel – maar nu verstoorde het de concentratie. Ze was hier voor een rendez-vous. Digby en zij deden maar alsof ze toeristen waren met genoeg tijd.

Ze verlieten de Gouden Kamer en liepen een brede marmeren trap af naar de met keien bestrate binnenplaats buiten. Ze staken een galerij met zuilen van roze graniet over en ontdekten dat ze in een tuin stonden met uitzicht op het grauwe water van het Mälarmeer. Hermia keek achterom naar de honderd meter hoge toren die uitrees boven het bakstenen gebouw en controleerde tegelijk of hun schaduw er nog was.

Een verveeld kijkende man in een grijs kostuum en behoorlijk versleten schoenen deed weinig moeite om zijn aanwezigheid te verbergen. Toen Digby en Hermia waren vertrokken uit het Britse gezantschap in een Volvo limousine met chauffeur die was aangepast om op houtskool te rijden, waren ze gevolg door twee mannen in een zwarte Mercedes 230. Toen ze buiten het Stadhuset stopten, waren ze door de man in het grijze kostuum naar binnen gevolgd.

Volgens de Britse luchtmachtattaché werden alle Engelse burgers in Zweden voortdurend geschaduwd door een groep Duitse agenten. Ze konden worden afgeschud, maar dat was niet verstandig. Je schaduw afschudden werd beschouwd als een bewijs van schuld. Mannen die dat hadden gedaan waren gearresteerd en beschuldigd van spionage waarna er druk op de Zweedse autoriteiten was uitgeoefend om ze uit te wijzen.

Dus moest Hermia ontsnappen, zonder dat de schaduw het in de gaten had.

Volgens een vooropgezet plan wandelden Hermia en Digby door het park en sloegen een hoek van het gebouw om waar ze het gedenkteken van Birger Jarl, de stichter van de stad, konden bezichtigen. De vergulde sarcofaag stond in een tombe met een dak dat werd gedragen door zuilen in de vier hoeken. 'Net een *himmelbett*,' zei Hermia.

Aan het zicht onttrokken stond aan de andere kant van het gedenkteken een Zweedse vrouw met dezelfde lengte en bouw als Hermia en even donker haar.

Hermia keek de vrouw vragend aan en die knikte beslist.

Angst overspoelde haar. Tot nu toe had Hermia niets onwettigs gedaan. Haar bezoek aan Zweden was even onschuldig geweest als het leek. Hierna zou ze voor het eerst in haar leven aan de verkeerde kant van de wet staan.

'Snel,' zei de vrouw in het Engels.

Hermia ontdeed zich van haar lichte regenjas en rode baret en de andere vrouw trok de jas aan en zette de baret op. Hermia haalde een donkerbruine sjaal uit haar zak die ze om haar hoofd knoopte om haar opvallende haar te bedekken en haar gezicht gedeeltelijk te verbergen.

De Zweedse vrouw nam Digby's arm en samen verwijderden ze zich van het monument en slenterden de tuin weer in.

Hermia wachtte enkele ogenblikken en deed alsof ze het kunstige smeedijzeren hekwerk om het monument bekeek. Ze was bang dat hun schaduw misschien argwanend zou zijn en terug zou komen, maar er gebeurde niets.

Ze liep achter het gedenkteken vandaan en verwachtte half hem te zien wachten, maar er was niemand in de buurt. Ze trok de sjaal wat verder over haar gezicht en liep de hoek om het park in.

Helemaal aan de andere kant zag ze Digby met haar dubbelgangster naar de poort lopen. De schaduw volgde hen. Het plan werkte.

Hermia liep in dezelfde richting en schaduwde de schaduw. Zoals afgesproken liepen Digby en de vrouw recht naar hun auto die op het plein stond te wachten. Hermia zag ze in de Volvo stappen en wegrijden. De schaduw volgde in de Mercedes. Ze zouden hem helemaal mee terugnemen naar het gezantschap en hij zou melden dat de twee bezoekers uit Engeland de middag hadden doorgebracht als onschuldige toeristen.

En Hermia was vrij. Ze stak de Stadhusbronbrug over in de richting van het Gustav Adolfplein, het centrum van de stad. Ze liep snel, omdat ze haar taak zo snel mogelijk wilde uitvoeren.

Alles was in de laatste vierentwintig uur met een verbijsterende snelheid gegaan. Hermia had slechts een paar minuten gekregen om wat kleren in een koffer te gooien en vervolgens waren Digby en zij in een snelle auto naar Dundee in Schotland gereden, waar ze zich enkele minuten na middernacht inschreven in een hotel. Vanochtend waren ze bij het eerste licht naar het vliegveld Leuchars aan de kust van Fife gebracht. Een RAF bemanning die het burgeruniform droeg van de British Overseas Airways Corporation, had hen naar Stockholm gevlogen, een reis van drie uur. Ze hadden geluncht in het Britse gezantschapsgebouw en daarna het plan in werking gesteld dat in de auto tussen Bletchley en Dundee was ontworpen.

Aangezien Zweden neutraal was, kon er van hieruit naar mensen in Denemarken worden getelefoneerd of geschreven. Hermia ging proberen haar verloofde Arne op te bellen. Aan de Deense kant werden telefoontjes afgeluisterd en brieven geopend door de censuur, dus zou ze buitengewoon voorzichtig moeten zijn met wat ze zei. Ze moest iets verzinnen dat een afluisteraar onschuldig in de oren zou klinken en toch Arne bij de verzetsbeweging zou betrekken.

In 1939, toen ze de Nachtwakers had opgericht, had ze Arne er opzettelijk buiten gehouden. Dat was niet vanwege zijn overtuiging: hij was een even grote anti-nazi als zij, alhoewel iets minder hartstochtelijk – hij vond ze stompzinnige clowns in stomme uniformen die niet wilden dat mensen plezier maakten. Nee, het probleem was zijn zorgeloze aard. Hij was te open en vriendelijk voor ondergronds werk. Misschien had ze hem ook niet in gevaar willen brengen, ofschoon Poul, net als zij, Arne ongeschikt had gevonden. Maar nu was ze ten einde raad. Arne was nog even onbezorgd als altijd, maar ze had niemand anders.

Bovendien stond iedereen tegenwoordig anders tegenover gevaar dan bij het uitbreken van de oorlog. Duizenden van de beste jongemannen hadden hun leven al gegeven. Arne was militair en officier, dus werd er van hem verwacht dat hij zich voor zijn land in gevaar begaf.

Toch klemde een kille hand zich om haar hart, toen ze dacht aan wat ze hem ging vragen.

Ze sloeg de Vasagatan in, een drukke straat met verscheidene hotels, het centraal station en het hoofdpostkantoor. Hier in Zweden had de telefoondienst altijd losgestaan van de post en waren er speciale openbare telefoonkantoren. Hermia was op weg naar het kantoor in het station.

Ze had kunnen bellen vanuit het Britse gezantschap, maar dat zou bijna zeker argwaan hebben gewekt. Op het telefoonkantoor zou een vrouw die aarzelend Zweeds sprak met een Deens accent en naar huis wilde bellen, niet opvallen.

Digby en zij hadden erover gepraat of het telefoontje zou worden afgeluisterd door de autoriteiten. In elke telefooncentrale in Denemarken zat minstens één jonge Duitse vrouw in uniform mee te luisteren. Natuurlijk konden ze onmogelijk elk telefoontje afluisteren. Ze zouden echter waarschijnlijk meer aandacht schenken aan internationale telefoontjes en telefoontjes naar militaire bases, dus was er een grote kans dat het gesprek van Hermia met Arne zou worden gevolgd. Ze zou moeten praten met vage en dubbelzinnige aanwijzingen. Maar dat moest mogelijk zijn. Arne en zij waren geliefden, dus moest ze hem iets duidelijk kunnen maken zonder het achterste van haar tong te laten zien.

Het station was gebouwd als een Frans kasteel. De grote hal had een plafond met ornamenten en kroonluchters. Ze vond het telefoonkantoor en ging in de rij staan.

Toen ze voor het loket stond, zei ze tegen de beambte dat ze een persoonlijk telefoongesprek wilde voeren met Arne Olufsen en ze gaf het nummer van de vliegschool. Ze wachtte ongeduldig en ongerust, terwijl de telefoniste Arne aan de lijn probeerde te krijgen. Ze wist niet eens of hij vandaag wel in Vodal was. Hij kon aan het vliegen zijn of misschien had hij vanmiddag de basis verlaten of was hij met verlof. Hij kon zelfs overgeplaatst zijn naar een andere basis of hij had ontslag kunnen nemen uit het leger.

Maar ze zou hem proberen op te sporen, waar hij ook was. Ze kon met zijn commandant praten om te vragen waar hij heen was gegaan, ze kon zijn ouders op Sande bellen en ze had de nummers van een paar van zijn vrienden in Kopenhagen. Ze had de hele middag en genoeg geld om te bellen.

Het zou vreemd zijn om na ruim een jaar weer met hem te praten. Ze was opgewonden, maar ook angstig. De missie was het belangrijkste, maar onwillekeurig vroeg ze zich bezorgd af hoe de gevoelens van Arne voor haar waren. Misschien hield hij niet meer van haar zoals vroeger. Stel dat zijn liefde was bekoeld? Het zou haar hart breken. Misschien had hij iemand anders ontmoet. Tenslotte had zij genoten van de flirt met Digby. En hoeveel gemakkelijker kon het hart van een man aan het dwalen slaan?

Ze herinnerde zich hoe ze samen hadden geskied, hoe ze van een zonnige helling waren geraasd, nu eens de ene kant op hellend, dan weer de andere in een volmaakt ritme, transpirerend in de ijzige lucht, lachend van pure levensvreugde. Zou die tijd ooit terugkeren?

Ze werd naar een telefooncel geroepen.

Ze pakte de telefoon op en zei: 'Hallo?'

'Met wie spreek ik?' vroeg Arne.

Ze was zijn stem vergeten. Die was laag en warm en klonk alsof hij elk moment in lachen kon uitbarsten. Hij sprak beschaafd Deens met de stipte uitspraak die hij in het leger had geleerd en een heel licht Jutlands accent dat hij had overgehouden uit zijn jeugd.

Ze had haar eerste zin voorbereid. Ze was van plan de koosnamen te gebruiken die ze voor elkaar hadden bedacht en hoopte dat het Arne zou waarschuwen om op zijn woorden te letten.

Maar een ogenblik lang was ze niet in staat iets te zeggen.

'Hallo?' zei hij. 'Is daar iemand?'

Ze slikte en vond haar stem terug. 'Hallo, Tandenborstel, je spreekt met je zwarte kat.' Ze noemde hem 'Tandenborstel', omdat zijn snor zo aanvoelde als hij haar kuste. Haar koosnaam was ontleend aan de kleur van haar haren.

Het was zijn beurt om met stomheid geslagen te zijn. Er viel een stilte.

'Hoe gaat het met je?' vroeg Hermia.

'Met mij gaat het best,' zei hij. 'Mijn hemel, ben jij het echt?'

'Ja.'

'Alles goed met je?'

'Ja.' Plotseling had ze er genoeg van. 'Hou je nog van me?' vroeg ze abrupt.

Hij antwoordde niet meteen. Dat bracht haar op de gedachte dat zijn gevoelens niet meer dezelfde waren. Hij zou het niet rechtstreeks zeggen, dacht ze; hij zou het inkleden en zeggen dat ze hun verhouding na al die tijd moesten evalueren, maar ze zou weten…

'Ik hou van je,' zei hij.

'Echt?'

'Meer dan ooit. Ik heb je vreselijk gemist.'

Ze sloot haar ogen. Met een duizelig gevoel leunde ze tegen de muur.

'Ik ben zo blij dat je leeft,' zei hij. 'Ik vind het zo heerlijk om met je te praten.'

'Ik hou ook van jou,' zei ze.

'Wat is er? Hoe gaat het met je? Waar bel je vandaan?'

Ze vermande zich. 'Ik ben niet ver weg.'

Hij hoorde hoe behoedzaam ze sprak en reageerde op dezelfde manier. 'Prima, ik begrijp het.'

Het volgende gedeelte had ze ook voorbereid. 'Herinner jij je het kasteel nog?' Er waren vele kastelen in Denemarken, maar een was bijzonder voor hen.'

'Je bedoelt de ruïne? Hoe zou ik die kunnen vergeten?'

'Zou je me daar kunnen ontmoeten?'

'Hoe kun je daar… Laat maar. Meen je dat?'

'Ja.'

'Het is ver weg.'

'Het is echt heel belangrijk.'

'Ik zou nog veel verdergaan om jou te zien. Ik vraag me alleen af hoe. Ik zal verlof vragen, maar als het een probleem is, knijp ik er wel…'

'Niet doen.' Ze wilde niet dat de militaire politie naar hem op zoek ging. 'Wat is je volgende vrije dag?'

'Zaterdag.'

De telefoniste kwam ertussen om hun te vertellen dat ze nog tien seconden hadden.

Haastig zei Hermia: 'Ik zal er op zaterdag zijn – hoop ik. Als jij er dan niet bent, kom ik elke dag terug, zolang als ik kan.'

142

'Ik zal hetzelfde doen.'
'Wees voorzichtig. Ik hou van je.'
'Ik hou van jou…'
De lijn zweeg.

Hermia hield de hoorn tegen haar oor gedrukt, alsof ze hem zo nog wat langer kon vasthouden. Toen vroeg de telefoniste haar of ze nog iemand wilde belde. Ze zei van niet en hing op.

Ze betaalde aan het loket en liep verdoofd van geluk naar buiten. Ze stond in de grote hal van het station onder de hoge boog van het dak, terwijl mensen om haar heen zich alle kanten op haastten. Hij hield nog steeds van haar. Over twee dagen zou ze hem zien. Iemand botste tegen haar aan en ze liet de drukte achter zich en liep een café binnen waar ze zich op een stoel liet vallen. Twee dagen.

De ruïne van het kasteel waarover ze het allebei omzichtig hadden gehad, was Hammershus, een toeristische attractie op het Deense vakantie-eiland Bornholm in de Baltische Zee. Ze hadden in 1939 een week op het eiland doorgebracht, waarbij ze hadden gedaan alsof ze man en vrouw waren en op een warme zomeravond hadden ze tussen de ruïnes de liefde bedreven. Arne zou de veerboot vanuit Kopenhagen nemen, een reis van zeven of acht uur, of hij zou van Kastrup vliegen, wat ongeveer een uur duurde. Het eiland lag zo'n honderdvijftig kilometer van het vasteland van Denemarken maar slechts dertig kilometer van de zuidkust van Zweden. Hermia zou een vissersboot moeten vinden die haar illegaal over die smalle strook water kon zetten.

Maar ze bleef eraan denken hoe gevaarlijk het voor Arne was, en niet aan de risico's die zij liep. Hij ging in het geheim een agent van de Britse inlichtingendienst ontmoeten. Ze ging hem vragen spion te worden.

Als hij werd gepakt, zou hij de doodstraf krijgen.

11

Op de tweede dag na zijn arrestatie keerde Harald naar huis terug. Hij had van Heis nog twee dagen op school mogen blijven om de laatste examens af te leggen. Hij zou zijn diploma krijgen, maar niet de ceremonie mogen bijwonen die een week later was. Het belangrijkste was echter dat zijn plaats op de universiteit was veiliggesteld. Hij zou natuurkunde gaan studeren onder Niels Bohr – als hij in leven bleef.

Gedurende die twee dagen had hij van Mads Kirke gehoord dat Poul niet zomaar was neergestort. Het leger weigerde meer details te onthullen, omdat er zogenaamd nog een onderzoek gaande was, maar andere piloten hadden de familie verteld dat er op dat moment politie op de basis was geweest en dat er schoten waren afgevuurd. Harald wist zeker, hoewel hij dat niet tegen Mads kon zeggen, dat Poul was gedood vanwege zijn werk voor het verzet.

Niettemin was hij banger voor zijn vader dan voor de politie tijdens de saaie en bekende treinreis door Denemarken, van Jansborg in het oosten naar Sande voor de westkust. Hij kende elk dorpsstationnetje en naar vis stinkende veerpont en het hele, vlakke, groene landschap ertussenin. De reis kostte hem de hele dag vanwege de vele vertragingen, maar hij wenste dat het nog langer kon duren.

Hij probeerde zich de hele tijd voor te bereiden op de woede van zijn vader. Hij verzon verontwaardigde toespraken om zich schoon te pleiten, maar hij vond ze geen van alle erg overtuigend. Hij probeerde een aantal min of meer ootmoedige verontschuldigingen uit zonder de formule te vinden die oprecht maar niet kruiperig was. Hij vroeg zich af of hij zijn ouders moest vertellen dat ze dankbaar mochten zijn dat hij nog leefde, terwijl hem hetzelfde lot beschoren had kunnen zijn als Poul Kirke. Hij had echter het gevoel dat hij dan op een goedkope manier gebruikmaakte van diens heldhaftige dood.

Toen hij op Sande was, stelde hij de thuiskomst nog wat langer uit door over het strand te lopen. Het was laag tij en de zee was bijna twee kilometer verder nauwelijks zichtbaar: een smalle, donkerblauwe streep met hier en daar de witte vlekken van golftoppen die lagen ingeklemd tussen het lichte blauw van de hemel en het vaalgeel gekleurde zand. Het was laat in de middag en de zon stond laag. Een paar vakantiegangers wandelden door de duinen en een groep jongens van een jaar of twaalf, dertien was aan het voetballen. Het zou een vrolijk tafereel zijn geweest als op de hoogwaterlijn niet om de anderhalve kilometer nieuwe betonnen bunkers hadden gestaan waaruit geschutslopen staken en die waren bemand door soldaten met stalen helmen.

Hij kwam bij de nieuwe militaire basis en verliet het strand om de lange, en nu welkome, omweg te maken. Hij vroeg zich af of Poul erin was geslaagd zijn schets van de radioapparatuur naar de Engelsen te sturen. Zo niet, dan moest de politie hem hebben gevonden. Zouden ze zich afvragen wie de tekening had gemaakt? Gelukkig kon de schets niet in verband worden gebracht met Harald. Toch was het een beangstigende gedachte. De politie wist nog steeds niet dat hij een misdadiger was, maar ze waren nu wel op de hoogte van de misdaad. Uiteindelijk kwam hun huis in zicht. Net als de kerk was de pastorie gebouwd in de plaatselijke stijl met rode bakstenen en een rieten dak dat ver over de ramen hing als een hoed die over de ogen was getrokken als beschutting tegen de regen. De draagbalk boven de voordeur was beschilderd met schuine strepen zwart, wit en groen, een plaatselijke traditie.

Harald liep achterom en keek door het ruitvormige raampje van de keukendeur. Zijn moeder was alleen. Hij nam haar even op en vroeg zich af hoe ze eruit had gezien toen ze zo oud was als hij. Zolang hij zich kon herinneren had ze een vermoeide indruk gemaakt, maar ooit moest ze knap zijn geweest.

Volgens de verhalen die in de familie de ronde deden was Haralds vader Bruno op zijn zevenendertigste door iedereen beschouwd als een verstokte vrijgezel die totaal was toegewijd aan het werk voor zijn kleine gemeente. Toen had hij de tien jaar jongere Lisbeth ontmoet en zijn hart verloren. Hij was zo dol verliefd dat hij een gekleurde das naar de kerk had gedragen in een poging een romantische indruk te maken, waarna hij door de diakenen op het matje was geroepen en een reprimande had gekregen voor zijn onwelvoeglijke kleding.

Toen hij naar zijn moeder keek die gebogen over de gootsteen een pan stond schoon te schrobben, probeerde Harald zich het matte grijze haar voor te stellen zoals het eens was geweest: gitzwart en glanzend met daaronder de bruine ogen die twinkelden van humor, de rimpels in het gezicht glad gestreken en het vermoeide lichaam vol energie. Ze moest onweerstaanbaar sexy zijn geweest, dacht Harald, om de onbarmhartig vrome gedachten van zijn vader te hebben verlokt tot vleselijke lusten. Je kon het je nauwelijks voorstellen.

Hij liep naar binnen, zette zijn koffer neer en kuste zijn moeder.

'Je vader is niet thuis.'

'Waar is hij naartoe?'

'Ove Borking is ziek.' Ove was een oude visser en een trouw lid van de kerk.

Harald was opgelucht. Elk uitstel van de confrontatie betekende respijt.

Zijn moeder keek hem ernstig en bedroefd aan. De uitdrukking op haar gezicht trof hem diep. 'Het spijt me dat ik u verdriet heb gedaan, moeder,' zei hij.

'Je vader is diep gekwetst,' zei ze. 'Axel Flemming heeft met spoed de kerkenraad bijeengeroepen om de zaak te bespreken.'

Harald knikte. Hij had verwacht dat de Flemmings er alles uit zouden willen halen.

'Maar waarom heb je het gedaan?' vroeg zijn moeder klagelijk.

Daar had hij geen antwoord op.

Ze maakte een boterham met ham voor hem. 'Is er nog nieuws van oom Joachim?' vroeg hij.

'Niets. We krijgen geen antwoord op onze brieven.'

Haralds eigen problemen leken in het niet te vallen als hij dacht aan zijn nicht Monika, die geen cent had en werd vervolgd en zelfs niet wist of haar vader nog leefde. Toen Harald opgroeide was het jaarlijkse bezoek van de Goldsteins het hoogtepunt van het jaar geweest. Gedurende twee weken verdween de kloosterachtige sfeer van de pastorie en werd het een huis vol luidruchtige mensen. De dominee toonde voor zijn zuster en haar gezin een toegeeflijke genegenheid die hij voor niemand anders opbracht en zeker niet voor zijn eigen kinderen. Hij glimlachte welwillend als ze regels overtraden zoals het kopen van ijs op zondag, iets waarvoor hij Arne en Harald zou hebben gestraft. Voor Harald betekende het geluid van de Duitse taal gelach en grappen en plezier. Nu vroeg hij zich af of de Goldsteins ooit nog zouden lachen.

Hij zette de radio aan om naar het oorlogsnieuws te luisteren. Het was niet best. De Britse aanval in Noord-Afrika was afgebroken en uitgelopen op een catastrofale mislukking. De helft van de Engelse tanks was verloren gegaan, omdat ze met mechanische mankementen in de woestijn moesten worden achtergelaten of ten prooi waren gevallen aan de ervaren bemanningen van Duits antitankgeschut. De greep van de Asmogendheden op Noord-Afrika was niet verbroken. De Deense radio en de BBC vertelden in wezen hetzelfde verhaal.

Om middernacht kwamen er bommenwerpers over. Harald liep naar buiten en zag dat ze naar het oosten vlogen. Dus waren het de Engelse toestellen. De bommenwerpers waren nu alles wat de Engelsen hadden.

Toen hij weer binnen kwam, zei zijn moeder: 'Je vader zou best de hele nacht niet thuis kunnen komen. Je kunt beter naar bed gaan.'

Hij lag lange tijd wakker en vroeg zich af waarom hij bang was. Hij was te groot om een pak slaag te krijgen. De woede van zijn vader was zeer te duchten, maar hoe erg kon een uitbrander zijn? Harald was niet zo snel onder de indruk. Integendeel, hij stoorde zich eerder aan autoriteit en ging er opstandig tegenin.

De korte nacht liep ten einde en een rechthoek van grijs daglicht verscheen op het gordijn voor het raam. Hij dommelde in slaap. Zijn laatste gedachte was dat hij misschien niet zozeer bang was voor de mogelijkheid dat hij zelf gekwetst raakte maar veel eerder voor het verdriet dat zijn vader voelde.

Een uur later werd hij bruusk gewekt.

De deur vloog open, het licht ging aan. Volledig gekleed stond de dominee naast zijn bed met de handen in de zij en de kin vooruitgestoken. 'Hoe kon je dat doen?' schreeuwde hij.

Harald ging rechtop zitten en keek knipperend naar zijn lange, kalende en in het zwart geklede vader, die op hem neerkeek met de blauwe ogen waarmee hij zijn gemeente de stuipen op het lijf joeg.

'Waar zat jouw verstand?' raasde zijn vader. 'Wat bezielde je?'

Harald wilde niet als een kind in zijn bed wegkruipen. Hij gooide het laken af en stond op. Omdat het warm weer was, had hij in zijn onderbroek geslapen.

'Bedek jezelf,' zei zijn vader. 'Je bent praktisch naakt.'

De onredelijkheid van die kritiek prikkelde Harald tot een vinnig antwoord. 'Als u zich stoort aan ondergoed, moet u niet zonder kloppen een slaapkamer binnenkomen.'

'Kloppen? Wil je me vertellen dat ik in mijn eigen huis op deuren moet kloppen?'

Harald onderging weer het bekende gevoel dat zijn vader op alles een antwoord had. 'Heel goed,' zei hij gemelijk.

'Wat was er in je gevaren? Hoe kon jij jezelf, jouw familie, jouw school en jouw kerk zo te schande maken?'

Harald trok zijn broek aan en draaide zich om naar zijn vader.

'Nou?' raasde de dominee. 'Krijg ik nog antwoord?'

'Het spijt me, ik dacht dat u retorische vragen stelde.' Harald stond zelf verbaasd over zijn koele sarcasme.

Zijn vader ziedde van woede. 'Probeer je opleiding niet te gebruiken om het tegen mij op te nemen – ik heb ook op Jansborg gezeten.'

'Ik neem het niet tegen u op. Ik vraag alleen of er een kans is dat u wilt luisteren naar wat ik zeg.'

De dominee bracht zijn hand omhoog alsof hij hem een klap wilde geven. Het zou een opluchting zijn geweest, dacht Harald toen zijn vader aarzelde. Of hij de klap passief onderging of terugsloeg, geweld zou tot een soort ontknoping hebben geleid.

Maar zijn vader ging het hem niet gemakkelijk maken. Hij liet zijn hand zakken en zei: 'Goed, ik luister. Wat heb je te zeggen?'

Harald ordende zijn gedachten. In de trein had hij veel versies van zijn soms zeer welsprekende toespraak gerepeteerd, maar nu vergat hij alle fraaiheden. 'Ik heb er spijt van dat ik de wachtpost heb beklad, want het was een nietszeggend en kinderachtig gebaar.'

'Op zijn minst!'

Een ogenblik overwoog hij zijn vader te vertellen van zijn band met de verzetsbeweging, maar hij besloot snel dat hij zich niet nog meer belachelijk wilde maken. Bovendien was Poul dood en bestond de verzetsbeweging misschien niet meer.

In plaats daarvan concentreerde hij zich op de persoonlijke kant. 'Het spijt me dat ik de school in een moeilijk parket heb gebracht, want Heis is een aardige man. Ik heb er spijt van dat ik dronken ben geworden, want daardoor voelde ik me de volgende ochtend vreselijk belabberd. En bovenal heb ik spijt dat ik mijn moeder verdriet heb gedaan.'

'En je vader?'

Harald schudde zijn hoofd. 'U bent ontdaan omdat Axel Flemming er alles van weet en het u gaat inpeperen. Uw trots is gekwetst, maar ik weet niet zeker of u zich wel iets van mij aantrekt.'

'Trots?' brulde zijn vader. 'Wat heeft trots daarmee te maken? Ik heb geprobeerd mijn zoons op te voeden tot fatsoenlijke, verstandige, godvrezende mannen – en jij hebt me zwaar teleurgesteld.'

Harald ergerde zich. 'Luister, zo'n grote schande is het nu ook weer niet. De meeste mannen worden wel eens dronken…'

'Niet mijn zoons!'

'… al is het maar één keer in hun leven.'

'Maar jij werd gearrestéérd.'

'Dat was stomme pech.'

'Het was stom gedrág…'

'Er is niet eens een aanklacht ingediend – de politieman vond het eigenlijk wel grappig wat ik had gedaan. "We hoeven niet op te treden tegen grappen," zei hij. Ik zou niet eens van school zijn gestuurd als Peter Flemming Heis niet onder druk had gezet.'

'Probeer het niet voor te stellen alsof er niets is gebeurd. Nog nooit heeft een lid van dit gezin om wat voor reden dan ook in de gevangenis gezeten. Je hebt ons te schande gemaakt.' Het gezicht van de dominee veranderde plotseling van uitdrukking. Voor het eerst stond er meer verdriet dan woede op te lezen. 'En het zou ook schokkend en dramatisch zijn, als ik het als enige op de hele wereld wist.'

Harald zag dat zijn vader het meende en dat besef bracht hem uit zijn evenwicht. Het was waar dat de trots van zijn vader was gekwetst, maar dat was het niet alleen. Hij was oprecht bezorgd voor het geestelijk welzijn van zijn zoon. Het speet Harald dat hij sarcastisch was geweest.

Maar zijn vader gaf hem geen kans een verzoenend gebaar te maken. 'Blijft de vraag over wat er met jou moet gebeuren.'

Harald wist niet zeker wat hij daarmee bedoelde. 'Ik heb maar een paar dagen van school gemist,' zei hij. 'Ik kan me thuis voorbereiden op de universiteit.'

'Nee,' zei zijn vader. 'Zo gemakkelijk kom je er niet vanaf.'

Harald kreeg een vreselijk vermoeden. 'Wat bedoelt u? Wat bent u van plan?'

'Je gaat niet naar de universiteit.'

'Waar hebt u het over? Natuurlijk ga ik wel.' Plotseling voelde Harald zich heel erg bang.

'Ik stuur je niet naar Kopenhagen om je geest te laten bederven door sterke drank en jazzmuziek. Je hebt bewezen dat je niet volwassen genoeg bent voor de stad. Je blijft hier waar ik toezicht kan houden op je geestelijke ontwikkeling.'

'Maar u kunt de universiteit niet opbellen en zeggen: "Geef deze jongen geen les." Ze hebben me een plaats gegeven.'

'Maar ze hebben je geen geld gegeven.'

Daar schrok Harald van. 'Mijn grootvader heeft geld nagelaten voor mijn scholing.'

'Maar hij heeft het beheer aan mij overgelaten. En je krijgt het van mij niet om het uit te geven in nachtclubs.'

'Het is uw geld niet – u hebt het recht niet!'

'Dat heb ik wel degelijk. Ik ben je vader.'

Harald was verbijsterd. Dit had hij niet verwacht. Het was de enige straf die echt hard aankwam. Onthutst zei hij: 'Maar u hebt me altijd verteld dat scholing zo belangrijk was.'

'Scholing is niet hetzelfde als godvruchtigheid.'

'Maar dan nog…'

Zijn vader zag dat hij echt ontdaan was en zijn optreden verzachtte wat. 'Een uur geleden is Ove Borking overleden. Hij had geen noemenswaardige scholing gehad – hij kon nauwelijks zijn eigen naam schrijven. Zijn hele leven lang heeft hij op de boten van andere mannen gewerkt en nooit genoeg verdiend om een kleed te kopen dat zijn vrouw op de vloer van hun woonkamer kon leggen. Maar hij heeft drie godvrezende kinderen grootgebracht en elke week gaf hij een tiende van zijn schamele inkomen aan de kerk. Zoiets beschouwt God als een goed leven.'

Harald kende en mocht Ove graag en het speet hem dat hij was overleden. 'Hij was een eenvoudige man.'

'Daar is niets mis mee.'

'Maar als alle mensen zoals Ove waren, zouden we nu nog vissen met uitgeholde boomstammen.'

'Misschien. Maar jij gaat niet leren hoe je het beter moet doen dan hij, voordat je iets anders hebt gedaan.'

'En wat dan wel?'

'Kleed je aan. Trek je schoolkleren en een schoon overhemd aan. Je gaat werken.' Hij verliet de kamer.

Harald staarde naar de gesloten deur. Wat nu?

Hij waste en schoor zich half verdoofd. Hij kon nauwelijks geloven wat er gebeurde.

Hij zou natuurlijk naar de universiteit kunnen gaan zonder de hulp van zijn vader. Hij zou een baantje moeten zoeken voor zijn levensonderhoud en hij zou zich niet de privé-lessen kunnen veroorloven die de meeste mensen onontbeerlijk achtten als aanvulling op de vrije colleges. Maar kon hij in die omstandigheden alles bereiken wat hij wilde? Hij wilde niet alleen zijn examens afleggen. Hij wilde een groot natuurkundige worden, de opvolger van Niels Bohr. Hoe kon hij dat bereiken als hij niet eens geld had om boeken te kopen?

Hij moest tijd hebben om na te denken. En terwijl hij aan het denken was, moest hij doen wat zijn vader wilde.

Hij liep naar beneden en at de pap die zijn moeder voor hem had klaargemaakt, zonder iets te proeven.

Zijn vader zadelde Major, een Ierse ruin die sterk genoeg was om hen allebei te dragen. De dominee steeg op en Harald ging achter hem zitten.

Ze reden over de lengte van het eiland. Major deed er meer dan een uur over. Toen ze de haven bereikten, gaven ze het paard te drinken uit de trog op de kade en wachtten op de veerpont. De dominee had Harald nog steeds niet verteld waar ze naartoe gingen.

Toen de veerboot aanlegde, tikte de veerman tegen zijn pet voor de dominee en zei: 'Ove Borking is vanochtend vroeg door de Heer geroepen.'

'Dat verwachtte ik al,' zei de veerman.

'Hij was een brave man.'

'Moge zijn ziel rusten in vrede.'

'Amen.'

Ze staken over naar het vasteland en reden de heuvel op naar het marktplein. De winkels waren nog niet open, maar de dominee klopte op de deur van de fourniturenwinkel. Eigenaar Otto Sejr, een diaken van de kerk van Sande, deed open. Hij leek hen te verwachten.

Ze stapten naar binnen en Harald keek om zich heen. In glazen vitrinekasten lagen knotten gekleurde wol. De schappen lagen vol met wollen stoffen, gekleurde katoen en een paar zijden stoffen. Onder de schappen waren laden aangebracht die keurig waren gemerkt: 'Band – wit', 'Band – gekleurd', 'Elastiek', 'Knopen – hemd', 'Knopen – hoorn', 'Spelden', 'Breinaalden'.

Er hing een bedompte lucht van mottenballen en lavendel als in de kleerkast van een oude dame. De geur wekte bij Harald plotseling een levendige herinnering aan zijn jeugd op: hij stond hier als kleine jongen met zijn moeder die zwarte satijn kocht voor de hemden van zijn vader.

De winkel zag er nu verwaarloosd uit, waarschijnlijk als gevolg van de moeilijke oorlogstijden. De hoogste schappen waren leeg en hij had het idee dat de verscheidenheid aan kleuren breiwol lang niet zo groot was als vroeger.

Maar wat kwam hij hier vandaag doen?

Zijn vader zorgde algauw voor het antwoord op die vraag. 'Broeder Sejr is zo vriendelijk geweest om jou een baan te geven,' zei hij. 'Je gaat helpen in de winkel, bedient de klanten en doet verder alles wat je kunt om jezelf nuttig te maken.'

Hij staarde zijn vader sprakeloos aan.

'Mevrouw Sejr heeft een slechte gezondheid en kan niet meer werken en hun dochter is kort geleden getrouwd en verhuisd naar Odense in het oosten, dus heeft hij een assistent nodig,' ging de dominee verder alsof al die uitleg nodig was.

Sejr was een kleine, kale man met een snorretje. Harald had hem zijn hele leven gekend. Hij deed gewichtig, en was laaghartig en sluw. Hij stak een dikke vinger op en zei: 'Werk hard, let goed op en wees gehoorzaam en je zult een waardevol vak leren, Harald.'

Harald stond versteld. Hij had twee dagen nagedacht over de mogelijke reactie van zijn vader op wat hij had misdaan, maar dit sloeg alles. Het was erger dan levenslang.

Zijn vader gaf Sejr een hand en bedankte hem. Bij wijze van afscheid zei hij tegen Harald: 'Je luncht met de familie hier en na het werk kom je regelrecht naar huis. Ik zie je vanavond.' Hij wachtte even alsof hij een antwoord verwachtte, maar toen Harald niets zei, liep hij naar buiten.

'Goed,' zei Sejr. 'Er is nog net tijd om de vloer aan te vegen voordat we opengaan. Je kunt een bezem in de kast vinden. Begin achterin, veeg naar de voorkant en veeg het stof dan door de deur naar buiten.'

Harald begon te werken. Toen Sejr zag dat hij de bezem met één hand vasthield, snauwde hij: 'Hou die bezem met allebei je handen vast, jongen!'

Harald gehoorzaamde.

Om negen uur hing Sejr het bordje 'Open' aan de deur. 'Wanneer ik wil dat je een klant helpt, zeg ik "Vooruit" en dan kom jij naar voren,' zei hij. 'Je zegt: "Goedemorgen, kan ik u ergens mee van dienst zijn?" Maar let eerst op wat ik doe bij de eerste paar klanten.'

Harald keek hoe Sejr zes naalden op een kartonnetje verkocht aan een oude vrouw die haar munten even zorgvuldig telde alsof het goudstukken waren. De volgende klant was een goedgeklede vrouw van rond de veertig die twee meter zwart veterband kocht. Toen was het Haralds beurt. De derde klant was een vrouw met smalle lippen die er bekend uitzag. Ze vroeg een klosje wit katoenen naaigaren.

Sejr snauwde: 'Links, bovenste la.'

Harald vond het garen. De prijs stond met potlood op het houten klos-je geschreven. Hij nam het geld van haar aan en gaf wisselgeld terug. 'Zo, Harald Olufsen,' zei de vrouw toen, 'jij hebt je tegoed gedaan aan de vleespotten van Babylon, heb ik gehoord.'

Harald bloosde. Hier was hij niet op voorbereid. Wist de hele stad wat hij had gedaan? Hij ging zich niet verdedigen tegen roddelaarsters. Hij zei niets terug.

Sejr zei: 'De jonge Harald krijgt hier te maken met een stabielere in-vloed, mevrouw Jensen.'

'Ik weet zeker dat het hem goed zal doen.'

Ze genoten met volle teugen van zijn vernedering, besefte Harald. 'Is er nog iets anders van uw dienst?' vroeg hij.

'O, nee, dank je,' zei mevrouw Jensen, maar ze maakte geen aanstalten om te vertrekken. 'Je gaat dus niet naar de universiteit?'

Harald draaide zich om en vroeg: 'Waar is het toilet, meneer Sejr?'

'Achterdoor en de trap op.'

Toen hij wegliep, hoorde hij Sejr verontschuldigend zeggen: 'Hij schaamt zich natuurlijk.'

'Geen wonder,' reageerde de vrouw.

Harald klom de trap op naar de woning boven de winkel. Mevrouw Sejr was in de keuken. Gekleed in een roze gewatteerde peignoir stond ze aan de gootsteen de ontbijtbordjes af te wassen. 'Ik heb maar een paar haringen voor de lunch,' zei ze. 'Ik hoop dat jij niet veel eet.'

Hij bleef even op het toilet en toen hij terugkeerde naar de winkel, zag hij opgelucht dat mevrouw Jensen was vertrokken. Sejr zei: 'De mensen zijn uiteraard nieuwsgierig – je moet beleefd blijven, wat ze ook zeggen.'

'Mevrouw Jensen heeft niets met mijn leven te maken,' reageerde hij kwaad.

'Maar ze is een klant en klanten hebben altijd gelijk.'

De ochtend sleepte zich vreselijk langzaam voort. Sejr controleerde de voorraad, schreef bestellingen uit, werkte zijn boekhouding bij, en nam de telefoon aan. Van Harald werd daarentegen verwacht dat hij bleef staan wachten op de volgende persoon die de winkel betrad. Hij had dus genoeg tijd om na te denken. Ging hij echt de rest van zijn leven klosjes garen verkopen aan huisvrouwen? Het was on-denkbaar.

Halverwege de ochtend, toen mevrouw Sejr een kop thee kwam brengen voor Sejr en hem, had hij besloten dat hij zelfs de rest van de zomer hier niet bleef werken.

Rond lunchtijd wist hij dat het niet eens deze dag ging duren.

Toen Sejr het bordje 'Gesloten' voor de deur hing, zei Harald: 'Ik ga een wandeling maken.'

Sejr reageerde verbaasd: 'Maar mevrouw Sejr heeft de lunch klaar staan.'

'Ze heeft me verteld dat ze niet genoeg eten heeft.' Harald opende de deur.

'Je hebt niet langer dan een uur,' riep Sejr hem na. 'Zorg dat je niet te laat bent.'

Harald liep de heuvel af en stapte op de veerpont.

Hij stak over naar Sande en liep over het strand naar de pastorie. Met een vreemd, beklemmend gevoel keek hij naar de duinen, de kilometers nat zand en de eindeloze zee. Het uitzicht was even bekend als zijn eigen gezicht in de spiegel, maar nu gaf het hem een pijnlijk gevoel van verlies. Hij had het gevoel zomaar te kunnen huilen en na een poosje besefte hij waarom.

Hij ging deze plaats vandaag voorgoed verlaten.

De reden kwam na het besef. Hij hoefde het werk dat voor hem was uitgekozen niet te doen – maar als hij zijn vaders wil trotseerde, kon hij niet thuis blijven wonen. Hij zou moeten vertrekken.

De gedachte om zijn vader ongehoorzaam te zijn, was niet langer beangstigend, begreep hij onder het lopen over het zand. Het was geen drama meer. Wanneer had deze verandering plaatsgevonden? Het was toen de dominee had gezegd dat hij het nagelaten geld van grootvader zou achterhouden, besloot Harald. Dat was een diep ingrijpend verraad geweest dat hun relatie wel moest ondermijnen. Op dat ogenblik, besefte Harald, was het vertrouwen verdwenen dat zijn vader het beste met hem voorhad. Hij moest nu voor zichzelf zorgen.

De conclusie was eigenlijk een vreemde anticlimax. Natuurlijk moest hij de verantwoordelijkheid voor zijn eigen leven op zich nemen. Het was net zoiets als het besef dat de bijbel niet onfeilbaar was. Hij kon zich nauwelijks voorstellen dat zijn vertrouwen vroeger zo groot was geweest.

Toen hij bij de pastorie kwam, stond het paard niet in de wei. Harald nam aan dat zijn vader was teruggekeerd naar de Borkings om de begrafenis van Ove te regelen. Hij liep door de keukendeur naar binnen. Zijn moeder zat aan de tafel aardappels te schillen. Ze keek angstig toen ze hem zag. Hij gaf haar een zoen, maar geen verklaring.

Hij ging naar zijn kamer en pakte zijn koffer in alsof hij naar school ging. Zijn moeder verscheen in de deuropening van de slaapkamer en stond naar hem te kijken, terwijl ze haar handen afveegde aan een handdoek. Hij zag haar gerimpelde en verdrietige gezicht en keek snel een andere kant op. Na een poosje vroeg ze: 'Waar ga je naartoe?'

'Dat weet ik nog niet.'

Hij dacht aan zijn broer. Hij liep de studeerkamer van zijn vader in, pakte de telefoon op en vroeg een gesprek aan met de vliegschool. Na een paar minuten kwam Arne aan de lijn. Harald vertelde hem wat er was gebeurd.

'De oude heer is te ver gegaan,' was het commentaar van Arne. 'Als hij je zwaar werk had gegeven, zoals het schoonmaken van vis op de conservenfabriek, zou je het hebben volgehouden, al was het maar om je mannelijkheid te bewijzen.'

'Waarschijnlijk wel.'

'Maar werken in een stomme winkel zou jij nooit lang volhouden. Onze vader kan soms dom zijn. Waar ga je nu naartoe?'

Harald had het nog niet geweten, maar nu viel hem ineens wat in. 'Kirstenslot,' zei hij. 'Waar Tik Duchwitz woont. Maar zeg het niet tegen vader. Ik wil niet dat hij achter me aan komt.'

'De oude Duchwitz zou het hem kunnen vertellen.'

Dat was goed gezien, bedacht Harald. De eerbiedwaardige vader van Tik zou weinig ophebben met een boogie-woogie spelende, leuzen kalkende, van huis weggelopen jongen. Maar de ruïne van het klooster werd als slaapplaats gebruikt voor seizoensarbeiders van de boerderij. 'Ik ga in het oude klooster slapen,' zei hij. 'De vader van Tik zal niet eens weten dat ik daar ben.'

'Hoe kom je aan eten?'

'Misschien kan ik een baantje op de boerderij krijgen. 's Zomers nemen ze studenten aan.'

'Tik zit nog op school, neem ik aan?'

'Maar zijn zus helpt me misschien.'

'Ik ken haar. Karen. Ze is een paar keer met Poul uitgegaan.'

'Een paar keer maar?'

'Ja. Waarom? Heb je belangstelling?'

'Ik zou niet aan haar kunnen tippen.'

'Dat zou best kunnen.'

'Wat is er met Poul gebeurd... precies?'

'Het was Peter Flemming.'

'Peter!' Dat had Mads Kirke niet geweten.

'Hij kwam met een wagen vol agenten voor Poul. Poul probeerde in zijn Tiger Moth te ontsnappen en Peter schoot op hem. Het toestel stortte brandend neer.'

'Goeie god! Heb jij het gezien?'

'Nee, maar een van mijn mecaniciens wel.'

'Mads heeft me er iets over verteld, maar dit wist hij allemaal niet. Dus Peter Flemming heeft Poul vermoord. Dat is vreselijk.'

'Praat er niet te veel over, want je zou in moeilijkheden kunnen komen. Ze proberen het af te doen als een ongeluk.'

'Goed.' Harald merkte dat Arne niet zei waarom de politie voor Poul was gekomen. En het moest Arne zijn opgevallen dat Harald er niet naar vroeg.

'Laat me weten hoe het op Kirstenslot gaat. Bel me als je iets nodig hebt.'

'Bedankt.'

'Veel geluk, jongen.'

Toen Harald ophing, kwam zijn vader binnen. 'En wat denk jij te gaan doen?'

Harald stond op. 'Als u geld wilt voor het telefoontje, kunt u Sejr om mijn loon van vanochtend vragen.'

'Ik wil geen geld, Ik wil weten waarom jij niet in de winkel bent.'

'Ik ben niet voorbestemd om handelaar in garen en band te worden.'

'Jij weet niet waarvoor je wel bent voorbestemd.'

'Misschien niet.' Harald verliet de kamer.

Hij liep buiten naar de werkplaats en stak de ketel van zijn motorfiets aan. Terwijl hij wachtte op stoom, stapelde hij turf in het zijspan. Hij wist niet hoeveel hij nodig zou hebben om in Kirstenslot te komen, dus nam hij alles mee. Hij liep het huis weer in en pakte zijn koffer. Zijn vader wachtte hem op in de keuken. 'Waar denk je naartoe te gaan?'

'Dat zeg ik liever niet.'

'Ik verbied je om te gaan.'

'U kunt me niets meer verbieden, vader,' zei Harald rustig. 'U wilt me niet meer ondersteunen. U doet uw best om mijn opleiding te saboteren. Ik ben bang dat u het recht hebt verspeeld om mij te vertellen wat ik moet doen.'

De dominee keek verbijsterd. 'Je moet vertellen waar je naartoe gaat.'

'Nee.'

'Waarom niet?'

'Als u niet weet waar ik ben, kunt u mijn plannen niet dwarsbomen.' De dominee keek alsof hij dodelijk was gewond. Harald voelde ineens een pijnlijke steek van spijt. Hij hoefde zich niet te wreken en het gaf hem geen voldoening te zien hoe ontdaan zijn vader was; maar hij was bang om toegeeflijk te worden als hij berouw toonde en hij wilde niet blijven. Dus draaide hij zich om en liep naar buiten.

Hij bond de koffer achter op de motor en reed de werkplaats uit.

Zijn moeder kwam door de tuin aanrennen en stopte een pakje in zijn handen. 'Eten,' zei ze. Ze huilde.

Hij stopte het eten bij de turf in het zijspan.

Ze sloeg haar armen om hem heen, toen hij op de motor ging zitten. 'Je vader houdt van je, Harald. Begrijp je dat?'

'Ja, moeder, ik denk het wel.'

Ze kuste hem. 'Laat me weten of het goed met je gaat. Bel of stuur een briefkaart.'

'Goed.'

'Beloof het.'

'Ik beloof het.'

Ze liet hem los en hij reed weg.

12

Peter Flemming kleedde zijn vrouw uit.

Ze stond passief voor de spiegel, een warmbloedig standbeeld van een bleke, mooie vrouw. Hij haalde het horloge van haar pols en deed de halsketting af. Vervolgens maakte hij geduldig de haakjes en oogjes van haar jurk los met dikke vingers die handig waren geworden door uren oefenen. Er zat een vlek aan de zijkant, zag hij met een afkeurende frons, alsof ze iets plakkerigs had vastgepakt en haar hand toen langs haar heup had afgeveegd. Normaal was ze niet vuil. Hij trok de jurk voorzichtig over haar hoofd om haar haren niet door de war te maken.

Inge was vandaag even aantrekkelijk als de eerste keer dat hij haar in haar ondergoed had gezien. Maar toen had ze gelachen en lieve woordjes gezegd met een uitdrukking van gretigheid en tegelijk een vleugje angst. Vandaag drukte haar gezicht helemaal niets uit.

Hij hing haar jurk in de kast en deed haar bh uit. Haar borsten waren vol en rond, de tepels zo lichtgekleurd dat ze bijna onzichtbaar waren. Hij slikte moeilijk en probeerde er niet naar te kijken. Hij liet haar op de kruk voor de toilettafel zitten, trok toen naar schoenen uit, maakte haar kousen los en rolde ze naar beneden en deed ten slotte haar jarretellegordel uit. Hij liet haar weer staan en trok haar slip naar beneden. Begeerte steeg in hem op toen hij de blonde krullen tussen haar benen zag. Hij kreeg een afkeer van zichzelf.

Hij wist dat hij geslachtsverkeer met haar kon hebben als hij dat wilde. Ze zou stil blijven liggen en het passief aanvaarden, zoals ze met alles deed wat met haar gebeurde. Maar hij kon zich er niet toe brengen. Hij had het geprobeerd, één keer, niet lang nadat ze thuis was gekomen uit het ziekenhuis, waarbij hij zichzelf had wijsgemaakt dat dit de vonk van bewustzijn misschien weer zou aansteken; maar hij had gewalgd van zichzelf en was er na een paar tellen mee opgehouden. Nu stak de begeerte bij hem de kop op en hij moest die onderdrukken, ook omdat hij wist dat eraan toegeven geen verlichting zou geven.

Hij gooide haar ondergoed met een boos gebaar in de wasmand. Ze bewoog zich niet toen hij een la opentrok en er een wit katoenen nachthemd met geborduurde bloemetjes uithaalde, een geschenk van zijn moeder voor Inge. Ze was onschuldig in haar naaktheid en naar haar verlangen leek even fout als het begeren van een kind. Hij trok het nachthemd over haar hoofd, stopte haar armen in de mouwen en trok het glad over haar rug. Hij keek over haar schouder in de spiegel. Het bloemetjespatroon paste bij haar en ze zag er knap uit. Hij dacht een flauwe glimlach om haar lippen te zien, maar het was waarschijnlijk verbeelding.

Hij ging met haar naar de badkamer en stopte haar toen in bed. Terwijl hij zich uitkleedde, keek hij naar zijn eigen lichaam in de spiegel. En liep een lang litteken over zijn buik, een herinnering aan een straatgevecht op een zaterdagavond, waaraan hij als jonge politieman een eind had gemaakt. Hij had niet meer het atletische lichaam uit zijn jeugd, maar hij was nog steeds fit. Hij vroeg zich af hoe lang het zou duren voordat een vrouw met begerige handen zijn huid zou aanraken.

Hij trok zijn pyjama aan, maar voelde zich niet slaperig. Hij besloot weer naar de woonkamer te gaan en nog een sigaret te roken. Hij keek naar Inge. Ze lag stil met haar ogen open. Hij zou haar horen als ze zich bewoog. Meestal wist hij wel wanneer ze iets nodig had. Ze stond dan gewoon op en wachtte alsof ze niet kon bepalen wat ze vervolgens moest doen; en hij zou moeten raden wat ze wilde: wat drinken, naar het toilet, een sjaal om haar warm te houden of iets ingewikkelders. Af en toe liep ze door het appartement, blijkbaar in het wilde weg, maar korte tijd later bleef ze ergens staan, soms bij een raam, of ze staarde hulpeloos naar een gesloten deur of ze stopte gewoon midden in de kamer.

Hij verliet de slaapkamer en stak het gangetje over naar de woonkamer, waarbij hij de deuren open liet staan. Hij vond de sigaretten en pakte toen bij ingeving een halfvolle fles aquavit uit een kast en schonk wat in een glas. Nippend aan zijn glas en trekkend aan de sigaret dacht hij na over de afgelopen week.

Die was goed begonnen en slecht geëindigd. Hij had om te beginnen twee spionnen gepakt, Ingemar Gammel en Poul Kirke. Nog beter was dat hij normaal met heel andere mensen te maken kreeg: vakbondsmannen die stakingsbrekers bedreigden of communisten die gecodeerde berichten naar Moskou stuurden met de mededeling dat Jutland rijp was voor een revolutie. Nee, Gammel en Kirke waren echte spionnen en de schetsen die Tilde Jespersen in het kantoor van Kirke had gevonden, waren van groot militair belang.

De ster van Peter leek te rijzen. Enkele collega's begonnen hem koel te behandelen, omdat ze het niet eens waren met de enthousiaste manier waarop hij samenwerkte met de Duitse bezetter, maar zij deden er eigenlijk niet toe. Generaal Braun had hem gebeld om hem te zeggen dat in zijn ogen Peter eigenlijk de chef van de Veiligheidsafdeling behoorde te zijn. Hij had niet gezegd wat er dan met Frederik Juel moest gebeuren. Maar hij had duidelijk aangegeven dat Peter de baan zou krijgen als hij deze zaak tot een goed einde kon brengen.

Het was jammer dat Poul Kirke dood was. Levend had hij misschien onthuld wie zijn handlangers waren, waar zijn orders vandaan kwamen en hoe hij de informatie naar Engeland stuurde. Gammel leefde nog wel en was overgedragen aan de Gestapo voor een 'diepgaand verhoor', maar hij had niets onthuld, waarschijnlijk omdat hij niets wist.

Peter had het onderzoek met zijn gebruikelijke energie en vastberadenheid aangepakt. Hij had Pouls commandant ondervraagd, de hooghartige squadronleider Renthe. Hij had Poul ouders verhoord, zijn vrienden en zelfs zijn neef Mads en hij was geen steek verder gekomen. Hij liet Pouls vriendin Karen schaduwen door rechercheurs, maar tot dusver bleek ze niets anders te zijn dan een hardwerkende studente aan de balletschool. Peter liet ook Pouls beste vriend, Arne Olufsen, in de gaten houden. Arne bood de meeste kans, want hij had gemakkelijk de schetsen van de militaire basis op Sande kunnen tekenen. Maar Arne had de hele week braaf zijn werk gedaan. Vanavond, op vrijdag, had hij de trein naar Kopenhagen genomen, maar dat was niets bijzonders.

Na een schitterend begin leek de zaak op een dood spoor te zijn gekomen.

De week had nog wel als kleine troost de vernedering van Arnes broer Harald gebracht. Peter was er echter zeker van dat Harald niet betrokken was bij spionage. Een man die zijn leven riskeerde als spion, kalkte geen stomme leuzen op openbare gebouwen.

Peter zat zich net af te vragen hoe het nu verder moest met het onderzoek toen er werd aangebeld.

Hij wierp een blik op de klok op de schoorsteenmantel. Het was half-elf, niet uitzonderlijk laat, maar wel een ongebruikelijke tijd voor onaangekondigd bezoek. Wie het ook was, hij zou zeker niet verbaasd zijn om hem in pyjama aan te treffen. Hij liep de gang in en opende de deur. Daar stond Tilde Jespersen met een lichtblauwe baret schuin op haar blonde krullen.

'Er is sprake van een ontwikkeling,' zei ze. 'Ik vond dat we het moesten bespreken.'

'Natuurlijk. Kom binnen. Je moet me verontschuldigen voor mijn uiterlijk.'

Ze wierp een grijnzende blik op het patroon op zijn pyjama. 'Olifanten,' zei ze toen ze de woonkamer inliep. 'Ik had het kunnen raden.'

Hij wist zich niet goed raad met zijn figuur en wenste dat hij een kamerjas had aangetrokken, hoewel het daarvoor te warm was.

Tilde ging zitten. 'Waar is Inge?'

'In bed. Wil je misschien wat aquavit?'

'Graag.'

Hij haalde een schoon glas en schonk voor hen allebei in.

Ze sloeg haar benen over elkaar. Haar knieën waren rond en haar kuiten dik, een groot verschil met de slanke benen van Inge. Ze zei: 'Arne

Olufsen heeft voor morgen een kaartje gekocht voor de veerboot naar Bornholm.'

Peter verstarde met het glas halverwege zijn lippen. 'Bornholm,' zei hij zacht. Het Deense vakantie-eiland lag verleidelijk dicht bij de Zweedse kust. Was dit misschien de doorbraak waarop hij zat te wachten?

Ze pakte een sigaret en hij gaf haar vuur. Met het uitblazen van de rook zei ze: 'Natuurlijk kan hij ook gewoon verlof opnemen en hebben besloten om vakantie…'

'Inderdaad. Aan de andere kant is hij misschien van plan om te ontsnappen naar Zweden.'

'Dat is ook wat ik dacht.'

Peter gooide zijn glas met een voldane slok naar binnen. 'Wie is er nu bij hem?'

'Dresler. Hij heeft me een kwartier geleden afgelost. Ik ben meteen hierheen gekomen.'

Peter dwong zich om sceptisch te zijn. Het was te gemakkelijk om bij een onderzoek de wens de vader van de gedachte te laten zijn. 'Waarom zou Olufsen het land willen verlaten?'

'Misschien is hij bang geworden na wat er gebeurd is met Poul Kirke.'

'Hij heeft zich helemaal niet bang gedragen. Tot vandaag heeft hij kennelijk tevreden zijn werk gedaan.'

'Misschien heeft hij net ontdekt dat hij wordt geschaduwd.'

Peter knikte. 'Vroeg of laat merken ze dat altijd.'

'Of hij gaat naar Bornholm om te spioneren. De Engelsen hebben hem misschien een opdracht gegeven.'

Peter keek twijfelachtig. 'Wat is er op Bornholm?'

Tilde haalde haar schouders op. 'Misschien is dat een vraag waarop zij antwoord willen hebben. Of misschien is het een rendez-vous. Vergeet niet dat als hij van Bornholm naar Zweden kan komen, de reis andersom waarschijnlijk even gemakkelijk is.'

'Goed idee.' Tilde dacht erg helder na, bedacht hij. Ze hield alle mogelijkheden in het oog. Hij keek naar haar intelligente gezicht met de helderblauwe ogen. Hij lette op haar mond terwijl ze sprak.

Ze leek zich niet bewust van zijn onderzoekende blik. 'De dood van Kirke heeft hun normale verbindingslijn waarschijnlijk verbroken. Dit zou een noodplan kunnen zijn.'

'Ik ben nog niet overtuigd – maar er is slechts één manier om daarachter te komen.'

'Olufsen blijven schaduwen?'

'Ja. Zeg tegen Dresler dat hij met hem meegaat op de veerboot.'

'Olufsen heeft een fiets bij zich. Moet Dresler er ook een meenemen?'

'Ja. En boek jezelf en mij dan op de vlucht van morgen naar Bornholm. Dan zijn we daar het eerst.'

Tilde stond op en drukte haar sigaret uit. 'Goed.'

Peter wilde niet dat ze wegging. De aquavit brandde warm in zijn buik, hij voelde zich ontspannen en genoot van het feit dat er een aantrekkelijke vrouw was om mee te praten. Maar hij kon geen excuus bedenken om haar hier te houden.

Hij volgde haar de gang in. 'Dan zie ik je op het vliegveld,' zei ze.

'Ja.' Hij legde zijn hand op de kruk van de deur, maar deed die niet open. 'Tilde…'

Ze keek hem neutraal aan. 'Ja?'

'Bedankt hiervoor. Prima werk.'

Ze tikte tegen zijn wang. 'Slaap lekker,' zei ze, maar ze bewoog niet.

Hij keek haar aan. Een vage glimlach speelde om haar mondhoeken, maar hij kon niet uitmaken of die uitnodigend of spottend was. Hij boog voorover en plotseling kuste hij haar.

Ze kuste hem terug met een felle hartstocht. Hij werd erdoor verrast. Ze trok zijn hoofd naar zich toe en duwde haar tong in zijn mond. Na een ogenblik van schrik reageerde hij. Hij greep haar zachte borst en kneep ruw. Diep in haar keel maakte ze een geluid en duwde haar heupen tegen zijn lichaam.

Uit zijn ooghoek zag hij een beweging. Hij brak de kus af en draaide zijn hoofd.

Inge stond in de deuropening van de slaapkamer als een geest in een licht nachthemd. Haar gezicht vertoonde de eeuwige lege uitdrukking, maar ze keek hen recht aan. Peter hoorde hoe hij een soort snikkend geluid maakte.

Tilde maakte zich los uit zijn omhelzing. Hij draaide zich om en wilde iets tegen haar zeggen, maar er kwamen geen woorden. Ze opende de deur van het appartement en stapte naar buiten. In een zucht was ze verdwenen.

De deur sloeg dicht.

De dagelijkse vlucht van Kopenhagen naar Bornholm werd onderhouden door de Deense luchtvaartmaatschappij DDL. Het vertrek was om negen uur 's ochtends en de vlucht duurde een uur. Het vliegtuig landde op een vliegveld dat ongeveer anderhalve kilometer buiten Rønne, de belangrijkste plaats van Bornholm lag. Peter en Tilde werden opgewacht door het hoofd van de plaatselijke politie die een auto te leen gaf alsof hij hun de kroonjuwelen toevertrouwde.

Ze reden de stad in. Het was een slaperig plaatsje met meer paarden dan auto's. De half houten huizen waren geschilderd in opvallende kleuren: donker mosterdkleurig, terracotta roze, bosgroen en roestbruin rood. Twee Duitse soldaten stonden op het marktplein te roken en met voorbijgangers te kletsen. Van het plein leidde een keienstraat heuvelafwaarts naar de haven. In de haven lag een torpedoboot van de Kriegsmarine en op de kade stond een groep jongens te kijken.

Peter zag dat de aanlegplaats van de veerboot tegenover het bakstenen douanegebouw lag, het grootste pand van de stad.

Peter en Tilde reden rond om vertrouwd te raken met de straten en keerden in de middag naar de haven terug om op de veerboot te wachten. Geen van beiden zei iets over de kus van de vorige avond, maar Peter was zich intens bewust van haar lichamelijke aanwezigheid: dat ondefinieerbare bloemenparfum, haar wakkere blauwe ogen, de mond die hem met zo'n dwingende hartstocht had gekust. Tegelijk bleef hij Inge zien zoals ze in de deuropening had gestaan met een uitdrukkingsloos bleek gezicht dat hem als verwijt dieper had getroffen dan een uitgesproken beschuldiging.

Toen het schip de haven invoer, zei Tilde: 'Ik hoop dat we gelijk hebben en dat Arne een spion is.'

'Je hebt je enthousiasme voor dit werk nog niet verloren?'

Haar antwoord was scherp. 'Waarom zeg je dat?'

'Ons meningsverschil over joden.'

'O dat.' Ze schokschouderde. 'Je had gelijk, nietwaar? Je hebt het bewezen. We hebben een inval gedaan in de synagoge en dat bracht ons bij Gammel.'

'Vervolgens vroeg ik me af of de dood van Kirke misschien te gruwelijk was…'

'Mijn man is gedood,' zei ze kortaf. 'Ik vind het niet erg om misdadigers te zien sterven.'

Ze was nog harder dan hij had gedacht. Hij verborg een verheugde glimlach. 'Dus je blijft bij de politie?'

'Ik zie geen andere toekomst. Bovendien word ik wel als eerste vrouw bevorderd tot brigadier.'

Peter betwijfelde of dat ooit zou gebeuren. Het zou betekenen dat mannen bevelen moesten aannemen van een vrouw en dat leek absoluut onmogelijk. Maar hij zei het niet. 'Braun heeft me feitelijk een promotie beloofd als ik deze spionagegroep kan oprollen.'

'Promotie tot wat?'

'Hoofd van de afdeling. De baan van Juel.' En een man die met dertig jaar hoofd van de Veiligheidsafdeling was, kon tenslotte best wel eens hoofd van het hele politiekorps van Kopenhagen worden, dacht hij. Zijn hart begon sneller te slaan toen hij fantaseerde over de klappen die hij met de steun van de nazi's zou uitdelen.

Tilde glimlachte hartelijk. Ze legde een hand op zijn arm en zei: 'Dan kunnen we er beter voor zorgen dat we ze allemaal vangen.'

Het schip legde aan en de passagiers stapten aan land. Onder het kijken zei Tilde: 'Jij hebt Arne je hele leven gekend – is hij een type om te spioneren?'

'Ik zou het nooit hebben gedacht,' antwoordde Peter nadenkend. 'Hij is te zorgeloos.'

'O.' Tilde keek sip.

'Ik zou hem als verdachte hebben geschrapt wanneer hij niet een Engelse verloofde had gehad.'

Haar gezicht klaarde op. 'Dat plaatst hem in het juiste hokje.'

'Ik weet niet of ze nog altijd verloofd zijn. Ze is halsoverkop naar Engeland teruggekeerd toen de Duitsers binnenvielen. Maar de mogelijkheid is dus nog aanwezig.'

Een honderdtal passagiers stapte van boord, sommigen lopend, een handvol in auto's en heel veel met een fiets. Het eiland had een doorsnee van zo'n dertig kilometer en daardoor was de fiets het gemakkelijkste vervoermiddel.

'Daar,' wees Tilde.

Peter zag Arne in zijn legeruniform van boord stappen. Hij duwde een fiets voort. 'Maar waar is Dresler?'

'Vier personen achter hem.'

'Ik zie hem.' Peter zette een zonnebril op, trok zijn hoed over zijn ogen en startte de auto. Arne fietste over de keien naar het centrum van de stad en Dresler deed hetzelfde. Peter en Tilde volgden langzaam in de auto.

Arne reed de stad uit naar het noorden. Peter vond dat ze erg opvielen in de auto. Er waren maar weinig andere auto's op de weg en hij moest langzaam rijden om achter de fietsers te blijven. Algauw moest hij stoppen omdat hij bang was opgemerkt te worden. Na een paar minuten wachten ging hij weer rijden tot hij Dresler in het oog kreeg, waarna hij weer stopte. Twee Duitse soldaten op een motor met zijspan passeerden hem en Peter wenste dat hij een motor had geleend in plaats van een auto.

Een paar kilometer buiten de stad waren zij de enige mensen op de weg. 'Dit gaat zo niet,' zei Tilde op een hoge, bezorgde toon. 'Hij moet ons wel zien.'

Peter knikte. Ze had gelijk, maar nu viel hem een andere gedachte in. 'Als hij ons ziet, zal zijn reactie heel veelzeggend zijn.'

Ze keek hem vragend aan, maar hij gaf geen verklaring.

Hij verhoogde zijn snelheid. Na een bocht zag hij Dresler die in het bos naast de weg was gekropen en honderd meter verder zat Arne op een muurtje een sigaret te roken. Peter had geen andere keus dan erlangs te rijden. Hij reed nog een kilometer of twee verder en reed toen achteruit een onverhard pad op.

'Keek hij of wij achter hem aan kwamen of rustte hij alleen uit?' vroeg Tilde.

Peter haalde zijn schouders op.

Een paar minuten later fietste Arne voorbij, gevolgd door Dresler. Peter reed de weg weer op.

Het daglicht begon minder te worden. Vijf kilometer verder kwamen ze op een kruising. Dresler was daar gestopt en stond verbaasd te kijken.

Arne was in geen velden of wegen te zien.

Dresler kwam met een bezorgde blik naar de auto lopen. 'Het spijt me, chef. Hij ging ineens sneller rijden, waardoor ik hem uit het zicht verloor en ik weet niet welke weg hij hier heeft genomen.'

'Verdorie,' zei Tilde. 'Hij moet het met opzet hebben gedaan. Kennelijk kent hij de weg.'

'Het spijt me,' zei Dresler weer.

Tilde zei rustig: 'Daar gaat jouw promotie – en de mijne.'

'Niet zo somber,' zei Peter. 'Dit is goed nieuws.'

Tilde keek hem verbaasd aan. 'Wat bedoel je?'

'Als een onschuldige man denkt dat hij wordt gevolgd, wat doet hij dan? Hij stopt, draait zich om en zegt: "Waarom kom jij verdorie de hele tijd achter me aan?" Alleen iemand met een schuldig gevoel schudt een schaduw opzettelijk af. Begrijp je het? Dit betekent dat we gelijk hadden: Arne Olufsen is een spion.'

'Maar we zijn hem kwijtgeraakt.'

'O, maak je maar geen zorgen. We vinden hem wel terug.'

Ze brachten de nacht door in een hotel aan de kust met een toilet aan het eind van elke gang. Om middernacht trok Peter een kamerjas over zijn pyjama aan en klopte op de deur van Tildes kamer. 'Binnen,' riep ze.

Hij liep naar binnen. Ze zat rechtop in het eenpersoonsbed, gehuld in een lichtblauwe zijden nachtjapon en las een Amerikaanse roman met de titel *Gone with the wind*. 'Je vroeg niet wie er op de deur klopte,' zei hij.

'Ik wist het.'

De rechercheur in hem merkte dat ze lippenstift op had, dat haar haren zorgvuldig waren geborsteld en dat de lucht was doordrongen van het bloemenparfum. Het leek alsof ze zich had gekleed voor een uitje. Hij kuste haar lippen en zij streelde over zijn achterhoofd. Een ogenblik keek hij achterom naar de deur om er zeker van te zijn dat hij die had gesloten.

'Ze is hier niet,' zei Tilde.

'Wie?'

'Inge.'

Hij kuste haar weer, maar na enkele ogenblikken ontdekte hij dat hij niet opgewonden raakte. Hij brak de kus af en ging op de rand van het bed zitten.

'Voor mij is het net zo,' zei Tilde.

'Wat?'

'Ik blijf aan Oskar denken.'

'Hij is dood.'

'Dat kun je ook van Inge zeggen.'

Zijn gezicht vertrok.

'Het spijt me,' zei ze, 'maar het is waar. Ik denk aan mijn man en jij denkt aan jouw vrouw en geen van beiden kan er iets om geven.'

'Gisteravond in mijn appartement was dat niet zo.'

'We hebben ons toen geen tijd gegund om erover na te denken.'

Dit was belachelijk, dacht hij. Als jongeman was hij een echte versierder geweest die veel vrouwen had overtuigd en bevredigd. Was hij het verleerd?

Hij gleed uit zijn kamerjas en stapte naast haar in bed. Ze was warm en uitnodigend en haar mollige lichaam voelde onder de nachtjapon zacht aan. Ze deed het licht uit. Hij kuste haar, maar slaagde er niet in de hartstocht van afgelopen nacht weer op te wekken.

Ze lagen naast elkaar in het donker. 'Het maakt niet uit,' zei ze. 'Je moet het verleden achter je laten. En dat is moeilijk voor jou.'

Hij kuste haar weer, kort deze keer, stond op en keerde terug naar zijn eigen kamer.

13

Haralds leven lag in puin. Al zijn plannen waren gedwarsboomd en hij had geen toekomst. Maar in plaats van zich daar druk om te maken, keek hij uit naar een hernieuwde kennismaking met Karen Duchwitz. Hij herinnerde zich haar blanke huid en mooie rode haren en de manier waarop ze door de kamer liep, alsof ze danste, en niets leek zo belangrijk als een weerzien met haar.

Denemarken was een klein land, maar bij een snelheid van dertig kilometer per uur leek het een eindeloze woestijn. De met turf gestookte motorfiets van Harald had anderhalve dag nodig om van zijn huis op Sande dwars over te steken naar Kirstenslot.

De tocht door het monotoon golvende landschap liep bovendien nog vertraging op, doordat hij verschillende keren panne had. Op nog geen vijftig kilometer van huis kreeg hij een lekke band. Vervolgens brak zijn ketting op de lange brug die het schiereiland Jutland verbond met het centrale eiland Funen. De Nimbus motorfiets had aanvankelijk een cardanas gehad, maar het was moeilijk om die aan te sluiten op een stoommachine, dus had Harald ketting en tandwielen uit een oude grasmaaier gesloopt. Nu moest hij de motorfiets kilometers ver naar een garage duwen om een nieuwe schakel te laten monteren. Tegen de tijd dat hij Funen was overgestoken, had hij de laatste veerboot naar Seeland, het hoofdeiland, gemist. Hij parkeerde de motorfiets, at wat zijn moeder hem had meegegeven – drie dikke plakken ham en een snee koek – en bracht een kille nacht door op de kade. Toen hij de ketel de volgende ochtend weer aanstak, bleek de veiligheidsklep te lekken, maar hij slaagde erin dat lek te dichten met kauwgom en een pleister.

Zaterdagmiddag laat kwam hij aan in Kirstenslot. Hoewel hij Karen het liefst zo snel mogelijk wilde zien, ging hij niet meteen naar het kasteel. Hij reed langs de ruïne van het klooster en de oprijlaan naar het kasteel, door het dorp met zijn kerkje en herberg en station en vond de boerderij die hij met Tik had bezocht. Hij was vol vertrouwen dat hij hier werk kon krijgen. Het was de juiste tijd van het jaar en hij was jong en sterk.

De grote boerenhoeve lag in een keurige tuin. Toen hij de motorfiets parkeerde, werd hij gadegeslagen door twee meisjes – kleindochters, nam hij aan, van boer Nielsen, de grijze man die hij bij de kerk weg had zien rijden.

Hij vond de boer achter het huis, waar hij gekleed in een modderige corduroybroek en een kraagloos hemd leunend op een hek een pijp stond te roken. 'Goedemiddag, meneer Nielsen,' zei hij.

'Hallo, jongeman,' zei Nielsen op zijn hoede. 'Wat kan ik voor je doen?'

'Mijn naam is Harald Olufsen. Ik zoek werk en Josef Duchwitz vertelde me dat u 's zomers seizoenarbeiders aanneemt.'

'Dit jaar niet, jongen.'

Harald was ontdaan. Hij had de mogelijkheid van een weigering niet eens overwogen. 'Ik ben een harde werker...'

'Daar twijfel ik niet aan en je ziet er sterk genoeg uit, maar ik neem niemand aan.'

'Waarom niet?'

Nielsen trok een wenkbrauw op. 'Ik zou kunnen zeggen dat het je niets aangaat, knul, maar vroeger was ik ook behoorlijk brutaal, dus wil ik je wel vertellen dat het moeilijke tijden zijn, dat de Duitsers het grootste deel van mijn productie kopen tegen een vastgestelde prijs en dat er geen geld is om seizoenarbeiders te betalen.'

'Ik wil wel voor de kost werken,' zei Harald wanhopig. Hij kon niet terugkeren naar Sande.

Nielsen keek hem doordringend aan. 'Zo te horen zit jij in de problemen. Maar onder die voorwaarden kan ik je niet aannemen. Ik zou moeilijkheden krijgen met de vakbond.'

Het leek hopeloos. Harald probeerde iets anders te bedenken. Misschien vond hij werk in Kopenhagen, maar waar moest hij dan wonen? Hij kon niet naar zijn broer die op een militaire basis woonde waar geen gasten mochten blijven slapen.

Nielsen zag hoe moeilijk hij het had en zei: 'Het spijt me, knul.' Hij klopte zijn pijp uit op de bovenste plank van het hek. 'Kom mee, dan loop ik met je mee het erf af.'

De boer dacht waarschijnlijk dat hij wanhopig genoeg was om iets te stelen, dacht Harald. Samen liepen ze om het huis naar de voortuin.

'Allemachtig, wat is dat?' vroeg Nielsen toen hij de motorfiets zag waarvan de ketel zacht stoom afblies.

'Het is een gewone motorfiets, maar ik heb hem omgebouwd, zodat hij op turf loopt.'

'Hoe ver heb je ermee gereden?'

'Van Morlunde.'

'Goeie god. Het ziet eruit alsof het elk moment kan ontploffen.'

Harald voelde zich in zijn eer aangetast. 'Hij is absoluut veilig,' zei hij verontwaardigd. 'Ik weet echt wel wat van machines. Ik heb een paar weken geleden zelfs een tractor van u gemaakt.' Een ogenblik lang vroeg Harald zich af of Nielsen hem uit dankbaarheid misschien toch zou aannemen, maar toen zei hij tegen zichzelf dat hij niet zo dom moest doen. Met dankbaarheid betaalde je geen lonen uit. 'U had een lek in de brandstofleiding.'

Nielsen fronste zijn voorhoofd. 'Wat bedoel je?'

Harald gooide een turf in de vuurkist. 'Ik logeerde dat weekend op Kirstenslot. Josef en ik kwamen een van uw mannen tegen, Frederik, die een tractor probeerde te starten.'

'Dat herinner ik me. Dus jij was die knul.'

'Ja.' Hij klom op de motorfiets.

'Wacht even. Misschien kan ik je toch een baantje geven.'

Harald keek hem aan en durfde nauwelijks te hopen.

'Ik kan me geen landarbeiders veroorloven, maar een monteur is heel iets anders. Ben je bekend met alle soorten machines?'

Dit was geen moment om bescheiden te zijn, besloot Harald. 'Meestal kan ik alles met een motor wel maken.'

'Ik heb meer dan tien machines waarmee ik niets kan doen, omdat er geen reserveonderdelen te krijgen zijn. Denk jij dat je ze weer aan het draaien kunt krijgen?'

'Ja.'

Nielsen keek naar de motorfiets. 'Als je zoiets kan maken, kun je mijn zaaiboor misschien ook wel repareren.'

'Ik zou niet weten waarom ik dat niet kan.'

'Goed,' hakte de boer de knoop door. 'Van mij mag je het proberen.'

'Dank u wel, meneer Nielsen!'

'Morgen is het zondag, maar zorg dat je maandagochtend om zes uur hier bent. Wij boeren beginnen vroeg.'

'Ik zal er zijn.'

'Kom niet te laat.'

Harald opende de klep om stoom in de cilinder te voeren en reed weg voordat Nielsen van gedachten kon veranderen.

Zodra hij buiten gehoorsafstand was, slaakte hij een triomfantelijke kreet. Hij had een baan die veel interessanter was dan het helpen van klanten in een fourniturenwinkel, en hij had het zelf gedaan. Hij voelde zich vol zelfvertrouwen. Hij was op zichzelf aangewezen, maar hij was jong, sterk en intelligent. Hij zou er wel komen.

Het daglicht begon te vervagen toen hij terugreed door het dorp. Bijna zag hij de man in politie-uniform niet die de weg op stapte en hem gebaarde te stoppen. Hij remde hard op het laatste moment en de ketel liet met een zucht een wolk van stoom ontsnappen door de veiligheidsklep. In de politieman herkende hij Per Hansen, de plaatselijke nazi.

'Wat is dit verdorie?' vroeg Hansen waarbij hij op de motorfiets wees.

'Het is een Nimbus motorfiets die is omgebouwd voor stoomaandrijving,' zei Harald tegen hem.

'Hij maakt op mij een gevaarlijke indruk.'

Harald had weinig geduld met dergelijke opdringerige bemoeials, maar hij dwong zich beleefd te antwoorden. 'Ik verzeker u, agent, dat

167

hij absoluut veilig is. Voert u een officieel onderzoek uit of bevredigt u alleen uw nieuwsgierigheid?'

'Niet brutaal worden, jongen. Ik heb jou al eens eerder gezien, niet-waar?'

Harald zei bij zichzelf dat hij het gezag niet moest tarten. Hij had deze week al een nacht in de gevangenis doorgebracht. 'Ik heet Harald Olufsen.'

'Jij bent een vriend van de joden in het kasteel.'

Harald verloor zijn geduld. 'U hebt er geen steek mee te maken wie mijn vrienden zijn.'

'O, nee?' Hansen keek tevreden, alsof hij het antwoord had dat hij wenste. 'Ik ken jouw soort, jongeman,' zei hij boosaardig. 'Ik zal je in het oog houden. En rijd nu maar door.'

Harald trok op. Hij vervloekte zijn lichtgeraaktheid. Nu had hij de plaatselijke politieman tegen zich ingenomen en dat alleen maar vanwege een terloopse opmerking over joden. Wanneer zou hij leren om uit de problemen te blijven?

Op zo'n halve kilometer voor de poort van Kirstenslot reed hij van de weg af een karrenspoor op dat door het bos naar de achterkant van het klooster liep. Vanuit het huis was hij niet te zien en hij gokte erop dat niemand op een zaterdagavond in de tuin werkte.

Hij bracht de motor tot stilstand bij de westelijke gevel van de ongebruikte kerk, liep toen door de kloostergang en betrad de kerk door een zijdeur. Aanvankelijk kon hij slechts spookachtige vormen onderscheiden bij het vage avondlicht dat door de hoge ramen viel. Zodra zijn ogen waren aangepast, onderscheidde hij de Rolls Royce onder het zeildoek, de dozen met oud speelgoed en de Hornet Moth tweedekker met de opgevouwen vleugels. Hij had het gevoel dat niemand in de kerk was geweest sinds zijn laatste bezoek.

Hij opende de grote voordeur, reed zijn motor naar binnen en sloot de deur weer.

Hij sloot de stoommachine af en bleef er even tevreden naar staan kijken. Hij was van west naar oost door het land gereden op zijn geïmproviseerde motorfiets, had een baan gevonden en een plaats om te verblijven. Tenzij hij pech had, zou zijn vader er niet achterkomen waar hij was. En gesteld dat er belangrijk nieuws van de familie was, dan wist zijn broer waar hij hem kon vinden. Het mooiste was bovendien dat hij een goede kans maakte om Karen Duchwitz te zien. Hij herinnerde zich dat ze na het diner graag een sigaret rookte op het terras. Hij besloot naar haar op zoek te gaan. Het was riskant – meneer Duchwitz zou hem kunnen zien – maar hij had het idee dat het geluk hem vandaag meezat.

In een hoek van de kerk, naast de werkbank en de gereedschapskast was een gootsteen met een koudwaterkraan. Harald had zich twee dagen niet gewassen. Hij trok zijn hemd uit en waste zich zo goed als hij kon zonder zeep. Hij spoelde het overhemd uit, hing het aan een spijker te drogen en haalde een ander uit zijn koffer.

Een kaarsrechte oprijlaan van bijna een kilometer lang liep naar de voordeur van het kasteel, maar die was te open en Harald volgde een omweg door het bos. Hij kwam langs de stallen, liep door de moestuin en bekeek de achterkant van het huis vanuit de beschutting van een ceder. Hij kon bepalen waar de zitkamer was, omdat de openslaande deuren naar het terras openstonden. Ernaast lag de eetkamer, herinnerde hij zich. De verduisteringsgordijnen waren nog niet dichtgetrokken, omdat de elektrische lampen nog niet aan waren. Hij zag al wel een kaars flakkeren.

Hij nam aan dat de familie aan het diner zat. Tik zou op school zitten – de jongens van Jansborg mochten maar om de veertien dagen naar huis en dit was een schoolweekend – dus zouden alleen Karen en haar ouders aan tafel zitten, tenzij er gasten waren. Hij besloot het risico te lopen om dichterbij te gaan kijken.

Hij stak het grasveld over en sloop naar het huis. Hij hoorde het geluid van een omroeper van de BBC die vertelde dat de strijdkrachten van de Franse regering in Vichy Damascus hadden overgegeven aan een leger bestaande uit Britten, vrije Fransen en troepen uit het Gemenebest. Het was aardig om voor de verandering eens van een Engelse overwinning te horen, maar hij kon moeilijk inzien hoe het goede nieuws uit Syrië zijn nicht Monika in Hamburg kon helpen. Toen hij door het raam van de eetkamer keek, zag hij dat het diner voorbij was en dat het dienstmeisje de tafel afruimde.

Een ogenblik later zei een stem achter hem: 'Wat ben jij aan het doen?' Hij draaide zich met een ruk om.

Karen kwam over het terras naar hem toe lopen. Haar bleke huid lichtte op in het licht van de vroege avond. Ze droeg een lange zijden jurk in een blauwgroene pasteltint. Haar houding van danseres zorgde ervoor dat het leek alsof ze gleed. Ze maakte de indruk van een geest.

'Stil,' zei hij.

Ze herkende hem niet bij het vervagende licht. 'Stil?' zei ze verontwaardigd. Haar geprikkelde toon had niets weg van een geest. 'Ik ontdek een indringer die door een raam naar binnen staat te gluren en hij vertelt me dat ik stil moet zijn?' Binnen werd geblaft.

Harald wist niet of Karen echt kwaad was of alleen geamuseerd. 'Ik wil niet dat jouw vader weet dat ik hier ben!' zei hij op een gedempte en dringende toon.

'Als ik jou was zou ik me meer zorgen maken over de politie dan over mijn vader.'

Thor, de oude rode setter, kwam naar buiten rennen om een inbreker aan te vallen, maar hij herkende Harald en likte zijn hand.

'Ik ben Harald Olufsen. Ik was hier twee weken geleden.'

'O – de jongen van de boogie-woogie! Waarom sluip jij over het terras? Ben je teruggekomen om ons te beroven?'

Tot ontzetting van Harald kwam meneer Duchwitz naar de openslaande deuren en keek naar buiten. 'Karen?' riep hij. 'Is daar iemand?'

Harald hield zijn adem in. Als Karen hem nu verried, kon ze alles bederven.

Na een ogenblik zei ze: 'Het is in orde, papa – gewoon een vriend.'

Meneer Duchwitz tuurde in de schemering naar Harald, maar leek hem niet te herkennen en even later verdween hij weer brommend naar binnen.

'Bedankt,' fluisterde Harald.

Karen ging op een muurtje zitten en stak een sigaret aan. 'Niets te danken, maar je moet me wel vertellen wat er allemaal aan de hand is.' De jurk paste bij haar groene ogen die in haar gezicht straalden, alsof ze vanbinnen werden verlicht.

Hij ging op de muur tegenover haar zitten. 'Ik heb ruzie gehad met mijn vader en ben van huis weggegaan.'

'Waarom ben je hierheen gekomen?'

Karen was voor de helft de reden, maar hij besloot dat niet te zeggen. 'Ik heb een baantje bij boer Nielsen. Ik ga zijn tractoren en machines repareren.'

'Je bent ondernemend. Waar woon je?'

'Eh… in het oude klooster.'

'En je matigt je ook nogal wat aan.'

'Ik weet het.'

'Ik neem aan dat je dekens en zo hebt meegebracht?'

'Eigenlijk niet.'

'Het kan 's nachts fris zijn.'

'Ik overleef het wel.'

'Hmm.' Ze zat een poosje zwijgend te roken en keek naar de duisternis die als een mist over de tuin viel. Harald keek naar haar, gebiologeerd door het schemerlicht op de vlakken van haar gezicht, de brede mond, de iets gebogen neus en de bos weerbarstig haar die samen betoverend lieftallig waren. Hij keek naar haar volle lippen toen ze de rook uitblies. Ten slotte gooide ze haar sigaret in een bloembed, stond op en zei: 'Nou, veel geluk.' Toen liep ze het huis weer in en sloot de openslaande deuren achter zich.

Dat was abrupt, dacht Harald. Hij voelde zich ontmoedigd en bleef nog een minuut zitten. Hij zou met alle plezier de hele nacht met haar hebben willen praten, maar zij was hem na vijf minuten al beu. Hij herinnerde zich nu dat hij zich tijdens het weekend dat hij hier had gelogeerd, bij haar afwisselend welkom en afgewezen had gevoeld. Misschien was het een spel dat ze speelde. Of misschien was het een afspiegeling van haar eigen onzekere gevoelens. Hij koesterde zich graag in de gedachte dat zij misschien iets voor hem voelde, zelfs als ze daarin wankelmoedig was.

Hij liep terug naar het klooster. Het begon al aardig af te koelen. Karen had gelijk, het zou fris worden. De kerk had een stenen vloer die er koud uitzag. Hij wenste dat hij eraan had gedacht een deken van thuis mee te nemen.

Hij keek om zich heen. Het licht van de sterren dat door de ramen naar binnen viel, verlichtte vaag het inwendige van de kerk. De oostzijde had een gebogen muur die ooit het altaar had omsloten. Langs de ene zijmuur liep een brede richel. Erboven hing een baldakijn van tegels en Harald vermoedde dat daar ooit iets had gehangen wat werd vereerd – een heilig relikwie, een versierde kelk, een afbeelding van de Heilige Maagd. Voorzover hij kon zien leek dit nog het meeste op een bed en dus ging hij op de richel liggen.

Door een glasloos raam kon hij de toppen van de bomen zien en een heleboel sterren tegen het middernachtelijk blauw van de hemel. Hij dacht aan Karen. Hij verbeeldde zich hoe ze zijn haar streelde met een lief gebaar, hoe zijn lippen de hare beroerden, hoe ze haar armen knuffelend om hem heen sloeg. Deze beelden verschilden sterk van wat hij zich had voorgesteld met Birgit Claussen, het meisje uit Morlunde waarmee hij tijdens het paasweekend was uitgeweest. Wanneer Birgit de hoofdrol speelde in zijn fantasieën, deed ze altijd haar bh uit, of ze rolde op een bed of scheurde in haar haast zijn hemd. De rol van Karen was fijnzinniger, eerder liefdevol dan wellustig, hoewel er diep in haar ogen altijd de belofte van seks sluimerde.

Hij had het koud en stond op. Misschien kon hij in het vliegtuig slapen. Rondtastend in het donker vond hij de deurkruk. Maar toen hij de deur opende, hoorde hij schuifelende geluiden en herinnerde zich weer dat de muizen zich in de bekleding van een stoel hadden genesteld. Hij was niet bang voor rondrennende beestjes, maar om in dezelfde ruimte te slapen, ging hem net iets te ver.

Hij keek naar de Rolls Royce. Hij zou opgekruld op de achterbank kunnen liggen en meer ruimte hebben dan in de Hornet Moth. In het donker het canvas dekzeil eraf halen, zou wel enige tijd vergen, maar misschien was het de moeite waard. Hij vroeg zich af of de auto was afgesloten.

Hij morrelde aan het dekzeil en zocht naar een soort knoop die hij los kon maken, toen hij lichte voetstappen hoorde. Hij verstarde. Een ogenblik later streek de lichtbundel van een zaklantaarn langs het raam. Had de familie Duchwitz een nachtwaker?

Hij keek door de deur naar de kloostergang. Het licht kwam dichterbij. Hij ging met zijn rug tegen de muur staan en probeerde niet te ademen. Toen hoorde hij een stem. 'Harald?'

Zijn hart sloeg over van vreugde. 'Karen.'

'Waar zit je?'

'In de kerk.'

De lichtstraal vond hem en toen scheen ze naar boven om strooilicht te krijgen. Hij zag dat ze een bundel droeg. 'Ik heb een paar dekens bij me.'

Hij glimlachte. Hij zou straks dankbaar zijn voor de warmte, maar hij was nog gelukkiger met het feit dat ze iets om hem gaf. 'Ik dacht er net over om in de auto te gaan slapen.'

'Je bent te lang.'

Toen hij de dekens uitrolde, vond hij er nog iets anders in.

'Ik dacht dat je misschien wel honger zou hebben,' was de verklaring die ze gaf.

Bij het licht van haar zaklamp zag hij een half brood, een bakje aardbeien en een stuk worst. Er was ook een thermosfles. Hij schroefde de dop open en rook verse koffie.

Hij besefte dat hij uitgehongerd was. Hij viel op het voedsel aan en probeerde niet te eten als een uitgehongerde jakhals. Hij hoorde een meeuw en een kat kwam de lichtcirkel in. Het was de magere, zwartwitte kat die hij ook had gezien toen hij de kerk binnenkwam. Hij liet een stukje worst op de grond vallen. De kat snoof eraan, draaide het om met een poot en begon er toen kieskeurig van te eten. 'Hoe heet de kat?' vroeg Harald aan Karen.

'Ik geloof niet dat hij een naam heeft. Het is een zwerfkat.'

Achter op zijn kop had hij een plukje haar dat op een piramide leek.

'Ik denk dat ik hem Pinetop noem, naar mijn favoriete pianist.'

'Passende naam.'

Hij at alles op. 'Tjonge, dat was lekker. Bedankt.'

'Ik had meer moeten meenemen. Wanneer heb je voor het laatst gegeten?'

'Gisteren.'

'Hoe ben je hier gekomen?'

'Motorfiets.' Hij wees door de kerk naar de plek waar hij de motor had geparkeerd. 'Maar die rijdt niet hard, omdat ik er turf in stook, dus heb ik er twee dagen over gedaan om van Sande hierheen te komen.'

'Je bent een vastberaden type, Harald Olufsen.'

'O ja?' Hij wist niet zeker of het als compliment bedoeld was.

'Ja. Eigenlijk heb ik nog nooit iemand ontmoet zoals jij.'

Al met al dacht hij dat het goed was. 'Nou, om je de waarheid te vertellen, vind ik hetzelfde van jou.'

'Ach, kom nou. De wereld is vol met verwende meisjes die balletdanseres willen worden, maar hoeveel mensen zijn dwars door Denemarken gereden op een motorfiets die op turf loopt?'

Hij lachte vrolijk. Een minuut lang zeiden ze niets. 'Het spijt me heel erg van Poul,' zei Harald ten slotte. 'Het moet voor jou een vreselijke schok zijn geweest.'

'Ik was er helemaal kapot van. Ik heb de hele dag gehuild.'

'Waren jullie erg intiem?'

'We zijn maar drie keer met elkaar uit geweest en ik hield niet van hem, maar dat maakte het niet minder verschrikkelijk.' Er kwamen weer tranen in haar ogen en ze snoof en slikte.

Harald was beschamend blij toen hij hoorde dat ze niet verliefd op Poul was geweest. 'Het is erg triest,' zei hij en voelde zich een hypocriet.

'Ik was diepbedroefd toen mijn grootmoeder overleed, maar op de een of andere manier was dit erger. Oma was oud en ziek, terwijl Poul vol energie zat en grappig, knap en gezond was.'

'Weet je hoe het gebeurd is?' vroeg Harald voorzichtig.

'Nee – het leger doet er belachelijk geheimzinnig over,' zei ze en haar stem kreeg een boze klank. 'Ze zeggen alleen maar dat zijn vliegtuig is neergestort en dat de details geheim zijn.'

'Misschien willen ze iets in de doofpot stoppen.'

'Wat dan?' vroeg ze scherp.

Harald besefte dat hij haar niet kon vertellen wat hij dacht zonder zijn eigen band met de verzetsbeweging te onthullen. 'Hun eigen incompetentie?' verzon hij. 'Misschien was het vliegtuig niet goed onderhouden.'

'Ze kunnen het excuus van militair geheim toch niet gebruiken om zoiets te verhullen.'

'Natuurlijk kunnen ze dat wel. Wie zou het te weten komen?'

'Ik geloof niet dat onze officieren zo eerloos zouden zijn,' zei ze stijfjes.

Harald besefte dat hij haar had beledigd, net als de eerste keer dat hij haar had ontmoet – en op dezelfde manier, door haar goedgelovigheid aan de kaak te stellen. 'Ik weet zeker dat jij gelijk hebt,' zei hij haastig. Dat was niet gemeend, want hij wist dat ze het mis had. Maar hij wilde geen ruzie met haar maken.

Karen stond op. 'Ik moet naar huis voordat ze alles afsluiten.' Haar stem klonk koel.

'Bedankt voor het eten en de dekens – je bent een reddende engel.'

'Niet mijn gebruikelijke rol,' zei ze iets milder.

'Zie ik je morgen nog?'

'Misschien. Goedenacht.'

'Goedenacht.'

Toen was ze verdwenen.

14

Hermia sliep slecht. Ze droomde dat ze stond te praten met een Deense politieman. Het gesprek was vriendschappelijk, hoewel ze bang was om zichzelf te verraden. Pas na een poosje besefte ze, dat ze Engels spraken. De man bleef doorpraten alsof er niets aan de hand was, terwijl zij bevend wachtte tot hij haar zou arresteren.

Ze werd wakker en merkte dat ze op een smal bed lag in een pension op het eiland Bornholm. Opgelucht merkte ze dat het gesprek met de politieman een droom was geweest – maar er was niets onwerkelijks aan het gevaar waarmee ze te maken kreeg nu ze wakker was. Ze bevond zich in bezet gebied, had vervalste papieren waaruit zou moeten blijken dat ze een secretaresse op vakantie was en wanneer ze werd betrapt, zou ze als spionne worden opgehangen.

In Stockholm hadden Digby en zij hun Duitse volgers weer voor de gek gehouden met dubbelgangers en nadat ze hun schaduwen hadden afgeschud, waren ze op een trein naar de zuidkust gestapt. In het vissersdorpje Kalvsby hadden ze een schipper gevonden die bereid was haar naar het dertig kilometer zuidelijker gelegen Bornholm te brengen. Ze nam afscheid van Digby – die onmogelijk voor een Deen kon doorgaan – en stapte aan boord. Hij ging voor een dag naar Londen om verslag uit te brengen aan Churchill, maar hij zou meteen weer terugvliegen en haar op de steiger in Kalvsby opwachten wanneer ze terugkwam – als ze tenminste terugkwam.

De visser had haar gisteren op een eenzaam strand met haar fiets aan land gezet. De man had beloofd om vier dagen later op dezelfde plaats en dezelfde tijd terug te keren. Voor de zekerheid had Hermia hem beloofd het dubbele te betalen voor de terugreis.

Ze was naar Hammershus gefietst, de kasteelruïne waar ze met Arne had afgesproken en had de hele dag op hem gewacht. Hij was niet komen opdagen.

Ze zei bij zichzelf dat ze niet verbaasd moest zijn. Arne had de vorige dag gewerkt en ze nam aan dat hij niet vroeg genoeg had kunnen wegkomen om 's middags de veerboot te pakken. Hij had waarschijnlijk de veerboot van zaterdagochtend genomen en was te laat op Bornholm aangekomen om voor het donker naar Hammershus te fietsen. In die omstandigheden zou hij een plaats zoeken om de nacht door te brengen en 's ochtends meteen naar het rendez-vous komen. Dat geloofde ze tenminste tijdens de optimistische ogenblikken. Maar door haar achterhoofd speelde voortdurend de gedachte dat hij misschien was gearresteerd. Het had geen zin om zichzelf af te vragen waarvoor hij gearresteerd kon zijn of om aan te voeren dat hij nog geen misdaad had begaan, want dat bracht haar alleen maar op hersenschimmige fantasieën waarin hij een verraderlijke vriend in vertrouwen had genomen of alles in een agenda had geschreven.

Later die dag, toen ze niet meer geloofde dat Arne nog zou komen, was ze naar het dichtstbijzijnde dorp gefietst. In de zomer boden veel eilanders kamers met ontbijt aan voor toeristen en zonder veel moeite vond ze een plaats om te overnachten. Ze stapte bezorgd en hongerig in bed en werd geplaagd door nachtmerries.

Onder het aankleden herinnerde ze zich de vakantie die Arne en zij op dit eiland hadden doorgebracht. Ze hadden zich in het hotel ingeschreven als meneer en mevrouw Olufsen en ze had zich op dat moment heel intiem met hem gevoeld. Hij hield van gokken en sloot weddenschappen met haar af voor haar seksuele gunsten. 'Als de rode boot het eerst de haven in vaart, moet je morgen de hele dag zonder onderbroek lopen en als de blauwe boot wint, mag jij vanavond boven liggen.' Je mag alles wat je wilt, liefste, dacht ze, als je vandaag maar komt opdagen.

Ze besloot vanochtend te ontbijten voordat ze weer naar Hammershus fietste. Misschien moest ze weer de hele dag wachten en ze wilde niet flauwvallen van de honger. Ze trok de goedkope nieuwe kleren aan die ze in Stockholm had gekocht – Engelse kleren zouden haar kunnen verraden – en liep naar beneden.

Ze voelde zich nerveus toen ze de eetkamer inliep. Het was meer dan een jaar geleden sinds ze dagelijks Deens had gesproken. Na de landing van gisteren had ze slechts een paar keer enkele woorden gewisseld. Nu zou ze meer moeten praten.

Er zat een andere gast in het vertrek, een man van middelbare leeftijd met een vriendelijke glimlach die zei: 'Goedemorgen, ik ben Sven Fromer.'

Hermia dwong zich om te ontspannen. 'Agnes Ricks,' zei ze, de naam op haar vervalste papieren. 'Het is een prachtige dag.' Ze had niets te vrezen, zei ze tegen zichzelf. Ze sprak Deens met het accent van de grote stad en Denen kwamen er pas achter dat ze Engelse was wanneer zij het hun vertelde. Ze pakte havermoutpap, goot er koude melk over en begon te eten. De spanning die ze voelde, maakte het haar moeilijk om te slikken.

Sven glimlachte tegen haar en zei: 'Engelse manier.'

Ze keek hem verbijsterd aan. Hoe had hij haar zo snel ontmaskerd? 'Wat bedoelt u?'

'De manier waarop u uw pap eet.'

Hij had zijn melk in een glas en nam af en toe een slokje tussen de happen pap. Zo aten de Denen hun pap, wist ze heel goed. Ze ver-

175

vloekte haar zorgeloosheid en probeerde zich eruit te bluffen. 'Ik heb het liever zo,' zei ze zo nonchalant mogelijk. 'De melk koelt de pap af zodat je sneller kunt eten.'

'Een meisje met haast. Waar komt u vandaan?'

'Kopenhagen.'

'Ik ook.'

Hermia wilde niet verzeild raken in een gesprek over waar precies ze allebei in Kopenhagen woonden. Dat zou te gemakkelijk kunnen leiden tot het maken van nog meer fouten. De veiligste weg zou zijn om hem vragen te stellen. Ze had nog nooit een man ontmoet die niet over zichzelf wilde praten. 'Bent u op vakantie?'

'Helaas niet. Ik ben landmeter en werk voor de overheid. Het werk is echter gedaan en ik hoef morgen pas naar huis, dus ga ik vandaag wat rondrijden en dan neem ik vanavond de nachtboot.'

'U hebt een auto?'

'Die heb ik nodig voor mijn werk.'

De hospita kwam met ham en bruinbrood. Toen ze weer weg was, zei Sven: 'Als u alleen bent, wil ik u met alle plezier rondrijden.'

'Ik ben verloofd,' zei Hermia kortaf.

Hij glimlachte meesmuilend. 'Uw verloofde is een gelukkig man. Desondanks zou ik geen enkel bezwaar hebben tegen uw gezelschap.'

'Beschouw het alstublieft niet als een belediging, maar ik wil graag alleen zijn.'

'Ik begrijp het heel goed. Ik hoop dat u het niet erg vindt dat ik het vroeg.'

Ze schonk hem haar charmantste glimlach. 'Integendeel, ik ben gevleid.'

Hij schonk zich nog een kop surrogaatkoffie in en leek geneigd nog even te blijven zitten. Hermia begon zich te ontspannen. Tot dusver had ze geen argwaan gewekt.

Een andere gast kwam de eetkamer in, een man van Hermia's leeftijd in een keurig kostuum. Hij boog stijfjes en sprak Deens met een Duits accent. 'Goedemorgen, ik ben Helmut Müller.'

Hermia's hart bonsde. 'Goedemorgen,' zei ze. 'Agnes Ricks.'

Müller wendde zich verwachtingsvol naar Sven die opstond, nadrukkelijk geen aandacht besteedde aan de nieuwkomer en het vertrek uit beende.

Müller ging zitten met een gekwetste uitdrukking op zijn gezicht. 'Dank u voor uw hoffelijkheid,' zei hij tegen Hermia.

Hermia probeerde normaal te doen. Ze kneep haar handen samen om het trillen te onderdrukken. 'Waar komt u vandaan, Herr Müller?'

'Ik ben geboren in Lübeck.'

Ze vroeg zich af wat een vriendelijke Deen tegen een Duitser zou zeggen tijdens een nietszeggend gesprekje. 'U spreekt onze taal goed.'

'Toen ik klein was, ging mijn familie vaak naar Bornholm op vakantie.'

Hij koesterde geen argwaan, zag Hermia, dus durfde ze wel een minder oppervlakkige vraag te stellen. 'Vertelt u me eens, weigeren veel mensen met u te praten?'

'De botheid die onze medegast net tentoon heeft gespreid is ongebruikelijk. Onder de huidige omstandigheden moeten Duitsers en Denen er samen iets van maken en de meeste Denen zijn beleefd.' Hij wierp haar een nieuwsgierig blik toe. 'Maar u moet dat toch ook hebben gemerkt – tenzij u net uit een ander land bent gekomen.'

Ze besefte dat ze weer in de fout was gegaan. 'Nee, nee,' herstelde ze zich haastig. 'Ik kom uit Kopenhagen waar we, zoals u zegt, zo goed mogelijk samenleven. Ik vroeg me alleen af of het hier op Bornholm anders was.'

'Nee, ongeveer hetzelfde.'

Elk gesprek was gevaarlijk, besefte ze. Ze stond op. 'Goed, ik hoop dat u geniet van uw ontbijt.'

'Dank u.'

'En nog een plezierige dag in ons land.'

'Ik wens u hetzelfde.'

Ze liep de kamer uit en vroeg zich af of ze te vriendelijk was geweest. Overdreven vriendelijkheid kon evengoed argwaan wekken als vijandigheid. Maar uit niets bleek dat hij wantrouwig was.

Toen ze wegreed op haar fiets, zag ze Sven zijn bagage in zijn auto laden. Het was een Volvo PV444 met een aflopende achterkant, een populaire Zweedse auto die je in Denemarken veel zag. Ze zag dat de achterbank was verwijderd om plaats te maken voor zijn uitrusting bestaande uit statieven, een theodoliet en ander materiaal dat gedeeltelijk was verpakt in leren koffers en gedeeltelijk in dekens was gewikkeld om het te beschermen. 'Het spijt me dat ik zo'n scène maakte,' zei hij. 'Ik wilde niet grof zijn tegen u.'

'Niets aan de hand.' Ze kon zien dat hij nog steeds kwaad was. 'Het gaat u kennelijk erg aan het hart.'

'Ik kom uit een militaire familie. Ik kan het erg moeilijk aanvaarden dat wij ons zo gauw hebben overgegeven. Ik vind dat we hadden moeten vechten. We zouden nu moeten vechten!' Hij maakte een gebaar van frustratie alsof hij iets weggooide. 'Ik moet me niet zo laten gaan. Ik val u ermee lastig.'

Ze legde een hand op zijn arm. 'U hoeft zich niet te verontschuldigen.'

'Dank u.'

Ze reed weg.

Churchill ijsbeerde over het croquetveld van Chequers, het officiële buitenverblijf van de Britse eerste minister. Digby herkende de tekenen: hij was in zijn hoofd een toespraak aan het schrijven. Zijn gasten voor het weekend waren de Amerikaanse ambassadeur John Winant en de minister van buitenlandse zaken Anthony Eden met hun vrouwen, maar van hen was niemand te zien. Digby kreeg het idee dat er een crisis was, maar niemand had hem verteld waarom het ging. Meneer Colville, de particulier secretaris van Churchill, gebaarde naar de piekerende premier. Digby liep over het gladde grasperk naar Churchill toe.

Het gebogen hoofd van de eerste minister kwam omhoog. 'Aha, Hoare,' zei hij. Hij stopte met wandelen. 'Hitler is de Sovjet-Unie binnengevallen.'

'Hemel!' zei Digby Hoare. Hij wilde gaan zitten, maar er waren geen stoelen. 'Hemel!' herhaalde hij. Gisteren waren Hitler en Stalin bondgenoten geweest, was hun vriendschap bezegeld met het non-agressiepact van 1939. Vandaag waren ze met elkaar in oorlog. 'Wanneer is dat gebeurd?'

'Vanochtend,' zei Churchill grimmig. 'Generaal Dill is hier net geweest om me de details te geven.' Sir John Dill was de chef van de generale staf van het Britse rijk en daarmee de hoogste militair. 'De eerste schattingen over de omvang van het invasieleger komen uit op drie miljoen man.'

'Drie miljóén?'

'Ze hebben een aanval gelanceerd over een front van meer dan drieduizend kilometer. Er is een noordelijke legergroep op weg naar Leningrad, een centrale die doorstoot naar Moskou en een zuidelijke die richting Oekraïne gaat.'

Digby voelde zich duizelig. 'O, mijn hemel. Is dit het eind, meneer?'

Churchill trok aan zijn sigaar. 'Zou kunnen. De meeste mensen denken dat de Russen niet kunnen winnen. Ze zullen langzaam mobiliseren. Met zware luchtsteun van de Luftwaffe kunnen Hitlers tanks het Rode Leger in een paar weken wegvagen.'

Digby had zijn baas nog nooit zo verslagen gezien. Bij slecht nieuws werd Churchill normaal gesproken nog strijdlustiger en altijd wilde hij op een nederlaag reageren door in de aanval te gaan. Maar vandaag zag hij er afgemat uit. 'Is er enige hoop?' vroeg Digby.

'Ja. Als de Roden het vol kunnen houden tot het eind van de zomer, wordt het een heel ander verhaal. De Russische winter heeft Napoleon verslagen en die zou ook Hitler kunnen opbreken. De volgende drie of vier maanden zijn beslissend.'

'Wat gaat u doen?'

'Vanavond om negen uur zit ik bij de BBC.'

'En wat gaat u zeggen?'

'Dat we Rusland en het Russische volk alle hulp moeten bieden die we kunnen geven.'

Digby trok een wenkbrauw op. 'Voor een overtuigde anti-communist erg moeilijk om voor te stellen.'

'Mijn beste Hoare, wanneer Hitler de hel binnenvalt, zal ik in het lagerhuis op zijn minst een gunstige opmerking maken over de duivel.' Digby glimlachte en vroeg zich af of Churchill overwoog die zin in de toespraak van vanavond te gebruiken. 'Maar kunnen we wel enige hulp bieden?'

'Stalin heeft me gevraagd de bombardementen op Duitsland op te voeren. Hij hoopt dat het Hitler zal dwingen vliegtuigen naar huis te halen voor de verdediging van het vaderland. Dat zou het binnenvallende leger verzwakken en de Russen misschien een gelijke kans geven.'

'Gaat u dat doen?'

'Ik heb geen keus. Ik heb een groot bombardement bevolen op de nacht van de volgende vollemaan. Het zal de grootste luchtoperatie van de oorlog tot nu toe worden, wat wil zeggen in de geschiedenis van de mensheid. Er zullen meer dan vijfhonderd bommenwerpers aan meedoen, ruim de helft van onze gehele sterkte.'

Digby vroeg zich af of zijn broer aan de raid mee zou doen. 'Maar als we evenveel verliezen zouden lijden als de laatste tijd…'

'Dan zullen we ernstig verzwakt raken. Daarom heb ik jou laten roepen. Heb je een antwoord voor me?'

'Ik heb gisteren een agent in Denemarken laten infiltreren. Haar orders zijn om te zorgen voor foto's van de radarinstallatie op Sande. Dat zal het antwoord zijn op de kwestie.'

'Dat mag ook wel. Het bombardement moet over zestien dagen plaatsvinden. Wanneer hoop je de foto's in handen te hebben?'

'Binnen een week.'

'Goed,' zei Churchill.

'Dank u, eerste minister.' Digby draaide zich om.

'Stel me niet teleur,' zei Churchill.

Hammershus lag op het noordelijke puntje van Bornholm. Het kasteel stond op een heuvel. Het keek over de zee uit naar Zweden en had het eiland ooit bewaakt tegen invallen van het buurland. Hermia fietste het kronkelige pad langs de rotsige helling op en vroeg zich af of vandaag even weinig zou opleveren als gisteren. De zon scheen en ze had het warm van de inspanning van het fietsen.

Het kasteel was gebouwd van een mengsel van baksteen en natuursteen. Er stonden nog maar enkele muren triest overeind waaruit bleek dat hier mensen hadden geleefd; grote roetige open haarden waardoor je de hemel kon zien, koude stenen kelders voor de opslag van appels en bier, kapotte trappen die nergens naartoe leidden, smalle vensters waardoor ooit kinderen dromend naar de zee hadden gestaard.

Hermia was vroeg en de ruïne was verlaten. Te oordelen naar de ervaring van gisteren zou ze die nog ruim een uur voor zichzelf hebben. Hoe zou het zijn als Arne vandaag wel verscheen, vroeg ze zich af, terwijl ze haar fiets door vervallen zuilengangen en over met gras begroeide tegels duwde.

In het Kopenhagen van voor de inval waren Arne en zij een aantrekkelijk paar geweest, het middelpunt van een groep jonge officieren en knappe meisjes die altijd feestjes en picknicks hadden, gingen dansen en sporten, zeilden en paardreden en naar het strand gingen. Zou ze voor Arne tot zijn verleden behoren, nu die tijd voorbij was? Over de telefoon had hij gezegd dat hij nog steeds van haar hield – maar hij had haar meer dan een jaar niet gezien. Zou hij haar veranderd vinden? Zou hij nog steeds houden van de geur van haar haren en de smaak van haar mond? Ze begon zich nerveus te voelen.

Ze had gisteren de hele dag al naar ruïnes gekeken en had er nu geen belangstelling meer voor. Ze liep naar de zeezijde, zette haar fiets tegen een laag stenen muurtje en keek naar het strand ver beneden. Een bekende stem zei: 'Hallo, Hermia.'

Ze draaide zich met een ruk om en zag Arne glimlachend en met gespreide armen op haar af komen. Hij had achter een toren gewacht. Haar nervositeit verdween. Ze rende in zijn armen en omhelsde hem hard genoeg om hem pijn te doen.

'Wat is er?' vroeg hij. 'Waarom huil je?'

Ze besefte dat ze huilde, dat haar borst op- en neerging van de snikken en dat tranen over haar wangen stroomden. 'Ik ben zo gelukkig,' zei ze.

Hij kuste haar natte wangen. Ze hield zijn gezicht tussen haar beide handen, bevoelde het met haar vingertoppen om zichzelf te bewijzen dat hij echt was, dat dit niet een verbeelde scène was waarover ze zo vaak had gedroomd. Ze drukte haar gezicht tegen zijn hals, ademde zijn geur in van legerzeep en brillantine en vliegtuigbrandstof. In haar dromen kwamen geen geuren voor.

Ze werd overweldigend door emoties, maar haar gevoelens veranderden langzaam van opwinding en geluk in iets anders. Tedere kussen werden begerig en hongerig, hun zachte strelingen werden dwingend. Ze kreeg een zwak gevoel in haar knieën en zakte op het gras waarbij ze hem meetrok. Ze likte zijn hals, zoog aan zijn lip en beet in zijn oorlelletje. Zijn erectie drukte tegen haar dijbeen. Ze friemelde met de knopen van zijn uniformbroek, opende de gulp, zodat ze hem goed kon voelen. Hij trok de rok van haar jurk omhoog en gleed met zijn hand achter de band van haar broekje. Even voelde ze zich preuts verlegen, omdat ze zo nat was, toen verdween dat gevoel in golven van genot. Ongeduldig verbrak ze de omhelzing net lang genoeg om haar broekje uit te trekken en opzij te gooien, toen trok ze hem boven op haar. Ze bedacht ineens dat ze volledig zichtbaar waren voor eventuele vroege toeristen die de ruïnes kwamen bezichtigen, maar het kon haar niet schelen. Ze wist dat later, wanneer de onstuimigheid was weggetrokken, ze zou huiveren van schrik bij de gedachte aan het risico dat ze had gelopen, maar ze kon zich nu niet inhouden. Ze hijgde toen hij bij haar binnenging, klemde zich aan hem vast met haar armen en benen, perste zijn buik tegen de hare, zijn borst tegen haar borsten, zijn gezicht tegen haar gezicht met een onverzadigbare honger naar het voelen van zijn lichaam. Ook dat verdween, toen ze zich concentreerde op een stipje van intens genot dat klein en heet begon als een verre ster, steeds groter werd en meer en meer van haar lichaam in bezit nam, tot het ontplofte.

Ze bleven even stil liggen. Ze genoot van het gewicht van zijn lichaam, het gevoel van ademloosheid dat het haar gaf, het langzame slap worden van hem. Toen viel er een schaduw over hen heen. Het was slechts een wolk die voor de zon schoof, maar het herinnerde haar eraan dat de ruïne toegankelijk was voor publiek en dat er ieder moment iemand kon komen. 'Zijn we nog alleen?' mompelde ze.

Hij hief zijn hoofd op en keek om zich heen. 'Ja.'

'We kunnen beter opstaan voordat de toeristen komen.'

'Goed.'

Ze greep hem vast, toen hij omhoogkwam. 'Nog een kus.'

Hij kuste haar zacht en stond vervolgens op.

Ze vond haar broekje en trok dat snel aan. Ook zij stond op en sloeg het gras van haar jurk. Nu ze weer fatsoenlijk gekleed was, verdween het dwingende gevoel en trok een heerlijk gevoel van moeheid door alle spieren van haar lichaam, zoals ook soms gebeurde wanneer ze op een zondagochtend in bed lag en slaperig naar de kerkklokken luisterde.

Ze leunde op het muurtje, keek naar de zee en Arne sloeg zijn arm om haar heen. Het was moeilijk om haar gedachten weer op oorlog, misleiding en geheimen te richten.

'Ik werk voor de Britse inlichtingendienst,' zei ze abrupt.

Hij knikte. 'Daar was ik al bang voor.'

'Bang? Waarom?'

'Het betekent dat je in nog groter gevaar verkeert dan wanneer je alleen hierheen was gekomen om mij te zien.'

Ze was blij dat zijn eerste gedachte het gevaar gold waarin zij verkeerde. Hij hield echt van haar. Maar zij bracht problemen. 'Nu loop jij ook gevaar, alleen al omdat je in mijn gezelschap bent.'

'Dat moet je me uitleggen.'

Ze ging op het muurtje zitten en ordende haar gedachten. Ze was vergeten een beperkte versie van het verhaal te bedenken, zodat hij alleen maar te horen kreeg wat hij absoluut moest weten. Hoeveel ze nu ook weg liet, de halve waarheid vertellen had geen zin, dus moest hij alles te horen krijgen. Ze ging hem vragen zijn leven te riskeren en hij moest weten waarom.

Ze vertelde hem van de Nachtwakers, de arrestaties op het vliegveld van Kastrup, het vreselijke verlies aan bommenwerpers, de radarinstallatie op zijn thuiseiland Sande, de aanwijzing *himmelbett* en de betrokkenheid van Poul Kirke. Terwijl zij haar verhaal deed, veranderde zijn gezicht. De blijdschap verdween uit zijn ogen en zijn eeuwige glimlach maakte plaats voor een blik van bezorgdheid. Ze vroeg zich af of hij de opdracht aan zou nemen.

Als hij een lafaard was, had hij er toch zeker niet voor gekozen om te vliegen in de fragiele toestellen van hout en linnen van de Deense luchtmacht? Aan de andere kant maakte het piloot zijn deel uit van zijn drieste imago. En vaak stelde hij plezier boven werk. Het was een van de redenen waarom ze van hem hield: zij was te ernstig en hij zorgde ervoor dat ze genoot. Wie was de echte Arne – de bon-vivant of de piloot? Tot nu toe was hij nooit op de proef gesteld.

'Ik ben gekomen om je te vragen te doen wat Poul zou hebben gedaan als hij nog had geleefd: naar Sande gaan, doordringen tot de basis en de radarinstallatie bekijken.'

Arne knikte met een plechtige blik.

'We hebben foto's nodig, goede.' Ze boog zich over haar fiets, opende de fietstas een haalde er een kleine 35 mm camera uit, van Duitse makelij, een Leica IIIa. Ze had een miniatuur Minox Riga overwogen die gemakkelijker te verbergen was, maar uiteindelijk de voorkeur gegeven aan de precisie van de Leicalens. 'Dit is waarschijnlijk het belangrijkste wat je ooit is gevraagd. Wanneer wij hun radarsysteem begrijpen, zullen we een manier kunnen bedenken om het te omzeilen en daarmee de levens van duizenden piloten redden.'

'Dat begrijp ik.'

'Als je wordt betrapt, zul je worden geëxecuteerd voor spionage – doodgeschoten of opgehangen.' Ze hield hem de camera voor.

Half en half wilde ze dat hij de opdracht afwees, want ze kon de gedachte aan het gevaar waarin hij zou verkeren als hij ja zei, nauwelijks verdragen. Maar, als hij weigerde, kon ze hem dan ooit nog respecteren? Hij pakte de camera niet aan. 'Poul stond aan het hoofd van jouw Nachtwakers.'

Ze knikte.

'Ik neem aan dat de meeste van onze vrienden er deel van uitmaakten.'

'Het is beter dat je niet weet…'

'Ongeveer iedereen, alleen ik niet.'

Ze knikte, bang voor wat ging komen.

'Je vindt dat ik de lafaard ben.'

'Het leek niet bij jou te passen…'

'Omdat ik van feestjes hou en grappen maak en met meisjes flirt, dacht je dat ik niet het lef had voor geheim werk.' Ze zei niets, maar hij drong aan. 'Geef antwoord.'

Ze knikte triest.

'In dat geval, zal ik moeten bewijzen dat je ongelijk had.' Hij nam de camera aan.

Ze wist niet of ze blij of verdrietig moest zijn. 'Dank je,' zei ze, haar tranen onderdrukkend. 'Je zult toch wel voorzichtig zijn?'

'Ja. Maar er is een probleem. Ik werd naar Bornholm gevolgd.'

'Verdorie.' Dit was iets waarmee ze geen rekening had gehouden. 'Weet je het zeker?'

'Ja. Ik zag een stel mensen rondhangen bij de basis, een man en een jonge vrouw. Zij zat bij mij in de trein naar Kopenhagen en daarna zat hij op de veerboot. Toen ik hier was, volgde hij me op een fiets en daarachter reed een auto. Een paar kilometer buiten Rønne heb ik ze afgeschud.'

'Ze moeten je verdenken van samenwerken met Poul.'

'Ironisch genoeg deed ik dat niet.'

'Wie zijn het, denk je?'

'Deense politiemensen die orders krijgen van de Duitsers.'

'Nu je ze hebt afgeschud, zullen ze ongetwijfeld denken dat je schuldig bent. Ze moeten nog steeds naar je uitkijken.'

'Ze kunnen niet elk huis op Bornholm doorzoeken.'

'Nee, maar ze zullen mensen hebben die de haven en het vliegveld in het oog houden.'

'Daar had ik niet aan gedacht. Hoe keer ik nu terug naar Kopenhagen?'

Hij dacht nog niet als een spion, merkte Hermia. 'We zullen je op de een of andere manier aan boord van de veerboot moeten smokkelen.'

'En waar moet ik dan naartoe? Ik kan niet terug naar de vliegschool – het is de eerste plaats waar ze zullen zoeken.'

'Je zult bij Jens Toksvig moeten logeren.'

Het gezicht van Arne versomberde. 'Dus hij is een van de Nachtwakers.'

'Ja. Zijn adres...'

'Ik weet waar hij woont,' snauwde Arne. 'Hij was mijn vriend voordat hij Nachtwaker werd.'

'Hij kan wat zenuwachtig zijn vanwege de dood van Poul...'

'Hij zal me niet voor de deur laten staan.'

Hermia deed net of ze niet merkte hoe boos Arne was. 'Laten we aannemen dat je de veerboot van vanavond haalt. Hoelang heb je dan nodig om op Sande te komen?'

'Ik zal eerst met mijn broer Harald praten. Hij heeft op de basis gewerkt toen ze daar aan het bouwen waren, dus kan hij me de indeling geven. Dan moet je een volle dag rekenen om op Jutland te komen, omdat de treinen altijd vertraging hebben. Ik zou er dinsdag laat kunnen zijn. Dan woensdag de basis binnensluipen en donderdag terug naar Kopenhagen. Hoe kom ik weer in contact met jou?'

'Kom hier volgende vrijdag terug. Als de politie de veerboot nog steeds in de gaten houdt, zul je een manier moeten vinden om jezelf te vermommen. Ik ontmoet je dan weer hier. We steken vervolgens naar Zweden over met de visser die me heeft gebracht. We zorgen dat je op het Engelse gezantschap valse papieren krijgt en dan vliegen we samen naar Engeland.'

Hij knikte grimmig.

'Als het lukt,' zei ze, 'kunnen we over een week weer samen zijn en vrij.'

Hij glimlachte. 'Het lijkt te mooi om op te hopen.'

Hij hield echt van haar, besloot ze, ook al voelde hij zich nog steeds gekwetst, omdat hij buiten de Nachtwakers was gehouden. En toch was ze er diep in haar hart nog steeds niet van overtuigd of hij wel het lef had voor dit werk. Maar daar zou ze ongetwijfeld achterkomen. Terwijl zij hadden staan praten, waren de eerste toeristen verschenen en een handjevol mensen slenterde nu door de ruïne, tuurde in de kelders en raakte de oude stenen aan. 'Laten we weggaan,' zei Hermia. 'Ben je op een fiets gekomen?'

'Die staat achter de toren.'

Arne haalde zijn fiets op en ze lieten het kasteel achter zich. Om moeilijker herkenbaar te zijn droeg Arne een zonnebril en een pet. De vermomming zou een nauwkeurige controle van de passagiers die aan boord van de veerboot stapten, niet doorstaan, maar hem onderweg misschien wel beschermen bij een toevallige ontmoeting met zijn achtervolgers.

Hermia dacht na over het probleem om van het eiland af te komen, terwijl ze zonder trappen van de heuvel reden. Kon ze Arne beter vermommen? Ze had geen pruik of andere kleren bij zich en ook geen andere make-up dan de lippenstift en poeder die ze zelf gebruikte. Hij moest er totaal anders uitzien en daarvoor had hij professionele hulp nodig. Die kon hij ongetwijfeld wel in Kopenhangen vinden, maar niet hier.

Aan de voet van de heuvel zag ze Sven Fromer, de andere Deense gast uit het pension, die uit zijn Volvo stapte. Ze wilde niet dat hij Arne zag en hoopte hem voorbij te kunnen rijden zonder dat ze haar opmerkte, maar het geluk was niet met haar. Hij zag haar, zwaaide en bleef afwachtend naast het pad staan. Het zou verdacht en bot zijn geweest om hem zomaar voorbij te rijden, dus voelde ze zich verplicht om te stoppen.

'We ontmoeten elkaar weer,' zei hij. 'Dit moet uw verloofde zijn.'

Ze had van Sven geen gevaar te duchten, zei ze bij zichzelf. Er was niets verdachts aan wat hij deed en bovendien was Sven anti-Duits.

'Dit is Oluf Arnesen,' zei ze, waarbij ze de naam van Arne omdraaide.
'Oluf, dit is Sven Fromer. We hebben afgelopen nacht in hetzelfde pension gelogeerd.'
De twee mannen schudden elkaar de hand. 'Bent u hier lang geweest?' vroeg Arne.
'Een week. Ik vertrek vanavond.'
Hermia kreeg ineens een idee. 'Sven,' zei ze. 'Vanochtend vertelde u me dat we eigenlijk tegen de Duitsers zouden moeten vechten.'
'Ik praat te veel. Ik zou voorzichtiger moeten zijn.'
'Als ik u een kans bood om de Engelsen te helpen, zou u dat gevaar dan willen lopen?'
Hij keek haar strak aan. 'U?' zei hij. 'Maar hoe… Wilt u me zeggen dat u…'
'Zou u het willen doen?' drong ze aan.
'Dit is een soort valstrik, hè?'
'U zult me moeten vertrouwen. Ja of nee.'
'Ja,' zei hij. 'Wat moet ik doen?'
'Kunt u achter in de auto een man verbergen?'
'Natuurlijk. Ik zou hem kunnen verstoppen achter mijn uitrusting. Hij zou niet gemakkelijk zitten, maar er is ruimte.'
'Zou u vanavond iemand op de veerboot willen smokkelen?'
Sven keek naar zijn auto en toen naar Arne. 'U?'
Arne knikte.
Sven glimlachte. 'Ja, verdorie,' zei hij.

15

Haralds eerste werkdag op de boerderij van Nielsen verliep veel beter dan hij had durven hopen. De oude Nielsen had een kleine werkplaats met voor Harald voldoende gereedschap om bijna alles te kunnen repareren. Hij had de waterpomp op een stoomploeg gemaakt, een schakel van een rupsband gelast en de kortsluiting gevonden waardoor elke avond de zekering van de boerderij doorbrandde. Hij had een stevige lunch gegeten met de boerenknechten. 's Avond had hij een paar uur doorgebracht in de dorpsherberg – hoewel hij slechts twee kleine glazen bier had gedronken, omdat hij nog heel goed wist wat de drank een week geleden bij hem had aangericht. Iedereen had het over Hitlers inval op de Sovjet-Unie. Het nieuws was slecht. De Luftwaffe beweerde bij bliksemaanvallen 1800 sovjettoestellen op de grond te hebben vernietigd. In de herberg dacht iedereen dat Moskou voor de winter zou vallen met uitzondering van de plaatselijke communist, maar ook die leek zich zorgen te maken.

Harald vertrok vroeg, omdat Karen had gezegd dat ze hem na het diner misschien kwam opzoeken. Hij voelde zich moe maar tevreden toen hij terugliep naar het oude klooster. Hij ging de ruïne van het gebouw binnen en zag tot zijn verbazing dat zijn broer in de kerk naar het kapotte vliegtuig stond te staren. 'Een Hornet Moth,' zei Arne. 'De luchtkoets van de rijke heren.'

'Het is een wrak,' zei Harald.

'Niet echt. Het onderstel is een beetje verbogen.'

'Hoe is het gebeurd, denk je?'

'Bij de landing. De staart van de Hornet heeft de neiging om naar buiten te zwaaien, omdat de grote wielen te ver naar voren staan. Maar de stangen van de as zijn er niet op gebouwd om zijdelingse druk te weerstaan, dus kunnen ze verbuigen als je te sterk opzij draait.'

Arne zag er vreselijk uit, zag Harald. In plaats van zijn legeruniform droeg hij zo te zien de afgedragen kleren van iemand anders, een versleten tweed jasje en een versleten corduroy broek. Hij had zijn snor afgeschoren en een vettige pet bedekte zijn krulhaar. In zijn handen hield hij een kleine, mooie 35 mm camera. In plaats van de gebruikelijke, zorgeloze glimlach lag er een gespannen uitdrukking op zijn gezicht. 'Wat is er met jou gebeurd?' vroeg Harald bezorgd.

'Ik zit in moeilijkheden. Heb je iets te eten?'

'Helemaal niets. We kunnen naar de herberg gaan...'

'Ik kan mijn gezicht niet laten zien. Ik word gezocht.' Arne wilde

wrang glimlachen, maar het werd een grimas. 'Elke politieman in Denemarken heeft mijn beschrijving en in heel Kopenhagen hangen
aanplakbiljetten van mij. Ik ben over de hele Strøget achternagezeten
door een agent en maar net ontkomen.'
'Zit je bij de verzetsbeweging?'
Arne aarzelde, haalde toen zijn schouders op en zei: 'Ja.'
Harald voelde zijn hart bonzen. Hij ging op de rand van de richel zitten
die hij als bed gebruikte en Arne kwam naast hem zitten. Pinetop de
kater kwam aanlopen en wreef met zijn kop langs Haralds been. 'Dus
je werkte al voor ze, toen ik het je drie weken geleden thuis vroeg?'
'Nee, toen nog niet. Ik ben er eerst buitengelaten. Kennelijk vonden
ze me niet geschikt voor geheim werk. En ze hadden helemaal gelijk.
Maar nu zijn ze wanhopig, dus ben ik erbij gehaald. Ik moet foto's
maken van een apparaat op de militaire basis op Sande.'
Harald knikte. 'Ik heb er een schets van getekend voor Poul.'
'Zelfs jij zat er eerder in dan ik,' zei Arne verbitterd. 'Kijk eens aan.'
'Ik mocht het van Poul niet aan jou vertellen.'
'Kennelijk dacht iedereen dat ik een lafaard was.'
'Ik zou mijn schets nog eens kunnen tekenen... hoewel ik het uit
mijn hoofd moest doen.'
Arne schudde zijn hoofd. 'Ze hebben nauwkeurige foto's nodig. Ik
kwam jou vragen of er een manier is om de basis binnen te sluipen.'
Harald vond dit gepraat over spionage opwindend, maar dat Arne
geen goed doordacht plan leek te hebben, verontrustte hem. 'Er is een
plaats waar het hek schuilgaat achter bomen – maar hoe wil je op
Sande komen als de politie naar je uitkijkt?'
'Ik heb mijn uiterlijk veranderd.'
'Niet veel. Wat voor papieren heb je?'
'Alleen die van mezelf – hoe zou ik aan andere moeten komen?'
'Dus als je om wat voor reden dan ook wordt aangehouden door de
politie, zullen ze binnen tien seconden vaststellen dat jij de man bent
naar wie ze op zoek zijn.'
'Daar komt het wel op neer.'
Harald schudde zijn hoofd. 'Het is krankzinnig.'
'Het moet gebeuren. Met deze apparatuur kunnen de Duitsers bom-
menwerpers ontdekken op het moment dat ze nog kilometers ver
weg zijn – op tijd om hun jagers de lucht in te sturen.'
'Het moet met radiogolven werken,' zei Harald opgewonden.
'De Engelsen hebben ook zo'n systeem, maar de Duitsers schijnen
het verbeterd te hebben en nu schieten ze de helft van de Engelse
bommenwerpers neer. De RAF wil wanhopig graag weten hoe ze het
doen. Het is het waard om mijn leven voor op het spel te zetten.'
'Niet onnodig. Als je wordt gepakt, zul je de inlichtingen niet aan de
Engelsen kunnen doorgeven.'

'Ik moet het proberen.'

Harald haalde diep adem. 'Waarom laat je mij niet gaan?'

'Ik wist dat je dat ging zeggen.'

'Niemand is naar mij op zoek. Ik ken de plaats. Ik ben al een keer over het hek geweest – op een avond heb ik de weg afgesneden. En ik weet meer van radio dan jij, dus kan ik beter beoordelen wat er gefotografeerd moet worden.' Volgens Harald was er geen speld tussen te krijgen.

'Als je gepakt wordt, zul je als spion worden doodgeschoten.'

'Dat geldt voor jou ook – alleen zul jij bijna zeker gepakt worden, terwijl ik waarschijnlijk buiten schot blijf.'

'De politie heeft jouw schetsen misschien gevonden toen ze voor Poul kwamen. In dat geval moeten de Duitsers weten dat er iemand belangstelling heeft voor de basis op Sande en zullen ze waarschijnlijk hun beveiliging hebben verbeterd. Over het hek klimmen is misschien niet meer zo gemakkelijk als het was.'

'Ik heb nog altijd een betere kans dan jij.'

'Ik kan jou niet het gevaar in sturen. Stel dat je wordt gepakt – wat moet ik dan tegen moeder zeggen?'

'Dan zeg je dat ik ben gestorven voor de vrijheid. Ik heb evenveel recht om dat risico te lopen als jij. Geef me die stomme camera.'

Voordat Arne antwoord kon geven, kwam Karen binnen.

Ze maakte bijna geen geluid en verscheen plotseling, zodat Arne geen kans kreeg zich te verbergen, ook al maakte hij even een instinctieve beweging om op te staan.

'Wie ben jij?' vroeg Karen even direct als altijd. 'O! Hallo, Arne. Je hebt je snor afgeschoren – ik neem aan dat je het hebt gedaan vanwege al die aanplakbiljetten die ik vandaag in Kopenhagen heb gezien. Waarom word je gezocht?' Ze ging op de afgedekte motorkap van de Rolls-Royce zitten en sloeg als een fotomodel haar lange benen over elkaar.

Arne aarzelde en zei toen: 'Dat kan ik je niet vertellen.'

Karens levendige geest trok met indrukwekkende snelheid de juiste conclusies. 'Mijn hemel, je zit bij het verzet! Zat Poul daar ook bij? Is hij daarom dood?'

Arne knikte. 'Hij is niet neergestort met zijn vliegtuig. Hij probeerde te ontsnappen aan de politie en ze schoten hem neer.'

'Arme Poul.' Ze draaide haar hoofd even weg. 'Jij hebt het stokje dus van hem overgenomen? Maar nu zit de politie jou ook op de hielen. Je moet bij iemand ondergedoken zitten – waarschijnlijk Jens Toksvig, na jou was hij de beste vriend van Poul.'

Arne haalde zijn schouders op en knikte.

'Maar jij kunt niet rondlopen zonder het risico van een arrestatie, dus...' Ze keek Harald aan en zei op rustige toon: 'Het is nu jouw beurt, Harald.'

Tot Haralds verrassing keek ze alsof ze zich bezorgd over hem maakte. Hij was blij dat ze iets om hem gaf.

Hij keek Arne aan. 'Nou? Is het mijn beurt?'

Arne zuchtte en gaf hem de camera.

Harald kwam de volgende dag laat in Morlunde aan. Hij liet de stoommotorfiets achter op de parkeerplaats naast de aanlegplaats van de veerboot, omdat hij dacht dat die op Sande te opvallend zou zijn. Hij had niets om de motorfiets af te dekken of op slot te zetten, maar hij ging ervan uit dat een toevallige dief hem niet gestart zou krijgen.

Hij was op tijd voor de laatste veerboot. Terwijl hij op de kade wachtte, begon de avond geleidelijk te vallen en verschenen sterren aan de hemel als de lichten van verre schepen op een donkere zee. Een dronken eilander kwam over de kade aanwaggelen, tuurde naar Harald en mompelde: 'Aha, de jonge Olufsen.' Hij ging iets verder op een kaapstander zitten en probeerde een pijp aan te steken.

De veerboot legde aan en een handvol mensen stapte van boord. Tot Haralds verrassing stonden een Deense politieman en een Duitse soldaat boven aan de valreep. Toen de dronkeman aan boord ging, controleerden ze zijn identiteitsbewijs. Haralds hart leek even stil te staan. Hij aarzelde angstig en wist niet of hij aan boord zou stappen. Hadden ze na de vondst van zijn schetsen de beveiliging verbeterd, zoals Arne had voorspeld? Of waren ze op zoek naar Arne? Zouden ze weten dat hij de broer van de gezochte man was? Olufsen was een veel voorkomende naam – maar ze waren misschien geïnformeerd over de familie. Hij had een dure camera in zijn tas. Het was een populair Duits merk, maar het zou toch argwaan kunnen wekken.

Hij probeerde te kalmeren en zijn mogelijkheden te overwegen. Er waren andere manieren om op Sande te komen. Hij wist niet zeker of hij drie kilometer over open zee kon zwemmen, maar hij zou misschien een bootje kunnen lenen of stelen. Als ze de boot echter op Sande zagen aanmeren, zou hij zeker worden verhoord. Hij kon zich beter gewoon onschuldig gedragen.

Hij ging aan boord van de veerboot.

De agent vroeg hem: 'Wat is de reden dat je naar Sande wilt oversteken?'

Harald onderdrukte een gevoel van woede omdat iemand het lef had hem zoiets te vragen. 'Ik woon daar,' zei hij, 'bij mijn ouders.'

De politieman keek naar zijn gezicht. 'Ik kan me niet herinneren jou eerder te hebben gezien en ik doe dit al vier dagen.'

'Ik kom van school.'

'Dinsdag is een vreemde dag om thuis te komen.'

'Het is het eind van het schooljaar.'

De agent bromde, kennelijk tevredengesteld. Hij controleerde het adres op de kaart van Harald en liet die aan de soldaat zien. Die knikte en liet Harald aan boord.

Hij liep naar de andere kant van de boot en stond over zee uit te kijken, terwijl hij wachtte tot zijn hart tot rust was gekomen. Hij was opgelucht dat hij door de controle was gekomen, maar woedend omdat een politieagent hem belette zich in zijn eigen land vrij te bewegen. Het leek een domme reactie toen hij er logisch over nadacht, maar hij kon er niets aan doen.

Om middernacht voer de boot de haven uit.

Er was geen maan. Bij het licht van de sterren was het vlakke eiland Sande een donkere rug aan de horizon die niet opviel in de deining. Harald had niet verwacht zo snel te zullen terugkeren. Toen hij op vrijdag wegging, had hij zich zelfs afgevraagd of hij het eiland ooit terug zou zien. Nu was hij terug als spion met een camera in zijn tas en een opdracht het geheime wapen van de nazi's te fotograferen. Vaag herinnerde hij zich dat hij had gedacht hoe opwindend het zou zijn om deel uit te maken van het verzet. In werkelijkheid was het helemaal geen pretje. Integendeel. Hij was misselijk van angst.

Hij voelde zich nog ellendiger toen hij op de bekende kade stapte en naar het postkantoor en de kruidenierswinkel aan de overkant van de weg keek. Zolang hij zich kon herinneren was hier nooit iets veranderd. De eerste achttien jaren van zijn leven waren veilig en zonder schokken verlopen. Nu had hij het gevoel dat hij zich nooit meer veilig zou voelen. Hij stak over naar het strand en begon naar het zuiden te lopen. Het natte zand glom zilverachtig in het licht van de sterren. Hij hoorde ergens in de duinen een meisje giechelen en voelde een steek van jaloezie. Zou hij Karen ooit zo aan het giechelen maken?

Het begon bijna te dagen toen hij in het zicht van de basis kwam. Hij kon de palen van het hek onderscheiden. De bomen en struiken binnen de omheining vormden donkere vlekken op de duinen. Als hij kon zien, gold dat ook voor de bewakers, besefte hij. Hij liet zich op zijn knieën zakken en begon te kruipen.

Een minuut later was hij blij dat hij zo voorzichtig was geweest. Hij zag twee bewakers die naast elkaar met een hond binnen het hek patrouilleerden.

Dat was nieuw. Voorheen hadden ze niet met twee man tegelijk gepatrouilleerd en waren er geen honden geweest.

Hij viel plat op zijn buik. De twee mannen leken niet bijzonder waakzaam. Ze slenterden en marcheerden niet. De man die de hond vasthield, praatte geanimeerd terwijl de ander rookte. Toen ze dichterbij kwamen, kon Harald de stem horen boven het geruis van de golven die op het strand braken. Net als alle Deense kinderen had hij op school Duits geleerd. De man vertelde een opschepperig verhaal over een vrouw die Margareta heette.

Harald lag op ongeveer vijftig meter van het hek. Toen de bewakers het punt naderden waar ze het dichtst bij hem waren, snoof de hond de lucht op. Hij kon Harald waarschijnlijk ruiken, maar wist niet waar hij was. Hij blafte onzeker. De bewaker die de riem vasthield was niet zo goed getraind als de hond, want hij zei tegen het dier dat het stil moest zijn en vertelde verder hoe hij Margareta zover had gekregen dat ze hem in de houtschuur wilde ontmoeten. Harald lag doodstil. De hond blafte weer en een van de bewakers deed een sterke zaklamp aan. Harald verborg zijn gezicht in het zand. De bewegende lichtbundel van de zaklamp scheen op de duinen en ging zonder te stoppen over hem heen.

De bewaker zei: 'Toen zei ze, goed, maar dan moet je op het laatste moment terugtrekken.' Ze liepen verder en de hond werd weer rustig. Harald bleef stil liggen tot ze uit het zicht waren. Toen ging hij land-inwaarts en naderde het gedeelte van het hek dat verborgen lag achter de begroeiing. Hij was bang dat de soldaten de bomen misschien hadden omgehakt, maar het bosje was er nog. Hij kroop door de struiken, kwam bij het hek en ging staan.

Hij aarzelde. Hij kon nu nog terug zonder een wet te hebben overtreden. Hij kon terugkeren naar Kirstenslot en zich concentreren op zijn nieuwe baan. Hij kon zijn avonden doorbrengen in de herberg en 's nachts dromen van Karen. Hij kon net als veel Denen de houding aannemen dat oorlog en politiek zijn zaak niet waren. Maar zelfs het idee stond hem niet aan. Hij stelde zich voor dat hij zijn beslissing moest uitleggen aan Arne en Karen of aan oom Joachim en niet Monika en hij schaamde zich alleen al voor de gedachte.

Het hek was nog precies hetzelfde, kippengaas van een meter tachtig hoog met daarboven twee rijen prikkeldraad. Harald zwaaide zijn tas op zijn rug, zodat die niet in de weg zat, klom toen tegen het hek op, stapte handig over het prikkeldraad en sprong aan de andere kant naar beneden.

Nu kon hij niet meer terug. Hij bevond zich met een camera binnen een militaire basis. Als ze hem pakten, zouden ze hem executeren.

Hij liep snel en zacht verder en bleef dicht bij de struiken en bomen, terwijl hij voortdurend om zich heen keek. Hij kwam langs de zoeklichttoren en bedacht angstig dat hij nergens dekking kon zoeken als iemand besloot de krachtige lampen aan te zetten. Hij luisterde inge-spannen naar patrouillerende voetstappen, maar hoorde alleen het constante geruis van de golven. Na enkele minuten liep hij een flauwe helling af en kwam in een sparrenbosje terecht dat een goede dekking bood. Hij vroeg zich even af waarom de soldaten er niet aan hadden gedacht om de bomen te kappen voor een betere beveiliging, toen hem inviel dat ze de geheime radioapparatuur moesten onttrekken aan nieuwsgierige blikken.

Een ogenblik later bereikte hij zijn bestemming. Nu hij wist waarnaar hij op zoek was, kon hij heel duidelijk de ronde muur en het grote rechthoekige raster zien dat boven het holle middengedeelte uitstak. De antenne draaide langzaam als een mechanisch oog dat de horizon afzocht. Hij hoorde het zachte gezoem van de elektromotor. Aan de andere kant van het bouwwerk onderscheidde hij twee kleinere vormen en bij het licht van de sterren zag hij nu dat het kleinere uitvoeringen waren van de grote draaiende antenne.

Er waren dus drie apparaten. Hij vroeg zich af waarom. Was dat misschien de verklaring voor de opmerkelijke superioriteit van de Duitse radar? Toen hij de kleinere antennes beter bekeek, dacht hij dat ze anders waren geconstrueerd. Hij zou ze nog eens moeten bekijken bij daglicht, maar hij had de indruk dat ze zowel op en neer als rond konden draaien. Waarom was dat? Hij moest ervoor zorgen dat hij goede foto's maakte van alle drie de apparaten.

Bij zijn eerste bezoek hier was hij over de ronde muur gesprongen toen hij dichtbij een bewaker hoorde hoesten. Nu hij tijd had om na te denken, had hij het stellige idee dat er een gemakkelijkere manier naar binnen moest zijn. De muren waren nodig om de apparatuur te beschermen tegen ongelukken en schade, maar de technici moesten natuurlijk naar binnen kunnen voor onderhoud. Hij liep om de cirkel heen en tuurde bij het vage licht naar het metselwerk tot hij bij een houten deur kwam die niet gesloten was. Hij liep erdoorheen en sloot hem zacht achter zich.

Hij voelde zich wat veiliger. Niemand kon hem vanbuiten zien. Technici zouden op dit tijdstip van de nacht alleen in een noodgeval onderhoud komen uitvoeren. Als iemand naar binnen kwam, zou hij misschien net de tijd hebben om over de muur te springen voordat hij werd opgemerkt.

Hij keek omhoog naar het grote ronddraaiende raster. Dat moest radiostralen opvangen die werden teruggekaatst door vliegtuigen, veronderstelde hij. De antenne moest dienstdoen als een soort lens die de ontvangen signalen bundelde. De kabel die uit de voet kwam, stuurde de gegevens door naar de nieuwe gebouwen die Harald afgelopen zomer had helpen bouwen. Daar werden de resultaten vermoedelijk zichtbaar gemaakt op monitoren waarvoor mannen zaten die klaarstonden om de Luftwaffe te waarschuwen.

In het halfdonker, met de zoemende machine die boven hem uittorende en met de ozongeur van elektriciteit in zijn neusgaten, had hij het idee dat hij zich in het kloppende hart van de oorlogsmachine bevond. De strijd tussen de wetenschappers en technici aan beide zijden kon even belangrijk zijn als de tanks en mitrailleurs op het slagveld. En hij deed daar nu aan mee.

Hij hoorde een vliegtuig. Er was geen maan, dus was het waarschijnlijk geen bommenwerper. Het was vast een Duitse jager op een binnenlandse vlucht of een transportvliegtuig dat was verdwaald. Hij vroeg zich af of de grote antenne de nadering een uur geleden had opgemerkt. En hij vroeg zich af waar de kleinere antennes op gericht waren. Hij besloot er buiten een blik op te werpen.

Een van de kleinere antennes was op zee gericht, de richting waaruit het vliegtuig naderde. De andere antenne wees naar het binnenland. Van allebei was de richtingshoek anders dan eerst, dacht hij. Toen het vliegtuig bulderend dichterbij kwam, zag hij dat de eerste antenne verder omhoogkwam, alsof die het vliegtuig volgde. De andere bleef bewegen alsof die reageerde op iets was hij niet zag.

Het vliegtuig vloog over Sande heen naar het vasteland. De schotel van de antenne volgde het nog toen het geluid totaal was weggestorven. Harald keerde terug naar zijn schuilplaats binnen de ronde muur en piekerde over wat hij had gezien.

De hemel werd langzaam grijs. In deze tijd van het jaar begon het al voor drie uur te schemeren. Nog een uur en de zon zou opkomen.

Hij pakte de camera uit zijn tas. Arne had hem laten zien hoe hij hem moest gebruiken. Terwijl het daglicht sterker werd, liep hij rustig binnen de muur rond en bepaalde de beste plaats om foto's te maken waarop elk detail van de apparatuur te zien zou zijn.

Arne en hij hadden afgesproken dat hij de opnames rond kwart voor vijf zou maken. De zon zou op zijn, maar nog niet over de muur op de installatie schijnen. Zonneschijn was niet noodzakelijk – de film in de camera was gevoelig genoeg om ook zonder zon alles vast te leggen. Terwijl de tijd verstreek, gingen Haralds gedachten bezorgd naar zijn ontsnapping. Hij was 's nachts aangekomen en de basis onder de mantel van de duisternis binnengedrongen, maar hij kon niet wachten tot morgennacht. Het was bijna zeker dat een technicus in de loop van de dag minstens één keer een routine-inspectie van de apparatuur zou uitvoeren, ook als er niets fout ging. Dus moest Harald vertrekken zodra hij de foto's had gemaakt – en het volop dag was. Zijn vertrek zou heel wat gevaarlijker zijn dan zijn aankomst.

Hij overwoog welke kant hij uit zou gaan. Naar het zuiden, richting het huis van zijn ouders, lag het hek maar op een paar honderd meter afstand, maar die route liep dwars door open duinen zonder bomen of struiken. Terugkeren naar het noorden met het grootste deel dekking van begroeiing zou meer tijd kosten, maar was misschien veiliger. Hij vroeg zich af hoe hij tegenover een vuurpeloton zou staan. Zou hij kalm en trots zijn en zijn angst in bedwang houden of zou hij instorten en een jammerende dwaas worden die om genade smeekte en zichzelf bevuilde?

Hij dwong zichzelf kalm te wachten. Het licht werd sterker en de wijzers kropen over de wijzerplaat van zijn horloge. Hij hoorde geen nieuwe geluiden vanbuiten. De dag van een soldaat begon vroeg, maar hij hoopte dat er voor zes uur – als hij reeds was verdwenen – niet al te veel activiteit zou zijn.

Eindelijk was het moment aangebroken om de foto's te maken. Er was geen wolkje aan de hemel en het ochtendlicht was helder. Hij kon elke klinknagel en aansluitklem van de ingewikkelde machine voor hem onderscheiden. Zorgvuldig stelde hij scherp en fotografeerde de draaiende voet van het apparaat, de kabels en het raster van de antenne. Hij vouwde een meetlat uit de gereedschapskist van het klooster uit en fotografeerde die op sommige foto's mee om de schaal aan te geven – een heldere inval van hemzelf.

Vervolgens moest hij zich buiten de muur wagen.

Hij aarzelde. Hierbinnen voelde hij zich veilig. Maar hij moest opnames maken van de twee kleinere antennes.

Hij opende de deur op een kier. Alles was stil. Uit het geluid van de golven maakte hij op dat het vloed werd. De basis baadde in het waterige licht van een ochtend aan de kust. Er was geen teken van leven te bespeuren. Het was het uur waarop mensen diep slapen en zelfs honden dromen.

Hij maakte zorgvuldig opnames van de twee kleinere antennes die slechts werden beschermd door een laag muurtje. Terwijl hij nadacht over hun functie, besefte hij dat de ene antenne een vliegtuig had gevolgd dat met het oog waarneembaar was. Hij had gedacht dat het nut van dit apparaat juist was om bommenwerpers te ontdekken vóórdat ze in het zicht kwamen. Vermoedelijk volgde de tweede kleine antenne een ander vliegtuig.

Terwijl hij de ene foto na de andere maakte, was hij in gedachten met die puzzel bezig. Hoe konden drie apparaten samenwerken zodat de jagers van de Luftwaffe doeltreffender werden? Misschien waarschuwde de grote antenne voor de nadering van een bommenwerper op grote afstand en volgde de kleinere de bommenwerper in het Duitse luchtruim. Maar wat was dan de functie van de tweede kleine antenne?

Het viel hem in dat er nog een ander vliegtuig moest zijn – de jager die was opgestegen om de bommenwerper aan te vallen. Was het mogelijk dat de tweede antenne door de Luftwaffe werd gebruikt om hun éígen toestel te volgen? Het leek krankzinnig, maar toen hij achteruit stapte om de drie antennes samen te fotograferen en de positie ten opzichte van elkaar vast te leggen, besefte hij dat het heel logisch was. Als een radarman van de Luftwaffe de positie van de bommenwerper en de jager kende, kon hij de jager over de radio aanwijzingen geven tot die contact maakte met de bommenwerper.

Hij begon te begrijpen hoe de Luftwaffe waarschijnlijk werkte. De grote antenne waarschuwde bijtijds voor een raid om jagers te laten opstijgen. Een van de kleinere antennes pikte een bommenwerper op als die dichterbij kwam. De andere volgde een jager, waardoor de piloot precies naar de bommenwerper kon worden geleid. Daarna was het prijsschieten.

Die gedachte deed Harald beseffen hoe open en bloot hij hier in het volle daglicht en midden in een militaire basis een topgeheim apparaat stond te fotograferen. Paniek raasde als gif door zijn aderen. Hij probeerde zichzelf te kalmeren en de laatste foto's te nemen, maar hij was te bang. Hij had minstens twintig opnames gemaakt. Dat moest genoeg zijn, zei hij bij zichzelf.

Hij stopte de camera in zijn tas en begon snel weg te lopen. Hij vergat dat hij had besloten de langere, maar veiligere route naar het noorden te nemen en liep naar het zuiden over de open duinen. In die richting was het hek zichtbaar, vlak achter het oude boothuis waar hij de vorige keer tegenaan was gelopen. Vandaag zou hij er aan de zeekant langslopen waardoor hij een paar passen uit het zicht was.

Toen hij dichterbij kwam, blafte een hond.

Hij keek wild om zich heen, maar zag geen soldaten en geen hond. Toen drong het tot hem door dat het geluid uit het boothuis was gekomen. De soldaten moesten het vervallen gebouwtje gebruiken als kennel. Een tweede hond begon mee te blaffen.

Harald zette het op een rennen.

De honden hitsten elkaar op, er vielen er meer in en het geluid werd hysterisch hard. Harald bereikte het gebouwtje, draaide richting de zee in een poging het boothuis tussen hemzelf en het hoofdgebouw te houden, terwijl hij naar het hek sprintte. De angst gaf hem vleugels. Elke seconde verwachtte hij een schot te horen.

Hij bereikte het hek zonder te weten of hij al dan niet was gezien. Hij klom er als een aap tegenop en sprong over het prikkeldraad. Aan de andere kant kwam hij hard neer in ondiep water. Hij krabbelde overeind en keek achterom door het hek. Achter het boothuis, gedeeltelijk aan het zicht ontrokken door bomen en struiken, zag hij het hoofdgebouw, maar geen soldaten. Hij draaide zich om en rende verder. Hij bleef gedurende honderd meter in het ondiepe water, zodat de honden zijn geurspoor niet konden volgen en liep toen het land in. Hij liet ondiepe voetafdrukken achter in het harde zand, maar hij wist dat de snel opkomende vloed die over een minuut of twee uitgewist zou hebben. Hij bereikte de duinen waar hij geen zichtbaar spoor achterliet.

Een paar minuten later kwam hij op een zandweg. Hij keek om en zag dat hij door niemand werd gevolgd. Zwaar ademend ging hij op weg naar de pastorie. Hij rende langs de kerk naar de keukendeur.

Die was open. Zijn ouders waren altijd vroeg op.

Hij stapte naar binnen. Zijn moeder stond aan het fornuis in een peignoir thee te zetten. Toen ze hem zag, gaf ze een kreet van schrik en liet de aardewerken pot op de tegelvloer vallen. De tuit brak eraf. Harald pakte de twee stukken op. 'Het spijt me dat ik u liet schrikken,' zei hij.

'Harald!'

Hij gaf haar een zoen op haar wang en knuffelde haar. 'Is vader thuis?'

'In de kerk. Er was gisteravond geen tijd om alles op te ruimen, dus is hij de stoelen recht gaan zetten.'

'Wat is er gisteravond dan gebeurd?' Er was geen dienst op maandagavond.

'De kerkenraad is bijeen geweest om jouw geval te bespreken. Ze gaan je komende zondag uitlezen.'

'De wraak van de Flemmings.' Harald vond het vreemd dat hij zoiets ooit belangrijk had gevonden.

Inmiddels zouden de bewakers zijn gaan kijken wat de honden van streek had gemaakt. Als ze grondig te werk gingen, zouden ze de huizen, stallen en schuren in de buurt kunnen doorzoeken naar een vluchteling. 'Moeder,' zei hij, 'als de soldaten hier komen, wilt u ze dan vertellen dat ik de hele nacht in bed heb gelegen?'

'Wat is er gebeurd?' vroeg ze angstig?'

'Dat leg ik later wel uit.' Het zou natuurlijker zijn als hij nog in bed lag, dacht hij. 'Vertel ze dat ik nog lig te slapen – wilt u dat doen?'

'Goed.'

Hij verliet de keuken en liep naar zijn slaapkamer boven. Hij hing zijn tas over de rug van de stoel. De camera haalde hij eruit om die in een la te leggen. Hij dacht erover om hem te verbergen, maar er was geen tijd en een verborgen camera was een bewijs van schuld. Snel trok hij zijn kleren uit, schoot in zijn pyjama en stapte in bed.

Hij hoorde de stem van zijn vader in de keuken. Hij kwam weer uit bed om boven aan de trap te luisteren.

'Wat doet hij hier?' vroeg de dominee.

Zijn moeder antwoordde: 'Zich verbergen voor de soldaten.'

'Mijn hemel, wat heeft de jongen nu weer uitgehaald?'

'Ik weet het niet, maar…'

Zijn moeder werd onderbroken door een luid geklop. De stem van een jongeman zei in het Duits: 'Goedemorgen. We zijn naar iemand op zoek. Hebt u in de laatste paar uur misschien een vreemdeling gezien?'

'Nee, helemaal niemand.' De stem van zijn moeder klonk zo zenuwachtig dat de soldaat het moest hebben gemerkt – maar misschien was hij eraan gewend dat mensen bang voor hem waren.

'En u, meneer?'

'Nee,' zei zijn vader bondig.

'Is er verder nog iemand hier?'

Haralds moeder antwoordde: 'Mijn zoon. Hij ligt nog te slapen.'

'Ik moet het huis doorzoeken.' De stem klonk beleefd, maar wat hij zei was een vaststelling, geen vraag.

'Ik zal u rondleiden,' zei de dominee.

Harald keerde met bonzend hart terug naar zijn bed. Hij hoorde laarzen op de tegelvloer beneden en deuren die open en dicht gingen. Toen kwamen die laarzen de houten trap op. Ze gingen de slaapkamer van zijn ouders in, daarna de oude kamer van Arne en ten slotte naderden ze Haralds kamer. Hij hoorde de kruk van zijn deur omdraaien.

Hij sloot zijn ogen, deed of hij sliep en probeerde langzaam en regelmatig te ademen.

De Duitse stem zei zacht: 'Uw zoon.'

'Ja.'

Er was een korte stilte.

'Is hij hier de hele nacht geweest?'

Harald hield zijn adem in. Bij zijn weten had zijn vader nog nooit een leugentje om bestwil verteld.

Toen hoorde hij: 'Ja, de hele nacht.'

Hij was verbijsterd. Zijn vader had voor hem gelogen. De hardvochtige, stijfkoppige, intolerante oude tiran had zijn eigen regels overtreden. Hij was dus toch menselijk. Harald voelde tranen branden achter zijn gesloten oogleden.

De laarzen verdwenen over de gang de trap af en Harald hoorde de soldaat afscheid nemen. Hij stapte uit bed en liep tot boven aan de trap.

'Je kunt nu naar beneden komen,' zei zijn vader. 'Hij is vertrokken.'

Hij liep naar beneden. Zijn vader keek plechtig. 'Dank u, vader,' zei Harald.

'Ik heb een zonde begaan,' zei zijn vader. Gedurende een ogenblik dacht Harald dat hij kwaad zou worden. Toen kreeg zijn oude gezicht een zachtere trek. 'Maar ik geloof in een vergevende God.'

Harald besefte hoe pijnlijk het conflict was geweest dat zijn vader de afgelopen minuten had doorgemaakt, maar hij wist niet hoe hij duidelijk moest maken dat hij het begreep. Het enige wat hij kon bedenken was hem een hand te geven. Hij stak zijn hand uit.

Zijn vader keek ernaar en greep hem toen. Hij trok Harald naar zich toe en sloeg zijn linkerarm om Haralds schouders. Hij sloot zijn ogen om een diepe emotie in bedwang te houden. Toen hij sprak was de diepe bas van de predikant verdwenen. De woorden kwamen in een gekweld gemompel uit zijn mond. 'Ik dacht dat ze je zouden doden,' zei hij. 'Mijn lieve zoon, ik dacht dat ze je zouden doden.'

16

Arne Olufsen was Peter Flemming door de vingers geglipt.

Peter piekerde daarover, terwijl hij een ei voor het ontbijt van Inge kookte. Nadat Arne de schaduw op Bornholm had afgeschud, had Peter monter gezegd dat ze hem spoedig weer zouden hebben. Peters vertrouwen was zwaar overtrokken geweest. Hij had gedacht dat Arne niet slim genoeg was om ongemerkt van het eiland af te komen – en hij had het mis gehad. Hij wist nog steeds niet hoe Arne het had gedaan, maar het leed geen twijfel dat hij was teruggekeerd naar Kopenhagen, want een geüniformeerde agent had hem in het centrum gezien. De agent had de achtervolging ingezet, maar Arne was sneller geweest – en weer verdwenen.

Kennelijk was er nog steeds sprake van een vorm van spionage, zoals Peters chef Frederik Juel met ijzige geringschatting had gezegd. 'Blijkbaar voert Olufsen ontwijkende manoeuvres uit,' had hij opgemerkt. Generaal Braun was directeur geweest. 'De dood van Poul Kirke is duidelijk onvoldoende geweest om de spionagegroep te ontmantelen,' had hij gezegd. Er was niet meer gesproken over de promotie van Peter tot hoofd van de afdeling. 'Ik zal de Gestapo erbij roepen.'

Het was vreselijk oneerlijk, dacht Peter kwaad. Hij had dit spionagenetwerk ontdekt, het geheime bericht in het wielblok van het vliegtuig gevonden, de mecaniciens gearresteerd, de inval in de synagoge gedaan, Ingemar Gammel gearresteerd, de vliegschool doorzocht, Poul Kirke gedood en Arne Olufsen ontmaskerd. Toch waren mensen als Juel, die niets had gepresteerd, in staat zijn prestaties te kleineren en de erkenning die hij verdiende te dwarsbomen.

Maar hij was nog niet uitgeteld. 'Ik kan Arne Olufsen vinden,' had hij gisteravond tegen generaal Braun gezegd. Juel had tegenwerpingen gemaakt, maar Peter had toch zijn zin gekregen. 'Geef me vierentwintig uur. Als hij morgenavond niet in hechtenis is, roep dan de Gestapo erbij.' Braun had ingestemd.

Arne was niet teruggekeerd naar de vliegschool en evenmin was hij bij zijn ouders op Sande, dus moest hij zich schuilhouden in het huis van een medespion. Maar ze zouden zich allemaal gedekt houden. Er was echter één persoon die waarschijnlijk het meest van de spionnen afwist en dat was Karen Duchwitz. Ze was de vriendin van Poul geweest en haar broer zat op school met de neef van Poul. Ze was geen spionne, dat wist Peter zeker, dus had ze geen reden om onder te duiken. Maar ze zou Peter wel eens naar Arne kunnen leiden.

Het was een gok, maar iets anders had hij niet.

Hij prakte het zachtgekookte ei met wat zout en boter en liep toen met het blad naar de slaapkamer. Hij zette Inge rechtop en gaf haar een lepel ei. Hij kreeg het idee dat ze het niet echt lekker vond. Hij proefde en het smaakte prima, dus gaf hij haar nog een lepel. Na een ogenblik liet ze alles uit haar mond lopen als een baby. Het ei belandde via haar kin op het lijfje van haar nachtjapon.

Peter keek er wanhopig naar. Ze had er de afgelopen twee weken verschillende keren een troep van gemaakt. Dit was een nieuwe ontwikkeling. Ze was altijd heel kieskeurig geweest. 'Inge zou dat nooit hebben gedaan,' zei hij.

Hij zette het blad neer, liet haar zitten en liep naar de telefoon. Hij draaide het nummer van het hotel op Sande en vroeg naar zijn vader die altijd vroeg aan het werk was. Toen hij hem aan de lijn kreeg, zei hij: 'U had gelijk. Het is tijd om Inge in een tehuis onder te brengen.'

Peter bekeek de Koninklijke Schouwburg, een negentiende-eeuws gebouw van gele steen met een koepel. De voorgevel was gebeeldhouwd met zuilen, pilaren, kapitelen, draagstenen, kransen, schilden, lieren, maskers, cherubijntjes, zeemeerminnen en engelen. Op het dak stonden vazen, fakkels en vierbenige wezens met vleugels en een menselijk bovenlijf. 'Het is een beetje overdreven,' zei hij. 'Zelfs voor een theater.'

Tilde Jespersen lachte.

Ze zaten op de veranda van het Hotel d'Angleterre en hadden een goed uitzicht over het Kongens Nytorv, het grootste plein van Kopenhagen. In de schouwburg waren de studenten van de balletschool aan het kijken naar de generale repetitie van *Les Sylphides*, de lopende productie. Peter en Tilde zaten te wachten tot Karen naar buiten zou komen.

Tilde deed of ze de krant las. De kop op de voorpagina luidde: 'Leningrad in vlammen'. Zelfs de nazi's waren verbaasd over de vlotte manier waarop de Russische campagne verliep en beweerden dat hun successen 'de verbeelding tartten'.

Peter praatte om de spanning te verminderen. Tot dusver was zijn plan een volslagen mislukking. Karen was de hele dag geschaduwd en had niets anders gedaan dan naar school gaan. Maar nutteloze angst putte uit en leidde tot fouten, dus probeerde hij zich te ontspannen. 'Denk je dat architecten theaters en opera's met opzet zo indrukwekkend maken om te voorkomen dat ze bezocht worden door gewone mensen?'

'Beschouw jij jezelf als een gewoon mens?'

'Natuurlijk.' De ingang werd geflankeerd door twee groene beelden van meer dan levensgrote zittende figuren. 'Wie zijn die twee?'

'Holberg en Öhlenschläger.'

Hij herkende de namen van beroemde Deense toneelschrijvers. 'Ik ben niet dol op toneel – te veel gesproken woord. Dan ga ik liever naar een film, iets om me aan het lachen te maken, Buster Keaton of Laurel en Hardy. Heb je die film gezien waarin ze een kamer aan het witten zijn en iemand naar binnen komt met een plank op zijn schouder?' De herinnering deed hem grinniken. 'Ik viel verdorie bijna op de grond van het lachen.'

Ze schonk hem een van haar raadselachtige blikken. 'Je doet me verbaasd staan. Ik had achter jou nooit een liefhebber van slapsticks gezocht.'

'Wat dan wel?'

'Westerns met vuurgevechten waarin de gerechtigheid triomfeert.'

'Je hebt gelijk, daar hou ik ook van. En jij? Ga jij graag naar de schouwburg? Kopenhagenaars zijn in theorie cultureel, maar de meesten zijn nog nooit in dat gebouw geweest.'

'Ik hou van opera – en jij?'

'Nou… de melodieën gaan wel, maar de verhalen zijn stompzinnig.'

Ze glimlachte. 'Zo heb ik het nooit bekeken, maar je hebt gelijk. En ballet?'

'Dat begrijp ik eigenlijk niet. En de kostuums zijn raar. Om je de waarheid te vertellen vind ik mannen in een maillot nogal gênant.'

Ze lachte weer. 'O, Peter, je bent zo grappig, maar toch mag ik je graag.'

Hij had niet amusant willen zijn, maar hij accepteerde het compliment vrolijk. Hij wierp een blik op de foto in zijn hand, die hij had meegenomen uit de slaapkamer van Poul Kirke. Poul zat op een fiets met Karen op de stang voor zich. Ze droegen allebei een korte broek. Karen had prachtige lange benen. Ze leken zo'n gelukkig en vrolijk stel, zo vol energie, dat het Peter even verdriet deed dat hij Poul had gedood. Hij moest zichzelf streng voorhouden dat Poul had verkozen spion te worden en de wet te overtreden.

Hij had de foto om Karen gemakkelijker te kunnen herkennen. Ze was aantrekkelijk met een brede glimlach en een grote bos krullend haar. Ze leek de tegenpool van Tilde die een rond gezicht had met kleine, regelmatige trekken. Enkele mannen zeiden dat Tilde frigide was, omdat ze hun avances afwees – maar ik weet beter, dacht Peter.

Ze hadden niet gepraat over het fiasco in het hotel op Bornholm. Peter vond het te pijnlijk om het ter sprake te brengen. Hij ging zich niet verontschuldigen – dat zou de vernedering alleen maar groter maken. Maar er vormde zich een plan in zijn hoofd, iets wat zo dramatisch was dat hij er liever niet te diep over na wilde denken.

'Daar is ze,' zei Tilde.

Peter keek naar de overkant van het plein en zag een groep jonge mensen uit de schouwburg komen. Hij haalde Karen er meteen uit. Ze droeg een strohoed die zwierig schuin stond en een mosterdgele zomerjurk met een klokrok die bekoorlijk om haar knieën danste. Op de zwart-witfoto was haar blanke huid en vlammend rode haar niet zichtbaar geweest en evenmin had die recht gedaan aan haar levendige aard die Peter zelfs op een afstand kon herkennen. Ze zag eruit alsof ze het podium van de schouwburg opkwam en niet gewoon de buitentrap afliep.

Ze stak het plein over en liep de hoofdstraat in, de Strøget.

Peter en Tilde stonden op.

'Voordat we gaan,' zei Peter.

'Wat?'

'Wil je vanavond naar mijn appartement komen?'

'Een bijzondere reden?'

'Ja, maar ik ga er liever niet op in.'

'Goed.'

'Bedankt.' Hij zei niets meer, maar haastte zich achter Karen aan. Tilde volgde hem zoals afgesproken op een afstand.

De Strøget was een smalle straat vol winkelende mensen en bussen die regelmatig werd geblokkeerd door fout geparkeerde auto's. Verdubbel de boetes en bekeur elke auto en het probleem verdwijnt vanzelf, dacht Peter. Hij bleef Karens strohoed in het oog houden. Hij hoopte vurig dat ze niet gewoon op weg naar huis was.

Aan het eind van de Strøget lag de markt met het stadhuis. Hier ging de groep studenten uiteen. Druk kletsend liep Karen verder met nog maar één meisje. Peter kwam dichterbij. Ze liepen langs het Tivolipark en stopten alsof ze afscheid gingen nemen, maar ze bleven praten. Ze zagen er knap en zorgeloos uit in de middagzon. Peter vroeg zich ongeduldig af hoeveel twee meisjes elkaar nog te vertellen hadden, nadat ze de hele dag samen hadden doorgebracht.

Ten slotte liep de vriendin van Karen naar het centraal station en Karen ging de andere kant op. Peter kreeg weer wat meer hoop. Had ze een afspraak met iemand uit de groep spionnen? Hij volgde haar, maar tot zijn wanhoop wandelde ze in de richting van Vesterport, een buurtstation waar ze een trein kon pakken naar Kirstenslot waar ze woonde.

Dit was niet best. Hij had nog maar een paar uur over. Kennelijk leidde ze hem niet naar een van de spionnen. Hij zou een doorbraak moeten forceren.

Hij haalde haar in bij de ingang van het station. 'Neem me niet kwalijk,' zei hij. 'Ik moet met u praten.'

Ze keek hem doordringend aan en bleef doorlopen. 'Wat is er?' vroeg ze met koele beleefdheid.

'Zouden we even kunnen praten?'

Ze ging door de ingang en begon de trap naar het perron af te lopen. 'We praten toch.'

Hij deed alsof hij nerveus was. 'Ik loop een heel groot risico door alleen maar met u te praten.'

Daarmee had hij haar aandacht. Ze bleef op het perron staan en keek nerveus om zich heen. 'Waar gaat dit over?'

Ze had prachtige ogen, zag hij, opvallend lichtgroen. 'Het gaat over Arne Olufsen.' Hij zag angst in die ogen en dat deed hem genoegen. Zijn instinct had hem niet in de steek gelaten. Ze wist iets.

'Wat is er met hem?' Ze slaagde erin haar stem rustig te houden.

'Bent u een vriendin van hem?'

'Nee. Ik heb hem wel eens ontmoet – ik ging vroeger uit met een vriend van hem. Maar ik ken hem eigenlijk niet. Waarom vraagt u me dat?'

'Weet u waar hij is?'

'Nee.'

Ze zei het beslist. Hij dacht vertwijfeld dat het eruitzag alsof ze de waarheid sprak.

Maar hij was nog niet bereid het op te geven. 'Zou u een boodschap aan hem kunnen doorgeven?'

Ze aarzelde en Peter vatte weer hoop. Hij vermoedde dat ze zich afvroeg of ze al dan niet zou liegen. 'Mogelijk,' zei ze na een ogenblik. 'Ik kan het niet met zekerheid zeggen. Wat voor boodschap?'

'Ik ben van de politie.'

Ze deed angstig een stap terug.

'Rustig maar, ik sta aan jullie kant.' Hij zag dat ze niet wist of ze hem moest geloven. 'Ik heb niets te maken met de Veiligheidsafdeling, ik doe verkeersongevallen. Maar ons kantoor ligt naast dat van hen en soms hoor ik wat er aan de hand is.'

'Wat hebt u gehoord?'

'Arne verkeert in groot gevaar. De Veiligheidsafdeling weet waar hij ondergedoken zit.'

'Mijn god.'

Peter merkte dat ze niet vroeg wat de Veiligheidsafdeling was of welke misdaad Arne begaan zou moeten hebben en evenmin toonde ze zich verbaasd over het feit dat hij ondergedoken zat. Ze moest dus weten wat Arne in zijn schild voerde, concludeerde hij met een gevoel van triomf.

Op grond daarvan kon hij haar arresteren en verhoren. Maar hij had een beter plan. Op een dramatische manier zei hij: 'Ze gaan hem vanavond arresteren.'

'O nee!'

'Als u weet hoe u Arne kunt bereiken, alstublieft, probeer hem dan in godsnaam in het komende uur te waarschuwen.'

'Ik geloof niet...'

202

'Ik kan niet het risico lopen met u gezien te worden. Ik moet weg. Het spijt me. Doe uw best.' Hij draaide zich om en liep snel weg.

Boven aan de trap liep hij langs Tilde die deed of ze een dienstregeling las. Ze keek hem niet aan, maar hij wist dat ze hem had gezien en dat zij Karen nu zou volgen.

Aan de overkant van de straat was een man met een leren voorschoot kratten bier aan het lossen uit een kar die werd getrokken door twee grote paarden. Peter stapte achter de kar. Hij zette zijn gleufhoed af, stopte die in zijn jasje en zette in plaats daarvan een pet op. Hij wist uit ervaring dat het eenvoudig verwisselen van een hoofddeksel zijn uiterlijk opmerkelijk veranderde. Het zou iemand die wat beter keek, niet misleiden, maar bij een oppervlakkige blik zag hij er totaal anders uit.

Half verborgen achter de kar stond hij naar de ingang van het station te kijken. Enkele ogenblikken later kwam Karen naar buiten.

Tilde liep een paar passen achter haar. Ze sloegen een hoek om en volgden de straat tussen Tivoli en het centraal station. Bij het volgende blok liep Karen het hoofdpostkantoor in, een groot klassiek gebouw van rode baksteen en grijze natuursteen. Tilde volgde haar naar binnen.

Ze ging iemand opbellen, dacht Peter opgetogen. Hij rende naar de personeelsingang. Aan de eerste persoon die hij tegenkwam, een jonge vrouw, liet hij zijn politiepenning zien en zei: 'Haal het kantoorhoofd, snel.'

Enkele ogenblikken later verscheen een gebogen man in een afgedragen zwart kostuum. 'Hoe kan ik u van dienst zijn?'

'Een jonge vrouw in een gele jurk is net de grote hal in gelopen,' zei Peter tegen hem. 'Ik wil niet dat ze me ziet, maar ik moet weten wat ze doet.'

Het kantoorhoofd deed nerveus. Dit was waarschijnlijk het opwindendste wat er ooit in het postkantoor was gebeurd, dacht Peter. 'Goeie hemel,' zei de man. 'U kunt beter met mij meekomen.'

Hij liep gehaast door een gang en opende een deur. Peter zag een balie met een rij krukken tegenover kleine loketten. Het kantoorhoofd stapte door een deur. 'Ik geloof dat ik haar zie,' zei hij. 'Krullend rood haar en een strohoed?'

'Dat is ze.'

'Ik had achter haar nooit een misdadigster vermoed.'

'Wat doet ze?'

'Ze kijkt in het telefoonboek. Verbazingwekkend dat zo'n knap...'

'Als ze iemand belt, moet ik meeluisteren.'

Het kantoorhoofd aarzelde.

Peter had geen recht om zonder gerechtelijk bevel telefoongesprekken af te luisteren, maar hij hoopte dat het kantoorhoofd dat niet zou weten. 'Het is erg belangrijk,' zei hij.

'Ik weet niet zeker...'

'Maak u geen zorgen, ik neem de volledige verantwoordelijkheid.'

'Ze legt het telefoonboek terug.'

Peter wilde niet dat Karen Arne belde zonder dat hij kon meeluisteren. Zo nodig zou hij zijn pistool trekken en deze duffe pennenlikker ermee bedreigen, besloot hij. 'Ik moet erop aandringen.'

'We hebben hier regels.'

'Niettemin...'

'Aha!' zei het kantoorhoofd. 'Ze heeft het boek teruggelegd maar komt niet naar de balie.' Zijn gezicht klaarde helemaal op. 'Ze gaat weg!'

Peter vloekte van ergernis en rende naar de uitgang.

Hij opende de deur op een kier en keek naar buiten. Hij zag Karen de weg oversteken. Hij wachtte tot Tilde achter Karen opdook. Toen volgde hij ook.

Hij was teleurgesteld, maar niet verslagen. Karen kende de naam van iemand die contact op kon nemen met Arne. Ze had die naam opgezocht in het telefoonboek. Waarom had ze die persoon verdorie niet gebeld? Misschien was ze – terecht – bang dat het gesprek afgeluisterd kon worden door de politie of Duitse veiligheidsbeambten.

Maar als ze niet het telefoonnummer wilde hebben, moest ze naar het adres hebben gezocht. En als Peter geluk had, was ze nu op weg naar dat adres.

Hij verloor Karen met opzet uit het oog, maar hield Tilde wel in het zicht. Achter Tilde aan lopen was altijd een genoegen. Hij had nu een goed excuus om naar haar ronde achterste te kijken. Wist ze dat hij naar haar keek? Wiegde ze met opzet meer met haar heupen? Hij had er geen idee van. Wie kon zeggen wat er in het hoofd van een vrouw omging?

Ze staken over naar het eilandje Christiansborg en volgden de waterkant met de haven aan de rechterkant en de oude gebouwen van het regeringseiland links. De door de zon verwarmde lucht van de stad werd hier verfrist door de zilte bries uit de Baltische Zee. Langs de oevers van het brede kanaal lagen vrachtschepen, vissersboten, veerboten en schepen van de Deense en Duitse marine. Twee jonge matrozen kwamen achter Tilde lopen en probeerden haar vrolijk te versieren, maar ze diende hen scherp van repliek en ze dropen meteen af.

Karen liep helemaal door tot het paleis Amalienborg en vandaar landinwaarts. Peter, die Tilde volgde, stak het grote plein over dat werd gevormd door de vier rococo paleizen die werden bewoond door de koninklijke familie. Vervolgens liepen ze Nyboder in, een buurt met kleine huizen die oorspronkelijk waren gebouwd als goedkoop onderkomen voor zeelui.

Ze sloegen een straat in die St. Pauls Gade heette. Peter zag Karen in de verte naar een rij gele huizen met rode daken kijken. Kennelijk zocht ze naar een nummer. Hij had een sterk en opwindend gevoel dat hij dicht bij zijn prooi was. Karen bleef staan en keek de straat af alsof ze controleerde of ze werd gevolgd. Dat was nu natuurlijk veel te laat, maar ze was een amateur. In elk geval leek ze Tilde niet op te merken en Peter was te ver weg om herkend te worden.

Ze klopte op een deur.

Op het moment dat Peter bij Tilde was, ging de deur open. Hij kon niet zien wie opendeed. Karen zei iets en stapte naar binnen waarna de deur dichtging. Het was nummer drieënvijftig, zag Peter.

'Denk je dat Arne daarbinnen is?' vroeg Tilde.

'Hijzelf, of iemand die weet waar hij is.'

'Wat ga je doen?'

'Wachten.' Hij keek de straat af. Aan de overkant was een buurtwinkel. 'Daar.' Ze staken de straat over en keken in de etalage. Peter stak een sigaret op.

'De winkel heeft waarschijnlijk telefoon,' zei Tilde. 'Moeten we het hoofdbureau niet bellen? We kunnen misschien beter versterking laten komen. Tenslotte weten we niet hoeveel spionnen er binnen zijn.'

Peter dacht erover na. 'Nog niet,' zei hij. 'We weten niet zeker wat er gebeurt. Laten we kijken hoe dit zich ontwikkelt.'

Tilde knikte. Ze zette haar lichtblauwe baret af en knoopte een sjaal met een alledaags patroon om haar hoofd. Peter zag hoe ze haar blonde krullen onder de sjaal duwde. Ze zou er anders uitzien wanneer Karen het huis uitkwam, zodat Karen haar waarschijnlijk niet zou opmerken.

Tilde pakte de sigaret uit de vingers van Peter, stopte hem tussen haar eigen lippen, zoog de rook naar binnen en gaf hem de sigaret terug. Het was een intiem gebaar en hij had bijna het gevoel alsof ze hem kuste. Hij merkte dat hij bloosde en draaide zich om naar nummer drieënvijftig.

De deur ging open en Karen kwam naar buiten.

'Kijk,' zei hij en Tilde volgde zijn blik.

De deur ging achter Karen dicht en ze liep alleen weg.

'Verdorie,' zei Peter.

'Wat doen we nu?' vroeg Tilde.

Peter dacht snel na. Stel dat Arne zich in het gele huisje bevond. Dan moest Peter versterking oproepen, het huisje binnenstormen en hem met alle andere bewoners arresteren. Aan de andere kant kon Arne zich ergens anders bevinden en was Karen misschien op weg daarheen – in welk geval Peter haar moest volgen.

Of ze was misschien niet geslaagd in haar missie en had besloten het op te geven en naar huis te gaan.

Hij nam een besluit. 'We gaan uit elkaar,' zei hij tegen Tilde. 'Jij volgt Karen. Ik bel het hoofdbureau en doe een inval in dat huis.'

'Goed.' Tilde haastte zich achter Karen aan.

Peter liep de winkel in. Het was een uitgebreide kruidenier die groenten, brood en huishoudartikelen als zeep en lucifers verkocht. Er stonden blikken met voedsel op de schappen en de vloer werd in beslag genomen door bossen brandhout en zakken aardappelen. De zaak zag er vuil maar welvarend uit. Hij liet zijn politiepenning zien aan een vrouw met grijs haar die een gevlekt schort droeg. 'Hebt u een telefoon?'

'Ik zal de kosten in rekening moeten brengen.'

Hij tastte in zijn zak naar kleingeld. 'Waar kan ik bellen?' vroeg hij ongeduldig.

Ze knikte naar een gordijn achter in de winkel. 'Daarachter.'

Hij gooide een paar munten op de toonbank en stapte een kleine zitkamer in waar het naar katten rook. Hij pakte de hoorn van de haak, belde de Politigaarden en kreeg Conrad aan de lijn. 'Ik denk dat ik misschien Arnes schuilplaats heb gevonden. St. Pauls Gade nummer drieënvijftig. Kom met Dresler en Ellegard zo snel mogelijk in een auto hierheen.'

'Meteen,' zei Conrad.

Peter hing op en haastte zich naar buiten. Hij was minder dan een minuut binnen geweest. Als iemand gedurende die tijd het huis had verlaten, dan moest hij nog te zien zijn. Hij keek de straat af. Hij zag een oude man in een kraagloos hemd met een jichtige hond lopen. Ze kwam allebei nauwelijks vooruit. Een kwieke pony trok een platte kar waarop een bank stond met gaten in de leren bekleding. Een groepje jongens voetbalde op de straat met een oude tennisbal die kaal was van het veelvuldige gebruik. Er was geen spoor van Arne te bekennen. Hij stak de straat over.

Even genoot hij van het idee dat het heel bevredigend zou zijn om de oudste zoon van de Olufsens te arresteren. Wat een wraak zou dat zijn voor de vernedering die Axel Flemming jaren geleden had moeten ondergaan. Meteen na het van school sturen van de jongste zoon zou de ontmaskering van Arne als spion ongetwijfeld een eind maken aan de hegemonie van dominee Olufsen. Hoe kon hij hooghartig preken als allebei zijn zoons het verkeerde pad op waren gegaan. Hij zou zijn ambt moeten neerleggen.

Peters vader zou er blij mee zijn.

De deur van nummer drieënvijftig ging open. Peter stak zijn hand in zijn jasje en voelde de greep van zijn pistool in de schouderholster toen Arne naar buiten kwam.

Peter voelde zich opgetogen. Arne had zijn snor afgeschoren en zijn zwarte haren bedekt met een pet, maar Peter had hem heel zijn leven gekend en hij herkende hem meteen.

Na een ogenblik maakte de triomf plaats voor omzichtigheid. Er waren vaak problemen wanneer een agent alleen iemand wilde arresteren. De mogelijkheid van een ontsnapping lonkte voor de verdachte die slechts met één agent te maken had. Bovendien was hij in burger en miste daardoor het gezag van het uniform, wat het nog moeilijker maakte. Als het op een gevecht uitdraaide konden voorbijgangers niet weten dat een van beiden een politieman was en dus konden ze zelfs partij voor de verkeerde kiezen.

Peter en Arne hadden één keer eerder gevochten en dat was twaalf jaar geleden toen hun families ruzie hadden gekregen. Peter was groter, maar Arne was fit en sterk door het vele sporten. Er was geen duidelijke winnaar geweest. Ze hadden verschillende klappen uitgedeeld en waren toen uit elkaar gehaald. Vandaag had Peter een pistool. Maar misschien gold dat ook voor Arne.

Arne sloeg de deur van het huis dicht en liep de straat op in de richting van Peter.

Toen ze elkaar naderden, keek Arne niet naar hem en bleef aan de binnenkant van het trottoir langs de huizen lopen zoals een vluchteling dat deed. Peter liep tegen de weg aan en sloeg heimelijk Arnes gezicht gade.

Toen ze een meter of tien van elkaar waren, wierp Arne een blik op Peters gezicht. Peter keek hem aan en lette op zijn gelaatsuitdrukking. Hij zag een frons van verbazing, toen herkenning en daarna schrik, angst, paniek.

Arne bleef even verstijfd staan.

'Je staat onder arrest,' zei Peter.

Arne herstelde zich gedeeltelijk en even trok de bekende zorgeloze grijns over zijn gezicht. 'Peperkoek Piet,' begroette hij hem met een bijnaam uit hun jeugd.

Peter zag dat Arne aanstalten maakte om weg te rennen. Hij trok zijn pistool. 'Ga op je buik op de grond liggen met je handen achter je rug.'

Arne keek eerder bezorgd dan bang. Ineens drong het tot Peter door dat Arne niet bang was voor het pistool maar voor iets anders.

Arne zei op een uitdagende toon: 'Ben je bereid me dood te schieten?'

'Zo nodig wel,' zei Peter dreigend. Hij bracht het pistool dreigend omhoog, maar in werkelijkheid wilde hij Arne wanhopig graag levend gevangennemen. Met de dood van Poul Kirke was het onderzoek op een dood spoor beland. Hij wilde Arne verhoren en hem niet doden.

Arne glimlachte ondoorgrondelijk, draaide zich om en rende weg.

Peter hield de arm met het pistool recht en mikte langs de loop. Hij richtte op Arnes benen, maar het was onmogelijk om met een pistool nauwkeurig te schieten en hij wist dat hij elk deel van Arnes lichaam kon raken of helemaal niets. Maar Arne rende steeds verder weg en Peters kansen om hem tot staan te brengen verminderden met de seconde.

Peter haalde de trekker over.

Arne bleef rennen.

Peter vuurde weer een aantal keren. Na het vierde schot leek Arne te wankelen. Peter vuurde weer en Arne viel. Hij raakte de grond met de zware dreun van een dood gewicht en rolde op zijn rug.

'O, hemel, niet weer,' zei Peter.

Hij rende met een nog steeds gericht pistool op Arne af.

De figuur op de grond lag stil.

Peter knielde ernaast.

Arne opende zijn ogen. Zijn gezicht was bleek en vertrokken van pijn. 'Stomkop,' zei hij, 'je had me moeten doden.'

Tilde kwam die avond naar het appartement van Peter. Ze droeg een nieuwe roze blouse met geborduurde bloemen op de manchetten. Roze stond haar goed, vond Peter. Het liet haar vrouwelijkheid uitkomen. Het weer was warm en het leek of ze niets onder de blouse aanhad.

Hij liet haar in de zitkamer. De avondzon scheen naar binnen en zette de kamer in een vreemde gloed waardoor de randen van de meubels en de schilderijen aan de muur niet scherp leken. Inge zat op een stoel bij de haard en staarde met haar gebruikelijke wezenloze blik de kamer in.

Peter trok Tilde naar zich toe en kuste haar. Verbaasd verstarde ze even, maar toen kuste ze hem terug. Hij streelde haar schouders en heupen.

Ze boog naar achteren en keek in zijn gezicht. Hij kon de begeerte in haar ogen zien, maar ze toonde zich bezorgd. Ze wierp een blik op Inge. 'Kan dit?' vroeg ze.

Hij streelde haar haren. 'Ssst.' Hongerig kuste hij haar lippen weer. Bij allebei laaide de hartstocht hoger op. Zonder de kus te onderbreken knoopte hij de blouse open en ontblootte haar zachte borsten. Zijn hand gleed over de warme huid.

Zwaar ademend maakte ze zich weer los. Haar borsten gingen op en neer van het hijgen. 'Hoe moet het met haar?' vroeg ze. 'Hoe moet het met Inge?'

Peter keek naar zijn vrouw. Ze keek met een lege blik naar hen en net als altijd toonde ze geen emotie. 'Er is niemand hier,' zei hij tegen Tilde. 'Helemaal niemand.'

Ze keek in zijn ogen. Haar gezicht toonde medeleven en begrip vermengd met nieuwsgierigheid en wellust. 'Goed,' zei ze. 'Goed.'

Hij boog zijn hoofd naar haar blote borsten.

DEEL 3

17

Het stille dorpje Jansborg zag er in het schemerlicht griezelig uit. De dorpelingen waren vroeg naar bed gegaan, dus waren de straten verlaten en de huizen donker en stil. Harald had het gevoel door een plaats te rijden waar iets vreselijks was gebeurd, terwijl hij als enige niet wist wat het was.

Hij parkeerde de motorfiets voor het station. Hij zag er niet zo opvallend uit als hij had gevreesd, want ernaast stond een Opel Olympia cabriolet met een gasgenerator waarvan de houten bak met de reusachtige brandstofzak als een luifel achterop het dak was gebouwd.

Hij liet de motor achter om in de toenemende duisternis naar de school te lopen.

Nadat hij aan de bewakers op Sande was ontsnapt, was hij weer in zijn oude bed gestapt om tot de middag te slapen. Zijn moeder maakte hem wakker, gaf hem een uitgebreide lunch van koud varkensvlees en aardappelen te eten, stopte geld in zijn zak en smeekte hem haar te vertellen waar hij verbleef. Haar genegenheid en de onverwachte toeschietelijkheid van zijn vader ondermijnde zijn vastbeslotenheid, dus vertelde hij haar dat hij op Kirstenslot was. Hij had echter niets over de ongebruikte kerk gezegd uit angst dat ze zich misschien zorgen ging maken dat hij niet in een goed bed sliep en hij liet haar denken dat hij te gast was in het grote huis.

Toen was hij weer begonnen aan de rit dwars door Denemarken. Het was nu de avond van de volgende dag en hij liep naar zijn oude school.

Hij had besloten de film te ontwikkelen voordat hij naar Kopenhagen ging om hem aan Arne te overhandigen die ondergedoken zat in het huis van Jens Toksvig in de wijk Nyboder. Hij moest zeker weten dat zijn foto's waren gelukt en dat er scherpe beelden op de film stonden. Camera's konden gebreken vertonen en fotografen konden fouten maken. Hij wilde niet dat Arne bij de reis naar Engeland zijn leven op het spel zette voor een film waar niets op stond. De school had een eigen donkere kamer met alle chemicaliën die nodig waren voor het ontwikkelen. Tik Duchwitz was de secretaris van de fotoclub en had een sleutel.

Harald vermeed de hoofdingang en liep naar de boerderij naast de school om via de stallen naar binnen te gaan. Het was tien uur. De jongste jongens lagen al in bed en de middelste klassen waren zich aan het uitkleden. Alleen de oudste jongens waren nog op en de meesten van hen zat in hun studeer-slaapkamer. Morgen was de uit-reiking van de diploma's en ze zouden aan het pakken zijn om naar huis te gaan.

Terwijl hij zich een weg zocht door de bekende gebouwen, onder-drukte Harald de neiging om steels langs de muren te sluipen en snel open ruimten over te rennen. Als hij op een natuurlijke en zelfbe-wuste manier liep, zou hij bij een terloopse blik de indruk wekken van een jongen uit de hoogste klas die op weg was naar zijn kamer. Verrast constateerde hij hoe moeilijk het was om een identiteit aan te nemen die nog maar tien dagen geleden helemaal bij hem had ge-hoord.

Hij zag niemand onderweg naar het Rode Huis, het gebouw waar Tik en Mads hun kamer hadden. Hij kon zich op geen enkele manier ver-bergen toen hij de trap opklom naar de bovenste verdieping. Als hij hier iemand tegenkwam, zou hij onmiddellijk worden herkend. Maar zijn geluk liet hem niet in de steek. De gang van de bovenste verdie-ping was verlaten. Hij haastte zich langs de vertrekken van de huis-meester, meneer Moller. Stil opende hij Tiks deur en stapte naar binnen.

Tik zat boven op zijn koffer in een poging deze te sluiten. Jij!' zei hij. 'Goeie hemel!'

Harald ging naast hem zitten en hielp hem met de sloten. 'Vind je het fijn om naar huis te gaan?'

'Dat kan ik vergeten,' zei Tik. 'Ik ben verbannen naar Aarhus. Ik mag de zomer doorbrengen met werken op een afdeling van de familie-bank. Het is mijn straf, omdat ik met jou naar die jazzclub ben ge-weest.'

'O.' Harald had zich verheugd op Tiks gezelschap op Kirstenslot, maar nu vond hij het verstandiger om niet te zeggen dat hij daar logeerde.

'Wat doe jij hier?' vroeg Tik toen hij de koffer had gesloten en de ban-den had dichtgegespt.

'Ik heb jouw hulp nodig.'

Tik grinnikte. 'Wat nu weer?'

Harald haalde het 35 mm filmpje uit zijn broekzak. 'Ik wil dit ontwik-kelen.'

'Waarom kan je er niet mee naar een winkel gaan?'

'Omdat ik gearresteerd zou worden.'

Tiks grijns verdween en hij werd ernstig. 'Je bent betrokken bij een samenzwering tegen de nazi's.'

'Zoiets.'

'Je bent in gevaar.'

'Ja.'

Er werd op de deur geklopt.

Harald liet zich op de vloer vallen en gleed onder het bed.

Tik zei: 'Ja.'

Harald hoorde de deur opengaan en toen zei de stem van Moller: 'Licht uit, alsjeblieft, Duchwitz.'

'Jawel, meneer.'

'Goedenacht.'

'Goedenacht, meneer.'

De deur ging dicht en Harald rolde onder het bed vandaan.

Ze luisterden hoe Moller verder liep door de gang en elke jongen goedenacht wenste. Ze hoorden zijn voetstappen terugkeren naar zijn eigen vertrekken en daarna het dichtgaan van zijn deur. Ze wisten dat hij voor morgenochtend niet meer naar buiten zou komen, tenzij er een noodgeval was.

Op gedempte toon zei Harald tegen Tik: 'Heb jij nog altijd de sleutel van de donkere kamer?'

'Ja, maar we moeten eerst in het lab zien te komen.' Het gebouw voor natuurwetenschappen was 's nachts afgesloten.

'We kunnen aan de achterkant een raam ingooien.'

'Als ze het kapotte glas zien, weten ze dat er iemand heeft ingebroken.'

'Wat kan het jou schelen? Jij vertrekt morgen.'

'Goed.'

Ze deden hun schoenen uit en slopen de gang op. Ze liepen stil de trap af en deden hun schoenen weer aan toen ze bij de deur stonden. Vervolgens liepen ze naar buiten.

Het was nu over elven en de nacht was gevallen. Op dit uur liep normaal niemand over het terrein, dus moesten ze ervoor zorgen dat ze niet werden gezien door iemand die uit een raam keek. Gelukkig was er geen maan. Ze liepen snel bij het Rode Huis weg. Hun voetstappen werden gedempt door het gras. Toen ze bij de kerk waren, wierp Harald een blik over zijn schouder en zag licht in een van de kamers op de bovenste verdieping. Een gestalte liep voor het raam langs en bleef staan. Een onderdeel van een seconde later waren Harald en Tik achter de kerk verdwenen.

'Ik denk dat we misschien gezien zijn,' fluisterde Harald. 'Er was licht aan in het Rode Huis.'

'De slaapkamers van het personeel kijken allemaal uit op de achterkant,' merkte Tik op. 'Als we door iemand zijn gezien, moet het een jongen zijn. Niets om je zorgen over te maken.'

Harald hoopte dat hij gelijk had.

Ze liepen om de bibliotheek heen en naderden het gebouw voor natuurwetenschappen van de achterkant. Hoewel het een nieuw gebouw was, was het ontworpen om te passen bij de oudere bouwwerken eromheen, dus had het muren van rode baksteen en uit zes ruitjes samengestelde openslaande ramen.

Harald deed een schoen uit en tikte met zijn hak tegen een ruitje. Het bleek behoorlijk sterk. 'Als je aan het voetballen bent, is glas altijd erg breekbaar,' mompelde hij. Hij stopte zijn hand in de schoen en bonkte hard tegen het ruitje. Het brak met een geluid als het laatste bazuingeschal. De twee jongens bleven stil staan, verbijsterd door het harde lawaai, maar de stilte keerde weer terug alsof er niets was gebeurd. Er was niemand in de gebouwen in de buurt – de kerk, de bibliotheek en de gymzaal – en toen Haralds hart weer normaal sloeg, begreep hij dat de klap door niemand was gehoord.

Hij gebruikte zijn schoen om de scherpe randen uit het kozijn te tikken. De scherven vielen naar binnen op een laboratoriumtafel. Hij stak zijn arm door het gat en draaide het raam open. Om zijn hand te beschermen, schoof hij aan de binnenkant de scherven met zijn schoen opzij. Toen klom hij naar binnen.

Tik volgde, waarna ze het raam weer sloten.

Ze waren in het scheikundelab. De doordringende geur van zuren en ammonia prikkelde de neusgaten van Harald. Hij kon bijna niets zien, maar het vertrek was erg bekend en hij zocht zijn weg naar de deur zonder ergens tegenop te lopen. Hij liep de gang in en vond de deur van de donkere kamer.

Zodra ze allebei binnen waren, sloot Tik de deur en deed het licht aan. Omdat er geen licht naar binnen kon dringen, kon er ook niets naar buiten schijnen, begreep Harald.

Tik rolde zijn mouwen op en ging aan de slag. Hij liet warm water in een gootsteen lopen en begon iets te doen met de chemicaliën uit een rij flessen. Hij nam de temperatuur van het water in de gootsteen op en voegde nog wat heet water toe tot hij tevreden was. Harald begreep de principes, maar hij had het nooit zelf gedaan, dus moest hij op zijn vriend vertrouwen.

Stel dat er iets verkeerd was gegaan – dat de sluiter niet goed had gewerkt of dat de film was gesluierd of dat er onscherpe beelden op stonden? De opnames zouden nutteloos zijn. Zou hij dan de moed kunnen opbrengen om het nog eens te proberen? Hij zou terug moeten keren naar Sande, in het donker weer over dat hek moeten klimmen, weer moeten wachten op zonsopgang om nieuwe foto's te maken en daarna nogmaals bij daglicht moeten proberen te ontsnappen. Hij wist niet zeker of hij de wilskracht daarvoor kon opbrengen. Toen alles klaar was, zette Tik een klok aan en deed het licht uit. Harald ging geduldig in het donker zitten en Tik begon aan het procédé dat de foto's zou ontwikkelen – als er foto's waren. Hij legde uit dat hij de film eerst in een bad van pyrogallol deed, wat een reactie gaf met het zilverzout zodat een zichtbaar beeld ontstond. Ze zaten te wachten tot de wekker afging, waarna Tik de film in azijnzuur spoelde om de reactie te stoppen. Ten slotte deed hij de film in een fixeerbad om het beeld voorgoed vast te leggen.

Eindelijk zei hij: 'Dat moet het zijn.'

Harald hield zijn adem in.

Tik deed het licht aan. Harald werd verblind en zag even helemaal niets. Toen zijn ogen zich wat hadden aangepast, tuurde hij naar de grijzige film in Tiks handen. Tik hield hem omhoog naar het licht. Aanvankelijk kon Harald geen enkel beeld onderscheiden en dacht hij helemaal opnieuw te moeten beginnen. Toen herinnerde hij zich dat hij naar het negatief keek waarop zwart eruit zag als wit en omgekeerd, waarna hij vormen begon te onderscheiden. Hij zag het omgekeerde beeld van de grote rechthoekige antenne die hem zo had geïntrigeerd toen hij hem vier weken geleden voor het eerst had gezien. Het was hem gelukt.

Hij keek de reeks beelden af en herkende alles: de draaiende voet, de bundel kabels, het raster dat vanuit verschillende hoeken was gefotografeerd, de kleinere apparaten met hun op en neer draaiende antennes en ten slotte het totaaloverzicht van alle drie de bouwsels, de foto die hij had genomen toen hij op de grens van paniek verkeerde. 'Alles staat erop!' zei hij triomfantelijk. 'Ze zijn geweldig!'

Tik was bleek. 'Waar zijn dit foto's van?' vroeg hij op een angstige toon.

'Van een soort nieuw apparaat dat de Duitsers hebben uitgevonden om naderende vliegtuigen te onderscheppen.'

'Ik zou willen dat ik het niet had gevraagd. Besef je wel wat voor straf er staat op wat we aan het doen zijn?'

'Ik heb de foto's gemaakt.'

'En ik heb de film ontwikkeld. Lieve god, ik zou ervoor opgehangen kunnen worden.'

'Ik heb je verteld dat het zoiets was.'

'Ik weet het, maar ik heb er niet echt over nagedacht.'

'Het spijt me.'

Tik rolde de film op en stopte hem terug in de cilindrische cassette. 'Hier, pak aan,' zei hij. 'Ik ga terug naar bed om te vergeten dat dit ooit is gebeurd.'

Harald stopte de cassette in zijn broekzak.

Toen hoorden ze stemmen.

Tik kreunde.

Harald verstijfde en luisterde. Aanvankelijk kon hij geen woorden onderscheiden, maar hij wist zeker dat de geluiden vanuit het gebouw kwamen en niet vanbuiten. Toen hoorde hij de bekende stem van Heis zeggen: 'Zo te zien is er niemand hier.'

De andere stem was van een jongen. 'Ze gingen absoluut deze kant uit, meneer.'

Harald keek Tik fronsend aan. 'Wie...'

Tik fluisterde: 'Zo te horen is het Woldemar Borr.'

'Natuurlijk,' kreunde Harald. Borr was de nazi van de school. Hij was het geweest die hen vanuit zijn raam had gezien. Wat een pech – elke andere jongen zou zijn mond hebben gehouden.

Toen hoorden ze een derde stem. 'Kijk, van dit raam is een ruitje gebroken.' Het was Moller. 'Hier moeten ze door naar binnen zijn gekomen – wie het ook zijn.'

'Ik weet zeker dat Harald Olufsen erbij was, meneer,' zei Borr. Hij klonk ingenomen met zichzelf.

Harald zei tegen Tik: 'Laten we hier verdwijnen. Misschien kunnen we voorkomen dat ze merken dat we in de doka bezig zijn geweest.' Hij knipte het licht uit, draaide de sleutel in het slot om en opende de deur.

Alle lampen waren aan en Heis stond pal voor de deur.

'Ach, verrek,' zei Harald.

Heis droeg een overhemd zonder kraag. Hij was kennelijk op weg naar bed geweest. Hij keek langs zijn lange neus op hem neer. 'Jij bent het dus, Olufsen.'

'Jawel, meneer.'

Borr en Moller verschenen achter Heis.

'Je bent geen leerling meer op deze school, dat weet je,' ging Heis verder. 'Het is mijn plicht de politie te bellen en je te laten arresteren voor inbraak.'

Even voelde Harald een golf van paniek. Als de politie de film in zijn zak vond, zou het afgelopen met hem zijn.

'En Duchwitz is bij je – ik had het kunnen weten,' voegde Heis eraan toe, toen hij Tik achter Harald zag staan. 'Maar wat zijn jullie aan het doen?'

Harald moest Heis overreden om de politie niet te bellen – maar dat kon hij niet doen waar Borr bij was. 'Meneer,' zei hij, 'zou ik onder vier ogen met u kunnen praten?'

Heis aarzelde.

Harald besloot dat als Heis weigerde en de politie belde, hij zich niet zonder meer zou overgeven. Hij zou het op een lopen zetten. Maar hoever zou hij komen? 'Alstublieft, meneer,' zei hij. 'Geef me een kans om het uit te leggen.'

'Goed,' zei Heis schoorvoetend. 'Borr, ga terug naar bed. En jij ook, Duchwitz. Meneer Moller, u kunt ze misschien beter naar hun kamers begeleiden.' Ze vertrokken.

Heis liep het scheikundelab in, ging op een kruk zitten en pakte zijn pijp. 'Goed, Olufsen,' zei hij. 'Wat is het nu weer?'

Harald vroeg zich af wat hij moest zeggen. Hij kon geen enkele aannemelijke leugen bedenken, maar hij was bang dat de waarheid nog onwaarschijnlijker zou klinken dan alles wat hij kon bedenken. Uiteindelijk haalde hij de kleine cassette uit zijn zak en gaf die aan Heis.

Heis haalde die film eruit en hield die tegen het licht. 'Dit ziet eruit als een nieuwerwets soort radio-installatie,' zei hij. 'Is het militair?'

'Jawel, meneer.'

'Weet je wat het doet?'

'Het spoort vliegtuigen op met radiostralen, denk ik.'

'Zo doen ze het dus. De Luftwaffe beweert dat ze RAF-bommenwerkers neerschieten alsof het vliegen zijn. Dit verklaart het.'

'Ik denk dat ze de bommenwerper volgen en tegelijk ook de jager die de lucht is ingestuurd om de bommenwerper te onderscheppen, zodat de man die de apparatuur bedient de jager precies op het doel kan zetten.'

Heis keek over zijn bril. 'Mijn hemel. Besef je wel hoe belangrijk dit is?'

'Ik denk het wel.'

'Er is maar één manier waarop de Engelsen de Russen kunnen helpen en dat is door Hitler te dwingen vliegtuigen van het Russische front terug te halen om Duitsland te beschermen tegen bombardementen.' Heis was militair geweest en zo'n manier van denken was voor hem een tweede natuur. 'Ik weet niet zeker,' zei Harald, 'of ik begrijp wat u bedoelt.'

'Nou, de strategie kan niet werken, zolang de Duitsers gemakkelijk bommenwerpers neer kunnen schieten. Maar als de Engelsen ontdekken hoe ze het doen, kunnen ze tegenmaatregelen nemen.' Heis keek om zich heen. 'Er moet hier ergens een almanak zijn.'

Harald begreep niet waarvoor hij een almanak nodig had, maar hij wist waar er een lag. 'In het natuurkundelokaal.'

'Ga hem halen.' Heis zette de film op de laboratoriumtafel en stak zijn pijp aan, terwijl Harald naar het lokaal ernaast liep, de almanak op de boekenplank vond en mee terugnam. Heis sloeg de bladzijden om.

'De volgende vollemaan is op de achtste juli. Ik wed dat er die nacht een groot bombardement plaatsvindt. Dat is over twaalf dagen. Kun je de film tegen die tijd in Engeland hebben?'

'Dat moet iemand anders doen.'

'Dan wens ik hem veel geluk. Olufsen, ken je het gevaar waarin je verkeert?'

'Jawel.'

'Op spionage staat de doodstraf.'

'Ik weet het.'

'Je hebt altijd lef gehad, dat moet ik je nageven.' Hij gaf de film terug. 'Heb je iets nodig? Voedsel, geld, benzine?'

'Nee, dank u.'

Heis stond op. 'Ik loop met je mee het terrein af.'

Ze liepen door de voordeur naar buiten. De nachtlucht koelde de transpiratie op Haralds voorhoofd. Ze liepen naast elkaar de weg naar de poort af. 'Ik weet niet wat ik Moller moet vertellen,' zei Heis.

'Mag ik een voorstel doen?'

'Uiteraard.'

'U zou kunnen zegen dat we schunnige foto's aan het ontwikkelen waren.'

'Goed idee. Dat geloven ze meteen.'

Ze kwamen bij de poort en Heis schudde Harald de hand. 'Wees alsjeblieft voorzichtig, jongen,' zei het schoolhoofd.

'Dat zal ik doen.'

'Veel geluk.'

'Tot ziens.'

Harald liep weg richting het dorp.

Toen hij de bocht in de weg bereikte, keek hij achterom. Heis stond nog bij de poort naar hem te kijken. Harald wuifde en Heis wuifde terug. Toen liep Harald door.

Hij kroop onder een struik en sliep tot de zon opkwam, waarna hij terugkeerde naar zijn motor en Kopenhagen inreed.

Hij voelde zich goed, toen hij in de ochtendzon door de buitenwijken van de stad reed. Hij was een paar keer door het oog van de naald gekropen, maar uiteindelijk had hij gedaan wat hij had beloofd. Hij ging genieten van het overhandigen van de film. Arne zou onder de indruk zijn. Haralds taak zat erop en Arne moest ervoor zorgen dat de foto's in Engeland kwamen.

Nadat hij Arne had gesproken, zou hij terugrijden naar Kirstenslot. Hij zou boer Nielsen moeten vragen of hij zijn baan terug kon krijgen. Hij had maar één dag gewerkt en was vervolgens de rest van de week verdwenen. Nielsen zou niet blij zijn – maar misschien had hij Harald hard genoeg nodig om hem opnieuw aan te nemen.

Als hij op Kirstenslot was, zou hij Karen weer zien. Hij keek er verlangend naar uit. Ze had geen romantische belangstelling voor hem en zou die ook nooit krijgen, maar ze leek hem te mogen. Hij vond het al goed als hij met haar kon praten. Het idee om haar te kussen was te onwerkelijk om het zelfs maar te wensen.

Hij reed naar Nyboder. Arne had Harald het adres van Jens Toksvig gegeven. St. Pauls Gade was een smalle straat met kleine rijtjeshuizen. Er waren geen voortuinen, zodat de deuren meteen op het trottoir uitkwamen. Harald parkeerde motor voor nummer drieënvijftig en klopte aan.

Een politieagent in uniform deed open.

Een ogenblik was Harald met stomheid geslagen. Waar was Arne? Was hij gearresteerd…

'Wat is er, knul?' vroeg de agent ongeduldig. Hij was een man van middelbare leeftijd met een grijze snor en de strepen van een brigadier op zijn mouw.

Harald kreeg een inval. Hij wendde een paniek voor die in feite maar al te echt was en vroeg: 'Waar is de dokter, hij moet meteen komen, de baby komt al!'

De politieman glimlachte. De bange toekomstige vader bleef een komische figuur. 'Er is hier geen dokter, knul.'

'Maar die moet er zijn!'

'Kalmeer, jongen. Er werden al baby's geboren voordat er dokters waren. Goed, welk adres moet je hebben?'

'Dokter Thorsen, Fischers Gade nummer drieënvijftig, hij moet hier zijn!'

'Goed nummer, maar de verkeerde straat. Dit is St. Pauls Gade. Fischers Gade is een blok naar het zuiden.'

'O, mijn hemel, de verkeerde straat!' Harald draaide zich om en sprong op zijn motor. 'Dank u!' riep hij. Hij opende de stoomklep en reed weg.

'Hoort bij het vak,' zei de politieman.

Harald reed naar het eind van de straat en sloeg de hoek om.

Heel slim, dacht hij, maar wat moet ik nu verdorie doen?

18

Hermia bracht de hele vrijdagochtend in de mooie ruïne van kasteel Hammershus door met wachten op Arne en de belangrijke film.

Het was nu nog belangrijker dan vijf dagen geleden toen ze op deze missie was uitgestuurd. In de tussentijd was de wereld veranderd. De nazi's leken een behoorlijk eind op weg om de Sovjet-Unie te veroveren. Ze hadden de belangrijke sterkte van Brest al ingenomen. Hun volledige superioriteit in de lucht was vernietigend voor het Rode Leger. Digby had haar in een paar korte zinnen verteld van zijn gesprek met Churchill. Bomber Command ging elk toestel dat van de grond kon komen inzetten bij de grootste luchtaanval van de oorlog tot nu toe in een wanhopige poging om de Luftwaffe te dwingen het Russische front gedeeltelijk te verruilen voor het thuisland, waardoor de Sovjet soldaten misschien een kans kregen om terug te vechten. Het bombardement zou plaatsvinden over elf dagen.

Digby had ook gepraat met zijn broer Bartlett die inmiddels genezen was, weer actief dienstdeed en ongetwijfeld de piloot van een van de bommenwerpers zou zijn.

De raid zou een zelfmoordaanval worden en Bomber Command zou dodelijk verzwakt worden, tenzij in de komende dagen een tactiek kon worden ontwikkeld om de Duitse radar te ontlopen. En dat hing af van Arne.

Hermia had haar Zweedse visser overgehaald haar nog een keer over te zetten – hoewel hij haar had gewaarschuwd dat dit de laatste keer zou zijn, omdat hij het gevaarlijk vond om in een patroon te vervallen. Bij dageraad had ze wadend door het ondiepe water haar fiets naar het strand onder Hammershus gedragen. Ze was de steile heuvel naar het kasteel opgeklommen, waar ze op de wal stond als een middeleeuwse koningin en naar de zon keek die opkwam boven een wereld die steeds meer werd beheerst door de pompeuze, schreeuwende en van haat vervulde nazi's waar ze zo'n afkeer van had.

Gedurende de dag liep ze ongeveer om het halfuur van het ene gedeelte van de ruïne naar een ander, of ze wandelde door het bos of daalde af naar het strand, zodat de toeristen niet in de gaten kregen dat ze op iemand wachtte. Ze onderging een combinatie van vreselijke spanning en dodelijke verveling die ze vreemd vermoeiend vond. Ze zocht afleiding in de heerlijke herinnering aan hun laatste ontmoeting. Het feit dat ze hier op het gras in het volle daglicht de liefde met Arne had bedreven, vond ze nu schokkend, maar ze had er geen spijt van. Ze zou die herinnering haar hele verdere leven mee-dragen.

Ze verwachtte dat hij met de nachtelijke veerboot zou meekomen. De afstand van Rønne naar het kasteel van Hammershus was nog geen vijfentwintig kilometer. Arne kon er met de fiets in een uur zijn of lopend in drie uur. Hij kwam in de loop van de ochtend echter niet opdagen.

Dat maakte haar ongerust, maar ze zei tegen zichzelf dat ze zich geen zorgen moest maken. De vorige keer was hetzelfde gebeurd. Hij had de nachtboot gemist en de ochtendafvaart genomen. Ze nam aan dat hij vanmiddag zou aankomen.

De laatste keer had ze gespannen op hem zitten wachten en toen was hij de volgende ochtend pas verschenen. Nu kon ze daar het geduld niet voor opbrengen. Toen ze zeker wist dat hij niet met de nachtboot was gekomen, besloot ze naar Rønne te fietsen.

Ze voelde zich steeds zenuwachtiger worden, toen ze van de verlaten landweggetjes de drukkere straten van het stadje inreed. Ze maakte zichzelf wijs dat dit veiliger was – in het buitengebied viel ze meer op en in de stad kon ze verdwijnen in de massa – maar ze voelde het tegenovergestelde.

Ze zag achterdocht in iedere blik, en niet alleen van politieagenten en soldaten, maar ook van winkeliers in hun deuropening, voerlieden achter hun paarden, oude mannen die op een bankje zaten te roken en dokwerkers die op de kade thee zaten te drinken. Ze liep een tijd-je door de stad en probeerde oogcontact te vermijden. Vervolgens liep ze een hotel aan de haven binnen en at een broodje. Toen de veerboot aanlegde, stond ze met een groepje mensen de passagiers op te wachten. Toen die van boord kwamen, lette ze scherp op elk ge-zicht, omdat ze vermoedde dat Arne zich had vermomd.

Het duurde een paar minuten voordat ze allemaal waren ontscheept. Toen de passagiers voor de terugreis aan boord begonnen te gaan, be-greep Hermia dat Arne niet was meegekomen.

Ze piekerde over wat ze nu moest doen. Er waren wel honderd mo-gelijke verklaringen, van triviaal tot tragisch, voor het feit dat hij niet was komen opdagen. Had hij de moed verloren en de missie afgebla-zen? Ze schaamde zich voor die gedachte, maar ze had altijd betwij-feld of Arne uit het hout van helden was gesneden. Hij kon natuurlijk dood zijn. Maar zeer waarschijnlijk was hij opgehouden door zoiets stoms als een vertraagde trein. Helaas kon hij het haar op geen enke-le manier laten weten.

Maar, bedacht ze, zij kon misschien wel contact met hem opnemen. Ze had hem verteld dat hij moest onderduiken in het huis van Jens Toksvig in de wijk Nyboder in Kopenhagen. Jens had telefoon en Her-mia kende het nummer.

Ze aarzelde. Als de politie om de een of andere reden de telefoon van Jens afluisterde, konden ze de beller opsporen en dan wisten ze… ja, wat? Dat er misschien iets aan de hand was op Bornholm. Dat zou vervelend zijn, maar niet funest. Het alternatief was dat ze een onderkomen voor de nacht zocht en wachtte op de volgende aankomst van de veerboot. Maar daar kon ze het geduld niet voor opbrengen.

Ze keerde terug naar het hotel om te telefoneren.

Toen de telefoniste haar doorverbond, wenste ze dat ze meer tijd had genomen om te bedenken wat ze ging zeggen. Zou ze naar Arne vragen? Als iemand de telefoon afluisterde, zou ze daarmee zijn verblijfplaats verraden. Nee, ze zou in bedekte termen moeten praten, net zoals ze had gedaan toen ze vanuit Stockholm belde. Waarschijnlijk zou Jens de telefoon aannemen. Hij zou haar stem herkennen, dacht ze. Zo niet, dan zou ze zeggen: *Je spreekt met je vriendin uit Bredgade, herinner je me nog?* Bredgade was de straat waar de Britse ambassade had gelegen, toen ze daar werkte. Die aanwijzing moest voor hem voldoende zijn – hoewel het misschien ook een rechercheur op het spoor kon zetten.

Voordat ze tijd had om er verder over na te denken, werd de telefoon opgenomen en zei een mannenstem: 'Hallo?'

Arne was het zeker niet. Het had Jens kunnen zijn, maar ze had zijn stem al ruim een jaar niet gehoord.

Ze zei: 'Hallo.'

'Met wie spreek ik?' Het was de stem van een oudere man. Jens was negenentwintig.

'Mag ik alstublieft met Jens Toksvig spreken?' vroeg ze.

'Wie heb ik aan de telefoon?'

Wie was dat verdorie? Jens woonde alleen. Misschien logeerde zijn vader bij hem. Maar ze ging hem niet haar echte naam geven. 'U spreekt met Hilde.'

'Hilde wie?'

'Dat weet hij wel.'

'Mag ik uw achternaam alstublieft weten?'

Dit was onheilspellend. Ze besloot te proberen hem te overbluffen. 'Luister, ik weet verdomme niet wie u bent, maar ik heb niet gebeld om stomme spelletjes te spelen, dus geef me gewoon Jens.'

Het werkte niet. 'Ik moet uw achternaam weten.'

Dit was niet iemand die spelletjes speelde, besloot ze. 'Wie bent u?'

Het duurde enige tijd en toen antwoordde hij: 'Ik ben brigadier Egill van de Kopenhaagse politie.'

'Is Jens in moeilijkheden?'

'Mag ik alstublieft uw volledige naam weten?'

Hermia hing op.

Ze was geschokt en bang. Het kon niet erger zijn. Arne was ondergedoken in het huis van Jens en nu stond dat huis onder politiebewaking. Dat kon alleen maar betekenen dat ze hadden ontdekt dat Arne zich daar schuilhield. Ze moesten Jens hebben gearresteerd en Arne waarschijnlijk ook. Hermia onderdrukte haar tranen. Zou ze haar geliefde ooit terugzien?

Ze liep het hotel uit en keek over de haven naar Kopenhagen dat honderdvijftig kilometer ver weg lag in de richting van de ondergaande zon. Arne zat daar waarschijnlijk in de gevangenis.

Ze kon nu onmogelijk het rendez-vous met haar visser nakomen en met lege handen terugkeren naar Zweden. Ze zou Digby Hoare en Winston Churchill en duizenden Engelse piloten in de steek laten.

De hoorn van de veerboot blies het allen-aan-boord. Hermia sprong op haar fiets en trapte als een razende naar de kade. Ze had een volledig stel vervalste papieren met inbegrip van een identiteitskaart en een distributieboekje, dus kon ze elke controlepost passeren. Ze kocht een kaartje en haastte zich aan boord. Ze moest naar Kopenhagen om te ontdekken wat er met Arne was gebeurd. Ze moest zijn film in handen krijgen als hij opnames had gemaakt. Wanneer ze zover was, zou ze zich zorgen gaan maken over hoe ze uit Denemarken moest ontsnappen om de film naar Engeland te krijgen.

Weer loeide de hoorn van de veerboot klagelijk en tegelijkertijd voer de boot langzaam bij de kade vandaan.

19

Harald reed bij zonsondergang langs de havenkant van Kopenhagen. Het vuile water in de haven was bij daglicht olieachtig grijs, maar nu gloeide het door de weerspiegeling van de ondergaande zon in een rood met gele hemel die door de golfjes in kleurige vlekken werd verdeeld als penseelstreken op een schilderij.

Hij zette de motor stil bij een rij Daimler-Benz vrachtwagens die gedeeltelijk waren geladen met hout uit een Noorse vrachtvaarder. Toen zag hij twee Duitse soldaten die de lading bewaakten. Het filmrolletje in zijn zak brandde ineens tegen zijn been. Hij stak zijn hand in zijn broekzak en zei tegen zichzelf dat hij niet in paniek moest raken. Niemand verdacht hem van iets en in de buurt van de soldaten zou de motor veilig staan. Hij parkeerde naast de vrachtwagens.

De laatste keer was hij dronken geweest, dus moest hij moeite doen om zich te herinneren waar de jazzclub was. Hij liep langs de rij pakhuizen en kroegen. De groezelige gebouwen kregen net als het water in de haven een heel ander aanzien door de romantische gloed van de ondergaande zon. Uiteindelijk zag hij het bord met het opschrift 'Deens Instituut voor Volkszang en Volksdans'. Hij liep de trap af naar de kelder en duwde tegen de deur. Die was open.

Het was tien uur, vroeg dus voor een nachtclub, en het zaaltje was halfvol. Niemand bespeelde de piano vol biervlekken op het kleine podium. Harald liep door het vertrek naar de bar en bekeek de gezichten. Tot zijn teleurstelling herkende hij niemand.

De barkeeper droeg als een zigeuner een doek om zijn hoofd. Hij begroette Harald met een behoedzaam knikje, omdat hij er niet uitzag als zijn gebruikelijke klanten.

'Hebt u Betsy vandaag gezien?' vroeg Harald.

De barkeeper ontspande. Kennelijk dacht hij dat Harald gewoon een jongeman was die een prostituee zocht. 'Ze is in de buurt,' zei hij.

Harald ging op een kruk zitten. 'Dan wacht ik wel.'

'Daar zit Trude,' zei de barkeeper behulpzaam.

Harald wierp een blik in de aangegeven richting en zag een vrouw die uit een met lippenstift bevlekt glas dronk. Hij schudde zijn hoofd. 'Ik wil Betsy.'

'Dit soort dingen is erg persoonlijk,' zei de barkeeper wijs.

Harald onderdrukte een glimlach om die opmerking. Inderdaad, wat was persoonlijker dan geslachtsgemeenschap? 'Helemaal gelijk,' zei hij. Waren bargesprekken altijd zo stompzinnig?

'Iets drinken tijdens het wachten?'

'Bier, alstublieft.'

'Kopstoot?'

'Nee, dank u.' Alleen bij de gedachte aan aquavit voelde Harald zich alweer misselijk worden.

Hij dronk nadenkend van zijn bier. De hele dag had hij over de toestand lopen piekeren. De aanwezigheid van politie bij de schuilplaats van Arne betekende bijna zeker dat Arne was ontdekt. Als hij door een of ander wonder aan arrestatie was ontkomen, dan was de ruïne van het klooster in Kirstenslot waarschijnlijk de enige plaats waar hij zich kon verbergen. Dus was Harald erheen gereden om te kijken, maar hij had niemand aangetroffen.

Hij had een paar uur op de vloer van de kerk gezeten en afwisselend getreurd om het lot van zijn broer en geprobeerd te bedenken wat hij nu moest doen.

Als hij wilde afmaken waarmee Arne was begonnen, moest hij de film in de komende elf dagen in Londen zien te krijgen. Arne moest daar een plan voor hebben gehad, maar Harald kende dat plan niet en hij kon ook geen manier bedenken om erachter te komen. Dus moest hij zelf een plan verzinnen.

Hij overwoog om de negatieven in een envelop te stoppen en met de post naar het Britse gezantschap in Zweden te sturen. Hij wist echter bijna zeker dat alle post naar dat adres routinematig werd geopend door de mensen van de censuur.

Hij had niet het geluk een van de weinige mensen te kennen die met een wettige reden heen en weer reisden tussen Denemarken en Zweden. Hij kon gewoon naar de kade van de veerboot in Kopenhagen of het station van de boottrein in Elsinore gaan en een passagier vragen de envelop mee te nemen, maar dat leek bijna even riskant als hem met de post versturen.

Nadat hij een dag lang zijn hersenen had gepijnigd, was hij tot de slotsom gekomen dat hij zelf moest gaan.

Hij kon dat niet openlijk doen. Hij zou geen toestemming krijgen om te reizen nu zijn broer bekend stond als spion. Hij zou een clandestiene route moeten vinden. Elke dag voeren er Deense schepen naar Zweden. Er moest een manier zijn om aan boord van een van die schepen te komen en er aan de andere kant ongemerkt weer af te stappen. Hij kon geen baantje krijgen aan boord van een schip, omdat matrozen speciale identiteitspapieren hadden. Maar in een haven waren er altijd illegale activiteiten van smokkelaars, dieven, prostituees en drugsdealers. Dus moest hij contact leggen met criminelen en iemand proberen te vinden die bereid was hem naar Zweden te smokkelen.

Toen de middag begon af te koelen en de vloertegels van het klooster kil werden, was hij op zijn motor teruggereden en naar de jazzclub gegaan in de hoop de enige crimineel te treffen die hij ooit had ontmoet.

Hij hoefde niet lang op Betsy te wachten. Hij had zijn bier nog maar half opgedronken toen ze verscheen. Ze kwam de achtertrap af met een man en Harald nam aan dat ze hem net van dienst was geweest in een slaapkamer boven. Haar klant had een bleke, ongezonde huid, heel kortgeknipt haar en een grote pukkel op zijn linker neusvleugel. Hij was een jaar of zeventien. Harald nam aan dat hij matroos was. Hij liep snel door het vertrek en verdween met een steelse blik de deur uit.

Betsy kwam naar de bar, zag Harald en reageerde meteen. 'Hallo, schooljongen,' zei ze vriendelijk.

'Hallo prinses.'

Ze schudde koket met haar donkere krullen. 'Van gedachten veranderd? Wil je het toch proberen?'

De gedachte aan seks met haar, nadat ze het een paar minuten eerder met die matroos had gedaan, vond hij smerig, maar hij reageerde met een grap. 'Pas als we getrouwd zijn.'

Ze lachte. 'Wat zou je moeder daarvan zeggen?'

Hij keek naar haar volslanke figuur. 'Dat je wat beter zou kunnen eten.'

Ze glimlachte. 'Vleier. Je moet iets van me hebben, hè? Je bent niet teruggekomen voor dat waterige bier.'

'Eigenlijk moet ik even met jouw Luther praten.'

'Lou?' Ze keek afkeurend. 'Wat moet je met hem?'

'Een probleempje waarmee hij me misschien kan helpen.'

'Wat?'

'Eigenlijk zou ik het je niet...'

'Doe niet zo stom. Ben je in moeilijkheden?'

'Niet direct.'

Ze keek door het vertrek naar de deur. 'O, verrek.'

Harald volgde haar blik en zag Luther binnenkomen. Vanavond droeg hij een erg vuil zijden sportjasje over een onderhemd. Er was een man van rond de dertig bij hem die zo dronken was, dat hij nauwelijks kon staan. Luther hield de arm van de man vast en stuurde hem naar Betsy. De man stond begerig naar haar te kijken.

'Hoeveel heb je hem afgetroggeld?'

'Tien.'

'Leugenachtige zak.'

Luther gaf haar een biljet van vijf kronen. 'Hier is jouw helft.'

Ze haalde haar schouders op, stopte het geld weg en nam de man mee naar boven.

'Zou je wat willen drinken, Lou?' vroeg Harald.

'Aquavit.' Zijn gedrag was er niet beter op geworden. 'Wat moet je hebben?'

'Jij bent een man met veel contacten in de haven.'

'Je hoeft me niet in te palmen, jongen,' viel Luther hem in de rede. 'Wat wil je hebben? Een jongetje met een lekker kontje? Goedkope sigaretten? Spul?'

De barkeeper vulde een glaasje met aquavit. Luther goot het in één teug achterover. Harald betaalde en wachtte tot de barkeeper weg was gelopen. Hij dempte zijn stem en zei: 'Ik wil naar Zweden.'

Luther kneep zijn ogen dicht. 'Waarom?'

'Doet dat er wat toe?'

'Misschien.'

'Ik heb een vriendin in Stockholm. We willen gaan trouwen.' Harald begon te improviseren. 'Ik kan een baan krijgen in de fabriek van haar vader. Hij maakt dingen van leer, portefeuilles en tassen en…'

'Dien dan bij de autoriteiten een verzoek in om naar het buitenland te mogen.'

'Heb ik gedaan. Ze hebben het afgewezen.'

'Waarom?'

'Dat wilden ze niet zeggen.'

Luther keek nadenkend. Na een minuut zei hij: 'Goed dan.'

'Kun je me op een schip krijgen?'

'Alles is mogelijk. Hoeveel geld heb je?'

Harald herinnerde zich dat Betsy Luther een minuut geleden niet had vertrouwd. 'Niets,' zei hij. 'Maar ik kan aan wat geld komen. Kun je iets voor me regelen?'

'Ik ken een man die ik het kan vragen.'

'Prachtig! Vanavond?'

'Geef me tien kronen.'

'Waarvoor?'

'Om met die man te praten. Denk je dat ik een gratis openbare dienst ben zoals de bibliotheek?'

'Ik heb je toch gezegd dat ik geen geld heb.'

Luther grijnsde waardoor zijn rotte tanden zichtbaar werden. 'Je hebt met een briefje van twintig voor die drankjes betaald en kreeg een briefje van tien terug bij het wisselgeld. Geef dat aan mij.'

Harald had er een hekel aan om bakzeil te halen, maar hij had geen keus. Hij overhandigde het bankbiljet.

'Wacht hier,' zei Luther en hij liep naar buiten.

Harald wachtte en dronk langzaam van zijn bier om er lang mee te kunnen doen. Hij vroeg zich af waar Arne nu was. Waarschijnlijk in een cel in de Politigaarden waar hij werd verhoord. Misschien leidde Peter Flemming het verhoor – spionage viel onder zijn afdeling. Zou Arne praten? In het begin niet, dat wist Harald zeker. Arne zou niet meteen doorslaan. Maar zou hij de kracht hebben om het vol te houden? Harald had altijd het gevoel gehad dat hij Arne nooit helemaal kende. Stel dat hij werd gemarteld? Hoelang zou het duren, voordat hij Harald verried?

Er klonk wat tumult achter in de bar en Betsy's laatste klant, de dronkeman, viel van de trap. Betsy volgde hem, trok hem overeind en liep met hem door de deur en de trap op naar buiten.

Ze keerde terug met een andere klant. Dit keer was het een fatsoenlijke man van middelbare leeftijd in een grijs kostuum dat oud maar keurig geperst was. Hij leek op iemand die zijn hele leven in een bank had gewerkt zonder ooit promotie te maken. Toen ze door het vertrek liepen, vroeg Betsy aan Harald: 'Waar is Lou?'

'Hij is voor mij met een man gaan praten.'

Ze stopte en kwam naar de bar. De verlegen kijkende bankklerk liet ze midden in het vertrek staan. 'Blijf bij Lou uit de buurt. Hij is een rotzak.'

'Ik heb geen keus.'

'Neem dan een raad van me aan.' Ze dempte haar stem. 'Vertrouw hem voor geen cent.' Ze zwaaide als een schooljuf met haar vinger. 'Let in hemelsnaam op je rug.' Toen liep ze naar boven met de man in het versleten kostuum.

Aanvankelijk ergerde Harald zich aan haar, omdat ze er zo zeker van was dat hij niet voor zichzelf kon zorgen. Toen zei hij bij zichzelf dat hij niet zo stom moest zijn. Ze had gelijk – hij wist hier niets van af. Hij had nog nooit met mensen als Luther te maken gehad en had er geen idee van hoe hij zichzelf moest beschermen.

Vertrouw hem voor geen cent, had Betsy gezegd. Nou, hij had de man alleen maar tien kronen gegeven. Hij zag niet in hoe Luther hem in dit stadium kon bedriegen, hoewel hij later misschien een groter bedrag zou aannemen zonder er iets tegenover te stellen.

Let op je rug. Houd rekening met verraad. Harald kon geen manier bedenken waarop Luther hem kon verraden, maar kon hij voorzorgsmaatregelen nemen? Het viel hem op dat hij in deze bar zonder achterdeur opgesloten zat. Misschien moest hij vertrekken en de ingang van een afstand in het oog houden. Onvoorspelbaar gedrag kon wel eens veilig zijn.

Hij dronk zijn glas leeg, zwaaide naar de barkeeper en liep naar buiten. Hij liep in de schemering langs de kade naar de plaats waar een groot graanschip lag aangemeerd met trossen zo dik als zijn arm. Hij ging op de ronde kop van een stalen kaapstaander zitten en keek naar de club. Hij kon de ingang duidelijk zien en dacht dat hij Luther waarschijnlijk wel zou herkennen. Zou Luther hem hier ontdekken? Hij dacht het niet, want hij zou moeilijk te onderscheiden zijn tegen de donkere massa van het schip. Dat was goed. Dat legde het initiatief bij

Harald. Als Luther terugkwam en alles in orde leek, zou Harald weer naar de bar gaan. Als hij onraad rook, zou hij verdwijnen. Hij ging zitten wachten.

Na tien minuten verscheen er een politieauto.

Hij reed heel snel over de kade, maar gebruikte geen sirene. Harald stond op. Zijn instinct vertelde hem dat hij het op een lopen moest zetten, maar hij besefte dat hij daardoor de aandacht zou trekken, dus dwong hij zichzelf om weer te gaan zitten en zich erg stil te houden. De auto stopte met een ruk voor de jazzclub.

Er stapten twee mannen uit. De chauffeur droeg een politie-uniform. De andere man was gekleed in een licht kostuum. Toen hij in het vage licht naar de figuur tuurde, herkende Harald het gezicht en hapte naar adem. Het was Peter Flemming.

De twee politiemannen gingen de club binnen.

Harald wilde net haastig weglopen, toen een andere figuur opdook en op een bekende manier over de keien sjokte. Het was Luther. Hij bleef op een paar meter van de politieauto staan en leunde tegen de muur als een toevallige voorbijganger die afwachtte wat er ging gebeuren.

Vermoedelijk had hij de politie verteld van Haralds voorgenomen vlucht naar Zweden. Zonder twijfel hoopte hij betaald te krijgen voor de tip. Wat was Betsy eerlijk geweest – en wat verstandig dat Harald haar raad had opgevolgd.

Na enkele minuten kwamen de politiemensen de club weer uit. Peter Flemming praatte met Luther. Harald kon de stemmen horen, want ze spraken allebei op boze toon, maar de afstand was te groot om iets te verstaan. Het leek er echter op dat Peter Luther een uitbrander gaf, terwijl die met een hulpeloos gebaar zijn handen omhoogstak.

Even later reden de twee politiemensen weg en ging Luther naar binnen.

Harald liep snel weg, bevend bij de gedachte dat hij ternauwernood was ontsnapt. Hij vond zijn motor terug en reed weg bij het laatste licht van de schemering. Hij zou de nacht doorbrengen in de ruïne van het klooster in Kirstenslot.

Maar wat moest hij daarna doen?

Harald vertelde Karen de volgende avond het hele verhaal.

Ze zaten op de vloer van de ongebruikte kerk, terwijl buiten de duisternis begon te vallen en bij het schemerlicht de vormen en dozen om hen heen in spoken veranderden. Ze zat met gekruiste benen als een schoolmeisje en trok de rok van haar zijden jurk omhoog tot boven haar knieën, omdat het gemakkelijker was. Harald stak haar sigaretten aan en had het gevoel dat ze vertrouwd begonnen te worden.

Hij vertelde haar hoe hij de basis op Sande was binnengedrongen en daarna had gedaan of hij sliep toen de soldaat het huis van zijn ouders doorzocht. 'Wat een lef heb jij!' riep ze. Hij was blij met haar bewondering en ook blij dat ze niet kon zien hoe zijn ogen vochtig werden toen hij vertelde dat zijn vader had gelogen om hem te redden.

Hij legde haar uit dat volgens Heis bij de eerstkomende vollemaan een grote luchtaanval zou plaatsvinden en dat hij daarom dacht dat de film voor die tijd in Londen moest zijn.

Toen hij vertelde dat een politieagent de deur had geopend van het huis van Jens Toksvig, viel ze hem in de rede. 'Ik kreeg een waarschuwing,' zei ze.

'Wat bedoel je?'

'In het station kwam een man naar me toe die me vertelde dat de politie wist waar Arne was. Die man was zelf politieagent bij de verkeersdienst, maar hij had toevallig iets gehoord en wilde het ons laten weten, omdat hij sympathisant was.'

'Heb je Arne niet gewaarschuwd?'

'Ja, dat heb ik wel gedaan! Ik wist dat hij bij Jens was, dus heb ik het adres van Jens opgezocht in het telefoonboek en ben naar zijn huis gegaan. Ik heb Arne gesproken en hem verteld wat er was gebeurd.'

Harald vond het wat vreemd klinken. 'Wat zei Arne?'

'Hij zei dat ik eerst moest vertrekken en dat hij meteen na mij zou gaan, maar kennelijk was hij te laat.'

'Of de waarschuwing was een valstrik,' zei Harald peinzend.

'Wat bedoel je?' vroeg ze scherp.

'Misschien heeft die politieman van jou gelogen. Stel dat hij helemaal geen sympathisant was. Misschien is hij jou gevolgd naar het huis van Jens en heeft hij Arne gearresteerd zodra jij was vertrokken.'

'Dat is belachelijk. Politiemensen doen zulke dingen niet!'

Harald besefte dat hij weer geconfronteerd werd met het geloof van Karen in de integriteit en welwillendheid van andere mensen. Hij wist eigenlijk niet of zij goedgelovig was of hij buitengewoon cynisch. Het deed hem denken aan de overtuiging van haar vader dat de nazi's de Deense joden met rust zouden laten. Hij wilde dat ze gelijk hadden. 'Hoe zag die man eruit?'

'Lang, knap, fors, rood haar, mooi kostuum.'

'Een soort beigegrijs tweed?'

'Ja.'

Dat verduidelijkte alles. 'Dat was Peter Flemming.' Harald nam het Karen niet kwalijk. Ze had gedacht dat ze Arne redde. Ze was het slachtoffer geworden van een heel slimme valstrik. 'Peter is meer spion dan politieman. Ik ken zijn familie van Sande.'

'Ik geloof je niet!' zei ze verhit. 'Je hebt te veel fantasie.'

Hij wilde niet met haar in discussie gaan. Hij voelde een steek in zijn hart bij de gedachte dat zijn broer gevangen zat. Arne had nooit hierbij betrokken moeten raken. In zijn karakter was geen greintje sluwheid te bespeuren. Verdrietig vroeg Harald zich af of hij zijn broer ooit zou terug zien.

Maar er stonden meer levens op het spel. 'Arne zal deze film niet naar Engeland kunnen brengen.'

'Wat ga je ermee doen?'

'Ik weet het niet. Ik zou hem graag zelf brengen. Ik weet alleen niet hoe.' Hij vertelde haar van de jazzclub en van Betsy en Luther. 'En misschien is het maar goed dat ik niet naar Zweden kan. Waarschijnlijk was ik in de gevangenis beland, omdat ik de goede papieren mis.' Het maakte deel uit van het neutraliteitspact dat de Zweedse regering met het Duitsland van Hitler had gesloten, dat Denen die illegaal naar Zweden reisden, gearresteerd zouden worden. 'Ik vind het niet erg om risico te lopen, maar ik moet wel een goede kans op succes hebben.'

'Er moet een manier zijn. Hoe ging Arne het doen?'

'Ik weet het niet. Hij heeft het me niet verteld.'

'Dat was dom.'

'Achteraf gezien misschien wel, maar hij dacht waarschijnlijk dat het veiliger zou zijn als maar heel weinig mensen het wisten.'

'Iemand moet het weten.'

'Poul moet een methode hebben gehad om in contact te komen met de Engelsen, maar bij dit soort dingen is het normaal dat ze geheim worden gehouden.'

Ze zwegen even. Harald voelde zich neerslachtig. Had hij zijn leven voor niets op het spel gezet?

'Heb je nog nieuws gehoord?' vroeg hij aan Karen. Hij had geen radio meer gehoord.

'Finland heeft de Sovjet-Unie de oorlog verklaard, net als Hongarije.'

'Gieren die de dood ruiken,' zei Harald verbitterd.

'Het is zo frustrerend dat we hier hulpeloos zitten, terwijl die smerige nazi's de wereld veroveren. Ik zou willen dat we iets konden doen.' Harald betaste de filmcassette in zijn broekzak. 'Dit zou verschil kunnen maken als ik het binnen tien dagen in Londen zou kunnen krijgen. Een groot verschil.'

Karen wierp een blik op de Hornet Moth. 'Jammer dat dit ding niet meer vliegt.'

Harald keek naar het beschadigde onderstel en het gescheurde linnen. 'Ik zou hem misschien kunnen repareren. Maar ik heb pas één les gehad, dus ik kan er niet mee vliegen.'

Karen keek nadenkend. 'Nee,' zei ze langzaam, 'maar ik zou dat wel kunnen.'

20

Arne Olufsen bleek verrassend goed bestand te zijn tegen een verhoor.

Peter Flemming ondervroeg hem op de dag van zijn arrestatie en nogmaals op de dag erna, maar hij deed alsof hij onschuldig was en onthulde geen geheimen. Peter was teleurgesteld. Hij had verwacht dat de vrolijke Arne even gemakkelijk zou breken als een champagneglas.

Hij had even weinig geluk met Jens Toksvig.

Hij overwoog Karen Duchwitz te arresteren, maar hij wist bijna zeker dat zij slechts een bijrol vervulde. Bovendien was ze nuttiger voor hem als ze vrij rondliep. Ze had hem al naar twee spionnen geleid.

Arne was de belangrijkste verdachte. Hij had alle contacten, hij kende Poul Kirke, hij was bekend met het eiland Sande, hij had een Engelse verloofde, hij was naar Bornholm gereisd dat vlak bij Zweden lag en hij had de politieman die hem schaduwde, afgeschud.

Door de arrestatie van Arne en Jens stond Peter weer in de gunst bij generaal Braun. Maar nu wilde Braun meer weten: hoe werkte de spionagegroep, wie maakte er nog meer deel van uit, hoe onderhielden ze contact met Engeland? Peter had in totaal zes spionnen gearresteerd, maar geen ervan had gepraat. De zaak kon pas worden opgelost als één van hen doorsloeg en alles onthulde. Peter moest Arne breken.

Hij bereidde het derde verhoor zorgvuldig voor.

Op zondagochtend stormde hij om vier uur met twee geüniformeerde agenten de cel van Arne binnen. Ze wekten Arne door met een zaklamp in zijn ogen te schijnen en te schreeuwen. Toen sleurden ze hem uit bed en brachten hem door de gang naar de verhoorkamer.

Peter ging in de enige stoel achter een goedkoop tafeltje zitten en stak een sigaret op. Arne zag er bleek en bang uit in zijn gevangenispyjama. Zijn linkerbeen was verbonden van halverwege het dijbeen tot over de knie, maar hij kon rechtop staan – de twee kogels hadden spieren beschadigd, maar geen botten gebroken.

'Jouw vriend Poul Kirke,' zei Peter, 'was een spion.'

'Dat wist ik niet,' reageerde Arne.

'Waarom ging je naar Bornholm?'

'Voor een korte vakantie.'

'Waarom zou een onschuldige man op vakantie een schaduwende politieman afschudden?'

'Misschien vond hij het niet leuk om op de hielen te worden gezeten door een stel bemoeizuchtige smerissen.' Ondanks het vroege uur en het ruwe ontwaken bood Arne meer tegenstand dan Peter had verwacht. 'Maar toevallig heb ik ze niet gezien. Als ik, zoals jij beweert, een schaduw heb afgeschud, dan heb ik dat per ongeluk gedaan. Misschien doen jouw mensen hun werk gewoon niet goed.'

'Onzin. Je hebt opzettelijk je schaduw afgeschud. Ik weet het, omdat ik er zelf bij was.'

Arne haalde zijn schouders op. 'Dat verbaast me niet, Peter. Als kind was jij nooit zo slim. We hebben samen op school gezeten, weet je nog wel? We waren zelfs de beste vrienden.'

'Tot ze jou naar Jansborg stuurden, waar je leerde om geen respect te hebben voor de wet.'

'Nee, we waren vrienden tot onze families ruzie kregen.'

'Vanwege de boosaardigheid van jouw vader.'

'Ik dacht dat het was omdat jouw vader had gefraudeerd met de belastingen.'

Dit verliep niet zoals Peter had gewild. Hij gooide het over een andere boeg. 'Wie heb je op Bornholm ontmoet?'

'Niemand.'

'Je hebt dagenlang rondgelopen en niemand gesproken?'

'Ik heb een meisje opgepikt.'

Daar had Arne in de vorige verhoren niets van gezegd. Peter wist bijna zeker dat het niet waar was. Misschien kon hij Arne erin laten lopen. 'Hoe heette ze?'

'Annika.'

'Achternaam?'

'Heb ik niet gevraagd.'

'Toen je terugkwam in Kopenhagen, ben je ondergedoken.'

'Ondergedoken? Ik logeerde bij een vriend.'

'Jens Toksvig – ook een spion.'

'Dat had hij me niet verteld.' Sarcastisch voegde hij eraan toe: 'Die spionnen doen nogal geheimzinnig.'

Peter vond het teleurstellend dat Arne niet meer was verzwakt door zijn verblijf in de cel. Hij bleef bij zijn verhaal dat onwaarschijnlijk, maar niet onmogelijk was. Peter begon te vrezen dat Arne misschien nooit zou praten. Hij zei bij zichzelf dat dit pas een inleidende schermutseling was. Hij ging verder. 'Dus je had er geen idee van dat de politie naar jou op zoek was?'

'Nee.'

'Zelfs niet toen een politieagent achter je aan kwam in de tuin van Tivoli?'

'Dat moet iemand anders zijn geweest. Ik ben nooit achternagezeten door een politieagent.'

Peter liet sarcasme doorklinken in zijn stem. 'Je hebt toevallig geen enkele van de duizend aanplakbiljetten met jouw gezicht gezien die overal in de stad hangen?'

'Ik moet ze hebben gemist.'

'Waarom heb je dan je uiterlijk veranderd?'

'Heb ik mijn uiterlijk veranderd?'

'Je hebt je snor afgeschoren.'

'Iemand vertelde me dat ik op Hitler leek.'

'Wie?'

'Het meisje dat ik op Bornholm heb ontmoet, Anne.'

'Je zei dat ze Annika heette.'

'Ik kortte de naam af tot Anne.'

Tilde Jespersen kwam binnen met een blad. De geur van hete toast deed bij Peter het water in de mond lopen. Hij vertrouwde erop dat het bij Arne ook zo was. Tilde schonk thee in. Ze keek Arne glimlachend aan en vroeg: 'Wilt u ook wat?'

Hij knikte.

'Nee,' zei Peter.

Tilde haalde haar schouders op.

Dit was gespeeld. Tilde deed aardig in de hoop dat Arne haar sympathiek zou gaan vinden.

Tilde bracht een andere stoel binnen en ging zitten om haar thee op te drinken. Peter at wat toast met boter en nam er de tijd voor. Arne moest staand toekijken.

Toen Peter klaar was met eten, ging hij verder met het verhoor. 'In het kantoor van Poul Kirke heb ik een schets gevonden van een militaire installatie op het eiland Sande.'

'Daar schrik ik van,' zei Arne.

'Als hij niet gedood was, zou hij die schetsen naar de Engelsen hebben gestuurd.'

'Hij had er misschien een heel onschuldige verklaring voor gehad als hij niet was neergeschoten door een schietgrage gek.'

'Heb jij die schetsen gemaakt?'

'Absoluut niet.'

'Jij komt van Sande. Jouw vader is daar de voorganger van een kerk.'

'Jij komt er ook vandaan. Jouw vader is de eigenaar van een hotel waar nazi's die geen dienst hebben, dronken worden van de aquavit.'

Peter besteedde daar geen aandacht aan. 'Toen ik je tegenkwam in de St. Pauls Gade, rende je weg. Waarom?'

'Jij had een pistool. Als dat niet zo was geweest, had ik je een klap op je lelijke kop gegeven, net zoals twaalf jaar geleden achter het postkantoor.'

'Ik sloeg jou neer achter het postkantoor.'

'Maar ik stond weer op.' Arne wendde zich met een glimlach naar Tilde. 'Peters familie en die van mij liggen al jaren met elkaar overhoop. Dat is de echte reden waarom hij me heeft gearresteerd.'

Peter lette niet op wat hij zei. 'Vier nachten geleden werd er alarm gegeven op de basis. Iets liet de waakhonden aanslaan. De bewakers zagen iemand door de duinen richting de kerk van jouw vader rennen.' Onder het praten keek Peter naar Arnes gezicht. Tot dusver toonde Arne zich niet verrast. 'Was jij dat die door de duinen rende?'

'Nee.'

Peter voelde dat Arne de waarheid vertelde. Hij ging verder. 'Het huis van jouw ouders werd doorzocht.' Peter zag een flits van angst in de ogen van Arne. Dit had hij niet geweten. 'De bewakers waren op zoek naar een vreemdeling. Ze vonden een jongeman die in bed lag te slapen, maar de dominee zei dat het zijn zoon was. Was jij dat?'

'Nee. Ik ben sinds Pinksteren niet meer thuis geweest.'

Weer dacht Peter dat hij de waarheid vertelde.

'Twee nachten geleden keerde jouw broer Harald terug naar de Jansborg Skole.'

'Waar hij vanaf werd gestuurd door jouw boosaardigheid.'

'Hij werd van school gestuurd, omdat hij het instituut te schande had gemaakt.'

'Door een grap op een muur te kalken?' Weer wendde Arne zich naar Tilde. 'De hoofdinspecteur had besloten mijn broer zonder aanklacht te laten gaan – maar Peter ging naar zijn school en stond erop dat ze hem de deur wezen. Ziet u hoe erg hij mijn familie haat?'

Peter vervolgde: 'Hij drong binnen in het scheikundelaboratorium en gebruikte de donkere kamer om een film te ontwikkelen.'

De ogen van Arne werden zichtbaar groter. Kennelijk was dit nieuw voor hem. Eindelijk toonde hij enige reactie.

'Gelukkig werd hij ontdekt door een andere jongen. Ik hoorde dit van de vader van die jongen die toevallig een gezagsgetrouw burger is, die gelooft in orde en gezag.'

'Een nazi?'

'Was het jouw film, Arne?'

'Nee.'

'Het schoolhoofd zegt dat er opnames van naakte vrouwen op de film stonden en beweert dat hij die in beslag heeft genomen en verbrand. Hij liegt, denk je ook niet?'

'Ik heb er geen idee van.'

'Ik denk dat het opnames waren van de militaire installatie op Sande.'

'Echt?'

'Het waren jouw opnames, nietwaar?'

'Nee.'

Peter had het gevoel dat hij Arne eindelijk bang begon te maken en probeerde dat voordeel uit te buiten. 'De volgende ochtend belde een jongeman aan bij het huis van Jens Toksvig. Een van onze agenten deed open – een brigadier van middelbare leeftijd en niet een van de snuggersten. De jongen deed of hij bij het verkeerde adres had aangebeld en op zoek was naar een dokter. Onze man was onnozel genoeg om hem te geloven. Maar het was een leugen. De jongen was jouw broer, nietwaar?'

'Ik weet bijna zeker dat hij het niet was,' zei Arne, maar hij keek bang.

'Harald bracht jou de ontwikkelde film.'

'Nee.'

'Die avond belde een vrouw op Bornholm die zich Hilde noemde met het huis van Jens Toksvig. Zei jij niet dat je een meisje had opgepikt dat Hilde heette?'

'Nee, Anne.'

'Wie is Hilde?'

'Nooit van gehoord.'

'Misschien was het een valse naam. Zou het jouw verloofde Hermia Mount geweest kunnen zijn?'

'Die zit in Engeland.'

'Daar vergis je je in. Ik heb contact gehad met de Zweedse immigratiedienst.' Het was moeilijk geweest om hun medewerking af te dwingen, maar uiteindelijk had Peter de gewenste informatie gekregen. 'Hermia Mount is tien dagen geleden met een vliegtuig in Stockholm aangekomen en nog niet vertrokken.'

Arne deed alsof hij verrast was, maar hij speelde het niet overtuigend. 'Daar weet ik niets van,' zei hij te lauw. 'Ik heb al meer dan een jaar niets meer van haar gehoord.'

Als dat waar was geweest, had hij verbijsterd en geschokt moeten zijn omdat ze in Zweden en mogelijk in Denemarken was geweest. Hij loog nu overduidelijk. Peter ging verder: 'Diezelfde avond – we hebben het over eergisteren – ging een jongen met de bijnaam Schooljongen naar een jazzclub aan de haven. Hij trof daar een kleine crimineel die Luther Gregor heet. Hij vroeg hem om hulp bij een overtocht naar Zweden.'

Arne keek ontzet.

Peter zei: 'Dat was Harald, nietwaar?'

Arne zei niets.

Peter leunde achterover. Arne had nu een paar behoorlijke schokken te verwerken gekregen, maar over het algemeen had hij zich intelligent verdedigd. Voor alles wat Peter hem voor de voeten wierp, had hij een verklaring. Erger was dat hij slim gebruik maakte van hun persoonlijke vijandschap en beweerde dat zijn arrestatie berustte op kwaadwillendheid. Frederik Juel zou wel eens naïef genoeg kunnen zijn om dat te geloven. Peter maakte zich zorgen.

Tilde schonk thee in een mok en gaf die aan Arne zonder Peter iets te vragen. Peter zei niets: dit maakte allemaal deel uit van een voor-opgezet plan. Arne pakte de mok aan met trillende handen en dronk gulzig.

Op vriendelijke toon zei Tilde: 'Arne, je zit er tot over je oren in. Dit gaat niet meer alleen om jou. Je hebt er je ouders bij betrokken, je ver-loofde en je jongere broer. Harald zit ernstig in moeilijkheden. Als dit zo doorgaat, wordt hij uiteindelijk als spion opgehangen – en dan is het jouw schuld.'

Arne hield de mok met allebei zijn handen vast, maar zei niets. Hij keek verward en angstig. Peter dacht dat hij misschien begon toe te geven.

'We kunnen een afspraak met je maken,' ging Tilde verder. 'Vertel ons alles en Harald en jij ontlopen de doodstraf. Je hoeft mij niet op mijn woord te geloven – generaal Braun komt hier over een paar minuten en hij zal je de garantie geven dat je in leven blijft. Maar eerst moet je ons vertellen waar Harald is. Als je dat niet doet, verspeel je jouw leven en dat van je broer.'

Twijfel en angst waren zichtbaar op het gezicht van Arne. Er viel een lange stilte. Eindelijk leek Arne een besluit te hebben genomen. Hij keek Tilde aan en toen ging zijn blik naar Peter. 'Loop naar de hel,' zei hij rustig.

Peter sprong woedend overeind. 'Jij bent het die naar de hel gaat!' schreeuwde hij. Zijn stoel viel achterover. 'Begrijp je dan niet wat er met jou gaat gebeuren?'

Tilde stond op en verliet stil het vertrek.

'Als je niets tegen ons zegt, word je overgedragen aan de Gestapo,' ging Peter boos verder. 'Die zullen je geen thee geven en beleefde vra-gen stellen. Die zullen de nagels van je vingers uittrekken en lucifers onder je voetzolen aansteken. Ze zullen elektrodes aan je lippen vast-maken en koud water over je heen gooien om de schokken pijnlijker te maken. Ze zullen je naakt uitkleden en je met hamers bewerken. Ze zullen de botten van je enkels en je knieschijven verbrijzelen, zodat je nooit meer kunt lopen en dan zullen ze je blijven aftuigen, terwijl ze ervoor zorgen dat je gillend en krijsend in leven en bij be-wustzijn blijft. Je zult ze smeken om je te laten sterven, maar dat zul-len ze niet doen – tenzij je praat. En je zult praten. Prent dat maar in je hoofd. Uiteindelijk praat iedereen.'

Met een bleek gezicht zei Arne rustig: 'Dat weet ik.'

Peter stond versteld van de beheersing en berusting die schuilging achter de angst. Wat had dit te betekenen?

De deur ging open en generaal Braun kwam binnen. Het was zes uur en Peter had hem verwacht. Zijn verschijnen maakte deel uit van het scenario. Braun was het toonbeeld van koele efficiëntie in zijn smet-teloze uniform met zijn pistool in de holster. Zoals steeds zorgden zijn beschadigde longen dat zijn stem nauwelijks boven een gefluister uitkwam. 'Is dit de man die naar Duitsland moet worden gestuurd?'

Ondanks zijn verwonding bewoog Arne snel.

Peter keek de andere kant op, naar Braun en zag slechts een vage beweging toen Arne het theeblad pakte. De zware aardewerken theepot vloog door de lucht en raakte Peter tegen de zijkant van zijn hoofd waardoor thee over zijn gezicht stroomde. Toen hij de vloeistof uit zijn ogen had geveegd, zag hij dat Arne Braun aanviel. Arne bewoog onbeholpen op zijn gewonde been, maar hij smeet de generaal omver. Peter sprong overeind, maar hij was te laat. In de tel dat Braun hijgend en stil op de grond lag, had Arne de holster van de generaal opengemaakt en het pistool eruit getrokken.

Hij hield het pistool met twee handen vast en zwaaide het in de richting van Peter.

Peter bleef stokstijf staan. Het wapen was een 9 mm Luger. Er zaten negen patronen in het magazijn in de kolf – maar was het geladen? Of droeg Braun het alleen voor de sier?

De deur stond nog open. Tilde kwam naar binnen en vroeg: 'Wat...'

'Blijf staan!' blafte Arne.

Peter vroeg zich wanhopig af of Arne vertrouwd was met wapens. Hij was officier in het leger, maar bij de luchtmacht had hij waarschijnlijk niet veel geoefend.

Alsof hij de onuitgesproken vraag wilde beantwoorden, zette Arne met een doelbewuste beweging die iedereen kon zien, de veiligheidspal aan de zijkant van het pistool om.

Achter Tilde kon Peter de twee geüniformeerde agenten zien die Arne uit zijn cel hadden gehaald.

Geen van de vier politiemensen droeg een wapen. Ze namen geen wapens mee naar de cellenblokken. Dat was een strikte regel die was ingesteld om te voorkomen dat gevangenen deden wat Arne net had gedaan. Maar Braun vond niet dat die regels voor hem golden en niemand had hem durven vragen zijn wapen af te geven.

Nu waren ze allemaal aan de genade van Arne overgeleverd.

'Je kunt echt niet ontsnappen, hoor,' zei Peter. 'Dit is het grootste politiebureau van Denemarken. Je hebt ons in je macht, maar daarbuiten zijn tientallen gewapende politiemensen. Daar kom je nooit langs.'

'Dat weet ik,' zei Arne.

Daar was die onheilspellende toon van berusting weer.

'En,' zei Tilde, 'zou je zoveel onschuldige Deense politiemensen willen doden?'

'Nee, dat wil ik niet.'

Er begon lijn in te komen. Peter herinnerde zich Arnes woorden toen hij hem had neergeschoten. *Stomkop, je had me moeten doden.* Dat

sloot aan bij de fatalistische houding die Arne sinds zijn arrestatie tentoon had gespreid. Hij was bang dat hij zijn vrienden ging verraden –
misschien zelfs zijn broer.

Plotseling wist Peter wat er ging gebeuren. Arne was tot de slotsom
gekomen dat de dood de enige veilige uitweg was. Maar Peter wilde
dat Arne werd gemarteld door de Gestapo om zijn geheimen te onthullen. Hij kon Arne niet laten sterven.

Ondanks het pistool dat op hem was gericht, stormde Peter op Arne
af.

Arne schoot hem niet neer. In plaats daarvan bracht hij het pistool
met een ruk omhoog en drukte de loop in de zachte huid onder zijn
kin.

Peter wierp zich op Arne.

Het pistool blafte één keer.

Peter sloeg het uit Arnes hand, maar hij was te laat. Bloed en hersen-
weefsel spoot boven uit Arnes hoofd en maakte een waaiervormige
vlek op de witte muur achter hem. Peter viel boven op Arne en iets
van de troep spatte op Peters gezicht. Hij rolde van Arne weg en krabbelde overeind.

Arnes gezicht was vreemd onveranderd. De schade was aan de
achterkant aangericht en hij vertoonde nog de ironische glimlach die
hij te zien had gegeven toen hij het pistool op zijn keel richtte. Na
een moment viel hij opzij en de verbrijzelde achterkant van zijn schedel liet een rode veeg achter op de muur. Zijn lichaam plofte leven-
loos op de vloer. Hij bleef stil liggen.

Peter veegde zijn gezicht met zijn mouw af.

Happend naar adem kwam generaal Braun overeind.

Tilde boog voorover en pakte het pistool op.

Ze keken allemaal naar het lichaam.

'Een dappere man,' zei generaal Braun.

21

Toen Harald wakker werd, wist hij dat er iets prachtigs was gebeurd, maar even kon hij zich niet herinneren wat het was. Gewikkeld in Karens deken lag hij op de richel in de apsis van de kerk met de kat Pinetop opgekruld tegen zijn borst. Hij wachtte even tot zijn geheugen ging werken. Hij had de indruk dat de prachtige gebeurtenis was verweven met iets verontrustends, maar hij was zo opgewonden dat het gevaar hem niet kon schelen.

Het kwam allemaal in een flits terug. Karen had ermee ingestemd met hem in de Hornet Moth naar Engeland te vliegen.

Hij ging met een ruk rechtop zitten, waardoor Pinetop van zijn plaats werd geduwd en met een verontwaardigd gemiauw op de grond sprong.

Het gevaar bestond dat ze allebei werden betrapt, gearresteerd en gedood. Wat hem desondanks gelukkig maakte, was dat hij uren alleen met Karen zou doorbrengen. Niet dat er volgens hem iets romantisch zou gebeuren. Hij besefte dat hij niet aan haar niveau kon tippen. Maar hij kon niets veranderen aan wat hij voor haar voelde. Ook al zou hij haar nooit kussen, hij was verrukt als hij dacht aan de lange tijd die ze samen zouden doorbrengen. Het was niet alleen de reis, hoewel die het hoogtepunt zou vormen. Voordat ze konden opstijgen, zouden ze dagen samen aan het vliegtuig moeten werken.

Maar het hele plan hing af van de mogelijkheid of hij de Hornet Moth kon repareren. Gisteravond laat, met alleen een zaklamp om hem bij te lichten had hij het toestel niet grondig kunnen inspecteren. Nu de opkomende zon door de hoge ramen van het koor scheen, kon hij beoordelen hoe moeilijk zijn taak zou zijn.

Hij waste zich aan de koude kraan in de hoek, trok zijn kleren aan en begon aan zijn onderzoek.

Het eerste wat hem opviel, was een lang stuk stevig touw dat aan het onderstel was vastgebonden. Waar was dat voor? Hij dacht er even over na en begreep toen dat het toestel daarmee werd getrokken als de motor uit was. Met de vleugels opgevouwen zou het moeilijk zijn om een punt te vinden waar het toestel kon worden geduwd, maar aan het touw kon iemand het vooruit trekken als een kar.

Op dat moment verscheen Karen.

Ze was nonchalant gekleed in een korte broek en sandalen waarmee ze de aandacht vestigde op haar lange, sterke benen. Haar krullende haren waren net gewassen en waaierden om haar hoofd als een koperkleurige wolk. Volgens Harald moesten engelen er zo uitzien. Wat zou het tragisch zijn als ze het avontuur dat voor hen lag, niet zou overleven.

Het was te vroeg om over de dood te praten, hield hij zichzelf voor. Hij was nog niet eens begonnen aan de reparatie van het vliegtuig. En in het heldere licht van de vroege ochtend zag dat eruit als een heel zware klus.

Net als Harald was Karen vanochtend pessimistisch. Gisteren was ze opgewonden geweest door het vooruitzicht van het avontuur. Vandaag keek ze er somberder tegenaan. 'Ik heb nagedacht over het maken van dit ding,' zei ze. 'Ik weet niet zeker of het wel te doen is, en dan ook nog in tien dagen – negen inmiddels.'

Harald voelde de koppige stemming de kop opsteken, die zich altijd meester van hem maakte wanneer iemand hem vertelde dat iets niet mogelijk was. 'We zien wel,' zei hij.

'Je hebt die blik,' merkte ze op.

'Wat?'

'De blik die zegt dat je niet wilt luisteren naar wat er wordt gezegd.'

'Ik heb geen blik,' zei hij gepikeerd.

Ze lachte. 'Je klemt je tanden op elkaar, je mondhoeken wijzen naar beneden en je fronst je voorhoofd.'

Hij moest wel glimlachen en in werkelijkheid was hij blij dat zijn uitdrukking haar was opgevallen.

'Dat is beter,' zei ze.

Hij begon de Hornet te bekijken met het oog van een technicus. Toen hij het toestel de eerste keer had gezien, had hij gedacht dat de vleugels waren gebroken, maar Arne had hem uitgelegd dat ze naar achteren waren geklapt om minder plaats in te nemen. Harald keek naar de scharnieren waarmee ze vastzaten aan de romp. 'Ik denk dat ik de vleugels weer vast kan zetten,' zei hij.

'Dat is gemakkelijk. Thomas, onze instructeur, deed het elke keer als hij het vliegtuig wegzette. Het kost je maar een paar minuten.' Ze ging met een hand over de dichtstbijzijnde vleugel. 'Maar het linnen is in slechte staat.'

De vleugels en de romp waren van hout dat was overtrokken met een stof die met een soort verf was behandeld. Aan de bovenkant kon Harald de steken zien waarmee de stof met een dikke draad aan de ribben was vastgemaakt. De verf was gebarsten en gecraqueleerd en op sommige plaatsen was de stof gescheurd. 'De schade is slechts oppervlakkig,' zei Harald. 'Is het belangrijk?'

'Ja. De scheuren in de stof kunnen van invloed zijn op de stroming van de lucht over de vleugel.'

'Dan moeten we ze herstellen. Ik maak me meer zorgen over het onderstel.'

Het vliegtuig had waarschijnlijk een ongelukkige landing meege-maakt, zoals Arne had aangegeven. Harald knielde om de schade aan het landingsgestel beter te bekijken. De massieve stalen asstomp leek twee tanden te hebben die in een V-vormige steun pasten. De V-vor-mige steun was gemaakt van een ovale stalen buis en beide armen van de V waren op het zwakte punt gebogen en verdraaid, vermoe-delijk vlak achter de uiteinden van de asstomp. Ze zagen eruit alsof ze gemakkelijk konden afbreken. Een derde steun die volgens Harald een schokbreker was, leek onbeschadigd. Het onderstel was niette-min duidelijk te zwak voor een landing.

'Dat heb ik gedaan,' zei Karen.

'Ben jij neergestort?'

'Ik landde met zijwind en zwaaide opzij. De punt van de vleugel raak-te de grond.'

Het klonk beangstigend. 'Was je bang?'

'Nee. Ik voelde me alleen vreselijk stom, maar Tom zei dat het niet ab-normaal was in een Hornet Moth. Hij bekende zelfs dat het hem ook een keer was overkomen.'

Harald knikte. Dat sloot aan bij wat Arne had gezegd. Maar iets in de manier waarop ze over de instructeur Tom sprak, maakte hem jaloers.

'Waarom is hij nooit gerepareerd?'

'Daar hebben we hier de mogelijkheden niet voor.' Ze gebaarde naar de werkbank en het rek met gereedschap. 'Tom kon kleine reparaties uitvoeren en hij was goed met de motor, maar dit is geen smederij en we hebben geen lasapparatuur. Vervolgens kreeg pappa een lichte hartaanval. Het gaat prima met hem, maar het betekende wel, dat hij nooit een brevet zou krijgen en hij verloor zijn belangstelling voor het vliegen. Dus is er nooit iets aan gedaan.'

Dat was ontmoedigend, dacht Harald. Hij wist ook niets van metaal-bewerking. Hij liep naar de staart en bekeek de vleugel die de grond had geraakt. 'Hij lijkt niet te zijn gebroken,' zei hij. 'De vleugelpunt kan ik gemakkelijk repareren.'

'Dat weet je niet,' zei ze somber. 'Eén van de houten spanten in de vleugel kan overbelast zijn geweest. Als je alleen aan de buitenkant kijkt, kun je er nooit zeker van zijn. En als een vleugel verzwakt is, stort het vliegtuig neer.'

Harald bekeek het staartvlak. De achterste helft scharnierde en be-woog op en neer. Dit was het hoogteroer, herinnerde hij zich. Het rechtop staande roer bewoog van rechts naar links. Toen hij beter keek, zag hij dat de bediening gebeurde met kabels die uit de romp kwamen. Maar de kabels waren afgeknipt en verwijderd. 'Wat is er met de kabels gebeurd?' vroeg hij.

'Ik weet nog dat ze die hebben weggehaald om de een of andere ma-chine te repareren.'

242

'Dat gaat een probleem worden.'

'Alleen de laatste drie meter van elke kabel ontbreekt – tot de span-schroef achter het toegangsluik onder de romp. Het was te moeilijk om bij de rest te komen.'

'Dat is alles bij elkaar toch twaalf meter en je kunt geen kabel kopen – niemand kan voor wat dan ook reserveonderdelen krijgen. Ongetwijfeld werd de kabel er daarom ook uitgehaald.' Harald begon de moed wat te verliezen door alle tegenslagen, maar met opzet sprak hij opgewekt. 'Goed, laten we eens kijken wat er nog meer mis is.' Hij liep naar de neus. Hij vond twee grepen aan de rechterkant van de romp die hij omdraaide om de kap te openen, die was gemaakt van een dun metaal dat aanvoelde als tin, maar waarschijnlijk aluminium was. Hij bekeek de motor.

'Het is een viercilinderlijnmotor.'

'Ja, maar hij lijkt ondersteboven te hangen.'

'In vergelijking met een automotor wel. De krukas zit boven. Dat is om de propeller hoog genoeg boven de grond te kunnen monteren.' Harald werd verrast door haar kennis. Hij had nog nooit een meisje ontmoet dat wist wat een krukas was. 'Hoe was die Tom?' vroeg hij en hij deed zijn uiterste best om de argwaan uit zijn stem te weren.

'Hij was een geweldig leraar, geduldig en stimulerend.'

'Heb je een verhouding met hem gehad?'

'Alsjeblieft zeg! Ik was veertien!'

'Ik wed dat je verliefd op hem was.'

Ze was op haar teentjes getrapt. 'Jij denkt zeker dat dat voor een meis-je de enige reden is om iets van motoren te willen leren.'

Harald dacht dat inderdaad, maar hij zei: 'Nee, nee, ik merkte alleen dat je met een bepaalde genegenheid over hem praatte. Het is mijn zaak niet. De motor is luchtgekoeld, zie ik.' Er was geen radiator, maar de cilinders hadden koelvinnen.

'Dat zijn alle vliegtuigmotoren, denk ik. Om gewicht te besparen.'

Hij liep naar de andere kant en opende de rechterkap. Alle brandstof- en olieleidingen leken stevig vast te zitten en er waren geen uiterlijke tekenen van schade. Hij schroefde de oliedop los en controleerde het niveau. Er zat nog steeds olie in de motor. 'Ziet er goed uit,' zei hij. 'Laten we eens kijken of hij wil starten.'

'Dat gaat gemakkelijker met twee mensen. Jij kan binnen gaan zitten, terwijl ik de propellor draai.'

'Zal de accu niet leeg zijn na al die jaren?'

'Er is geen accu. De elektriciteit komt van twee magneetontstekers die worden aangedreven door de motor zelf. Laten we de cabine in-gaan, dan laat ik je zien wat je moet doen.'

Karen opende de deur, gaf een gilletje en viel achterover – in Haralds armen. Het was de eerste keer dat hij haar lichaam aanraakte en er trok een siddering door hem heen. Ze scheen nauwelijks te merken dat ze elkaar vasthielden en hij voelde zich schuldig omdat hij genoot van een toevallige omhelzing. Hij zette haar haastig rechtop en maakte zich los. 'Alles goed?' vroeg hij. 'Wat gebeurde er?'

'Muizen.'

Hij opende de deur weer. Twee muizen sprongen door de opening en renden langs zijn broek naar de vloer. Karen maakte een geluid van afschuw.

Er zaten gaten in de stoffen bekleding van de ene stoel en Harald nam aan dat ze een nest hadden gemaakt in de vulling. 'Dat probleem is snel opgelost,' zei hij. Hij maakte een kussend geluid met zijn lippen en Pinetop verscheen in de hoop dat hij wat te eten kreeg. Harald pakte de kat op en zette hem in de cabine.

Pinetop deed ineens erg druk. Hij sprong van de ene kant van de kleine cockpit naar de andere en Harald dacht dat hij een muizenstaart zag verdwijnen in het gat onder de linker stoel waar een koperen pijp doorheen liep. Pinetop sprong op de stoel en daarna op de bagageplank erachter zonder een muis te vangen. Toen onderzocht hij de gaten in de bekleding. Daarin vond hij een jong muisje dat hij met smaak begon op te eten.

Op de bagageplank ontdekte Harald twee boekjes. Hij stak zijn hand in de cabine en pakte ze. Het waren handboeken, een voor de Hornet Moth en een voor de Gipsy Major motor die erin zat. Opgetogen liet hij ze aan Karen zien.

'Maar hoe zit het met de muizen?' vroeg ze. 'Daar heb ik een hekel aan.'

'Pinetop jaagt ze weg. Ik zal in het vervolg de deuren van de cabine openlaten, zodat hij in en uit kan lopen. Hij zal ze uit de buurt houden.' Harald opende het handboek van de Hornet Moth.

'Wat doet hij nu?'

'Pinetop? O, die eet de jonkies op. Moet je die tekeningen zien, dit is geweldig!'

'Harald!' gilde ze. 'Dat is walgelijk! Laat hem stoppen!'

Hij was verbijsterd. 'Wat is er aan de hand?'

'Het is weerzinwekkend!'

'Het is natuurlijk.'

'Dat kan me niet schelen.'

'Wat wil je dan?' vroeg Harald ongeduldig. 'We moeten het nest kwijt. Ik zou de jonkies er met de hand uit kunnen halen om ze in de struiken te gooien, maar dan zou Pinetop ze ook opeten, tenzij de vogels ze eerder te pakken krijgen.'

'Het is zo wreed.'

'Lieve hemel, het zijn múizen!'

'Begrijp je het dan niet? Kun je niet inzien dat ik er een hekel aan heb?'

'Ik begrijp het wel, ik vind het alleen mal…'

'O, jij bent gewoon zo'n stomme techneut die nadenkt over hoe dingen werken, maar nooit over wat mensen voelen.'

Nu voelde hij zich gekwetst. 'Dat is niet waar.'

'Wel waar,' zei ze en beende weg.

Harald was stomverbaasd. 'Waar ging dat verdorie over?' zei hij hardop. Dacht ze echt dat hij een stomme techneut was die nooit nadacht over wat mensen voelden? Dat was niet eerlijk.

Hij ging op een kist staan om uit een van de hoge ramen te kijken. Hij zag Karen over de oprit naar het kasteel lopen. Ze scheen van gedachten te veranderen en liep het bos in. Harald dacht erover haar te volgen, maar besloot het niet te doen.

Op de eerste dag van hun grote samenwerking hadden ze ruziegemaakt. Hoe groot was de kans dat ze naar Engeland konden vliegen? Hij keerde terug naar het vliegtuig. Hij kon net zo goed proberen de motor te starten. Als Karen niet meer meedeed, zou hij een andere piloot vinden, zei hij tegen zichzelf.

De aanwijzingen stonden in het handboek.

Zet blokken voor de wielen en trek de handrem aan.

Hij kon geen blokken vinden, maar hij sleepte twee kratten met rommel over de vloer en duwde ze hard tegen de wielen. Hij vond de handrem achter de linkerdeur en controleerde of die helemaal was aangetrokken. Pinetop zat met een verzadigde blik op de stoel zijn poten af te likken. 'Het vrouwtje vindt jou walgelijk,' zei Harald tegen hem. De kat keek hem hooghartig aan en sprong uit de cabine.

Zet de brandstoftoevoer open (bediening in cabine).

Hij opende de deur en leunde in de cabine. Die was klein genoeg om zonder in te stappen bij het bedieningspaneel te kunnen komen. De brandstofmeter zat gedeeltelijk verborgen tussen de twee stoelruggen. Ernaast zat een knop in een sleuf. Hij verschoof die van 'dicht' naar 'open'.

Breng brandstof in de carburator door de hendel te bedienen opzij van de brandstofpompen. Door middel van de carburatoraanjager stroomt vervolgens benzine door de sproeikop.

De linker motorkap stond nog open en hij zag de twee brandstofpompen met de hendeltjes die eruit staken meteen. De carburatoraanjager was moeilijker te identificeren, maar ten slotte nam hij aan dat het een ring met een veermechanisme was die kon worden uitgetrokken. Hij trok aan de ring en bewoog een van de hendels op en neer. Hij kon onmogelijk uitmaken of wat hij deed, enig effect had. De tank zou net zo goed droog kunnen staan.

Hij voelde zich neerslachtig nu Karen er niet meer was. Waarom deed hij zo lomp tegen haar? Hij wilde verschrikkelijk graag vriendelijk en charmant zijn en alles doen om haar te plezieren, maar hij begreep echt niet wat ze wilde. Waarom konden meisjes niet wat meer op een machine lijken?

Zet de gashendel in 'dicht' positie, of bijna dicht.

Hij had een hekel aan handboeken die niet eenduidig waren. Moest de gashendel dicht staan, of iets open? Hij vond het bedieningsinstrument in de cabine, een hendel vlak voor de linkerdeur. Hij dacht aan zijn vlucht in een Tiger Moth van twee weken geleden en herinnerde zich dat Poul Kirke de gashendel ruim twee centimeter van het 'dicht' uiteinde had gezet. De Hornet Moth moest hetzelfde zijn. Er was een ingegraveerde schaalverdeling van één tot tien, terwijl de Tiger Moth niets had gehad. Op de gok zette Harald de gashendel op één.

Zet schakelaars in de 'aan' positie.

Er zaten een paar schakelaars op het bedieningspaneel met de eenvoudige aanduiding 'aan' en 'uit'. Harald nam aan dat die de dubbele magneetontstekers bedienden. Hij zette ze aan.

Draai schroef.

Harald ging aan de voorkant staan en greep een van de bladen van de propeller. Hij trok hem naar beneden. Het ging erg zwaar en hij moest al zijn kracht gebruiken om de schroef in beweging te krijgen. Toen hij eindelijk draaide, klonk er een scherpe klik waarna hij stopte.

Hij draaide nog eens. Deze keer ging hij gemakkelijker rond. Hij klikte weer.

De derde keer gaf hij er een harde ruk aan in de hoop dat de motor zou aanslaan.

Er gebeurde niets.

Hij probeerde het nog eens. De propeller bewoog gemakkelijk en klikte elke keer, maar de motor bleef zwijgen.

Karen kwam naar binnen. 'Wil hij niet starten?' vroeg ze.

Hij keek haar verrast aan. Hij had niet verwacht haar vandaag nog te zien. Hij was opgetogen, maar gaf op een zakelijke toon antwoord. 'Nog te vroeg om te zeggen – ik ben net begonnen.'

Ze leek berouwvol. 'Het spijt me dat ik zomaar wegliep.'

Dit was een nieuw aspect. Hij had gedacht dat ze te trots was om zich te verontschuldigen. 'Dat is wel goed,' zei hij.

'Het was gewoon de gedachte dat de kat jonge muisjes at. Daar kon ik niet tegen. Ik weet dat het dom is om aan muizen te denken, terwijl mannen als Poul hun leven verliezen.'

Zo bekeek Harald het ook, maar dat zei hij niet. 'Pinetop is nu toch weg.'

'Het verbaast me niets dat de motor niet wil starten,' zei ze en keerde daarmee terug naar de praktische problemen – net zoals hij deed, wanneer hij met zijn figuur niet goed raad wist, dacht hij. 'Hij heeft minstens drie jaar niet gedraaid.'

'Het zou een brandstofprobleem kunnen zijn. In de loop van een paar winters moet water in de tank zijn gecondenseerd. Maar olie drijft, dus de brandstof zal bovenop liggen. We kunnen het water misschien aftappen.' Hij keek weer in het handboek.

'Voor de veiligheid moeten we de schakelaars uitzetten,' zei Karen. 'Ik doe het wel even.'

Harald las in het handboek dat er een paneel aan de onderkant van de romp zat, dat toegang gaf tot de brandstofplug. Hij pakte een schroevendraaier uit het gereedschapsrek, ging op de vloer liggen en schoof onder het vliegtuig om het paneel los te schroeven. Karen kwam naast hem liggen en hij gaf haar de schroeven aan. Ze rook lekker, een mengeling van warme huid en shampoo.

Toen het paneel los was, gaf Karen hem een Engelse sleutel. De plug zat op een ongemakkelijke plaats tegen een zijkant van de toegangsopening. Dit soort fouten deed Harald ernaar verlangen om de touwtjes in handen te hebben, zodat hij luie ontwerpers kon dwingen om goed werk af te leveren. Wanneer hij zijn hand in de opening stak, kon hij de plug niet meer zien, zodat hij blind moest werken.

Hij draaide de plug voorzichtig, maar toen hij openging, werd hij verrast door de plotselinge stroom koude vloeistof op zijn hand. Hij trok zijn hand snel terug, stootte met zijn verstijfde vingers tegen de rand van de toegangsopening en liet tot zijn grote ergernis de plug vallen. Tot zijn ontzetting hoorde hij die door de romp rollen. Brandstof stroomde uit de opening. Karen en hij schoven snel weg. Toen konden ze niets anders doen dan toekijken tot de tank leeg was en de kerk naar benzine stonk.

Harald vervloekte Captain De Havilland en de onnadenkendheid van de Engelse ingenieurs die het toestel hadden ontworpen. 'Nu hebben we geen brandstof,' zei hij verbitterd.

'We zouden wat uit de Rolls-Royce kunnen hevelen,' opperde Karen.

'Dat is geen vliegtuigbrandstof.'

'De Hornet Moth vliegt op autobenzine.'

'Echt? Dat had ik niet gedacht.' Harald werd op slag weer vrolijk. 'Goed. Laten we kijken of we die plug weer terug kunnen zetten.' Hij veronderstelde dat de plug naar achteren was gerold tot de eerste dwarsspant. Hij stak zijn arm in het gat, maar kwam niet ver genoeg. Karen pakte een staalborstel van de werkbank en trok hem daarmee te voorschijn. Harald zette de plug terug.

Vervolgens moesten ze benzine uit de auto halen. Harald vond een trechter en een schone emmer, terwijl Karen met een grote combinatietang een stuk tuinslang op lengte knipte. Ze trokken de hoes van de Rolls-Royce. Karen schroefde de benzinedop open en duwde de slang in de tank.

'Zal ik dat doen?' vroeg Harald.

'Nee,' zei ze. 'Mijn beurt.'

Hij nam aan dat ze wilde laten zien dat zij ook vuil werk kon doen, vooral na het voorval met de muizen, dus bleef hij staan toekijken. Karen stopte het uiteinde van de slang tussen haar lippen en zoog. Toen de benzine in haar mond kwam, stopte ze de slang snel in de emmer en spuugde tegelijk met een vies gezicht. Harald keek naar de komische uitdrukkingen op haar gezicht. Wonderlijk genoeg werd ze niet minder knap als ze haar ogen dichtkneep en haar lippen op elkaar perste. Ze ving zijn blik op en vroeg: 'Wat sta je te staren?'

Hij lachte en zei: 'Ik kijk naar jou, natuurlijk – je bent knap als je spuugt.' Hij besefte meteen dat hij meer van zijn gevoelens had blootgegeven dan hij eigenlijk wilde en verwachtte een scherp antwoord, maar ze lachte slechts.

Hij had uiteraard alleen maar gezegd dat ze knap was. Dat was voor haar geen nieuws. Maar hij had het vol genegenheid gezegd en meisjes hoorden altijd op wat voor toon iets werd gezegd, vooral als je dat niet wilde. Als ze zich eraan had geërgerd, zou ze het hebben getoond met een afkeurende blik of een ongeduldig naar achteren schudden van haar haren. Maar ze scheen het daarentegen leuk te vinden – bijna, dacht hij, alsof ze blij was dat hij haar mocht.

Hij had het gevoel een stap verder te zijn.

De emmer raakte vol en er kwam niet meer uit de slang. Ze hadden de tank van de auto leeggehaald. Er zat een kleine vijf liter benzine in de emmer, schatte Harald, maar dat was genoeg om de motor te testen. Hij had geen idee hoe ze aan genoeg brandstof konden komen om de Noordzee over te steken.

Harald droeg de emmer naar de Hornet Moth. Hij klapte de klep open en draaide de brandstofdop los. Er zat een haak aan om hem aan de rand van de vulopening te hangen. Karen hield de trechter vast, terwijl Harald de benzine in de tank goot.

'Ik weet niet hoe we aan meer benzine kunnen komen,' zei Karen. 'We kunnen het zeker niet kopen.'

'Hoeveel hebben we nodig?'

'Er gaat honderdzestig liter in de tank. Maar er is een ander probleem. De Hornet Moth heeft een vliegbereik van duizend kilometer – onder ideale omstandigheden.'

'En dat is ongeveer de afstand naar Engeland.'

'Als de omstandigheden dus minder ideaal zijn – bijvoorbeeld als we tegenwind krijgen, wat niet onwaarschijnlijk is…'

'Komen we in zee terecht.'

'Precies.'

'Elk probleem op zijn tijd,' zei Harald. 'We hebben de motor nog niet eens gestart.'

Karen wist hoe dat moest. 'Ik zal de carburator vullen,' zei ze.

248

Harald opende de motorkap.

Karen bewoog de hendeltjes tot er brandstof op de vloer druppelde en riep toen: 'Magneetontstekers aan.'

Harald zette de schakelaars om en controleerde of de gashendel nog steeds net openstond.

Karen greep de propeller en trok hem naar beneden. Weer klonk er een scherpe klik. 'Hoor je dat?' vroeg ze.

'Ja.'

'Dat is de starter. Zo weet je dat hij werkt, aan de klik.' Ze draaide de propeller een tweede keer en toen een derde. Ten slotte gaf ze er een harde ruk aan en deed snel een stap achteruit.

De motor blafte hard met een geluid dat weergalmde door de kerk. Harald juichte.

'Waar ben jij zo blij om?' vroeg Karen.

'Hij sloeg even aan! Er kan niet veel mis zijn.'

'Maar hij startte niet.'

'Dat komt wel, dat komt wel. Probeer het nog eens.'

Ze draaide weer aan de propeller, maar met hetzelfde resultaat. De enige verandering was dat Karens wangen aantrekkelijk kleurden van de inspanning.

Na een derde poging zette Harald de schakelaars uit. 'De brandstof is nu goed,' zei hij. 'Zo te horen is het een probleem met de ontsteking. We hebben gereedschap nodig.'

'Er is een gereedschapskist.' Karen boog de cabine in en tilde een kussen op, waardoor een grote kist onder de zitting zichtbaar werd. Ze haalde er een canvas zak uit die met leren riemen was dichtgebonden. Harald opende de zak en haalde er een sleutel met een ronde draaikop uit, waarmee om een hoek kon worden gewerkt. 'Een universele bougiesleutel,' zei hij. 'Captain De Havilland heeft toch nog iets goed gedaan.'

Er zaten vier bougies aan de rechterkant van de motor. Harald schroefde er een los en bekeek hem. Er zat olie op de punten. Karen haalde een zakdoekje met een kanten randje uit de zak van haar korte broek en wreef de bougie schoon. Ze vond een voelermaatje tussen het gereedschap en controleerde de vonkopening. Toen draaide Harald de bougie er weer in. Ze herhaalden het proces met de andere drie.

'Er zitten er ook nog vier aan de andere kant,' zei Karen.

Hoewel de motor maar vier cilinders had, waren er twee magneetontstekers die apart op een stel bougies waren aangesloten – voor de veiligheid, veronderstelde Harald. De bougies aan de linkerkant waren moeilijker te bereiken, omdat ze achter twee koelplaten zaten die eerst verwijderd moesten worden.

Toen alle bougies waren gecontroleerd, haalde Harald de bakelieten kappen van de behuizing van de contactpunten en controleerde die.

Ten slotte haalde hij de verdelerkap van elke magneetontsteker en wreef de binnenkant droog met het zakdoekje van Karen, dat nu een vuile lap was geworden.

'We hebben alle normale dingen gedaan,' zei hij. 'Als hij nu niet start, zitten we goed in de problemen.'

Karen deed weer alles om de motor voor te bereiden, waarna ze de propeller drie keer langzaam ronddraaide. Harald opende de deur van de cabine en zette de schakelaars van de magneetontstekers aan. Karen gaf de propeller een laatste ruk en stapte achteruit.

De motor hikte, blafte en aarzelde. Harald die bij de deur stond, duwde de gashendel naar voren. Bulderend kwam de motor tot leven. Harald slaakte een triomfantelijke kreet, maar kon zijn eigen stem nauwelijks boven het geraas uit horen.

Het geluid van de motor weerkaatste tegen de muren van de kerk en maakte een oorverdovende herrie. Hij zag de staart van Pinetop door een raam verdwijnen.

Karen kwam naar hem toe met haren die wapperden in de luchtstroom van de propeller. In zijn enthousiasme omhelsde Harald haar. 'Het is ons gelukt!' gilde hij. Tot zijn enorme plezier beantwoordde ze zijn omhelzing en zei toen iets. Hij schudde zijn hoofd om aan te geven dat hij haar niet kon verstaan. Ze kwam heerlijk dicht bij hem om het in zijn oor te zeggen. Hij voelde haar lippen tegen zijn wang. Hij kon nauwelijks ergens anders aan denken, dan hoe gemakkelijk het nu zou zijn om haar te kussen. 'We moeten hem afzetten, voordat iemand het hoort!' schreeuwde ze.

Harald herinnerde zich dat dit geen spelletje was en dat het vliegtuig gerepareerd moest worden met het doel een gevaarlijke geheime missie te vliegen. Hij stak zijn hoofd in de cabine, schoof de gashendel dicht en schakelde de magneetontstekers uit. De motor sloeg af.

Toen het geluid wegstierf, had het stil moeten zijn, maar dat was het niet. Van buiten kwam een vreemd geluid. Aanvankelijk dacht Harald dat de herrie van de motor nog nagalmde in zijn oren, maar geleidelijk kwam hij tot het besef dat het iets anders was. Hij kon alleen niet thuisbrengen wat hij hoorde, het klonk als het gestamp van marcherende voeten.

Karen staarde hem aan met een gezicht waarop verbijstering en angst stonden te lezen.

Ze draaiden zich allebei om en renden naar de ramen. Harald sprong op de kist die hij gebruikte om over de hoge vensterbank te kijken. Hij gaf Karen een hand en ze kwam naast hem staan. Samen keken ze naar buiten.

Een groep van ongeveer dertig soldaten in Duits uniform marcheerde de oprit op.

Aanvankelijk nam hij aan dat ze voor hem kwamen, maar hij zag algauw dat ze niet waren uitgerust voor een razzia. De meesten leken ongewapend. Ze hadden een zware kar bij zich die werd getrokken door vier afgematte paarden en die zo te zien was beladen met kampeerartikelen. Ze marcheerden langs het klooster verder de oprit op.

'Wat is dit nou?' zei Harald.

'Ze mogen hier niet binnenkomen!' zei Karen.

Ze keken om zich heen in de kerk. De hoofdingang aan de westzijde bestond uit twee enorme houten deuren. Daardoor moest de Hornet Moth met opgevouwen vleugels naar binnen zijn gekomen. Harald had daardoor ook zijn motor naar binnen gereden. Er zat een groot oud slot aan de binnenkant met een enorme sleutel en ook nog een houten sluitbalk die op steunen rustte.

Er was maar één andere ingang, de kleine zijdeur die uitkwam op de kloostergang. Die deur gebruikte Harald normaal. Er zat een slot op, maar Harald had nergens een sleutel gezien. Er was geen sluitbalk.

'We zouden de kleine deur dicht kunnen spijkeren en dan net als Pinetop in- en uitgaan door de ramen,' zei Karen.

'We hebben een hamer en spijkers… we hebben een stuk hout nodig.'

In een ruimte met zoveel rommel moest het niet moeilijk zijn om een stevige plank te vinden, maar tot Haralds teleurstelling vond hij niets geschikts. Ten slotte haalde hij een van de planken boven de werkbank van de muur. Die bevestigde hij schuin voor de deur en spijkerde hem stevig vast aan het kozijn.

'Een stel mannen kan die met de nodige moeite openbreken,' zei hij. 'Maar niemand kan nu toevallig binnenlopen en ons geheim ontdekken.'

'Ze kunnen wel door het raam naar binnen kijken,' zei Karen. 'Ze hoeven alleen maar iets te vinden om op te staan.'

'Laten we de propeller verbergen.' Harald greep de canvas hoes die ze van de Rolls-Royce hadden gehaald. Samen trokken ze die over de neus van de Hornet Moth. Hij was groot genoeg om de cabine te bedekken.

Ze stapten achteruit. Karen zei: 'Het ziet er nog steeds uit als een vliegtuig waarvan de neus is afgedekt en de vleugels naar achteren zijn gevouwen.'

'Voor jou wel. Maar jij weet wat het is. Iemand die door het raam naar binnen kijkt, ziet alleen maar een rommelhok.'

'Tenzij hij toevallig piloot is.'

'Die lui buiten waren toch niet van de Luftwaffe?'

'Ik weet het niet,' zei ze. 'Ik kan het beter gaan uitzoeken.'

22

Hermia had langer in Denemarken gewoond dan in Engeland, maar ineens was het een vreemd land. De vertrouwde straten van Kopenhagen maakten een vijandige indruk en ze had het gevoel op te vallen. Ze haastte zich als een voortvluchtige door de straten waar ze als een onschuldig en zorgeloos kind hand in hand met haar vader had gewandeld. Het waren niet alleen de controleposten, de Duitse uniformen en de grijsgroene Mercedessen. Zelfs de Deense politie maakte haar nerveus.

Ze had hier vrienden, maar ze nam geen contact met hen op. Ze was bang om meer mensen in gevaar te brengen. Poul was dood, Jens vermoedelijk gearresteerd en ze wist niet wat er met Arne was gebeurd. Ze had het gevoel vervloekt te zijn.

Ze was uitgeput en verstijfd na de nachtelijke overtocht en doodongerust over Arne. Ook al was ze zich heel scherp bewust van het wegtikken van de uren tot de vollemaan, toch dwong ze zichzelf uiterst voorzichtig te zijn.

Het huis van Jens Toksvig aan de St. Pauls Gade stond in een rij huisjes met één verdieping waarvan de voordeur meteen uitkwam op het trottoir. Nummer drieënvijftig leek leeg. Met uitzondering van de postbode liep niemand naar de voordeur. De vorige dag, toen Hermia vanaf Bornholm had getelefoneerd, was er een politieman in huis geweest, maar de bewaking moest zijn opgeheven.

Hermia had ook de buren geobserveerd. Aan de ene kant stond een bouwvallig huisje dat werd bewoond door een jong stel met een kind – het soort mensen dat waarschijnlijk te zeer in beslag werd genomen door het eigen leven om belangstelling te hebben voor de buren. Maar het pas geverfde huis met de keurige gordijntjes aan de andere kant was van een oudere vrouw die regelmatig uit het raam keek. Na alles drie uur te hebben gadegeslagen, liep Hermia naar het keurige huisje en klopte aan.

Een gezette vrouw van ongeveer zestig jaar deed open. Met een blik op het koffertje dat Hermia bij zich had, zei ze: 'Ik koop nooit iets aan de deur.' Ze glimlachte uit de hoogte, alsof haar weigering duidde op een maatschappelijk onderscheid.

Hermia glimlachte ook. 'Men heeft me verteld, dat nummer drieënvijftig mogelijk te huur staat.'

De houding van de buurvrouw veranderde. 'O?' zei ze belangstellend. 'U zoekt woonruimte?'

'Ja.' De vrouw was even nieuwsgierig als Hermia had gehoopt. Om haar aan te moedigen zei Hermia: 'Ik ga trouwen.'

De ogen van de vrouw gingen automatisch naar Hermia's linkerhand en Hermia liet haar de verlovingsring zien. 'Heel mooi. Nou, ik moet zeggen dat het een hele opluchting zal zijn om een net gezin als buren te hebben na alles wat er is voorgevallen.'

'Voorgevallen?'

Ze dempte haar stem. 'Het was een nest communistische spionnen.'

'Echt?'

De vrouw kruiste haar armen over haar in een korset gepakte boezem. 'Ze zijn afgelopen woensdag gearresteerd, het hele stel.'

Hermia voelde een rilling van angst, maar ze dwong zichzelf om te doen alsof ze aan het roddelen was. 'Lieve hemel! Hoeveel?'

'Dat zou ik niet precies kunnen zeggen. Je had de huurder, de jonge meneer Toksvig, die ik er nooit voor aangezien zou hebben, ook al was hij niet altijd even respectvol tegenover ouderen. En dan scheen er sinds kort een piloot te wonen, een leuke jongen om te zien, maar hij zei niet veel. En de hele tijd liepen er mensen in en uit, meestal militaire types.'

'En ze zijn woensdag allemaal gearresteerd?'

'Daar op het trottoir bij de lantaarnpaal waar de spaniël van meneer Schmidt zijn poot optilt, is er geschoten.'

Hermia hapte naar adem en haar hand ging naar haar mond. 'O, nee!'

De oude vrouw knikte, blij met de reactie op haar verhaal en zonder te vermoeden dat ze sprak over de man van wie Hermia hield. 'Een politieman in burger schoot een van de communisten neer.' Overbodig voegde ze eraan toe: 'Met een pistool.'

Hermia was zo bang voor wat ze misschien te horen kreeg, dat ze nauwelijks kon praten. Ze perste er vier woorden uit: 'Wie werd er neergeschoten?'

'Ik heb het zelf eigenlijk niet gezien,' zei de vrouw met oneindig veel spijt. 'Ik was toevallig bij mijn zuster in de Fischers Gade om een breipatroon voor een vestje te lenen. Het was niet meneer Toksvig, dat weet ik zeker, want mevrouw Eriksen in de winkel heeft alles gezien en zij zei dat het een man was die ze niet kende.'

'Is hij... doodgeschoten?'

'O, nee. Mevrouw Eriksen dacht dat hij misschien aan zijn been gewond was. Hoe dan ook, hij schreeuwde het uit toen de ziekenbroeders van de ambulance hem op de brancard legden.'

Hermia wist bijna zeker dat het Arne was, die was neergeschoten. Ze dacht de pijn van de kogelwond zelf te voelen. Ze was buiten adem en duizelig. Ze moest weg bij deze afschuwelijke oude bemoeial die het tragisch verhaal zo verlekkerd vertelde. 'Ik moet verder,' zei ze. 'Wat een vreselijke gebeurtenis.' Ze draaide zich om.

'Hoe dan ook, ik neem aan dat het huis binnenkort wel te huur staat,' zei de vrouw tegen haar rug.

Hermia liep weg zonder er aandacht aan te besteden.

Ze liep willekeurig de ene na de andere straat in tot ze bij een café kwam waar ze ging zitten om haar gedachten te ordenen. Een hete kop surrogaatthee hielp haar te bekomen van de schok. Ze moest zien te achterhalen wat er met Arne was gebeurd en waar hij nu was. Maar om te beginnen moest ze een plek hebben om de nacht door te brengen.

Ze vond een kamer in een goedkoop hotel aan de haven. Het was een smerig onderkomen, maar haar kamerdeur had een stevig slot. Rond middernacht vroeg een dronken stem op de gang of ze zin had in een drankje. Ze stond op en blokkeerde de deur door er een stoel schuin tegenaan te zetten.

Het grootste deel van de nacht kon ze niet slapen, omdat ze zich lag af te vragen of Arne de man was die in St. Pauls Gade was neergeschoten. Zo ja, was hij dan zwaar gewond? Zo nee, was hij dan gearresteerd met de anderen of liep hij nog vrij rond? Aan wie kon ze het vragen? Ze kon contact opnemen met de ouders van Arne, maar die zouden het waarschijnlijk niet weten en ze zouden zich doodschrikken als ze hun vroeg of hij was neergeschoten. Ze kende veel van zijn vrienden, maar degenen die waarschijnlijk zouden weten wat er was gebeurd, waren dood, in hechtenis genomen of ondergedoken.

In de vroege ochtenduren, bedacht ze dat er één persoon was die bijna zeker wist of Arne was gearresteerd: zijn commandant.

De zon was nog maar net op toen ze naar het station liep en een trein naar Vodal nam.

Terwijl de trein naar het zuiden kroop en bij elk slaperig dorpje stopte, dacht ze aan Digby. Hij was inmiddels terug in Zweden om op de kade van Kalvsby te staan wachten op de aankomst van haar en Arne met de film. Maar de visser zou alleen terugkomen en Digby vertellen dat Hermia niet was verschenen op het rendez-vous. Digby zou niet weten of ze gevangen was genomen of alleen maar vertraging had opgelopen. Hij zou even bezorgd zijn om haar als zij nu om Arne was.

De vliegschool maakte een troosteloze indruk. Er stonden geen toestellen op het terrein en er vlogen geen toestellen rond. Aan een paar vliegmachines werd onderhoud verricht en in een van de hangars kregen leerlingen het binnenste van een motor te zien. Ze werd naar het hoofdgebouw gestuurd.

Ze had haar echte naam gegeven, want er waren hier mensen die haar kenden. Ze vroeg de commandant te spreken en zei erbij: 'Vertel hem maar dat ik een vriendin ben van Arne Olufsen.'

Ze wist dat ze een risico nam. Ze had squadronleider Renthe eerder ontmoet en herinnerde zich hem als een lange, magere man met een snor. Ze had geen idee van zijn politieke ideeën. Als hij toevallig pronazi's was, kon ze problemen krijgen. Hij zou misschien de politie bellen en melden dat een Engelse vrouw vragen stelde. Maar zoals zoveel mensen mocht hij Arne erg graag, dus hoopte ze dat hij haar omwille van Arne niet zou verraden. Ze zette het trouwens toch door, omdat ze moest weten wat er was gebeurd.

Ze werd meteen toegelaten en Renthe herkende haar. 'Lieve hemel – u bent de verloofde van Arne!' zei hij. 'Ik dacht dat u terug was gegaan naar Engeland.' Hij sloot haastig de deur achter haar – een goed teken, dacht ze, want als hij geen pottenkijkers wilde, hield dat in dat hij tenminste niet meteen de politie op de hoogte zou stellen.

Ze besloot geen verklaring te geven voor haar aanwezigheid in Denemarken. Hij mocht zijn eigen conclusies trekken. 'Ik probeer te achterhalen waar Arne is,' zei ze. 'Ik vrees dat hij in moeilijkheden zit.'

'Het is erger dan dat,' zei Renthe. 'U kunt beter gaan zitten.'

Hermia bleef staan. 'Waarom?' riep ze. 'Waarom moet ik gaan zitten? Wat is er gebeurd?'

'Hij is afgelopen woensdag gearresteerd.'

'Is dat alles?'

'Hij werd neergeschoten en gewond toen hij aan de politie probeerde te ontsnappen.'

'Hij was het dus toch?'

'Neem me niet kwalijk?'

'Een buurvrouw vertelde me dat een van hen was neergeschoten. Hoe gaat het met hem?'

'Gaat u alstublieft zitten.'

Hermia ging zitten. 'Het is erg, nietwaar?'

'Ja.' Renthe aarzelde. Toen zei hij langzaam op gedempte toon: 'Het spijt me verschrikkelijk dat ik het u moet vertellen, maar ik vrees dat Arne dood is.'

Ze slaakte een kreet van verdriet. In haar binnenste had ze geweten dat die kans erin zat, maar de mogelijkheid om hem te verliezen was te afschuwelijk geweest om aan te denken. Nu het zover was, had ze het gevoel alsof ze door een trein was overreden. 'Nee,' zei ze. 'Het is niet waar.'

'Hij is overleden, terwijl hij in hechtenis was.'

'Wat?' Met moeite dwong ze zichzelf om te luisteren.

'Hij is overleden in het hoofdbureau van politie.'

Een vreselijke mogelijkheid ging door haar hoofd. 'Hebben ze hem gemarteld?'

'Dat denk ik niet. Het lijkt erop dat hij wilde voorkomen dat hij tijdens martelingen informatie zou onthullen en dat hij daarom zijn eigen leven nam.'

'O, god!'

'Hij offerde zichzelf op om zijn vrienden te beschermen, denk ik.'
Renthe zag er wazig uit en Hermia besefte dat ze hem zag door tranen die over haar gezicht stroomden. Ze zocht naar een zakdoekje en Renthe gaf haar zijn eigen zakdoek. Ze veegde haar gezicht droog, maar de tranen bleven komen.

Renthe zei: 'Ik heb het net pas gehoord. Ik moet de ouders van Arne bellen om het hun te vertellen.'

Hermia kende hen goed. Ze vond de onbuigzame dominee moeilijk in de omgang. Ze had de indruk dat hij alleen maar met mensen kon omgaan door ze te domineren en Hermia was niet zo gedwee. Hij hield van zijn zonen, maar bracht zijn liefde tot uiting door regels op te leggen. Wat Hermia zich nog het levendigst van Arnes moeder herinnerde, was dat haar handen altijd kloven vertoonden omdat ze te veel in water zat als gevolg van kleren wassen, groente schoonmaken en vloeren schrobben. De gedachte aan hen leidde Hermia's gedachten af van haar eigen verdriet en ze voelde medeleven opwellen. Ze zouden radeloos zijn. 'Wat vreselijk dat u de brenger van zulk nieuws moet zijn,' zei ze tegen Renthe.

'Ja. Hun oudste zoon.'

Dat deed haar denken aan de andere zoon, Harald. Hij was blond, terwijl Arne donker was geweest en ook op andere vlakken waren ze verschillend. Harald was serieuzer en nogal intellectueel; hij miste de charme van Arne, maar was aardig op zijn eigen manier. Arne had gezegd dat hij met Harald ging praten over hoe hij de basis op Sande kon binnenkomen. Hoeveel wist Harald? Was hij erbij betrokken?

Met een hol gevoel begon ze aan praktische zaken te denken. De shocktoestand waarin ze verkeerde, zou haar niet beletten verder te gaan met haar leven, maar ze had het gevoel dat er altijd een leegte zou blijven. 'Wat heeft de politie u nog meer verteld?' vroeg ze aan Renthe.

'Officieel wilden ze alleen kwijt dat hij was gestorven tijdens een verhoor en dat "alles erop duidt dat geen enkele andere persoon erbij betrokken is", wat een eufemisme is voor zelfmoord. Maar een vriend in de Politigaarden vertelde me dat Arne het deed om te voorkomen dat hij werd overgedragen aan de Gestapo.'

'Hebben ze iets aangetroffen in zijn bezittingen?'

'Wat bedoelt u?'

'Foto's bijvoorbeeld.'

Renthe verstrakte. 'Mijn vriend zei daar niets van en voor u en mij is het gevaarlijk om zelfs maar te praten over zo'n mogelijkheid. Juffrouw Mount, ik mocht Arne erg graag en omwille van hem zou ik alles voor u doen wat ik kan, maar denk er alstublieft aan dat ik als officier trouw heb gezworen aan de koning en die heeft mij bevolen samen te werken met de bezettingsmacht. Hoe ik er persoonlijk ook over denk, ik kan spionage niet goedkeuren – en als ik zou vermoeden dat iemand bij dergelijke activiteiten betrokken was, zou het mijn plicht zijn om melding te maken van de feiten.'

Hermia knikte. Het was een duidelijke waarschuwing. 'Ik stel uw oprechtheid op prijs, squadronleider.' Ze stond op en veegde over haar gezicht. Ze dacht eraan dat de zakdoek van hem was en zei: 'Ik zal dit wassen en aan u terugsturen.'

'Daar moet u niet eens aan denken.' Hij liep om het bureau en legde zijn handen op haar schouders. 'Het spijt me echt heel erg. Weet dat ik verschrikkelijk met u meevoel.'

'Dank u,' zei ze en vertrok.

Zodra ze buiten het gebouw stond, kwamen de tranen weer. De zakdoek van Renthe was ondertussen een natte lap. Ze had nooit vermoed dat er zoveel vocht in haar zat. Ze zag alles door een waterig scherm, maar slaagde er toch in op het station te komen.

De holle kalmte keerde terug, toen ze overdacht waar ze nu naartoe moest gaan. De missie waarvoor Poul en Arne waren gestorven was nog niet afgerond. Ze moest nog altijd voor de volgende vollemaan aan foto's van de radarinstallatie op Sande zien te komen. Maar nu had ze een extra motief: wraak. Voltooiing van de taak zou de pijnlijkste vergelding zijn die ze de mannen kon aandoen die Arne de dood hadden ingejaagd. En ze ontdekte dat er een nieuwe factor was die haar hielp. Haar eigen veiligheid kon haar niet meer schelen. Ze was bereid elk risico te nemen. Ze zou met opgeheven hoofd door de straten van Kopenhagen lopen en wee degene die haar probeerde tegen te houden.

Maar wat moest ze precies doen?

Het zou wel eens kunnen draaien om de broer van Arne. Harald zou waarschijnlijk weten of Arne naar Sande was teruggekeerd voordat de politie hem te pakken kreeg en misschien wist hij zelfs of Arne de foto's in zijn bezit had gehad toen hij werd gearresteerd. Bovendien dacht ze te weten waar ze Harald kon vinden.

Ze nam de trein terug naar Kopenhagen. Die kwam zo langzaam vooruit dat het te laat was voor een andere reis toen ze eindelijk in de stad aankwam. Ze ging naar bed in haar logement met de deur stevig afgesloten tegen amoureuze dronkelappen en huilde zichzelf in slaap. De volgende ochtend nam ze de eerste trein naar het voorstadje Jansborg.

De krant die ze op het station kocht, kopte: HALVERWEGE MOSKOU. De nazi's hadden verbijsterende vorderingen gemaakt. In een week hadden ze Minsk ingenomen en zagen ze Smolensk liggen, ruim driehonderd kilometer op Russisch gebied.

Over acht dagen was het vollemaan.

Ze vertelde de secretaresse van de school dat ze de verloofde van

Arne Olufsen was en werd meteen naar het kantoor van Heis gebracht. De man die verantwoordelijk was geweest voor de vorming van Arne en Harald deed haar denken aan een giraf met een bril die langs zijn lange neus naar de wereld beneden keek. 'U bent dus de toekomstige vrouw van Arne,' zei hij vriendelijk. 'Wat bijzonder leuk om u te ontmoeten.'

Hij bleek niets te weten van de tragedie. Zonder inleiding zei Hermia: 'Hebt u het nieuws niet gehoord?'

'Nieuws? Ik weet niet zeker of...'

'Arne is dood.'

'O, lieve goedheid.' Heis ging zitten.

'Ik dacht dat u het misschien had gehoord.'

'Nee. Wanneer is het gebeurd?'

'Gisterochtend vroeg in het hoofdbureau van politie in Kopenhagen. Hij nam zijn eigen leven om te voorkomen dat hij door de Gestapo zou worden verhoord.'

'Wat vreselijk.'

'Wil dat zeggen dat zijn broer het ook nog niet weet?'

'Ik heb er geen idee van. Harald is niet meer hier.'

'Waarom niet?' vroeg ze verrast.

'Ik ben bang dat hij van school is gestuurd.'

'Ik dacht dat hij een voortreffelijke leerling was.'

'Ja, maar hij had zich misdragen.'

Hermia had geen tijd om de misstappen van een schooljongen te bespreken. 'Waar is hij nu?'

'Thuis bij zijn ouders, neem ik aan.' Heis fronste zijn wenkbrauwen. 'Waarom vraagt u dat?'

'Ik zou graag met hem praten.'

Heis keek nadenkend. 'Over iets speciaals?'

Hermia aarzelde. Uit voorzichtigheid zou ze tegen Heis niets moeten zeggen over haar missie, maar zijn laatste twee vragen gaven aan dat hij iets wist. 'Arne had misschien iets in zijn bezit,' zei ze, 'toen hij werd gearresteerd.'

Heis deed alsof hij zijn vragen terloops stelde, maar hij greep de rand van zijn bureau hard genoeg vast om zijn knokkels wit te laten worden. 'Mag ik vragen wat dat is?'

Ze aarzelde en nam toen een gok. 'Een paar foto's.'

'Aha.'

'Zegt u dat iets?'

'Ja.'

Hermia vroeg zich af of Heis haar in vertrouwen zou nemen. Wat hem betreft, kon ze ook een rechercheur zijn die zich voordeed als de verloofde van Arne. 'Arne is voor die foto's gestorven,' zei ze. 'Hij probeerde ze naar mij te brengen.'

Heis knikte en leek tot een beslissing te zijn gekomen. 'Nadat Harald van school was gestuurd, keerde hij op een avond terug en forceerde de toegang tot de donkere kamer in het scheikundelaboratorium.'

Hermia slaakte een zucht van voldoening. Harald had de film ontwikkeld. 'Hebt u de opnames gezien?'

'Ja. Ik heb tegen andere mensen gezegd dat het foto's waren van jonge dames in gewaagde poses, maar dat was slechts een verhaal. Het waren opnames van een militaire installatie.'

Hermia raakte opgewonden. De foto's waren genomen. Tot zover was de missie geslaagd. Maar waar was de film nu? Had Harald tijd gehad om hem aan Arne te geven? In dat geval had de politie hem nu en was Arnes offer voor niets geweest. 'Wanneer heeft Harald dat gedaan?'

'Afgelopen donderdag.'

'Arne werd op woensdag gearresteerd.'

'Dan heeft Harald uw foto's nog.'

'Ja.' Hermia voelde zich minder neerslachtig. Arne was niet doelloos gestorven. De belangrijke film was nog steeds ergens. Ze stond op. 'Bedankt voor uw hulp.'

'Gaat u naar Sande?'

'Ja, om Harald te vinden.'

'Veel succes,' zei Heis.

23

Het Duitse leger had een miljoen paarden. Van de meeste divisies maakte ook een veterinaire compagnie deel uit die zieke en gewonde dieren behandelde, voer zocht en weggelopen paarden ving. Zo'n compagnie was nu ingekwartierd op Kirstenslot.

Het was de grootst mogelijke pech voor Harald. De officieren logeerden in het kasteel en ongeveer honderd mannen hadden kwartier gemaakt in de ruïne van het klooster. De oude kloostergangen naast de kerk waar Harald zijn schuilplaats had, waren veranderd in een paardenhospitaal.

Het leger was overgehaald om geen gebruik te maken van de kerk zelf. Karen had haar vader gesmeekt dat te bedingen onder het mom dat ze niet wilde dat de soldaten de schatten uit haar jeugd beschadigden die daar lagen opgeslagen. Meneer Duchwitz had kapitein Kleiss, de commandant, erop gewezen, dat er door de rommel in de kerk toch weinig bruikbare ruimte overbleef. Na een blik door een raam – gewaarschuwd door Karen was Harald afwezig – stemde Kleiss ermee in dat de kerk afgesloten bleef. Als een quid pro quo had hij drie kamers in het kasteel willen hebben voor zijn officieren en die kreeg hij.

De Duitsers waren beleefd, vriendelijk – en nieuwsgierig. Afgezien van alle problemen die Harald ondervond bij het repareren van de Hornet Moth, moest hij nu alles doen onder de neus van de soldaten. Hij was de bouten aan het losdraaien waarmee de verbogen assteun vastzat. Hij was van plan het beschadigde gedeelte te demonteren en dan langs de soldaten naar de werkplaats van boer Nielsen te sluipen. Als Nielsen hem toestemming gaf, zou hij daar de reparatie uitvoeren. Intussen zou de derde, ongeschonden poot met de schokdemper het gewicht van het stilstaande vliegtuig wel kunnen dragen.

De rem van het wiel was waarschijnlijk ook beschadigd, maar Harald ging zich geen zorgen maken over remmen. Die werden voornamelijk gebruikt bij het taxiën en Karen had hem verteld dat het zonder remmen ook wel zou gaan.

Onder het werken bleef Harald naar de ramen kijken, omdat hij elk moment het gezicht van de kapitein verwachtte te zien. Kleiss had een grote neus en een vooruitstekende kin wat hem een krijgszuchtig uiterlijk gaf. Maar er verscheen niemand en na een paar minuten had Harald de V-vormige steun in zijn hand.

Hij ging op een kist staan om door een raam te kijken. De oostzijde van de kerk ging gedeeltelijk schuil achter een kastanjeboom die nu vol in blad stond. Er scheen niemand in de onmiddellijke nabijheid te zijn. Harald duwde de steun door het raam, liet die buiten op de grond vallen en sprong er toen achteraan.

Achter de boom kon hij het grote grasveld voor het kasteel zien. De soldaten hadden vier grote tenten opgezet en daar hun voertuigen geparkeerd, jeeps en paardentrailers en een tankwagen met brandstof. Er waren een paar mannen zichtbaar die van de ene tent naar een andere liepen, maar het was middag en het grootste deel van de compagnie was opdrachten aan het uitvoeren. Sommigen brachten paarden van en naar het station en anderen onderhandelden met boeren over hooi of behandelden zieke paarden in Kopenhagen en andere plaatsen.

Hij pakte de steun op en liep er snel mee het bos in.

Toen hij om de hoek van de kerk kwam, zag hij kapitein Kleiss.

De kapitein was een grote man met een agressieve houding en hij stond met de armen over elkaar en de benen gespreid met een sergeant te praten. Ze draaiden zich allebei om en keken Harald recht aan. Harald werd even misselijk van angst. Werd hij al zo gauw betrapt? Hij bleef staan, wilde zich omdraaien en besefte toen dat weglopen een verdachte indruk zou maken. Hij aarzelde en liep toen door in het besef dat zijn gedrag een schuldige indruk maakte en dat hij een deel van het onderstel van een vliegtuig droeg. Hij was op heterdaad betrapt en het enige wat hij kon doen, was proberen zich eruit te bluffen. Hij probeerde de steun even nonchalant vast te houden als een tennisracket of een boek.

Kleiss sprak hem in het Duits aan. 'Wie ben jij?'

Hij slikte en probeerde kalm te blijven. 'Harald Olufsen.'

'En wat heb je daar?'

'Dit?' Harald kon zijn hart horen bonzen. Hij probeerde wanhopig een aannemelijke leugen te verzinnen. 'Dit is, eh…' Hij voelde dat hij bloosde en werd toen gered door inspiratie. 'Een onderdeel van de messenkast van een maaimachine.' Het viel hem in dat een Deense boerenjongen zonder opleiding niet zo goed Duits zou spreken en hij vroeg zich bezorgd af of Kleiss pienter genoeg was om dat te merken.

'En wat is er mis met die machine?' vroeg Kleiss.

'Eh, die reed over een grote kei, waardoor het geraamte verbogen raakte.'

Kleiss pakte de steun van hem over. Harald hoopte dat hij niet wist waarnaar hij stond te kijken. Paarden waren zijn vak en er was geen enkele reden waarom hij in staat zou zijn een gedeelte van het onderstel van een vliegtuig te herkennen. Harald stopte met ademhalen en wachtte op het vonnis van Kleiss. Ten slotte gaf de man hem de steun terug. 'Goed, doorlopen.'

Harald liep het bos in.

Toen hij uit het zicht was, bleef hij staan en leunde tegen een boom. Dat was een vreselijk ogenblik geweest. Hij dacht te moeten overgeven, maar slaagde erin de reactie te onderdrukken.

Hij vermande zich. Er konden meer van dit soort ogenblikken komen. Hij zou eraan moeten wennen.

Hij liep verder. Het was warm, maar bewolkt weer, een vervelende zomerse combinatie die maar al te bekend was in Denemarken. Toen hij bij de boerderij kwam, vroeg hij zich af hoe kwaad de oude Nielsen zou zijn, omdat hij na één dag werken was vertrokken zonder iets te zeggen.

Hij vond Nielsen op het erf waar hij agressief naar een tractor staarde die een wolk van stoom uitbraakte.

Nielsen schonk hem een vijandige blik. 'Wat wil je, wegloper?'

Dat was een slecht begin. 'Het spijt me dat ik zonder iets te zeggen ben vertrokken,' zei Harald. 'Ik werd heel plotseling naar huis geroepen en had geen tijd meer om voor mijn vertrek met u te praten.'

Nielsen vroeg niet wat het voor noodgeval was geweest. 'Ik kan het me niet veroorloven onbetrouwbare arbeiders te betalen.'

Dat stemde Harald hoopvol. Als het de boze oude boer om geld te doen was, dan kon hij het houden. 'Ik vraag u niet om me te betalen.'

Nielsen gromde slechts, maar hij keek iets minder boosaardig. 'Wat wil je dan?'

Harald aarzelde. Dit was het moeilijke gedeelte. Hij wilde Nielsen niet te veel vertellen. 'Een gunst,' zei hij.

'Wat voor gunst?'

Harald liet hem de steun zien. 'Ik zou in uw werkplaats een onderdeel van mijn motor willen repareren.'

Nielsen keek hem aan. 'Lieve hemel, jij hebt wel lef, jong.'

Dat weet ik, dacht Harald. 'Het is erg belangrijk,' voerde hij aan. 'Misschien kunt u me er toestemming voor geven in plaats van me te betalen voor de dag dat ik heb gewerkt.'

'Misschien zou ik dat kunnen doen.' Nielsen aarzelde, omdat hij kennelijk niet al te behulpzaam wilde zijn, maar zijn krenterigheid won het. 'Goed dan.'

Harald verborg zijn opgetogenheid.

'Als je eerst die verrekte tractor repareert,' voegde Nielsen eraan toe.

Harald vloekte binnensmonds. Hij wilde geen tijd verspillen aan Nielsens tractor als hij zo weinig tijd had om de Hornet Moth te repareren. Maar het was alleen een kokende radiator. 'Goed,' zei hij.

Nielsen liep stampend weg om iets anders te zoeken waarover hij kon grommen.

De tractor blies algauw geen stoom meer, waardoor Harald een blik op de motor kon werpen. Hij zag meteen dat een slang kapot was, waar die bevestigd zat aan een pijp, zodat water uit koelsysteem kon lekken. Het was natuurlijk niet mogelijk om een vervanging voor de slang te krijgen, maar gelukkig had de bestaande slang voldoende ruimte om het slechte uiteinde eraf te snijden waarna hij de slang weer vastzette. Hij haalde een emmer heet water uit de keuken van de boerderij en vulde de radiator weer – het was erg schadelijk voor een oververhitte motor om er koud water in te gieten. Ten slotte startte hij de tractor om er zeker van te zijn dat de klem hem hield.

Eindelijk kon hij naar de werkplaats.

Hij had wat dun staalplaat nodig om het verbogen gedeelte te verstevigen. Hij wist al waar hij dat kon krijgen. Er hingen vier metalen planken aan de muur. Hij haalde alles van de bovenste plank en verspreidde de artikelen over de drie planken eronder. Toen haalde hij de bovenste plank van de muur. Met Nielsens metaalschaar sneed hij de omgezette randen van de plank en maakte er toen vier stroken van. Die zou hij gebruiken als spalk.

Hij zette een strook in een bankschroef en hamerde er een ruwe bocht in zodat die over de ovale buis van de steun zou passen. Hetzelfde deed hij met de andere drie stroken. Daarna laste hij ze op hun plaats over de deuken in de steun.

Hij deed een stap achteruit om zijn werk te bekijken. 'Lelijk maar doeltreffend,' zei hij hardop.

Toen hij door het bos terugliep naar het kasteel, kon hij de geluiden van het legerkamp horen. Mannen riepen naar elkaar, motoren loeiden, paarden hinnikten. Het was vroeg in de avond en de soldaten waren teruggekeerd van hun werkzaamheden. Hij vroeg zich af of het hem moeite zou kosten om onopgemerkt in de kerk te komen.

Hij naderde het klooster van de achterkant. Aan de noordzijde van de kerk stond een jonge soldaat tegen de muur geleund een sigaret te roken. Harald knikte naar hem en de soldaat zei in het Deens: 'Goedendag, ik ben Leo.'

Harald probeerde te glimlachen. 'Ik ben Harald, aangenaam.'

'Wil je misschien een sigaret?'

'Bedankt, een andere keer. Ik heb nogal haast.'

Harald liep om de kerk heen. Hij had een houtblok gevonden en rolde dat onder een van de ramen. Nu ging hij erop staan en keek de kerk in. Hij stak de steun door het glasloze raam en liet die op de kist vallen die binnen onder het raam stond. De steun stuiterde van de kist op de vloer. Vervolgens werkte hij zichzelf door het raam.

Een stem zei: 'Hallo!'

Zijn hart haperde en toen zag hij Karen. Gedeeltelijk verborgen door het vliegtuig zat ze bij de staart te werken aan de vleugel met de beschadigde punt. Harald pakte de steun op en wilde haar die laten zien.

Toen zei een stem in het Duits: 'Ik dacht dat het hier leeg was!'
Harald draaide zich met een ruk om. De jonge soldaat die Leo heette,
keek door het raam. Harald keek hem ontzet aan en vervloekte zijn
pech. 'Het is een opslagruimte,' zei hij.
Leo wrong zich door het raam en liet zich op de vloer vallen. Harald
wierp een blik in de richting van de staart van het vliegtuig. Karen
was verdwenen. Leo keek om zich heen en leek eerder nieuwsgierig
dan argwanend.
De Hornet Moth was van de propeller tot achter de cabine afgedekt
en de vleugels waren naar achteren gevouwen, maar de romp en het
staartvlak aan de andere kant van de kerk waren duidelijk zichtbaar.
Hoe oplettend was Leo?
Gelukkig scheen de soldaat meer belangstelling te hebben voor de
Rolls-Royce. 'Mooie auto,' zei hij. 'Van jou?'
'Helaas niet,' zei Harald. 'De motorfiets is van mij.' Hij hielde de assteun van de Hornet Moth omhoog. 'Dit is voor mijn zijspan. Ik pro-
beer het te maken.'
'Aha!' Leo vertoonde geen teken van scepsis. 'Ik zou je graag willen
helpen, maar ik weet niets van machines. Paardenvlees is mijn speci-
aliteit.'
'Natuurlijk.' Ze waren ongeveer even oud en Harald voelde sympathie
voor de eenzame jongeman die zo ver van huis was. Maar hij wenste
tegelijk dat Leo zou vertrekken, voordat hij te veel zag.
Er klonk een schril fluitje. 'Etenstijd,' zei Leo.
Goddank, dacht Harald.
'Het was een genoegen om met jou te praten, Harald. Ik wil je graag
nog eens ontmoeten.'
'Ik ook.'
Leo ging op de kist staan en trok zich door het raam naar buiten.
'Jezus,' zei Harald hardop.
Karen dook met een verschrikte blik op van achter de staart van de
Hornet Moth. 'Dat was een akelig moment.'
'Hij koesterde geen argwaan, hij wilde alleen praten.'
'God beware ons voor vriendelijke Duitsers,' zei ze met een glimlach.
'Amen.' Hij vond het verrukkelijk als ze glimlachte. Het was net alsof
de zon opkwam. Hij keek naar haar gezicht zolang als hij durfde.
Toen draaide hij zich om naar de vleugel waaraan ze had gewerkt. Ze
was de scheuren aan het maken, zag hij. Hij kwam dichterbij en ging
naast haar staan. Ze was gekleed in een oude corduroy broek die eruit
zag alsof hij was gedragen bij tuinwerk en een herenoverhemd met
opgerolde mouwen. 'Ik lijm stukjes linnen over de beschadigde
delen,' legde ze uit. 'Als de lijm droog is zal ik de stukjes verven om ze
waterdicht te maken.'
'Hoe ben je aan het linnen en de lijm en de verf gekomen?'

'Uit het theater. Ik heb een keer met mijn wimpers naar een decorbouwer geknipperd.'

'Mooi zo.' Het was voor haar kennelijk gemakkelijk om mannen alles te laten doen wat ze wilde. Hij was jaloers op de decorbouwer. 'Wat doe je trouwens de hele dag in het theater?' vroeg hij.

'Ik ben als invalster de hoofdrol van *Les Sylphides* aan het instuderen.'

'Kom je dan wel eens op het podium?'

'Nee, er zijn twee volledige bezettingen, dus de andere danseressen zouden allebei ziek moeten worden.'

'Jammer. Ik had je heel graag gezien.'

'Als het onmogelijke gebeurt, krijg je een kaartje van me.' Ze richtte haar aandacht weer op de vleugel. 'We moeten zeker weten dat er vanbinnen niets is gebroken.'

'Dat betekent dat we de houten spanten onder de stof moeten inspecteren.'

'Ja.'

'Nu we materiaal hebben om scheuren te repareren, denk ik dat we wel een inspectieopening in het linnen kunnen snijden om binnenin te kijken.'

Ze keek twijfelachtig. 'Goed…'

Hij dacht niet dat een mes gemakkelijk door het behandelde linnen zou gaan, maar hij vond een scherpe beitel tussen het gereedschap. 'Waar moeten we snijden?'

'In de buurt van de stijlen.'

Hij drukte de beitel in het oppervlak. Zodra de eerste opening eenmaal was gemaakt, sneed de beitel betrekkelijk gemakkelijk door de stof. Harald maakte een L-vormige snee en vouwde de flap terug waardoor er een forse opening ontstond.

Karen scheen met een zaklamp in het gat, bukte en keek naar binnen. Ze nam er de tijd voor om rond te kijken, waarna ze haar hoofd terugtrok en haar arm naar binnen stak. Ze pakte iets vast en schudde er hard aan. 'Ik denk dat we geluk hebben,' zei ze. 'Er verschuift niets.'

Ze deed een stap achteruit en Harald nam haar plaats in. Hij stak een hand naar binnen, greep een stijl en duwde en trok. De hele vleugel bewoog, maar hij voelde geen zwakke punten.

Karen was blij. 'Het begint op te schieten,' zei ze. 'Als ik het werk aan de bekleding morgen kan afmaken en jij kunt de assteun weer met de bouten vastzetten, dan ontbreken alleen nog de kabels aan het casco van het vliegtuig. En we hebben nog acht dagen.'

'Niet echt,' zei Harald. 'Waarschijnlijk moeten we minstens vierentwintig uur voor de raid in Engeland zijn om onze informatie effect te laten hebben. Dat brengt het op zeven dagen. Om op de zevende dag aan te komen, moeten we de avond ervoor vertrekken en 's nachts vliegen. Eigenlijk hebben we dus maar zes dagen.'

'Dan zal ik de bekleding vanavond klaar moeten hebben.' Ze keek op haar horloge. 'Ik kan me beter thuis laten zien voor het eten, maar ik kom terug zo gauw ik kan.'

Ze zette de lijm weg en waste haar handen met de zeep die ze voor Harald uit het huis had meegenomen. Hij keek naar haar. Het speet hem steeds weer wanneer ze vertrok. Hij dacht dat hij graag de hele dag bij haar zou zijn en dan elke dag. Hij nam aan dat dit het gevoel was waardoor mensen wilden trouwen. Wilde hij met Karen trouwen? Het leek een stomme vraag. Natuurlijk wilde hij dat. Zonder enige twijfel. Soms probeerde hij zich voor te stellen hoe het na tien jaar met hun tweeën zou gaan, als ze genoeg van elkaar zouden hebben en alles saai was geworden. Maar dat was onmogelijk, want Karen zou nooit saai zijn.

Ze droogde haar handen af aan een stuk handdoek. 'Waar sta je aan te denken?'

Hij voelde hoe hij bloosde. 'Ik vraag me af wat de toekomst in petto heeft.'

Ze keek hem verrassend recht aan en even had hij het idee dat ze zijn gedachten kon lezen. Toen draaide ze haar hoofd om. 'Een lange vlucht over de Noordzee,' zei ze. 'Duizend kilometer zonder een stukje land. We kunnen er dus beter voor zorgen dat deze oude vlieger het haalt.'

Ze liep naar het raam en ging op de kist staan. 'Niet kijken – dit is geen deftige houding voor een dame.'

'Ik zal niet kijken, ik zweer het,' zei hij met een lach.

Ze trok zich omhoog. Hij brak vrolijk zijn belofte en keek naar haar achterste toen ze zich door het raam werkte. Ze liet zich vallen en verdween uit het zicht.

Hij vestigde zijn aandacht weer op de Hornet Moth. Het zou niet veel tijd kosten om de versterkte assteun weer te monteren. Hij vond de bouten en moeren op de werkbank, waar hij ze had neergelegd. Hij knielde bij het wiel, zette de steun op zijn plaats en begon hem met de bouten vast te zetten aan de romp en de wielkast.

Hij was net klaar, toen Karen, veel sneller dan hij had verwacht, weer naar binnen kwam.

Hij glimlachte blij, omdat ze zo vroeg terug was gekomen, maar zag toen dat ze bezorgd keek. 'Wat is er gebeurd?' vroeg hij.

'Je moeder heeft gebeld.'

Harald was boos. 'Verdorie! Ik had haar nooit moeten vertellen waar ik naartoe ging. Met wie heeft ze gesproken?'

'Mijn vader. Maar hij heeft haar verteld dat je beslist niet hier was en ze scheen hem te geloven.'

'Goddank.' Hij was blij dat hij had besloten zijn moeder niet te vertellen dat hij in een ongebruikte kerk woonde. 'Wat wilde ze trouwens?'

'Er is slecht nieuws.'

'Wat?'

'Over Arne.'

Harald besefte met een schuldig geweten, dat hij de laatste paar dagen nauwelijks aan zijn broer had gedacht die zat te verkommeren in de gevangenis. 'Wat is er gebeurd?'

'Arne is… Hij is dood.'

Aanvankelijk drong het niet tot Harald door. 'Dood?' zei hij, alsof hij de betekenis van het woord niet kende. 'Hoe kan dat?'

'De politie zegt dat hij zijn eigen leven nam.'

'Zelfmoord?' Harald had het gevoel dat de wereld om hem heen in duigen viel, dat de muren van de kerk instortten en de bomen in het park omvielen en kasteel Kirstenslot werd weggeblazen door een stormwind. 'Waarom zou hij dat doen?'

'Om te voorkomen dat hij zou worden verhoord door de Gestapo, vertelde Arnes commandant haar.'

'Om te voorkomen…' Harald begreep meteen wat dat inhield. 'Hij was bang dat hij niet bestand zou zijn tegen het martelen.'

Karen knikte. 'Ja.'

'Als hij was doorgeslagen, zou hij mij hebben verraden.'

Ze zweeg, stemde niet met hem in en sprak hem ook niet tegen.

'Hij heeft zichzelf gedood om mij te beschermen.' Harald moest plotseling een bevestiging hebben van Karen. Hij pakte haar bij de schouders. 'Ik heb gelijk, nietwaar?' schreeuwde hij. 'Dat moet het zijn! Hij deed het voor mij! Zeg iets, alsjeblieft.'

Ten slotte sprak ze. 'Ik denk dat je gelijk hebt,' fluisterde ze.

Haralds woede sloeg om in verdriet. Het overspoelde hem en hij verloor zijn zelfbeheersing. Tranen stroomden uit zijn ogen en zijn lichaam schokte van het snikken. 'O, god,' zei hij en bedekte zijn natte gezicht met zijn handen. 'O, god, dit is vreselijk.'

Hij voelde Karens armen om hem heen. Zacht trok ze zijn hoofd naar haar schouder. Zijn tranen maakten haar haren nat en liepen langs haar keel. Ze streelde zijn nek en kuste zijn natte gezicht.

'Arme Arne,' zei Harald met een stem die was verstikt door verdriet. 'Arme Arne.'

'Het spijt me,' mompelde Karen. 'Mijn lieve Harald, het spijt me zo.'

24

Midden in de Politigaarden, het hoofdbureau van de Kopenhaagse politie, lag een ruime en ronde binnenplaats waar de zon naar binnen
scheen. De binnenplaats werd omgeven door een arcade met klassieke dubbele zuilen in een volmaakt terugkerend patroon. Voor Peter
Flemming symboliseerde het ontwerp de wijze waarop orde en re-
gelmaat het licht van de waarheid lieten schijnen op de menselijke
verdorvenheid. Hij vroeg zich vaak af of dat de bedoeling van de architect was geweest, of dat hij gewoon had gedacht dat een binnenplaats ook best mooi mocht zijn.

Hij stond met Tilde Jespersen in de arcade. Ze leunden tegen een paar
zuilen en rookten een sigaret. Tilde droeg een mouwloze blouse die
de gladde huid van haar armen bloot liet. Op haar onderarmen had
ze fijne blonde haartjes. 'De Gestapo is klaar met Jens Toksvig,' zei hij
tegen haar.

'En?'

'Niets.' Hij was geïrriteerd en bewoog zijn schouders alsof hij het gevoel van ergernis van zich af wilde schudden. 'Hij heeft natuurlijk
alles verteld wat hij wist. Hij is een van de Nachtwakers en gaf inlichtingen door aan Poul Kirke. Hij stemde ermee in om Arne Olufsen
onderdak te verschaffen toen die op de vlucht was. Hij zei ook dat dit
hele project was opgezet door de verloofde van Arne, Hermia Mount,
die in Engeland voor MI6 werkt.'

'Interessant – maar het brengt ons geen stap verder.'

'Precies. Helaas voor ons weet Jens niet wie de basis op Sande is
binnengedrongen en hij weet ook niets van de film die Harald heeft
ontwikkeld.'

Tilde trok de rook naar binnen. Peter keek naar haar mond. Ze leek
de sigaret te kussen. Ze inhaleerde en blies de rook toen door haar
neusgaten uit. 'Arne doodde zichzelf om iemand te beschermen,' zei
ze. 'Ik neem aan dat die persoon de film heeft.'

'Zijn broer Harald heeft hem of hij heeft hem doorgegeven aan iemand anders. Hoe dan ook, we moeten met hem praten.'

'Waar is hij?'

'In de pastorie op Sande, neem ik aan. Het is zijn enige thuis.' Hij keek
op zijn horloge. 'Ik neem over een uur de trein.'

'Waarom bel je niet?'

'Ik wil hem niet de kans geven om te vluchten.'

Tilde keek bezorgd. 'Wat ga je tegen zijn ouders zeggen? Denk je niet dat ze jou de schuld zullen geven voor wat er met Arne is gebeurd?'

'Ze weten niet dat ik erbij was toen Arne zichzelf doodschoot. Ze weten niet eens dat ik hem heb gearresteerd.'

'Waarschijnlijk niet,' zei ze weifelend.

'Het kan me trouwens niets schelen wat ze denken,' zei Peter ongeduldig. 'Generaal Braun ontplofte bijna toen ik hem vertelde dat de spionnen misschien foto's hebben van de basis op Sande. De hemel mag weten wat de Duitsers daar hebben, maar het is vreselijk geheim. En hij schuift het mij in de schoenen. Als die film Denemarken verlaat, weet ik niet wat hij met me zal doen.'

'Maar jij bent toch de persoon die de spionnen heeft ontdekt?'

'En ik zou bijna wensen dat ik het niet had gedaan.' Hij liet zijn peukje vallen en trapte het draaiend met zijn hak uit. 'Ik wil graag dat je met mij meekomt naar Sande.'

Haar lichte blauwe ogen keken hem taxerend aan. 'Natuurlijk, als je mijn hulp kunt gebruiken.'

'En ik wil dat je mijn ouders ontmoet.'

'Waar moet ik logeren?'

'Ik ken een rustig en schoon hotelletje in Morlunde, dat jou waarschijnlijk wel aan zal staan.' Zijn vader bezat natuurlijk een hotel, maar als Tilde daar logeerde wist de hele bevolking van Sande wat ze elke minuut van de dag deed.

Peter en Tilde hadden niet gesproken over wat er in zijn appartement was gebeurd, ook al was dat zes dagen geleden. Hij wist niet zeker wat hij moest zeggen. Hij had de aandrang gevoeld om in het bijzijn van Inge seks te hebben met Tilde en Tilde was erin meegegaan. Ze had zijn hartstocht gedeeld en zijn behoefte blijkbaar begrepen. Naderhand had ze bezorgd geleken en hij had haar naar huis gereden en haar afgezet met een kus.

Ze hadden het niet herhaald. Een keer was genoeg geweest om te bewijzen wat hij moest bewijzen. Hij was de volgende avond naar het appartement van Tilde gegaan, maar haar zoon was wakker geworden. Toen die om drinken vroeg en klaagde dat hij naar had gedroomd, was Peter vroeg naar huis gegaan. Nu beschouwde hij de reis naar Sande als een kans om haar voor zich alleen te hebben.

Maar ze scheen te aarzelen. Ze stelde een praktische vraag: 'Hoe moet het met Inge?'

'Ik zal de zorginstelling hulp voor vierentwintig uur vragen, zoals ik ook heb gedaan toen we naar Bornholm gingen.'

'Ik begrijp het.'

Ze keek nadenkend over de binnenplaats en hij bestudeerde haar profiel: de kleine neus, de ronde mond, de vastberaden kin. Hij herinnerde zich de overweldigende opwinding van het haar bezitten. Dat

kon ze toch niet zijn vergeten? 'Wil je niet een nacht samen doorbrengen?' vroeg hij.
Ze draaide zich met een glimlach naar hem toe. 'Natuurlijk wel,' zei
ze. 'Ik kan beter een koffer gaan pakken.'

De volgende ochtend werd Peter wakker in het Oesterport Hotel in
Morlunde. Het Oesterport was een fatsoenlijk etablissement, maar de
eigenaar, Erland Berten, was niet getrouwd met de vrouw die zich
mevrouw Berten noemde. Erland had een vrouw in Kopenhagen die
niet van hem wilde scheiden. Niemand in Morlunde wist dat, behalve
Peter Flemming. Hij had het ontdekt toen hij onderzoek deed naar de
moord op een zekere Jacob Berten, die overigens geen familie was.
Peter had Erland laten weten, dat hij de echte mevrouw Berten had
ontdekt, maar had het nieuws niet naar buiten gebracht in de wetenschap dat hij Berten door het geheim in zijn macht had. Nu kon hij
rekenen op de discretie van Erland. Wat er ook tussen Peter en Tilde
voorviel in het Oesterport Hotel, Erland zou het niemand vertellen.
Peter en Tilde hadden uiteindelijk toch niet samen geslapen. Hun
trein had vertraging gehad en ze waren pas midden in de nacht aangekomen, lang nadat de laatste veerboot naar Sande was vertrokken.
Moe en met een slecht humeur van de ergerniswekkende reis hadden
ze aparte eenpersoonskamers genomen om een paar uur te kunnen
slapen. Nu namen ze de eerste ochtendboot.
Hij kleedde zich snel aan en klopte toen op Tildes deur. Ze zette net
een strohoed op en keek in de spiegel boven de schoorsteenmantel.
Hij kuste haar wang, omdat hij haar make-up niet wilde bederven.
Ze liepen naar de haven. Een plaatselijke politieman en een Duitse
soldaat vroegen naar hun identiteitsbewijzen toen ze aan boord van
de veerboot stapten. De controlepost was nieuw. Peter nam aan dat
het een extra veiligheidsmaatregel van de Duitsers was in verband
met de belangstelling van spionnen voor Sande. Maar het kon ook
voor Peter nuttig zijn. Hij liet zijn politiepenning zien en vroeg hen
de namen op te schrijven van iedereen die de komende dagen een
bezoek bracht aan het eiland. Het zou belangwekkend zijn om te zien
wie er naar de begrafenis van Arne kwam.
Aan de overkant van het kanaal stond de paardentaxi van het hotel
op hen te wachten. Peter vroeg de koetsier om hen naar de pastorie
te brengen.
De zon kwam net boven de horizon uit en liet de raampjes van de
lage huizen glanzen. Het had 's nachts geregend en in het ruwe gras
op de duinen glinsterden waterdruppeltjes. Een lichte bries rimpel-
de het zeeoppervlak. Het leek of het eiland de beste kleren had aangetrokken voor Tildes bezoek. 'Wat is het hier mooi,' zei ze. Hij was
blij dat het haar aanstond. Onder het rijden wees hij opvallende

punten aan: het hotel, het huis van zijn vader – het grootste op het eiland – en de militaire basis die het doelwit was van de spionagegroep.

Toen ze de pastorie naderden, zag Peter dat de deur van het kerkje openstond en hij hoorde een piano. 'Dat zou Harald kunnen zijn,' zei hij. Hij hoorde de opwinding in zijn eigen stem. Zou het echt zo gemakkelijk gaan? Hij kuchte. 'Zullen we gaan kijken?' zei hij met een stem die dieper en kalmer klonk.

Ze stapten uit het rijtuig. 'Hoe laat moet ik terugkomen, meneer Flemming?' vroeg de koetsier.

'Wacht hier, alstublieft,' zei Peter.

'Ik heb andere klanten…'

'Wacht gewoon.'

De koetsier mompelde iets onverstaanbaars.

'Als u niet hier bent als ik naar buiten kom,' zei Peter, 'bent u ontslagen.' De koetsier keek nors, maar reed niet weg.

Peter en Tilde liepen de kerk in. Aan de andere kant van de ruimte zat een forse gestalte achter de piano. Hij zat met zijn rug naar de deur, maar Peter kende die brede schouders en dat ronde hoofd. Het was Bruno Olufsen, de vader van Harald.

Peters gezicht vertrok van teleurstelling. Hij wilde Harald zo graag arresteren, dat hij voorzichtig moest zijn om zich er niet door te laten overheersen.

De dominee speelde een langzame hymne in mineur. Peter wierp een zijdelingse blik op Tilde en zag dat ze verdrietig keek. 'Laat je niet voor de gek houden,' mompelde hij. 'De oude tiran is zo hard als staal.'

Na het lied begon Olufsen aan een ander. Peter wilde niet wachten. 'Dominee!' zei hij luid.

De dominee stopte niet meteen, maar maakte de maat af en liet de muziek even in de lucht hangen. Ten slotte draaide hij zich om. 'Peter,' zei hij op vlakke toon.

Peter kreeg even een schok toen hij zag hoe oud de dominee was geworden. Zijn gezicht vertoonde rimpels van vermoeidheid en zijn blauwe ogen hadden hun ijzige glans verloren. Na een ogenblik van verrassing zei Peter: 'Ik ben op zoek naar Harald.'

'Ik had ook niet gedacht dat dit een condoleancebezoek was,' zei de dominee koel.

'Is hij hier?'

'Is dit een officieel verhoor?'

'Waarom vraagt u dat? Is Harald betrokken bij iets verkeerds?'

'Absoluut niet.'

'Ik ben blij dat te horen. Is hij thuis?'

'Nee. Hij is niet op het eiland. Ik weet niet waar hij naartoe is gegaan.'

Peter keek Tilde aan. Dit was een tegenvaller – maar aan de andere kant kon je daaruit opmaken dat Harald schuldig was. Waarom zou hij anders verdwijnen? 'Waar zou hij volgens u kunnen zijn?'

'Ga weg.'

Arrogant als altijd – maar deze keer zou de dominee niet aan het langste eind trekken, dacht Peter met genoegen. 'Uw oudste zoon doodde zichzelf omdat hij betrapt was als spion,' zei hij bot.

De dominee kromp ineen alsof Peter hem had geslagen.

Peter hoorde hoe naast hem de adem van Tilde stokte. Hij besefte dat hij haar had geschokt met zijn wreedheid, maar hij zette door. 'Uw jongste zoon is misschien schuldig aan dezelfde misdaden. U verkeert niet in de positie om hoog van de toren te blazen tegen de politie.'

Het anders zo trotse gelaat van de dominee zag er gekwetst en kwetsbaar uit. 'Ik heb je verteld dat ik niet weet waar Harald is,' zei hij dof. 'Heb je nog meer vragen?'

'Wat verbergt u?'

De dominee zuchtte. 'Je behoort tot mijn kudde en als je bij mij komt voor geestelijke hulp, zal ik je niet wegsturen. Maar over iets anders praat ik niet met jou. Je bent arrogant en wreed en zo waardeloos als een van Gods schepselen maar kan zijn. Ga uit mijn ogen.'

'U kunt mensen niet uit de kerk zetten – die is niet van u.'

'Als je wilt bidden, ben je hier welkom. Zo niet, ga dan weg.'

Peter aarzelde. Hij wilde zich niet uit de kerk laten gooien, maar hij wist dat hij verslagen was. Na een ogenblik pakte hij de arm van Tilde en liep met haar naar buiten. 'Ik zei toch dat hij hard was,' zei hij.

Tilde leek geschokt. 'Ik denk dat de man verdriet had.'

'Ongetwijfeld. Maar vertelde hij de waarheid?'

'Kennelijk is Harald ondergedoken – wat bijna zeker wil zeggen dat hij de film heeft.'

'Dus moeten we hem vinden.' Peter dacht na over het gesprek. 'Ik vraag me af of zijn vader echt niet weet waar hij is.'

'Heb je de dominee ooit op een leugen betrapt?'

'Nee – maar hij zou een uitzondering kunnen maken om zijn zoon te beschermen.'

Tilde maakte een afwijzend gebaar. 'We krijgen hoe dan ook toch niets uit hem.'

'Dat ben ik met je eens. Maar we zijn op het juiste spoor, dat is het voornaamste. Laten we de moeder eens proberen. Zij is tenminste van vlees en bloed.'

Ze liepen naar het huis. Peter liep met Tilde achterom. Hij klopte op de keukendeur en liep zonder te wachten naar binnen, zoals op het eiland gebruikelijk was.

Lisbeth Olufsen zat aan de keukentafel en deed niets. Peter had haar nooit eerder in zijn leven niets zien doen. Ze was altijd aan het koken of poetsen. Zelfs in de kerk was ze bezig met het recht zetten van stoelen, het uitdelen of ophalen van gezangenbundels en het opstoken van de turfketel waarmee de grote ruimte in de winter werd verwarmd. Nu zat ze naar haar handen te kijken. De huid was op plaatsen gekloofd en ruw als die van een visser.

'Mevrouw Olufsen?'

Ze draaide zich naar hem om. Haar ogen waren rood en haar wangen waren ingevallen. Na een ogenblik herkende ze hem. 'Hallo, Peter,' zei ze toonloos.

Hij besloot haar op een vriendelijkere manier te benaderen. 'Het spijt me van Arne.'

Ze knikte vaag.

'Dit is mijn vriendin Tilde. We werken samen.'

'Aangenaam.'

Hij ging aan tafel zetten en gebaarde Tilde hetzelfde te doen. Misschien zou een eenvoudige, praktische vraag mevrouw Olufsen uit haar verdoving halen. 'Wanneer is de begrafenis?'

Ze dacht even na en antwoordde toen: 'Morgen.'

Dat was beter.

'Ik heb met de dominee gepraat,' zei Peter. 'We hebben hem in de kerk gezien.'

'Zijn hart is gebroken. Hij toont het alleen niet voor de wereld.'

'Dat begrijp ik. Harald moet ook vreselijk ontdaan zijn.'

Ze wierp een blik op hem en keek toen weer snel naar haar handen. Het was een heel korte blik, maar Peter zag angst en bedrog. 'We hebben niet met Harald gesproken,' mompelde ze.

'Waarom niet?'

'We weten niet waar hij is.'

Peter kon niet zeggen op welk ogenblik ze loog, maar hij wist bijna zeker dat ze hem bedroog. Het maakte hem kwaad dat de dominee en zijn vrouw, die deden alsof ze moreel boven anderen stonden, opzettelijk de waarheid verborgen voor de politie. Hij verhief zijn stem. 'Ik raad u aan met ons samen te werken.'

Tilde legde een hand op zijn arm en keek hem vragend aan. Hij knikte om aan te geven dat zij verder kon gaan. 'Mevrouw Olufsen,' zei ze, 'het spijt me dat ik u moet vertellen dat Harald misschien bij dezelfde illegale activiteiten is betrokken als Arne.'

Mevrouw Olufsen keek bang.

Tilde ging verder: 'Hoe langer dit doorgaat, des te zwaarder hij in de problemen zit als we hem uiteindelijk te pakken krijgen.'

De oude vrouw schudde met een angstige blik haar hoofd, maar zei niets.

'Als u ons helpt om hem te vinden, doet u dat voor zijn bestwil.'

'Ik weet niet waar hij is,' herhaalde ze, maar minder beslist.

Peter voelde haar verzwakken. Hij stond op en boog over de tafel om zijn gezicht dicht bij het hare te brengen. 'Ik zag Arne sterven,' zei hij grof.

De ogen van mevrouw Olufsen werden groot van afschuw.

'Ik zag hoe uw zoon het pistool tegen zijn eigen keel zette en de trekker overhaalde,' ging hij verder.

Tilde zei: 'Peter, nee…'

Hij besteedde geen aandacht aan haar. 'Ik zag zijn bloed en hersenen tegen de muur achter hem spatten.'

Mevrouw Olufsen krijste van schrik en verdriet.

Ze stond op het punt door te slaan, zag Peter met voldoening. Hij buitte zijn voordeel uit. 'Uw oudste zoon was een spion en een misdadiger en hij kwam op een gewelddadige manier aan zijn eind. Zij die leven met het zwaard zullen door het zwaard sterven, staat in de bijbel. Wilt u dat uw andere zoon hetzelfde overkomt?'

'Nee,' fluisterde ze. 'Nee.'

'Vertel me dan waar hij is!'

De keukendeur vloog open en de dominee stapte naar binnen. 'Stuk vuil,' zei hij.

Peter kwam overeind. Geschrokken maar uitdagend zei hij: 'Ik heb het recht om vragen…'

'Mijn huis uit.'

'Peter,' zei Tilde, 'laten we gaan.'

'Ik wil nog steeds weten…'

'Nu!' bulderde de dominee. 'Eruit!' Hij kwam om de tafel heen.

Peter deinsde achteruit. Hij wist dat hij niet moest toelaten dat er op zo'n manier tegen hem werd geschreeuwd. Hij voerde een rechtmatig politieonderzoek uit en had dus ook het recht om vragen te stellen. Maar de overweldigende aanwezigheid van de dominee joeg hem angst aan. Ondanks het pistool onder zijn jasje, ontdekte hij dat hij zich terugtrok naar de deur.

Tilde opende die en liep naar buiten.

'Ik ben nog niet klaar met jullie twee,' zei Peter zwakjes, toen hij achteruit naar buiten stapte.

De dominee sloeg de deur in zijn gezicht dicht.

Peter draaide zich om. 'Verrekte hypocrieten,' zei hij. 'Allebei.'

Het rijtuig stond te wachten. 'Naar het huis van mijn vader,' zei Peter en ze stapten in.

Toen ze wegreden, probeerde hij de vernederende gebeurtenis uit zijn hoofd te zetten en zich te concentreren op zijn volgende stappen. 'Harald moet toch ergens wonen,' zei hij.

'Uiteraard.' Tilde klonk kortaf en hij nam aan dat ze ontdaan was door wat ze net had meegemaakt.

'Hij zit niet op school en hij is niet thuis en hij heeft alleen familie in Hamburg.'

'We zouden een foto van hem kunnen verspreiden.'

'Het zal ons moeite kosten om er een te vinden. De dominee gelooft niet in foto's - die zijn een teken van ijdelheid. Heb jij foto's in de keuken gezien?'

'En een schoolfoto?'

'Is op Jansborg geen traditie. De enige foto die we van Arne konden vinden zat in zijn legerdossier. Ik betwijfel of er ergens een foto van Harald is.'

'Wat gaan we nu dan doen?'

'Ik denk dat hij bij vrienden logeert - denk je ook niet?'

'Klinkt logisch.'

Ze wilde hem niet aankijken. Hij zuchtte. Ze was kwaad op hem. Nou ja, niets aan te doen. 'Jij gaat het volgende doen,' zei hij op een bevelende toon. 'Bel met de Politigaarden. Stuur Conrad naar de Jansborg Skole. Hij moet een lijst vragen van de thuisadressen van alle jongens uit de klas van Harald. Vervolgens moet iemand al die adressen afgaan, een paar vragen stellen en wat rondneuzen.'

'Die moeten over heel Denemarken verspreid liggen. Het kost zeker een maand om ze allemaal te bezoeken. Hoeveel tijd hebben we?'

'Heel weinig. Ik weet niet hoeveel tijd Harald nodig heeft om een manier te bedenken de film in Londen te krijgen, maar hij is een slimme rakker. Schakel zo nodig de plaatselijke politie in.'

'Heel goed.'

'Als hij niet bij vrienden logeert, moet hij ondergedoken zitten bij een ander lid van de spionagegroep. We blijven voor de begrafenis om te kijken wie er verschijnt. We laten iedereen natrekken. Iemand van hen moet weten waar Harald is.'

Het rijtuig ging langzamer rijden toen ze bijna bij het huis van Axel Flemming waren. 'Vind je het erg als ik terugga naar het hotel?' vroeg Tilde.

Zijn ouders verwachtten hen voor de lunch, maar Peter zag dat Tilde niet in de stemming was. 'Goed.' Hij tikte de koetsier op de schouder. 'Naar de veerboot.'

Ze reden een tijdje zwijgend door. In de buurt van de haven vroeg Peter: 'Wat ga je in het hotel doen?'

'Ik denk eigenlijk dat ik moet terugkeren naar Kopenhagen.'

Dat maakte hem kwaad. Toen het paard op de kade bleef staan, vroeg hij: 'Wat is er verdorie met jou aan de hand?'

'Wat er net is gebeurd, vond ik niet leuk.'

'We moesten het doen!'

'Daar ben ik niet zeker van.'

'Het was onze plicht om te proberen die mensen te laten vertellen wat ze wisten.'

'Plicht is niet alles.'

Ze had zoiets ook gezegd toen ze het oneens waren geweest over joden, herinnerde hij zich. 'Dat is spelen met woorden. Plicht is wat je moet doen. Je kunt geen uitzonderingen maken. Dat is er juist mis met de hele wereld.'

De veerboot lag aangemeerd. Tilde stapte uit het rijtuig. 'Zo is het leven, Peter, en niet anders.'

'Daarom bestaat er misdaad! Zou jij niet liever een wereld hebben waar iedereen zijn plicht doet? Stel je voor! Welgemanierde mensen in een keurig uniform die doen wat er gedaan moet worden zonder luiheid, zonder vertraging, zonder half werk te leveren. Wanneer alle misdaden consequent werden bestraft, zou de politie een stuk minder te doen hebben!'

'Is dat echt wat jij wilt?'

'Ja – en als ik ooit commissaris van politie word en de nazi's hebben het nog steeds voor het zeggen, dan zal het zo worden! Wat is daar mis mee?'

Ze knikte, maar gaf geen antwoord op zijn vraag. 'Tot ziens, Peter,' zei ze.

Toen ze wegliep, riep hij haar na: 'Nou? Wat is daar mis mee?' Maar ze stapte aan boord van de veerboot zonder zich om te draaien.

DEEL 4

25

Harald wist dat de politie naar hem op zoek was.

Zijn moeder had Kirstenslot weer gebeld, zogenaamd om Karen de dag en tijd van de begrafenis door te geven. Tijdens het gesprek had ze gezegd dat de politie haar had gevraagd naar de verblijfplaats van Harald. 'Maar ik weet niet waar hij is, dus kon ik ze niets vertellen,' had ze gezegd. Het was een waarschuwing en Harald bewonderde zijn moeder, omdat ze de moed had het te doen en omdat ze slim vermoedde dat Karen de waarschuwing waarschijnlijk door kon geven. Ondanks de waarschuwing moest hij naar de vliegschool.

Karen bracht hem wat oude kleren van haar vader, zodat Harald niet zijn opvallende schoolblazer hoefde te dragen. Hij trok een schitterend lichtgewicht Amerikaans sportjasje aan en zette een linnen pet en een zonnebril op. Hij zag er eerder uit als een miljonair en playboy dan als een voortvluchtige spion toen hij in Kirstenslot op de trein stapte. Niettemin was hij nerveus. Hij voelde zich opgesloten in de treinwagon. Als een politieagent hem aanhield, kon hij nergens naartoe.

In Kopenhagen liep hij de korte afstand van het Vesterportstation naar het centraal station zonder een enkel politie-uniform te zien. Een paar minuten later zat hij op de volgende trein naar Vodal.

Onderweg dacht hij aan zijn broer. Iedereen had gedacht dat Arne niet geschikt was voor het verzet: te speels, te zorgeloos, misschien niet dapper genoeg. Uiteindelijk bleek hij de grootste held van allemaal te zijn. De gedachte bracht tranen in zijn ogen die verscholen zaten achter de zonnebril.

Squadronleider Renthe, de commandant van de vliegschool, deed hem denken aan zijn oude schoolhoofd Heis. Beide mannen waren lang en mager en hadden een lange neus. Vanwege de gelijkenis vond Harald het moeilijk om tegen Renthe te liegen. 'Ik ben gekomen om, eh, de bezittingen van mijn broer op te halen,' zei hij wat ongemakkelijk. 'Persoonlijk bezittingen. Als dat goed is.'

Renthe scheen niets te merken. 'Natuurlijk,' zei hij. 'Een van Arnes collega's, Hendrik Janz, heeft alles ingepakt. Er is een koffer en een plunjezak.'

'Dank u.' Harald wilde Arnes bezittingen niet, maar hij had een excuus nodig om hier te komen. Wat hij eigenlijk wilde, was ongeveer vijftien meter stalen kabel als vervanging van de ontbrekende kabels in de Hornet Moth. En dit was de enige plaats die hij kon bedenken, waar hij mogelijk stalen kabel kon krijgen.

Nu hij er was, leek de taak zwaarder dan hij aanvankelijk had gedacht. Hij voelde een lichte paniek. Zonder die kabel kon de Hornet Moth niet vliegen. Toen dacht hij weer aan het offer dat zijn broer had gebracht en hij prentte zich in kalm te blijven. Als hij het hoofd koel hield, vond hij misschien een manier.

'Ik was van plan alles naar je ouders te sturen,' voegde Renthe eraan toe.

'Dat doe ik wel.' Harald vroeg zich af of hij Renthe in vertrouwen kon nemen.

'Ik aarzelde alleen, omdat ik dacht dat het misschien naar zijn verloofde moest worden gestuurd.'

'Hermia?' zei Harald verbaasd. 'In Engeland?'

'Is ze in Engeland? Ze was hier drie dagen geleden.'

Harald was verbijsterd. 'Wat deed ze hier?'

'Ik nam aan dat ze Deens staatsburger was geworden en hier woonde. Anders zou haar aanwezigheid in Denemarken illegaal zijn geweest en had ik haar bezoek aan de politie moeten melden. Maar in dat geval was ze natuurlijk niet hierheen gekomen. Ze zou uiteraard weten dat ik als officier aan de politie zou moeten rapporteren als er iets illegaals gebeurde.' Hij keek Harald scherp aan en voegde eraan toe: 'Je begrijpt wat ik bedoel?'

'Ik denk het wel.' Harald besefte dat hem iets duidelijk werd gemaakt. Renthe vermoedde dat Hermia en hij samen met Arne waren betrokken bij spionage en hij waarschuwde Harald daar niets over tegen hem te zeggen. Hij was kennelijk een sympathisant, maar niet bereid om de regels te overtreden. Hij stond op. 'U hebt de zaak heel duidelijk gemaakt – dank u wel.'

'Ik zal je door iemand naar de kamer van Arne laten brengen.'

'Niet nodig – ik vind de weg wel.' Hij had de kamer van Arne twee weken geleden gezien, toen hij hier was om een vlucht te maken in een Tiger Moth.

Renthe schudde hem de hand. 'Mijn welgemeende condoléances.'

'Dank u.'

Harald verliet het hoofdgebouw en liep over de smalle weg die alle lage gebouwen van de basis met elkaar verbond. Hij liep langzaam en keek bij alle hangars naar binnen. Er was niet veel activiteit. Wat moest je ook doen op een luchtmachtbasis waar niet gevlogen mocht worden?

Hij voelde zich gefrustreerd. De kabel die hij nodig had, moest hier ergens zijn. Hij hoefde alleen maar te ontdekken waar en er dan de hand op te leggen. Maar zo eenvoudig was het niet.

In een van de hangars zag hij een volledig ontmantelde Tiger Moth staan. De vleugels waren eraf gehaald, de romp stond op blokken en de motor lag op een wagentje. Hij begon weer hoop te krijgen. Hij liep door de enorme deur naar binnen. Een mecanicien in overall zat op een olievat thee te drinken uit een grote mok. 'Verbazingwekkend,' zei Harald tegen hem. 'Ik heb er nooit een gezien die helemaal uit elkaar was gehaald.'

'Dat moet gebeuren,' antwoordde de man. 'Onderdelen slijten en je kunt niet hebben dat ze het in de lucht begeven. In een vliegtuig moet alles volmaakt zijn. Anders val je naar beneden.'

Harald vond dat een ontnuchterende gedachte. Hij was van plan de Noordzee over te steken in een vliegtuig waar al jaren geen monteur meer naar had gekeken. 'Dus u vervangt alles?'

'Alles wat beweegt, ja.'

Harald dacht optimistisch dat deze man hem misschien zou kunnen geven wat hij nodig had. 'U moet een heleboel reserveonderdelen hebben.'

'Dat klopt.'

'Wat zit er aan kabel in een vliegtuig, dertig meter?'

'Een Tiger Moth heeft achtenveertig en een halve meter staalkabel van drie millimeter nodig.'

Net wat ik nodig heb, dacht Harald met toenemende opwinding.

Maar weer aarzelde hij om het te vragen, uit angst dat hij zichzelf zou verraden. Hij keek om zich heen. Hij had voorzichtig gehoopt dat vliegtuig onderdelen gewoon ergens lagen waar iedereen erbij kon. 'Waar bewaren jullie dat allemaal?'

'In het magazijn, natuurlijk. Dit is het leger. Alles heeft zijn vaste plaats.'

Harald kreunde van ergernis. Had hij maar ergens een stuk kabel zien liggen om terloops op te pakken… maar het was zinloos om te verlangen naar eenvoudige oplossingen. 'Waar is het magazijn?'

'In het volgende gebouw.' De mecanicien fronste zijn voorhoofd. 'Waarom al die vragen?'

'Gewoon nieuwsgierig.' Harald vermoedde dat hij ver genoeg was gegaan bij deze man. Hij moest doorlopen voordat hij echt argwaan ging wekken. Hij zwaaide en draaide zich om. 'Leuk om met u gepraat te hebben.'

Hij liep naar het volgende gebouw en stapte naar binnen. Een sergeant zat achter een balie te roken en een krant te lezen. Harald zag een foto van Russische soldaten die zich overgaven en de kop: STALIN NEEMT DE LEIDING OVER VAN HET SOVJET MINISTERIE VAN DEFENSIE.

Harald bekeek de rijen stalen planken aan de andere kant van de balie. Hij voelde zich als een kind in een snoepwinkel. Hier lag alles wat hij zich maar kon wensen, van ringetjes tot hele motoren. Met deze onderdelen kon hij een heel vliegtuig bouwen.

En een hele sectie bevatte uitsluitend kilometers kabel van verschillende diktes, alles keurig op houten klossen gewikkeld alsof het naaigaren was.

Harald was verrukt. Hij had ontdekt waar de kabel lag. Nu moest hij een manier bedenken om een stuk in handen te krijgen.

Na een ogenblik keek de sergeant op uit de krant. 'Ja?'

Kon deze man worden omgekocht? Weer aarzelde Harald. Hij had een zak vol geld dat Karen hem voor dit doel had gegeven. Maar hij wist niet hoe hij zoiets moest inkleden. Zelfs een corrupte magazijnbeheerder werd misschien beledigd door een te grof voorstel. Hij wenste dat hij er langer over had nagedacht. Maar hij moest het doen. 'Mag ik u iets vragen?' vroeg hij. 'Al die reserveonderdelen… is er een manier, voor een burger bedoel ik, om iets te kopen of…'

'Nee,' zei de sergeant kortaf.

'Zelfs als de prijs, eh, niet het grootste bezwaar is…'

'Absoluut niet.'

Harald wist niet wat hij verder moest zeggen. 'Als ik u heb beledigd…'

'Vergeet het.'

De man had tenminste niet de politie gebeld. Harald draaide zich om. De deur was van massief hout met drie sloten, zag hij bij het weggaan. Het zou niet gemakkelijk zijn om in dit magazijn in te breken. Misschien was hij niet de eerste burger die tot de ontdekking kwam dat schaarse onderdelen wel eens gevonden konden worden in militaire magazijnen.

Met een verslagen gevoel liep hij naar de officiersverblijven waar hij de kamer van Arne vond. Zoals Renthe had beloofd, waren er twee stuks bagage die keurig aan het voeteneind van het bed stonden. Verder was de kamer leeg.

Harald vond het treurig dat het hele leven van zijn broer in een koffer en een plunjezak kon worden gepakt en dat er in zijn kamer geen spoor meer was te bekennen van zijn bestaan. De gedachte bracht weer tranen in zijn ogen. Maar het belangrijkste was hoe een man voortleefde in de gedachten van anderen, hield hij zich voor. Arne zou in Haralds herinnering altijd voortleven – hoe hij hem leerde fluiten, hoe hij hun moeder als een schoolmeisje liet lachen, hoe hij zijn glanzende haren kamde voor de spiegel. Hij dacht aan de laatste keer dat hij zijn broer had gezien. Arne had op de vloer van de ongebruikte kerk in Kirstenslot gezeten. Hij was moe en bang geweest, maar ook vastbesloten om zijn missie uit te voeren. En weer wist hij dat hij Arnes gedachtenis moest eren door het karwei waaraan hij was begonnen af te maken.

Een korporaal keek door de deur naar binnen. 'Bent u familie van Arne Olufsen?'

'Zijn broer. Ik heet Harald.'

'Benedikt Vessell, noem me Ben.' Hij was een man van in de dertig met een vriendelijke grijns en gelige tanden van de tabak. 'Ik hoopte al iemand van de familie tegen te komen.' Hij stak een hand in zijn zak en haalde er geld uit. 'Ik ben Arne veertig kronen schuldig.'

'Waarvoor?'

De korporaal keek sluw. 'Tegen niemand zeggen, maar ik regel soms wat weddenschappen op de paarden en Arne had een winnaar uitgezocht.'

Harald nam het geld aan zonder te weten wat hij anders zou moeten doen. 'Bedankt.'

'Is het zo dan goed?'

Harald begreep de vraag eigenlijk niet goed. 'Natuurlijk.'

'Goed.' Ben keek schichtig.

Het ging door Haralds hoofd dat Arne misschien meer had gewonnen dan veertig kronen. Maar hij ging er niet over twisten. 'Ik zal het aan mijn moeder geven,' zei hij.

'Mijn welgemeend medeleven, jongen. Jouw broer was van het goede soort.'

De korporaal hield zich kennelijk niet altijd aan de regels. Hij leek een type dat de kreet 'Tegen niemand zeggen' nogal vaak gebruikte. Uit zijn leeftijd op te maken was hij beroepssoldaat, maar zijn rang was laag. Misschien stopte hij zijn energie in illegale activiteiten. Waarschijnlijk verkocht hij pornografische boekjes en gestolen sigaretten. Misschien kon hij Haralds probleem oplossen. 'Ben,' zei hij, 'mag ik je iets vragen?'

'Alles.' Ben haalde een tabakszak uit zijn zak en begon een sigaret te rollen.

'Als een man voor privé-doeleinden vijftien meter staalkabel van een Tiger Moth zou willen hebben, weet jij dan een manier om daaraan te komen?'

Ben keek hem aan door toegeknepen ogen. 'Nee,' zei hij.

'Stel dat die persoon er tweehonderd kronen voor overheeft.'

Ben stak zijn sigaret aan. 'Dit heeft te maken met Arnes arrestatie, hè?'

'Ja.'

Ben schudde zijn hoofd. 'Nee, makker, dat gaat niet. Het spijt me.'

'Maakt niet uit,' zei Harald luchtig, hoewel hij bitter teleurgesteld was. 'Waar kan ik Hendrik Janz vinden?'

'Twee deuren verderop. Als hij niet op zijn kamer is, kun je de kantine proberen.'

Harald vond Hendrik achter een bureautje. Hij zat te studeren in een boek over meteorologie. Piloten moesten kennis hebben van het weer om te weten wanneer het veilig was om te vliegen en of er een storm aankwam. 'Ik ben Harald Olufsen.'

Hendrik schudde hem de hand. 'Verdraaide jammer van Arne.'

'Bedankt voor het inpakken van zijn spullen.'

'Blij dat ik iets kon doen.'

Stemde Hendrik in met wat Arne had gedaan? Harald moest meer weten voordat hij zijn nek uitstak. 'Arne deed wat volgens hem goed was voor het land,' zei hij.

Hendrik keek meteen behoedzaam. 'Daar weet ik niets van,' zei hij. 'Voor mij was hij een betrouwbare collega en een goede vriend.'

Harald voelde de moed in zijn schoenen zakken. Hendrik zou hem zeker niet helpen bij het stelen van de kabel. Wat moest hij doen?

'Nogmaals bedankt,' zei hij. 'Tot ziens.'

Hij liep terug naar de kamer van Arne en pakte de bagage op. Hij wist echt niet meer wat hij nu moest doen. Hij kon hier niet vertrekken zonder de kabel die hij nodig had – maar hoe kwam hij daaraan? Hij had alles geprobeerd.

Misschien was er een andere plaats waar hij aan kabel kon komen. Maar hij kon niets bedenken. En de tijd drong. Over zes dagen was het vollemaan. Dat hield in dat hij nog vier dagen had om aan het vliegtuig te werken.

Hij verliet het gebouw en liep met de koffer en de plunjezak naar de poort. Hij ging terug naar Kirstenslot – maar wat had het voor zin? Zonder de kabel zou de Hornet Moth niet vliegen. Hij vroeg zich af hoe hij Karen moest vertellen dat het hem niet was gelukt.

Toen hij langs het gebouw van het magazijn liep, hoorde hij iemand zijn naam roepen. 'Harald!'

Naast het magazijn stond een vrachtwagen geparkeerd en half verborgen achter het voertuig stond Ben hem te wenken. Harald liep haastig naar hem toe.

'Hier,' zei Ben en hij stak hem een dikke rol staalkabel toe. 'Vijftien meter en nog wat extra.'

Harald was verrukt. 'Bedankt!'

'Pak aan. Hij is zwaar.'

Harald pakte de kabel en draaide zich om.

'Nee, nee!' zei Ben. 'Je kunt de poort niet uitlopen met dat in je hand. Stop dat in de koffer.'

Harald opende de koffer. Die zat vol.

'Geef me dat uniform,' zei Ben. 'Snel.'

Harald haalde het uniform van Arne eruit en legde de kabel ervoor in de plaats.

Ben pakte het uniform. 'Ik zal dit wel laten verdwijnen. Maak je geen zorgen. En nu wegwezen!'

Harald sloot de koffer en taste in zijn zak. 'Ik heb je tweehonderd kronen beloofd...'

'Hou het geld,' zei Ben. 'En veel geluk, jongen.'

'Dank je!'

'Vooruit nu! Ik wil je nooit meer zien.'

'Goed,' zei Harald en hij liep snel weg.

De volgende ochtend stond Harald buiten het kasteel in de grauwe ochtendschemering. Het was halfvier. In zijn hand hield hij een lege en schone oliekan van achttien liter. In de tank van de Hornet Moth ging bijna honderdzestig liter, dus iets minder dan negen kannen. Er was op geen enkele wettige manier aan benzine te komen, dus ging Harald het stelen van de Duitsers.

Hij had alles wat hij nodig had. Er hoefde nog maar een paar uur aan de Hornet Moth te worden gewerkt en dan zouden ze klaar zijn om op te stijgen. Alleen was de brandstoftank leeg.

De keukendeur ging zachtjes open en Karen stapte naar buiten. Ze werd vergezeld door Thor, de oude setter die Harald deed glimlachen, omdat hij zoveel op meneer Duchwitz leek. Karen bleef op de drempel staan en keek behoedzaam om zich heen zoals een kat doet wanneer er vreemden in huis zijn. Ze droeg een groene slobbertrui die haar figuur verborg en de oude bruine corduroy broek, die Harald haar tuinbroek noemde. Maar ze zag er verrukkelijk uit. Ze zei lieve Harald tegen me, zei hij bij zichzelf en hij koesterde de herinnering. Ze noemde me lieve Harald.

Ze wierp hem een verblindende glimlach toe. 'Goedemorgen!'

Haar stem leek gevaarlijk luid te klinken. Hij legde een vinger tegen zijn lippen. Het zou veiliger zijn om helemaal niets te zeggen. Ze hoefden nergens over te praten. Gisteravond hadden ze hun plan gemaakt, terwijl ze op de vloer van de kerk zaten en chocoladecake aten uit de provisiekast van Kirstenslot.

Harald liep voorop door het bos. Onder dekking van de bomen liepen ze tot halverwege het park. Toen ze ter hoogte van de tenten van de soldaten waren, gluurden ze voorzichtig door de struiken. Zoals verwacht zagen ze één geeuwende man buiten de kantinetent op wacht staan. Op dit uur lag verder iedereen te slapen. Harald zag opgelucht dat zijn verwachtingen uitkwamen.

De brandstof van de veterinaire compagnie kwam uit een kleine tankwagen die op een honderd meter van de tenten stond geparkeerd – ongetwijfeld uit het oogpunt van veiligheid. De afstand zou prettig zijn voor Harald, hoewel hij hem liever nog groter had gehad. Hij had al gezien dat de tankwagen een handpomp had en er was geen mechanisme om de tank af te sluiten.

De vrachtwagen stond geparkeerd naast de oprit naar het kasteel, zodat voertuigen er over de verharde weg naartoe konden rijden. De slang zat aan de kant van de oprit, omdat het gemakkelijker was. Daardoor was iemand die er gebruik van maakte niet zichtbaar vanuit het kamp.

Alles was als verwacht, maar Harald aarzelde. Het leek krankzinnig om onder de neus van de soldaten benzine te stelen. Maar te veel denken was gevaarlijk. Angst kon verlammend werken. Actie was het tegengif. Zonder verder na te denken verliet hij zijn dekking, liet Karen met de hond achter en liep snel over het vochtige gras naar de tankauto.

Hij pakte het mondstuk van de haak, stopte dat in zijn kan en pakte de pomphendel. Toen hij daaraan trok klonk er een gorgelend geluid uit de tank, gevolgd door het geluid van benzine die in de kan gutste. Het leek erg luid te klinken, maar was waarschijnlijk niet luid genoeg om honderd meter verder gehoord te worden door de schildwacht.

Hij keek bezorgd naar Karen. Zoals afgesproken hield zij vanachter de begroeiing een oogje in het zeil om Harald te waarschuwen als er iemand naderde.

De kan was snel vol. Hij schroefde de dop vast en tilde hem op. Hij was zwaar. Hij hing het mondstuk netjes aan de haak en haastte zich terug naar de bomen. Eenmaal uit het zicht bleef hij even staan en grijnsde triomfantelijk naar Karen. Hij had ongemerkt achttien liter benzine gestolen. Het plan werkte!

Hij liet haar achter en liep door het bos naar het klooster. Hij had de grote kerkdeuren al geopend, zodat hij gemakkelijk in en uit kon lopen. Het zou te lastig en te tijdrovend zijn om de zware kan door de hoge ramen te tillen. Hij opende het paneel en schroefde de benzinedop van de Hornet Moth open. Het ging niet erg handig, omdat zijn vingers verstijfd waren van het tillen van de zware kan, maar hij kreeg de dop open. Hij leegde de kan in de tank van het vliegtuig, draaide allebei de doppen erop om de benzinestank te beperken en liep naar buiten.

Terwijl hij de kan voor de tweede keer vulde, besloot de schildwacht een ronde te maken.

Harald kon de man niet zien, maar wist dat er iets mis was, toen Karen floot. Hij keek op en zag haar uit het bos komen met Thor op haar hielen. Hij liet de handpomp los en zakte op zijn knieën om onder de tankauto en over het grasveld te kijken. Hij zag de laarzen van de soldaat dichterbij komen.

Ze hadden dit probleem voorzien en waren erop voorbereid. Nog steeds op zijn knieën zag Harald Karen over het gras wandelen. Ze bereikte de schildwacht toen hij nog vijftig meter van de tankauto was. De hond snuffelde vriendschappelijk aan het kruis van de man. Karen haalde sigaretten tevoorschijn. Zou de schildwacht zo vriendelijk zijn om een sigaret te roken met een knap meisje? Of zou hij vasthouden aan de regels en haar vragen ergens anders te gaan lopen met haar hond, terwijl hij verderging met zijn ronde? Harald hield zijn adem in. De schildwacht pakte een sigaret.

De soldaat was een kleine man met een ongezonde gelaatskleur. Harald kon niet precies horen wat ze zeiden, maar wist wat Karen zou zeggen: ze had niet kunnen slapen, ze voelde zich eenzaam en wilde met iemand praten. 'Denk je niet dat hij argwaan zal koesteren?' had Karen gezegd toen ze dit plan gisteravond hadden besproken. Harald had haar verzekerd dat haar slachtoffer te veel zou genieten van haar geflirt om vraagtekens bij haar motieven te zetten. Harald was niet zo zeker geweest als hij zich voordeed, maar tot zijn opluchting deed de schildwacht wat hij had voorspeld.

Hij zag Karen naar een boomstronk wijzen die iets verder weg lag en haar daar met de soldaat naartoe lopen. Ze ging op zo'n manier zitten dat de schildwacht zijn rug naar de tankauto had als hij naast haar wilde zitten. Nu, wist Harald, zou ze zeggen dat de plaatselijke jongens zo saai waren en dat ze liever praatte mét mannen die wat van de wereld hadden gezien en die volwassener overkwamen. Ze klopte op de stronk naast haar om hem aan te moedigen. En natuurlijk ging hij zitten.

Harald ging verder met pompen.

Hij vulde de kan en liep haastig het bos in. Zesendertig liter!

Toen hij terugkwam zaten Karen en de schildwacht nog net zo. Terwijl hij de kan opnieuw vulde, berekende hij hoeveel tijd hij nodig had. Het vullen van de kan duurde ongeveer een minuut, naar de kerk lopen ongeveer twee minuten, de benzine in de Hornet Moth gieten weer een minuut en de terugtocht nog eens twee minuten. Zes minuten in totaal of vierenvijftig minuten voor negen volle kannen. Ervan uitgaande dat hij tegen het eind moe zou zijn, moest hij op een uur rekenen.

Kon de schildwacht zo lang aan de praat worden gehouden? De man had niets anders te doen. De soldaten stonden om halfzes op, dus meer dan een uur later, en begonnen om zes uur met hun werk. Wanneer de Engelsen het volgende uur Denemarken niet binnenvielen, was er voor de schildwacht geen reden om het gesprek met een knap meisje af te breken. Maar hij was een soldaat die onder de militaire discipline viel en misschien beschouwde hij het als zijn plicht om zijn rondes te maken.

Harald kon er alleen maar het beste van hopen en zich haasten.

Hij bracht de derde kan naar de kerk. Al vierenvijftig liter dacht hij optimistisch; meer dan driehonderd kilometer – een derde van de afstand naar Engeland.

Hij bleef heen en weer lopen. Volgens het handboek dat hij in de cockpit had gevonden, zou de DH87B Hornet Moth 1017 km moeten vliegen op een volle tank. Ervan uitgaande dat er geen wind was. De afstand naar Engeland, zoals hij die zo goed mogelijk uit een atlas kon berekenen, was ongeveer duizend kilometer. De veiligheidsmarge was absoluut onvoldoende. Tegenwind zou hun vliegbereik reduceren en hen in zee doen belanden. Hij zou een volle kan benzine in de cabine meenemen, besloot hij. Dat vergrootte het bereik van de Hornet Moth met honderdtien kilometer, als hij een manier kon bedenken om vliegend bij te tanken.

Hij pompte met zijn rechterhand en sjouwde met zijn linker en allebei zijn armen deden pijn tegen de tijd dat hij de vierde kan in het vliegtuig had geleegd. Toen hij terugkwam voor de vijfde, zag hij dat de schildwacht stond alsof hij wilde weglopen, maar Karen hield hem nog steeds aan de praat. Ze lachte om iets wat de man zei en sloeg hem speels op de schouder. Het was een koket gebaar dat helemaal niet bij haar paste, maar toch voelde Harald een steek van jaloezie. Ze sloeg hem nooit speels op zijn schouder.

Maar ze had hem lieve Harald genoemd.

Hij versleepte de vijfde en zesde volle kan en wist dat hij tweederde naar de kust van Engeland had afgelegd.

Wanneer hij angst voelde, dacht hij aan zijn broer. Het was moeilijk, ontdekte hij, om te accepteren dat Arne dood was. Hij bleef zich afvragen of zijn broer zou instemmen met wat hij aan het doen was, wat hij zou zeggen wanneer Harald hem op de hoogte bracht van bepaalde aspecten van zijn plannen, of hij geamuseerd, sceptisch of onder de indruk zou zijn. In dat opzicht maakte Arne nog steeds deel uit van Haralds leven.

Harald geloofde niet in het onbuigzame irrationele fundamentalisme van zijn vader. Praten over hemel en hel was voor hem louter bijgeloof. Maar nu zag hij in dat dode mensen in zekere zin voortleefden in de gedachten van degenen die van hen hielden en dat was een soort leven na de dood. Telkens als zijn vastberadenheid wankelde, riep hij het beeld van Arne in zijn herinnering op en het daarop volgende gevoel van loyaliteit gaf hem kracht – ook al was de broer voor wie die loyaliteit gold, er niet meer.

Toen hij met de zevende volle kan terugkeerde naar de kerk, werd hij gezien.

Toen hij de deur van de kerk naderde, kwam een soldaat in ondergoed uit de kloostergang. Harald verstijfde. De kan benzine in zijn hand maakte dat hij op heterdaad was betrapt. De soldaat liep half slaperig naar een bosje en begon te urineren, terwijl hij tegelijk gaapte. Harald zag dat het Leo was, de jonge soldaat die drie dagen geleden zo opdringerig vriendelijk was geweest.

Leo zag hem kijken, schrok omdat hij was ontdekt en keek schuldig. 'Neem me niet kwalijk,' mompelde hij.

Harald vermoedde dat het tegen de regels was om in de struiken te plassen. Ze hadden achter het klooster een latrine gegraven, maar dat was een eind lopen en Leo was lui. Harald probeerde bemoedigend te glimlachen. 'Maak je geen zorgen,' zei hij in het Duits. Maar hij kon zijn eigen stem horen trillen van angst.

Leo leek het niet te merken. Hij bracht zijn kleding op orde en fronste zijn voorhoofd. 'Wat zit er in de kan?'

'Water voor mijn motor.'

'O.' Leo geeuwde. Toen wees hij met zijn duim naar de struiken. 'Wij mogen eigenlijk niet...'

'Vergeet het.'

Leo knikte en strompelde weg.

Harald liep de kerk in. Hij wachtte even en sloot zijn ogen om de spanning te laten wegvloeien. Toen goot hij de brandstof in de Hornet Moth.

Hij liep voor de achtste keer op de tankauto af en zag dat zijn plan het einde begon te naderen. Karen liep van de boomstronk weer het bos in. Ze zwaaide vriendelijk naar de schildwacht, dus moesten ze vriendschappelijk uit elkaar zijn gegaan, maar Harald vermoedde dat de man iets moest doen. Hij liep echter weg bij de tankauto in de richting van de kantinetent, dus dacht Harald te kunnen doorgaan en hij vulde de kan nog een keer.

Toen hij de volle kan het bos in droeg, haalde Karen hem in en mompelde: 'Hij moet het fornuis in de keuken aansteken.'

Harald knikte en haastte zich verder. Hij goot de achtste kan in de tank van het vliegtuig en keerde terug voor de negende. De schildwacht was nergens te bekennen en Karen stak haar duim omhoog om aan te geven dat hij door kon gaan. Hij vulde de kan voor de negende keer en keerde terug naar de kerk. Zoals hij had berekend, was de tank nu tot de rand toe vol en had hij nog iets over. Maar hij had extra brandstof nodig om in de cabine mee te nemen. Hij ging voor de laatste keer terug.

Karen hield hem aan de rand van het bos tegen en wees. De schildwacht stond naast de tankauto. Harald zag tot zijn ontzetting dat hij in zijn haast vergeten was het mondstuk aan de haak te hangen en dat de benzineslang er slordig bij hing. De soldaat keek met een verbaasde frons links en rechts door het park en hing het mondstuk toen terug waar het hoorde. Hij bleef er een poosje staan. Hij haalde sigaretten tevoorschijn, stak er een in zijn mond en opende een doosje lucifers. Alvorens een lucifer af te strijken, liep hij bij de tankauto weg.

'Heb je nog niet genoeg benzine?' vroeg Karen fluisterend aan Harald.

'Ik moet nog één kan hebben.'

De schildwacht slenterde al rokend weg met zijn rug naar de vrachtwagen en Harald besloot het erop te wagen. Hij liep snel over het gras. Hij ontdekte tot zijn ongenoegen dat de tankauto hem niet helemaal aan het oog van de schildwacht onttrok. Hij stopte het mondstuk niettemin in de kan en begon te pompen in de wetenschap dat hij gezien zou worden als de man zich toevallig omdraaide. Hij vulde de kan, hing het mondstuk terug, schroefde de dop op de kan en liep weg.

Hij was bijna bij het bos, toen hij een kreet hoorde.

Hij deed of hij doof was en liep door zonder zich om te draaien of zijn pas te versnellen.

De schildwacht riep weer en Harald hoorde rennende voeten.

Hij liep tussen de bomen het bos in. Karen verscheen. 'Verdwijn uit het zicht!' fluisterde ze. 'Ik zal hem afwimpelen.'

Harald dook een bosje struiken in. Plat op zijn buik kroop hij onder een wild groeiende struik en trok de kan mee. Thor dacht dat het een spelletje was en probeerde hem te volgen. Harald gaf hem een flinke tik op zijn neus en de hond trok zich gekwetst terug.

Harald hoorde de schildwacht vragen: 'Waar is die man?'

'Bedoel je Christian?' vroeg Karen.

'Wie is dat?'

'Een van de tuinmannen. Je bent vreselijk knap als je kwaad bent, Ludie.'

'Niets mee te maken, wat was hij aan het doen?'

'Zieke bomen behandelen met spul uit die kan, iets dat die lelijke zwammen doodt, die je op boomstammen ziet groeien.'

Dat was slim bedacht van haar, vond Harald, ook al was ze het Duitse woord voor fungicide vergeten.

'Zo vroeg?' merkte Ludie sceptisch op.

'Hij vertelde me dat de behandeling het best werkt als het koel is.'

'Ik zag hem bij de benzinetankauto vandaan lopen.'

'Benzine? Wat zou Christian met benzine moeten doen? Hij heeft niet eens een auto. Ik neem aan dat hij de kortste weg nam over het grasveld.'

'Hmm.' Ludie was nog steeds niet gerustgesteld. 'Ik heb nergens zieke bomen gezien.'

'Nou, dan moet je eens naar deze kijken.' Harald hoorde hen een paar passen maken. 'Zie je wat daar als een grote dikke wrat uit de bast groeit? Als Christian dat niet behandelt, gaat de boom eraan dood.'

'Dat zal dan wel. Goed, maar vertel jullie personeel alsjeblieft dat ze uit de buurt van het kamp moeten blijven.'

'Zal ik doen en het spijt me. Ik weet zeker dat Christian er niets kwaads van plan was.'

'Goed dan.'

'Tot ziens, Ludie. Misschien zie ik je morgenochtend weer.'

'Ik zal er zijn.'

'Dag.'

Harald wachtte een paar minuten en toen hoorde hij Karen zeggen: 'Alles veilig.'

Hij kroop onder de struik uit. 'Je was geweldig!'

'Ik ben zo'n goede leugenaar aan het worden, dat ik me zorgen ga maken.'

Ze liepen naar het klooster – en kregen een volgende schok.

Toen ze op het punt stonden de beschutting van het bos te verlaten, zag Harald Per Hansen, de dorpsagent en plaatselijke nazi buiten de kerk staan.

Hij vloekte. Wat deed Hansen verdorie hier? Op dit uur van de dag?

Hansen stond met de benen gespreid en de armen over elkaar geslagen en keek door het park naar het militaire kamp. Harald legde een hand op de arm van Karen, maar hij was te laat om Thor tegen te houden, die meteen de vijandigheid voelde die Karen uitstraalde. De hond stormde het bos uit in de richting van Hansen, stopte op een veilige afstand en blafte. Hansen keek bang en boos en zijn hand ging naar het pistool in de holster aan zijn riem.

Karen fluisterde: 'Ik reken wel met hem af.' Zonder op een antwoord van Harald te wachten liep ze door en floot de hond. 'Hier, Thor!'

Harald zette zijn kan benzine neer, knielde en keek door het gebladerte.

Hansen zei tegen Karen: 'U moet die hond in bedwang houden.'

'Waarom? Hij woont hier.'

'Hij is agressief.'

'Hij blaft tegen indringers. Dat is zijn taak.'

'Als hij iemand van de politie aanvalt, kan hij doodgeschoten worden.'

'Doe niet zo belachelijk,' zei Karen en onwillekeurig merkte Harald dat ze alle arrogantie van haar rijkdom en maatschappelijk positie tentoonspreidde. 'Wat loopt u hier bij het krieken van de dag rond te snuffelen in mijn tuin?'

'Ik ben hier in een officiële hoedanigheid, jongedame, dus let op uw woorden.'

'Officiële hoedanigheid?' zei ze sceptisch. Harald vermoedde dat ze ongelovig deed om meer informatie van hem los te krijgen. 'Waar mag dat dan wel om gaan?'

'Ik ben op zoek naar iemand die Harald Olufsen heet.'

'Verrek,' mompelde Harald. Dit had hij niet verwacht.

Karen schrok, maar ze slaagde erin het te verbergen. 'Nooit van gehoord,' zei ze.

'Hij is een schoolvriend van uw broer en hij wordt gezocht door de politie.'

'Nou, u mag van mij niet verwachten dat ik alle schoolvrienden van mijn broer ken.'

'Hij is op het kasteel geweest.'

'O? Hoe ziet hij eruit?'

'Man, achttien jaar oud, één vijfentachtig lang, blond haar en blauwe ogen, waarschijnlijk gekleed in een blauwe schoolblazer met een streep op de mouw.' Hansen praatte alsof hij iets opsomde dat hij letterlijk uit een politierapport had onthouden.

'Dat klinkt vreselijk aantrekkelijk, afgezien dan van de blazer, maar ik kan me hem niet herinneren.' Karen bleef haar houding van zorgeloze minachting volhouden, maar Harald kon de spanning en bezorgdheid van haar gezicht aflezen.

'Hij is hier minstens twee keer geweest,' zei Hansen. 'Ik heb hem zelf gezien.'

'Ik moet hem hebben gemist. Wat heeft hij misdaan? Een boek niet teruggebracht naar de bibliotheek?'

'Ik weet niet... eh, dat kan ik niet zeggen. Ik bedoel, het is een routineonderzoek.'

Hansen wist kennelijk niet wat hij had misdaan, dacht Harald. Hij moest het vragen op verzoek van een andere politieman – waarschijnlijk Peter Flemming.

Karen zei: 'Nou, mijn broer is naar Aarhus vertrokken en er logeert hier op het moment niemand – afgezien natuurlijk van zo'n honderd soldaten.'

'De laatste keer dat ik Olufsen zag, zat hij op een erg gevaarlijk uitziende motorfiets.'

'O, die jongen,' zei Karen die deed alsof ze het zich herinnerde. 'Hij werd van school gestuurd. Papa wil hem hier niet meer hebben.'

'Niet? Nou, ik denk dat ik toch maar eens met uw vader ga praten.'

'Hij slaapt nog.'

'Dan wacht ik wel.'

'Zoals u wilt. Kom, Thor!' Karen liep weg en Hansen liep verder de oprit op.

Harald wachtte. Karen liep op de kerk af, keek achterom, zag dat Hansen niet naar haar keek en glipte door de deur. Hansen liep over de oprit naar het kasteel. Harald hoopte dat hij niet ging praten met Ludie en tot de ontdekking zou komen dat de schildwacht een lange blonde man had gezien die zich verdacht gedroeg in de buurt van de tankauto. Gelukkig liep Hansen langs het kamp en verdween ten slotte achter het kasteel, waarschijnlijk op weg naar de keukendeur.

Harald liep haastig naar de kerk en glipte naar binnen. Hij zette de laatste kan benzine op de tegelvloer.

Karen sloot de grote deur, draaide de sleutel om in het slot en liet de balk op zijn plaats zakken. Toen keek ze Harald aan. 'Je moet uitgeput zijn.'

Dat was hij. Allebei zijn armen deden pijn en hij voelde zijn benen van het haastige lopen door het bos met een zwaar gewicht. Zodra hij zich ontspande, voelde hij zich een beetje misselijk van de benzinedampen. Maar hij was buitengewoon blij. 'Je was geweldig!' zei hij.

'Flirten met Ludie alsof hij de meest begeerde vrijgezel van Denemarken is.'

'Hij is vijf centimeter kleiner dan ik!'

'En je stuurde Hansen helemaal met een kluitje in het riet.'

'Dat was niet zo moeilijk.'

Harald pakte de kan weer op en zette hem in de cabine van de Hornet Moth op de bagageplank achter de stoelen. Hij sloot de deur,
draaide zich om en zag dat Karen vlak achter hem stond met een
brede grijns. 'Het is ons gelukt,' zei ze.

'Mijn hemel, het is ons gelukt.'

Ze sloeg haar armen om hem heen en keek hem verwachtingsvol
aan. Het leek wel alsof ze wilde dat hij haar kuste. Hij dacht erover
het haar te vragen en besloot toen daadkrachtiger te zijn. Hij sloot
zijn ogen en boog voorover. Haar lippen waren zacht en warm. Hij
had zo heel lang kunnen blijven staan, bewegingloos genietend van
de aanraking van haar lippen, maar zij had andere ideeën. Ze verbrak
het contact en kuste hem toen weer. Ze kuste zijn bovenlip, toen de
onderlip, toen zijn kin en toen weer zijn lippen. Haar mond was
speels onderzoekend. Hij had zo nog nooit gekust. Hij opende zijn
ogen en zag met een schok dat ze hem aankeek met een onweerstaanbare blijheid in haar ogen.

'Waar denk je aan?' vroeg ze.

'Vind je me echt leuk?'

'Natuurlijk, domoor.'

'Ik vind jou ook leuk.'

'Mooi.'

Hij aarzelde en zei toen: 'Eigenlijk hou ik van je.'

'Ik weet het,' zei ze en kuste hem weer.

26

Wandelen door het centrum van Morlunde in het heldere licht van een zomerse ochtend, was voor Hermia veel gevaarlijker dan rondlopen in Kopenhagen. Er waren mensen in dit stadje die haar kenden. Twee jaar geleden, na haar verloving met Arne, had hij haar naar het huis van zijn ouders op Sande gebracht. Ze was naar de kerk geweest en naar een voetbalwedstrijd, had met Arne zijn favoriete bar bezocht en was met Arnes moeder gaan winkelen. Haar hart brak bij de herinnering aan die gelukkige tijd.

Maar als gevolg daarvan zouden tal van mensen zich de Engelse verloofde van de jongen van Olufsen herinneren, dus was het gevaar dat ze werd herkend niet denkbeeldig. Wanneer dat gebeurde, zouden mensen gaan praten en zou de politie het snel genoeg weten.

Vanochtend droeg ze een hoed en een zonnebril, maar ze voelde zich nog altijd gevaarlijk in het oog lopen. Toch moest ze het risico nemen. Ze had de vorige avond doorgebracht in het centrum in de hoop Harald te treffen. Ze wist hoeveel hij van jazz hield en was eerst naar de Club Hot gegaan, maar die was gesloten. Ze had hem ook niet gevonden in de bars en cafés waar jonge mensen samenkwamen. Het was een verloren avond geweest.

Vanochtend ging ze naar zijn huis.

Ze had er over gedacht om te bellen, maar dat was te gewaagd. Wanneer ze haar echte naam noemde, liep ze het risico te worden afgeluisterd en verraden. Wanneer ze een valse naam opgaf of anoniem belde, maakte ze Harald misschien bang waardoor hij op de vlucht ging. Ze moest er zelf heen.

Dit zou nog riskanter zijn. Morlunde was een stad, maar op het kleine eiland Sande kenden ze elkaar allemaal. Ze kon alleen maar hopen dat de eilanders haar aanzagen voor een vakantieganger en niet te goed keken. Een andere keus had ze niet. Over vijf dagen was het vollemaan.

Ze liep met haar koffertje naar de haven en stapte aan boord van de veerboot. Boven aan de loopplank stonden een Duitse soldaat en een Deense politieman. Ze liet haar papieren op naam van Agnes Ricks zien. De documenten hadden al drie keer een inspectie doorstaan, maar ze gaf de vervalsingen met een huivering van angst aan de twee mannen in uniform.

De politieman bestudeerde haar identiteitskaart. 'U bent ver van huis, juffrouw Ricks.'

Ze had haar verhaal klaar. 'Ik ben hier voor de begrafenis van een familielid.' Het was een goed voorwendsel voor een lange reis. Ze wist niet zeker wanneer Arne ter aarde werd besteld, maar er was niets verdachts aan een familielid dat een dag of twee te vroeg aankwam, met name gezien de problemen met het reizen in oorlogstijd.

'Dat moet de begrafenis van Olufsen zijn.'

'Ja.' Haar ogen schoten vol met hete tranen. 'Ik ben een achternicht, maar mijn moeder had een erg goede band met Lisbeth Olufsen.'

De politieman zag ondanks de zonnebril haar verdriet en zei vriendelijk: 'Gecondoleerd.' Hij gaf haar de papieren terug. 'U hebt meer dan genoeg tijd.'

'Echt?' Dat duidde erop dat het vandaag was. 'Ik wist het niet zeker, omdat ik geen telefonische verbinding kon krijgen.'

'Ik geloof dat de dienst vanmiddag om drie uur is.'

'Dank u.'

Hermia liep naar voren en leunde over de reling. Toen de veerboot de haven uit tufte, keek ze over het water naar het vlakke, vormeloze eiland en dacht terug aan haar eerste bezoek. Ze was geschrokken van de koude kamers zonder enige vorm van versiering waarin Arne was opgegroeid en van de ontmoeting met zijn strenge ouders. Het was een raadsel hoe zo'n plechtstatig gezin iemand had kunnen voortbrengen die zo grappig was als Arne.

Ze was zelf ook nogal serieus, dat schenen haar collega's tenminste te denken. In die zin had ze in Arnes leven een rol gespeeld die overeenkwam met die van zijn moeder. Zij had hem punctueel gemaakt en ervoor gezorgd dat hij niet meer dronken werd, terwijl hij haar had geleerd om te ontspannen en plezier te maken. Ooit had ze tegen hem gezegd: 'Er is een tijd en een plaats voor spontaniteit.' Hij had daar de hele dag om gelachen.

Ze was nog een keer naar Sande teruggekeerd voor het kerstfeest. Het had meer geleken op de vastentijd. Voor het gezin Olufsen was kerstmis een religieuze gebeurtenis en geen bacchanaal. Toch had ze van die rustige dagen genoten: samen met Arne loste ze kruiswoordpuzzels op, leerde Harald kennen, at het eenvoudige eten van mevrouw Olufsen en liep hand in hand met haar geliefde langs het strand.

Ze had zich nooit kunnen voorstellen dat ze hier zou terugkeren voor zijn begrafenis.

Ze was heel graag naar de dienst gegaan, maar ze wist dat het onmogelijk was. Te veel mensen zouden haar zien en herkennen. Misschien was er wel een rechercheur van politie die alle gezichten bestudeerde. Want als Hermia kon bedenken dat de missie van Arne werd uitgevoerd door iemand anders, dan kon de politie tot dezelfde slotsom komen.

In feite, besefte ze nu, zou de begrafenis haar een vertraging opleveren van een paar uur. Ze zou moeten wachten tot na de dienst voordat ze naar het huis ging. Voor die tijd zouden buren in de keuken eten klaarmaken, gemeenteleden in de kerk bloemen schikken en een begrafenisondernemer zich druk maken over tijdschema's en slippendragers. Het zou bijna even erg zijn als de dienst zelf. Maar naderhand, als de rouwdragers hun thee en smørrebrød hadden gehad, zouden ze allemaal vertrekken om de directe familieleden alleen te laten met hun verdriet.

Het betekende dat ze nu tijd moest doden, maar voorzichtigheid was alles. Als ze vanavond de film van Harald kon krijgen, kon ze morgenochtend de eerste trein naar Kopenhagen nemen, morgennacht naar Bornholm varen, de volgende dag naar Zweden oversteken en twaalf uur later in Londen zijn met nog twee dagen te gaan tot de vollemaan. Een paar uur verspillen was in dit geval de moeite waard.

Ze stapte van boord op de kade van Sande en liep naar het hotel. Ze kon niet naar binnen gaan, omdat ze iemand tegen kon komen die haar herkende, dus wandelde ze verder naar het strand. Het was niet echt weer om te zonnebaden – er waren wolkenflarden en er woei een koele zeebries – maar de ouderwetse, gestreepte badhokjes waren het strand op gerold en een paar mensen spetterden in het water of zaten te picknicken op het zand. Hermia vond een beschutte holte in de duinen en verdween in het vakantietafereel.

Ze wachtte daar tot de vloed opkwam en een paard van het hotel de badhokjes hoger op het strand trok. Ze had de laatste twee weken zoveel tijd doorgebracht met zitten en wachten.

Ze had de ouders van Arne een derde keer ontmoet op hun reis naar Kopenhagen die ze één keer in de tien jaar maakten. Arne had hen allemaal meegenomen naar Tivoli en was het toppunt van levenslust en vrolijkheid geweest. Hij had de serveersters voor zich ingenomen, zijn moeder aan het lachen gemaakt en zijn norse vader zelfs zover gekregen dat hij herinneringen begon op te halen aan zijn schooltijd op Jansborg. Een paar weken later waren de nazi's binnengevallen en had Hermia het land op een voor haar beschamende manier verlaten in een gesloten trein met een massa diplomaten uit landen die Duitsland vijandig gezind waren.

En nu was ze terug, op zoek naar een dodelijk geheim, met gevaar voor haar eigen leven en dat van anderen.

Ze verliet haar plaats om halfvijf. Het was vijftien kilometer naar de pastorie, een stevige wandeling van tweeënhalf uur, dus zou ze daar om zeven uur aankomen. Ze wist bijna zeker dat alle gasten dan vertrokken waren en dat Harald en zijn ouders zwijgend in de keuken zouden zitten.

Het strand was nog niet verlaten. Verschillende keren kwam ze tijdens haar lange wandeling mensen tegen. Ze liep met een wijde bocht om hen heen, zodat ze dachten dat ze een onvriendelijke vakantieganger was, en niemand herkende haar.

Eindelijk zag ze het lage silhouet van de kerk en de pastorie. De gedachte dat dit Arnes thuis was geweest vervulde haar met droefheid. Er was niemand te zien. Toen ze dichterbij kwam, zag ze een vers graf op de kleine begraafplaats.

Het was haar zwaar te moede toen ze over het kerkhof liep en bij het graf van haar verloofde bleef staan. Ze zette haar zonnebril af. Er waren veel bloemen, zag ze. Mensen werden altijd geraakt door de dood van een jongeman. Verdriet overmande haar en ze begon te snikken. Tranen stroomden over haar gezicht. Ze viel op haar knieën en pakte een handvol aarde. Ze dacht aan zijn lichaam dat eronder lag. Ik twijfelde aan jou, zei ze in gedachten, maar jij was de dapperste van ons allemaal. Eindelijk ging de storm liggen en was ze in staat om overeind te komen. Ze droogde haar tranen met haar mouw. Ze had werk te doen.

Toen ze zich omdraaide, zag ze de lange gestalte en het ronde hoofd van Arnes vader die een paar meter verderop naar haar stond te kijken. Hij moest stil naderbij zijn gekomen om te wachten tot ze overeind kwam. 'Hermia,' zei hij. 'God zegene je.'

'Dank u, dominee.' Ze wilde hem omhelzen, maar daar hij was de man niet naar, dus schudde ze hem de hand.

'Je bent te laat voor de begrafenis.'

'Met opzet. Ik kan het me niet veroorloven om gezien te worden.'

'Je kunt beter mee naar huis komen.'

Hermia volgde hem over het ruwe gras. Mevrouw Olufsen was in de keuken, maar deze keer stond ze niet bij het aanrecht. Hermia vermoedde dat de buren alles hadden opgeruimd en afgewassen na de wake. Mevrouw Olufsen zat in een zwarte jurk met hoed aan de keukentafel. Toen ze Hermia zag, barstte ze in tranen uit.

Hermia omhelsde haar meelevend, maar haar aandacht was er niet bij. De persoon die ze zocht was niet in het vertrek. Zodra het met goed fatsoen mogelijk was, zei ze: 'Ik hoopte Harald te zien.'

'Hij is niet hier,' zei mevrouw Olufsen.

Hermia had het angstwekkende gevoel dat haar lange en gevaarlijke reis wel eens voor niets kon zijn geweest. 'Is hij niet naar de begrafenis gekomen?'

Ze schudde haar betraande hoofd.

Haar ergernis zo goed mogelijk bedwingend vroeg Hermia: 'Waar is hij dan?'

'Je kunt beter gaan zitten,' zei de dominee.

Ze dwong zichzelf om geduld te oefenen. De dominee was eraan gewend om gehoorzaamd te worden. Ze zou niets bereiken door tegen hem in te gaan.

'Wil je een kop thee?' vroeg mevrouw Olufsen. 'Het is natuurlijk geen echte thee.'

'Ja, graag.'

'En een broodje? Er is nog zoveel over.'

'Nee, dank u.' Hermia had de hele dag niets gehad, maar ze was te gespannen om te eten. 'Waar is Harald?' vroeg ze ongeduldig.

'Dat weten we niet,' zei de dominee.

'Hoe kan dat?'

De dominee keek beschaamd, een zeldzame uitdrukking op zijn gezicht. 'Er zijn harde woorden gevallen tussen Harald en mij. Ik was even koppig als hij. Sindsdien heeft de Heer me eraan herinnerd hoe kostbaar de tijd is die een man met zijn zoons doorbrengt.' Een traan rolde over zijn gerimpelde gezicht. 'Harald is kwaad vertrokken zonder te zeggen waar hij naartoe ging. Vijf dagen later is hij teruggekomen, al was het maar voor een paar uur en hebben we ons in zekere zin verzoend. Bij die gelegenheid vertelde hij zijn moeder dat hij bij een schoolvriend ging logeren, maar toen we belden, zeiden ze dat hij daar niet was.'

'Denkt u dat hij nog steeds kwaad op u is?'

'Nee,' zei de dominee. 'Of misschien is hij dat wel, maar dat is niet de reden waarom hij is verdwenen.'

'Wat bedoelt u?'

'Mijn buurman, Axel Flemming, heeft een zoon bij de Kopenhaagse politie.'

'Dat weet ik nog,' zei Hermia. 'Peter Flemming.'

'Hij had het lef om naar de begrafenis te komen,' merkte mevrouw Olufsen op. Haar toon was opvallend bitter.

De dominee ging verder: 'Peter beweert dat Arne spioneerde voor de Engelsen en dat Harald zijn werk voortzet.'

'Aha.'

'Het lijkt je niet te verbazen.'

'Ik wil tegen u niet liegen,' zei Hermia. 'Peter heeft gelijk. Ik had Arne gevraagd om foto's te maken van de militaire basis hier op het eiland. Harald heeft de film.'

'Hoe kon je dat doen?' riep mevrouw Olufsen. 'Daardoor is Arne dood! Wij hebben onze zoon verloren en jij verloor je verloofde! Hoe kon je het doen?'

'Het spijt me,' fluisterde Hermia.

'Er is een oorlog aan de gang, Lisbeth,' zei de dominee. 'Veel jongemannen zijn gestorven bij de strijd tegen de nazi's. Dat is niet de schuld van Hermia.'

'Ik moet de film van Harald hebben,' zei Hermia. 'Ik moet hem vinden. Wilt u me helpen?'

'Ik wil mijn andere zoon niet verliezen!' zei mevrouw Olufsen. 'Dat kan ik niet verdragen!'

De dominee pakte haar hand. 'Arne werkte tegen de nazi's. Als Hermia en Harald het werk af kunnen maken dat hij begon, is zijn dood niet zinloos geweest. We moeten helpen.'

Mevrouw Olufsen knikte. 'Ik weet het,' zei ze. 'Ik weet het. Ik ben alleen zo bang.'

'Waar zei Harald dat hij naartoe ging?' vroeg Hermia.

'Kirstenslot,' antwoordde mevrouw Olufsen. 'Het is een kasteel buiten Kopenhagen, het huis van de familie Duchwitz. Hun zoon Josef zit bij Harald op school.'

'Maar zij zeggen dat hij daar niet is?'

Ze knikte. 'Maar hij is niet ver weg. Ik heb met Karen, de tweelingzus van Josef, gesproken. Zij is verliefd op Harald.'

De dominee keek ongelovig. 'Hoe weet je dat?'

'Aan de klank van haar stem, toen ze over hem sprak.'

'Dat heb je niet tegen mij gezegd.'

'Jij zou hebben gezegd, dat ik zoiets onmogelijk kon horen.'

De dominee glimlachte droevig. 'Ja, dat zou ik gezegd hebben.'

'U denkt dus,' zei Hermia, 'dat Harald in de buurt van Kirstenslot is en dat Karen weet waar?'

'Ja.'

'Dan moet ik daar naartoe.'

De dominee haalde een horloge uit zijn vestzakje. 'Je hebt de laatste trein gemist. Je kunt vannacht beter blijven logeren. Ik zal je morgenochtend vroeg naar de veerboot brengen.'

De stem van Hermia werd een gefluister. 'Hoe kunt u zo aardig zijn? Arne is gestorven door mijn toedoen.'

'De Heer geeft en de Heer neemt,' zei de dominee. 'Gezegend zij de naam van de Heer.'

27

De Hornet Moth was klaar voor de vlucht.

Harald had de nieuwe kabels uit Vodal geïnstalleerd. Zijn laatste karwei had bestaan uit het repareren van een lekke band. Hij had de krik van de Rolls-Royce gebruikt om het vliegtuig op te tillen, toen het wiel naar de dichtstbijzijnde garage gebracht en een monteur betaald voor het plakken van de band. Hij had een methode bedacht om vliegend bij te tanken door een raampje van de cabine kapot te slaan en daar een slang door te voeren die vervolgens in de vulopening van de tank verdween. Ten slotte had hij de vleugels uitgeklapt en ze met stalen pinnen vastgezet in de vliegstand. Nu vulde het vliegtuig de hele breedte van de kerk.

Hij keek naar buiten. Het was een kalme dag met een lichte wind en flarden laaghangende wolken die nuttig zouden zijn om de Hornet Moth aan het oog van de Luftwaffe te onttrekken. Ze zouden vannacht vertrekken.

Zijn maag kromp samen van angst, wanneer hij eraan dacht. Een eenvoudig rondje in een Tiger Moth boven de vliegschool van Vodal had een huiveringwekkend avontuur geleken. Nu was hij van plan om honderden kilometers boven open zee te vliegen.

Een vliegtuig als dit zou in de buurt van de kust moeten blijven, zodat het in geval van problemen in glijvlucht het land kon opzoeken. Het was theoretisch mogelijk om van hier naar Engeland te vliegen door de kustlijn van Denemarken, Duitsland, Nederland, België en Frankrijk te volgen. Maar Karen en hij zouden kilometers uit de kust vliegen, ver uit de buurt van bezet gebied. Als er iets misging, konden ze nergens naartoe.

Harald stond zich nog zorgen te maken, toen Karen met een mand door het raam naar binnen kwam. Zijn hart bonsde van vreugde. De hele dag had hij bij het werken aan het vliegtuig gedacht aan de manier waarop ze elkaar die ochtend hadden gekust na het stelen van de benzine. Steeds weer beroerde hij zijn lippen met zijn vingertoppen om de herinnering weer op te roepen.

Nu keek ze naar de Hornet Moth en zei: 'Wauw.'

Hij was blij dat ze onder de indruk was. 'Mooi, hè?'

'Maar je kunt er zo niet mee door de deur.'

'Dat weet ik. Ik zal de vleugels moeten opvouwen om ze buiten weer uit te vouwen.'

'Waarom heb je het nu dan al gedaan?'

'Om te oefenen. Ik zal het de tweede keer sneller kunnen doen.'
'Hoe snel?'
'Dat weet ik niet zeker.'
'En de soldaten? Als ze ons zien…'
'Die zullen slapen.'
Ze keek hem plechtig aan. 'We zijn klaar, hè?'
'We zijn klaar.'
'Wanneer gaan we?'
'Vannacht, natuurlijk.'
'O, lieve hemel.'
'Wachten vergroot alleen maar de kans dat we worden ontdekt.'
'Ik weet het, maar…'
'Wat?'
'Ik vermoed dat ik er niet aan had gedacht dat het zo snel zou zijn.'
Ze haalde een pakje uit haar mand en gaf het hem afwezig aan. 'Ik heb wat koud vlees voor je meegenomen.' Ze bracht hem iedere avond eten.
'Dank je.' Hij keek haar doordringend aan. 'Je hebt toch geen bedenkingen?'
Ze schudde beslist haar hoofd. 'Nee. Ik dacht er alleen aan dat ik drie jaar geleden voor het laatst in de stoel van de piloot heb gezeten.'
Hij liep naar de werkbank en pakte een bijl en een kluwen stevig touw. Hij borg die weg in het kastje onder het dashboard van het vliegtuig.
'Waar is dat voor?' vroeg Karen.
'Als we in zee terechtkomen, zal het vliegtuig volgens mij zinken door het gewicht van de motor. Maar de vleugels apart zullen blijven drijven. Dus als we de vleugels eraf kunnen hakken, kunnen we ze aan elkaar vastbinden voor een provisorisch vlot.'
'In de Noordzee? Ik denk dat we in heel korte tijd zullen doodgaan van de kou.'
'Dat is beter dan verdrinken.'
Ze huiverde. 'Als jij het zegt.'
'We moeten wat koekjes en een paar flessen water meenemen.'
'Ik zal wat uit de keuken meenemen. Nu we het toch over water hebben… we zullen meer dan zes uur in de lucht zijn.'
'Ja, en?'
'Hoe plassen we?'
'De deur openen en er het beste van hopen.'
'Dat is goed voor jou.'
Hij grinnikte. 'Sorry.'
Ze keek om zich heen en pakte een handvol oude kranten. 'Leg die in de cabine.'
'Waarvoor?'

'Voor het geval dat ik moet plassen.'

Hij fronste zijn voorhoofd. 'Ik zie niet hoe…'

'Je mag hopen dat je er nooit achter hoeft te komen.'

Hij legde de kranten op de stoel.

'Hebben we kaarten?' vroeg ze.

'Nee. Ik nam aan dat we gewoon naar het westen moesten vliegen tot we land zien en dat moet dan Engeland zijn.'

Ze schudde haar hoofd. 'Het is behoorlijk moeilijk om in de lucht te weten waar je bent. Ik verdwaalde al als ik hier in de buurt vloog. Stel dat we uit de koers worden geblazen. We zouden per ongeluk in Frankrijk kunnen landen.'

'Verdorie, daar had ik niet aan gedacht.'

'De enige manier om je positie te controleren, is de terreinkenmerken onder je te vergelijken met een kaart. Ik zal kijken wat we thuis hebben.'

'Goed.'

'Ik kan beter alles gaan pakken wat we nodig hebben.' Ze verdween weer door het raam met de lege mand.

Harald was te gespannen om het vlees te eten dat ze voor hem had meegebracht. Hij begon de vleugels weer op te vouwen. Het was een snel procédé, omdat het de opzet was dat de eigenaar dit iedere avond deed, waarna het vliegtuig naast de auto in de garage werd gezet.

Om te voorkomen dat de bovenvleugel in botsing zou komen met het dak van de cabine wanneer de vleugels werden opgevouwen, kon het binnengedeelte van de achterrand naar boven worden geklapt. Harald moest dus beginnen met dat gedeelte los te maken en omhoog te klappen. Aan de onderkant van de bovenste vleugel was een steun, de zogenaamde noodsteun, bevestigd die Harald losmaakte en tussen de onder- en bovenvleugel vastzette om te voorkomen dat de vleugels op elkaar klapten.

De vleugels werden in de vliegpositie gehouden door L-vormige schuifpennen in de voorste liggers van alle vier de vleugels. Bij de bovenvleugel werd de pen geborgd door de noodsteun die Harald nu had verwijderd, zodat hij de pen nu alleen nog maar negentig graden hoefde te draaien en ongeveer tien centimeter naar buiten hoefde te trekken.

De pennen van de onderste vleugels werden geborgd met leren banden. Harald maakte de band van de linkervleugel los, draaide de pen en trok eraan.

Zodra hij loskwam, begon de vleugel te bewegen.

Harald besefte dat hij dit had moeten verwachten. In de parkeerstand met de staart op de grond helde het vliegtuig naar achteren met de neus in de lucht en nu zwaaide de zware dubbele vleugel naar achteren onder invloed van de zwaartekracht. Hij graaide ernaar, omdat hij bang was dat hij tegen de romp zou slaan en schade zou veroorzaken. Hij probeerde de voorste rand van de onderste vleugel te grijpen, maar die was te dik om houvast te krijgen. 'Verrek!' riep hij. Hij deed een stap naar voren achter de vleugel aan en greep de stalen spandraden tussen de boven- en de ondervleugel. Hij kreeg vat en vertraagde de vleugel tot de draad in de huid van zijn hand sneed. Hij schreeuwde het uit en liet automatisch los. De vleugel zwaaide naar achteren en kwam met een harde klap tot stilstand tegen de romp.

Zijn onnadenkendheid vervloekend liep Harald naar de staart, pakte de onderste vleugelpunt met beide handen vast en zwaaide hem naar buiten, zodat hij kon zien of er schade was. Tot zijn intense opluchting leek er niets aan de hand te zijn. De achterrand van de boven- en ondervleugel was intact en op de romp was niets te zien. Alleen de huid van Haralds rechterhand was kapot.

Het bloed van zijn hand oplikkend, liep hij naar de rechterkant. Deze keer blokkeerde hij de onderste vleugel met een theekist vol oude tijdschriften, zodat hij niet kon bewegen. Hij trok de pennen eruit, liep toen om de vleugel heen, schoof de kist opzij en liet de vleugel langzaam naar achteren zwaaien in opgevouwen positie.

Karen kwam terug.

'Heb je alles?' vroeg Harald bezorgd.

Ze zette haar mand op de vloer. 'We kunnen vanavond niet gaan.'

'Wat?' Hij voelde zich bedrogen. Hij was voor niets bang geweest. 'Waarom niet?' vroeg hij boos.

'Ik dans morgen.'

'Dans?' Hij werd kwaad. 'Hoe kun je dat belangrijker vinden dan onze missie?'

'Het is echt heel bijzonder. Ik heb je verteld dat ik als invalster de hoofdrol instudeerde. Het halve gezelschap is geveld door een of andere darmziekte. Er zijn twee bezettingen, maar de hoofdrolspeelsters zijn allebei ziek, dus ben ik opgeroepen. Het is een enorm geluk.'

'Verdomde pech, lijkt mij.'

'Ik zal op het grote toneel van het Koninklijk Theater staan en weet je wat? De koning zal er ook zijn!'

Hij ging afwezig met zijn vingers door zijn haren. 'Ik kan niet geloven dat je dat zegt.'

'Ik heb voor jou een kaartje gereserveerd. Je kunt het ophalen aan de kassa.'

'Ik ga niet.'

'Doe niet zo nukkig! We kunnen morgennacht vliegen, nadat ik heb gedanst. Het ballet wordt daarna pas weer over een week opgevoerd en een van de twee moet dan weer beter zijn.'

'Dat verrekte ballet kan me niets schelen – hoe zit het met de oorlog? Heis ging ervan uit dat de RAF een heel grote luchtaanval voorbereid-de. Voor die tijd hebben ze onze foto's nodig! Denk aan alle levens die op het spel staan!'

Ze zuchtte en haar stem werd zacht. 'Ik wist dat je er zo over zou den-ken en ik dacht erover om de kans voorbij te laten gaan, maar ik kan het gewoon niet. Trouwens, als we morgen vliegen, zullen we drie dagen voor de vollemaan in Engeland zijn.'

'Maar die extra vierentwintig uur hier zijn dodelijk gevaarlijk voor ons!'

'Luister, niemand weet iets van dit vliegtuig – waarom zouden ze het morgen ontdekken?'

'Het is mogelijk.'

'Ach, doe niet zo kinderachtig. Alles is mogelijk.'

'Kinderachtig? De politie is naar mij op zoek, dat weet je. Ik ben voortvluchtig en wil zo snel mogelijk het land uit.'

Nu werd zij boos. 'Je zou toch moeten begrijpen wat deze voorstel-ling voor mij betekent.'

'Nou, dat doe ik niet.'

'Luister, ik zou kunnen sterven in dit verrekte vliegtuig.'

'Net als ik.'

'Terwijl ik lig te verdrinken in de Noordzee of doodvries op jouw provisorische vlot, wil ik kunnen denken dat ik voor mijn dood mijn levensdoel heb bereikt en schitterend danste op het toneel van het Koninklijk Deens Theater in het bijzijn van de koning. Kun je dat dan niet begrijpen?'

'Nee, dat kan ik niet!'

'Dan kun je naar de hel lopen,' zei ze en verdween door het raam.

Harald keek haar na. Hij was verbijsterd. Er verstreek een minuut voordat hij bewoog. Toen keek hij in de mand dat ze had meege-bracht. Er zaten twee flessen mineraalwater in, een pakje crackers, een zaklamp, een reservebatterij en twee reservelampjes. Er waren geen kaarten, maar wel een oude schoolatlas. Hij pakte het boek en sloeg het open. Op het schutblad stond in een meisjesachtig hand-schrift: 'Karen Duchwitz, klas 3.'

'Ach, verdomme,' zei hij.

28

Peter Flemming stond op de kade van Morlunde te kijken naar de laatste veerboot die deze dag van Sande kwam. Hij stond te wachten op een geheimzinnige vrouw.

Hij was teleurgesteld geweest, hoewel niet echt verrast, toen Harald gisteren niet was verschenen op de begrafenis van zijn broer. Peter had alle rouwdragers zorgvuldig gadegeslagen. De meesten waren eilanders die Peter al sinds zijn jeugd had gekend. Het waren de anderen in wie hij belang stelde. Na de dienst had hij thee gedronken in de pastorie en met alle vreemdelingen gesproken. Er waren een paar oude schoolkameraden, enkele maten uit het leger, vrienden uit Kopenhagen en het schoolhoofd van de Jansborg Skole. Hij had hun namen van de lijst gestreept die hij had gekregen van de politieagent op de veerboot. Er was één naam niet weggestreept: juffrouw Agnes Ricks.

Bij zijn terugkeer naar de aanlegplaats van de veerboot had hij de politieagent gevraagd of Agnes Ricks al was teruggekeerd naar het vasteland. 'Nog niet,' had de man gezegd. 'Ik zou me haar hebben herinnerd. Ze was nogal opvallend.' Hij grinnikte en zette zijn handen als een kom op zijn borst om aan te geven dat ze grote borsten had.

Peter was naar het hotel van zijn vader gegaan en had te horen gekregen dat zich geen Agnes Ricks had ingeschreven.

Hij vond het intrigerend. Wie was juffrouw Ricks en wat deed ze. Zijn instinct vertelde hem dat er een verband was met Arne Olufsen. Misschien was de wens de vader van de gedachte, maar zij was het enige spoor dat hij had.

Rondslenteren over de kade van Sande liep hij te veel in het oog, dus stak hij over naar het vasteland waar hij niet opviel in de grote handelshaven. Juffrouw Ricks verscheen echter niet. Toen de veerboot voor de laatste keer had aangelegd en pas de volgende ochtend weer zou uitvaren, keerde Peter terug naar het Oesterport Hotel.

Er was een telefoon in een kleine cel in de lounge van het hotel en die gebruikte hij om Tilde Jespersen thuis in Kopenhagen te bellen.

'Was Harald op de begrafenis?' vroeg ze meteen.

'Nee.'

'Verdorie.'

'Ik heb de rouwdragers gecontroleerd. Dat bracht me niet verder. Maar er is nog één spoor dat ik volg, een zekere juffrouw Agnes Ricks. En jij?'

'Ik heb de dag doorgebracht met het bellen van plaatselijke politie-bureaus in het hele land. Ik heb mannen die alle klasgenoten van Harald controleren. Morgen moet ik van allemaal wat horen.'

'Je hebt je werk in de steek gelaten,' veranderde hij ineens van onderwerp.

'Het was geen normaal werk, nietwaar?' Ze was hier kennelijk op voorbereid.

'Waarom niet?'

'Jij nam me mee, omdat je met mij naar bed wilde.'

Peter knarste met zijn tanden. Hij had zijn eigen beroepsmatige overwicht aangetast door seks met haar te hebben, dus kon hij haar nu niet terechtwijzen. Boos zei hij: 'Is dat jouw excuus?'

'Het is geen excuus.'

'Je zei dat de manier waarop ik de Olufsens ondervroeg jou niet aanstond. Dat is voor iemand van de politie geen reden om weg te lopen.'

'Ik liet mijn werk niet in de steek. Ik wilde alleen niet naar bed met de man die tot zoiets in staat was.'

'Ik deed alleen mijn plicht!'

Haar stem veranderde. 'Niet helemaal.'

'Wat bedoel je daarmee?'

'Het zou niet verkeerd zijn geweest als je hard was opgetreden om de zaak op te lossen. Dat had ik kunnen respecteren. Maar jij vond het leuk wat je deed. Jij kwelde de dominee en blafte zijn vrouw af en je genoot ervan. Hun verdriet gaf jou voldoening. Met zo'n man kan ik niet naar bed gaan.'

Peter hing op.

Hij lag het grootste deel van de nacht wakker en dacht aan Tilde. Hij lag in bed, was kwaad op haar en stelde zich voor dat hij haar sloeg. Hij zou graag naar haar appartement zijn gegaan om haar in haar nachthemd uit bed te sleuren en haar te straffen. In zijn fantasie smeekte ze om genade, maar hij besteedde geen aandacht aan haar kreten. Haar nachthemd scheurde door de worsteling en hij raakte opgewonden en verkrachtte haar. Ze gilde en weerde hem af, maar hij hield haar in bedwang. Naderhand smeekte ze met tranen in haar ogen om vergeving, maar hij verliet haar zonder een woord te zeggen. Uiteindelijk viel hij in slaap.

De volgende ochtend ging hij naar de haven om de eerste veerboot van Sande op te vangen. Hij keek hoopvol naar de boot vol aangekoekt zout die op de aanlegsteiger afvoer. Agnes Ricks was zijn enige hoop. Als zij onschuldig bleek te zijn, wist hij niet meer wat hij moest doen. Een handjevol passagiers stapte van boord. Peter was van plan geweest de politieagent te vragen of een van hen juffrouw Ricks was, maar dat bleek niet nodig te zijn. Tussen de mannen in werkkleding van de vroege ploeg van de inmakerij viel de lange vrouw die een zonnebril en hoofddoek droeg, hem meteen op. Toen ze dichterbij kwam, besefte hij dat hij haar kende. Hij zag zwart haar onder de hoofddoek uitkomen, maar het was de lange gebogen neus die haar verried. Ze liep met een zelfverzekerde, mannelijke pas, zag hij, en hij herinnerde zich dat hem dat ook was opgevallen toen hij haar twee jaar geleden voor het eerst had ontmoet.

Ze was Hermia Mount.

Ze leek magerder en ouder dan de vrouw die hem in 1939 was voorgesteld als de verloofde van Arne Olufsen, maar Peter twijfelde niet.

'Verraderlijk teef, ik heb je,' zei hij met diepe voldoening. Bang dat ze hem misschien zou herkennen, zette hij een bril met een zwaar montuur op en trok zijn hoed naar voren om zijn opvallende rode haren te bedekken. Toen volgde hij haar naar het station, waar ze een kaartje naar Kopenhagen kocht.

Na lang wachten stapten ze in een oude trein die werd getrokken door een kolenlocomotief. Het traject kronkelde van west naar oost door Denemarken en de trein stopte bij half houten stationnetjes van vakantieplaatsen die naar zeewier roken, en slaperige marktstadjes. Peter zat in een eersteklascoupé en kon zijn ongeduld nauwelijks bedwingen. Hermia zat in het volgende rijtuig op een derdeklas plaats. Ze kon hem niet ontkomen, zolang ze in de trein zaten, maar aan de andere kant kwam hij zo ook niet verder.

Halverwege de middag stopte de trein in Nyborg op het centrale eiland Funen. Hier moesten ze overstappen op een veerboot over de Grote Belt naar Seeland, het grootste eiland, waar ze op een andere trein naar Kopenhagen zouden stappen.

Peter had iets gehoord van een ambitieus plan om de veerboot te vervangen door een enorme brug van tweeëndertig kilometer lengte. Liefhebbers van tradities gaven de voorkeur aan de veerboten, omdat de beperkte snelheid volgens hen deel uitmaakte van de ontspannen houding van de Denen tegenover het leven, maar van Peter mochten ze allemaal verdwijnen. Hij had veel te doen en gaf de voorkeur aan bruggen.

Tijdens het wachten op de veerboot, vond hij een telefooncel en belde Tilde in de Politigaarden.

Ze was afstandelijk professioneel. 'Ik heb Harald niet gevonden, maar ik heb wel een aanwijzing.'

'Mooi!'

'Hij heeft de afgelopen maand twee keer een bezoek gebracht aan Kirstenslot, het huis van de familie Duchwitz.'

'Joden?'

'Ja. De plaatselijke politieagent herinnert zich hem. Hij zegt dat Harald een door stoom aangedreven motorfiets had. Maar hij zweert dat Harald daar nu niet is.'

'Ga er voor de zekerheid zelf heen.'

'Dat was ik ook van plan.'

Hij wilde met haar praten over wat ze gisteren had gezegd. Meende ze het echt dat ze niet meer met hem naar bed wilde? Maar hij kon geen manier bedenken om het onderwerp ter sprake te brengen, dus bleef hij over de zaak praten. 'Ik heb juffrouw Ricks gevonden. Ze is Hermia Mount, de verloofde van Arne Olufsen.'

'Het Engelse meisje?'

'Ja.'

'Dat is goed nieuws!'

'Inderdaad.' Peter was blij dat Tilde nog even enthousiast was voor de zaak. 'Ze is nu op weg naar Kopenhagen en ik volg haar.'

'Is er een kans dat ze jou zal herkennen?'

'Ja.'

'Zal ik op die trein stappen voor het geval ze jou probeert af te schudden?'

'Ik heb liever dat je naar Kirstenslot gaat.'

'Misschien kan ik het allebei doen. Waar ben je nu?'

'Nyborg.'

'Dat is minstens twee uur reizen.'

'Meer. Deze trein is vreselijk langzaan.'

'Ik kan naar Kirstenslot gaan, daar een uur rondneuzen en jou toch op het station ontmoeten.'

'Goed,' zei hij. 'Doe maar.'

29

Toen Harald was afgekoeld, zag hij dat Karens beslissing om hun vlucht een dag uit te stellen niet helemaal krankzinnig was. Hij verplaatste zich in haar positie en stelde zich voor dat hem de kans werd geboden een belangrijk experiment uit te voeren met de natuurkundige Niels Bohr. Voor zo'n gelegenheid zou hij de ontsnapping naar Engeland waarschijnlijk ook hebben uitgesteld. Misschien zouden Bohr en hij samen de mensheid een ander begrip verschaffen over de werking van het heelal. Als hij ging sterven, zou hij graag willen weten dat hij zoiets had gedaan.

Niettemin bracht hij de dag in spanning door. Hij controleerde alles aan de Hornet Moth twee keer. Hij bestudeerde het instrumentenpaneel en maakte zich vertrouwd met de meters, zodat hij Karen kon helpen. Het paneel was niet verlicht, want het toestel was niet ontworpen voor nachtvluchten, dus zouden ze met de zaklamp de instrumenten moeten aflezen. Hij oefende het op- en uitvouwen van de vleugels en verbeterde zijn tijd. Hij probeerde zijn systeem om tijdens de vlucht te tanken door wat benzine door de slang te gieten die van de cabine door het kapotte raampje naar de tank liep. Hij hield een oog op het weer dat prima was met wat wolken en een lichte bries. Laat in de middag kwam een voor driekwart vollemaan op. Hij trok schone kleren aan.

Hij lag op zijn slaaprichel de kat Pinetop te aaien, toen iemand aan de grote kerkdeur rammelde.

Harald ging rechtop zitten, zette Pinetop op de grond en luisterde.

Hij hoorde de stem van Per Hansen. 'Ik zei toch dat hij op slot was.'

Een vrouw antwoordde: 'Des te meer reden om binnen te kijken.'

De stem klonk autoritair, merkte Harald angstig. Hij stelde zich een vrouw voor van in de dertig, aantrekkelijk maar zakelijk. Kennelijk was ze van de politie. Vermoedelijk had ze Hansen gisteren naar het kasteel gestuurd om naar Harald te zoeken. Blijkbaar was ze niet tevreden geweest met de resultaten van Hansen en was ze daarom vandaag zelf gekomen.

Harald vloekte. Ze zou waarschijnlijk grondiger zoeken dan Hansen. Een manier vinden om in de kerk te komen zou haar niet veel tijd kosten. Hij kon zich nergens anders verbergen dan in de kofferbak van de Rolls-Royce en iemand die een grondig onderzoek deed, zou die zeker openen. Harald was bang dat hij misschien al te laat was om te vertrekken door zijn gebruikelijke raam dat vlak om de hoek van de voordeur lag. Maar er waren overal ramen in het ronde koor en door een daarvan verdween hij snel naar buiten.

Toen hij de grond raakte, keek hij behoedzaam om zich heen. Dit gedeelte van de kerk werd slechts gedeeltelijk door bomen aan het oog onttrokken en misschien had een soldaat hem gezien. Maar hij had geluk; er was niemand in de buurt.

Hij aarzelde. Hij wilde weg, maar hij moest weten wat er nu gebeurde. Hij drukte zich plat tegen de muur van de kerk en luisterde. Hij hoorde de stem van Hansen:'Mevrouw Jespersen? Als we op dat blok hout gaan staan, kunnen we door het raam.'

'Ongetwijfeld ligt het blok daarom daar,' antwoordde de vrouw bondig. Kennelijk was ze een stuk intelligenter dan Hansen. Harald had een beangstigend gevoel dat ze alles ging ontdekken.

Hij hoorde het geschraap van schoenen tegen de muur, een gegrom van Hansen toen hij zich door het raam wrong en een bons toen hij op de tegelvloer landde. Twee tellen later klonk een lichtere bons. Harald sloop om de kerk heen, ging op het blok hout staan en gluurde door het raam.

Mevrouw Jespersen was een knappe vrouw van rond de dertig, niet dik maar goedgevuld, keurig gekleed in praktische kleren, een blouse met rok, platte schoenen en een hemelsblauwe baret op haar blonde krullen. Omdat ze geen uniform droeg, moest ze bij de recherche zitten, concludeerde Harald. Ze droeg een schoudertas waar vermoedelijk een pistool in zat.

Hansen was rood aangelopen door de inspanning van de klim door het raam en had een opgejaagde blik. Harald nam aan dat de dorpsagent het erg moeilijk vond om de snel denkende vrouwelijke rechercheur bij te houden.

Ze keek eerst naar de motor. 'Kijk eens aan. Hier staat de motorfiets waarvan u me vertelde. Ik zie de stoommachine. Ingenieus.'

'Hij moet hem hier hebben achtergelaten,' zei Hansen op verdedigende toon. Kennelijk had hij de vrouwelijke rechercheur verteld dat Harald was vertrokken.

Maar ze was niet overtuigd.'Misschien.'Ze liep naar de auto.'Heel mooi.'
'Die is van de jood.'

Ze ging met haar vinger over een gebogen spatbord en keek naar het stof.'Die is al een poos niet buiten geweest.'

'Natuurlijk niet – de wielen zijn eraf gehaald.' Hansen dacht dat hij haar te pakken had en keek zelfingenomen.

'Dat zegt niet veel – wielen zitten er zo weer op. Maar een laag stof is moeilijker om aan te brengen.'

Ze liep door de ruimte en pakte het hemd op dat Harald had laten liggen. Hij kreunde inwendig. Waarom had hij dat niet weggelegd? Ze rook eraan.

Pinetop verscheen en gaf mevrouw Jespersen een kopje tegen haar been. Ze bukte en aaide hem. 'Wat kom jij doen?' vroeg ze aan de kat. 'Heeft iemand jou gevoerd?'

Niets bleef verborgen voor deze vrouw, zag Harald met ontzetting. Ze was te grondig. Ze liep naar de richel waar Harald sliep. Ze pakte de keurig gevouwen deken op en legde die weer terug. 'Er woont hier iemand,' zei ze.

'Misschien een zwerver.'

'Of misschien die verrekte Harald Olufsen.'

Hansen keek geschokt.

Ze draaide zich om naar de Hornet Moth. 'En wat hebben we hier?' Wanhopig zag Harald haar het dekkleed wegtrekken. 'Volgens mij is dat een vliegtuig.'

Dat is het einde, dacht Harald. Nu is alles uit.

Hansen zei: 'Duchwitz had vroeger een vliegtuig, herinner ik me nu. Maar hij heeft er jaren niet mee gevlogen.'

'Ziet er anders niet slecht uit.'

'Er zitten geen vleugels aan!'

'De vleugels zijn naar achteren gevouwen – zo hebben ze hem door de deur gekregen.' Ze opende de deur van de cabine en stak een arm naar binnen om de stuurknuppel te bewegen. Tegelijk keek ze naar de staart en zag het hoogteroer bewegen. 'De besturing schijnt te werken.' Ze keek op de brandstofmeter. 'De tank is vol.' Terwijl ze door de kleine cabine keek, voegde ze eraan toe: 'En er staat een extra kan benzine achter de stoel. En in het kastje liggen twee flessen water en een pakje koekjes. Plus een bijl, een kluwen stevig touw, een zaklamp en een atlas – allemaal zonder een spoortje stof.'

Ze trok haar hoofd terug uit de cabine en keek Hansen aan. 'Harald is van plan te gaan vliegen.'

'Wel heb ik ooit,' zei Hansen.

De wilde gedachte kwam bij Harald op om ze allebei te doden. Hij wist niet zeker of hij onder bepaalde omstandigheden een menselijk wezen kon doden, maar hij besefte meteen dat hij niet met zijn blote handen twee gewapende politiemensen kon overmeesteren, dus zette hij de gedachte uit zijn hoofd.

Mevrouw Jespersen werd heel kordaat. 'Ik moet naar Kopenhagen. Inspecteur Flemming die de leiding heeft over deze zaak, moet met de trein aankomen. Maar gezien de treinenloop van tegenwoordig zou dat ergens in de komende twaalf uur kunnen zijn. Als hij er is, komen we terug. We zullen Harald arresteren als hij hier is en anders zetten we een val voor hem op.'

'Wat wilt u dat ik doe?'

'Blijf hier. Zoek een plek in het bos vanwaar u de kerk in het oog kunt houden. Als Harald verschijnt, spreek hem dan niet aan, maar bel de Politigaarden.'

'Gaat u niet iemand sturen om me te helpen?'

'Nee. We moeten niets doen om Harald af te schrikken. Als hij u ziet, zal hij niet in paniek raken – u bent gewoon de dorpsagent. Maar een stel vreemde agenten zou hem kunnen afschrikken. Ik wil niet dat hij op de vlucht slaat en ergens onderduikt. Nu we hem hebben opgespoord, moeten we hem niet weer kwijtraken. Is dat duidelijk?'

'Ja.'

'Aan de andere kant, moet u hem tegenhouden, als hij in dat vliegtuig probeert op te stijgen.'

'Hem arresteren?'

'Schiet hem desnoods neer – maar laat hem in 's hemelsnaam niet opstijgen.'

Harald vond haar zakelijke toon erg beangstigend. Als ze extra dramatisch had gedaan, had hij zich misschien niet zo bang gevoeld. Maar ze was een aantrekkelijke vrouw die kalm sprak over praktische zaken – en ze had Hansen net de opdracht gegeven hem zo nodig neer te schieten. Tot op dit moment had hij geen rekening gehouden met de mogelijkheid dat de politie hem misschien kon doden. De rustige meedogenloosheid van mevrouw Jespersen schokte hem.

'Je kunt deze deur openen om mij een klim door het raam te besparen,' zei ze. 'Sluit hem weer af, wanneer ik weg ben, zodat Harald niets vermoedt.'

Hansen draaide de sleutel om, tilde de balk op en ze liepen naar buiten. Harald sprong op de grond en verdween om de hoek van de kerk. Hij liep bij het gebouw weg, ging achter een boom staan en zag van een afstand mevrouw Jespersen naar haar auto lopen, een zwarte Buick. Ze keek naar haar spiegelbeeld in het zijraampje en schikte haar blauwe baret met een erg vrouwelijk gebaar. Toen werd ze weer de politievrouw, schudde Hansen kordaat de hand, stapte in de auto en reed snel weg.

Hansen kwam terug en verdween achter de kerk uit Haralds blikveld. Harald leunde even tegen de stam van de boom en dacht na. Karen had beloofd naar de kerk te komen, zodra ze thuis was van het ballet. Als ze dat deed, zou ze de politie recht in de armen lopen. En hoe moest ze haar aanwezigheid verklaren? Ze zou duidelijk schuldig zijn. Harald moest haar op de een of andere manier onderscheppen. Als ze afgelopen nacht waren opgestegen, waren ze nu waarschijnlijk al in Engeland geweest. Hij had haar gewaarschuwd dat ze hen in gevaar bracht en nu bleek hij gelijk te krijgen. Maar verwijten maken had geen zin. Het was gebeurd en hij moest afrekenen met de gevolgen. Onverwacht kwam Hansen om de hoek van de kerk lopen. Hij zag Harald en bleef stokstijf staan.

Ze waren allebei stomverbaasd. Harald had gedacht dat Hansen weer de kerk was ingelopen om af te sluiten. Hansen had van zijn kant nooit kunnen denken dat zijn prooi zo dichtbij was. Ze stonden even als verlamd en staarden elkaar aan.

Toen greep Hansen naar zijn pistool.

De woorden van mevrouw Jespersen schoten door Haralds hoofd: 'Schiet hem desnoods neer.' Hansen had als dorpsagent waarschijnlijk nog nooit in zijn leven op iemand geschoten. Maar hij zou de kans met beide handen aangrijpen.

Harald reageerde instinctief. Zonder na te denken over de gevolgen rende hij op Hansen af. Toen Hansen zijn wapen uit de holster trok, botste Harald tegen hem aan. Hansen werd achteruit geworpen en kwam met een bons tegen de kerkmuur aan, maar hij liet zijn pistool niet los.

Hij bracht het wapen omhoog. Harald wist dat hij nog maar een fractie van een seconde had om zichzelf te redden. Hij haalde uit met zijn vuist en trof Hansen op het puntje van zijn kin. De wanhoop gaf hem kracht. Het hoofd van Hansen schoot naar achteren en klapte tegen de stenen muur met het geluid van een geweerschot. Zijn ogen rolden naar boven, zijn lichaam verslapte en hij viel op de grond.

Harald was vreselijk bang dat de man dood was. Hij knielde naast het slappe lichaam. Hij zag meteen dat Hansen ademde. Goddank, dacht hij. Het was afschuwelijk om te bedenken dat hij een mens had kunnen doden – ook al was het zo'n valse dwaas als Hansen.

Het gevecht had slechts een paar tellen geduurd, maar had iemand wat gezien? Hij keek door het park naar het kamp van de soldaten. Er liepen een paar mannen rond, maar niemand keek in zijn richting.

Hij stopte het pistool van Hansen in zijn zak en tilde het slappe lichaam toen op. Hij hing het over zijn schouder in een brandweergreep en haastte zich om de kerk heen naar de hoofdingang die nog altijd openstond. Het geluk bleef met hem en niemand zag hem.

Hij legde Hansen op de grond en sloot toen snel de kerkdeur af. Hij haalde het touw uit de cabine van de Hornet Moth en bond de voeten van Hansen vast. Hij rolde de man op zijn buik en bond zijn handen achter zijn rug. Toen pakte hij zijn oude hemd, stopte de helft daarvan in Hansens mond, zodat de man niet kon roepen en bond een koord om Hansens hoofd zodat de prop er niet uit zou vallen.

Ten slotte tilde hij Hansen in de kofferruimte van de Rolls-Royce en sloot die.

Hij keek op zijn horloge. Hij had nog tijd om naar de stad te gaan en Karen te waarschuwen.

Hij stak de ketel van zijn motor aan. Hij zou gezien kunnen worden als hij de kerk uitreed, maar er was geen tijd meer om voorzichtig te doen.

Hij zou echter in moeilijkheden kunnen komen door de bult van een politiepistool in zijn zak. Omdat hij niet wist wat hij met het wapen moest doen, opende hij de rechterdeur van de Hornet Moth en legde het op de vloer waar niemand het zou zien, tenzij men in het vliegtuig stapte en erop trapte.

Toen de motor op stoom was, opende hij de deur, reed naar buiten, deed de deur van binnen op slot en klom door het raam naar buiten. Hij had geluk en zag niemand.

Hij reed de stad in, lette nerveus op politieagenten en parkeerde opzij van het Koninklijk Theater. Een rode loper lag voor de ingang en hij herinnerde zich dat de koning de voorstelling zou bijwonen. Een aankondiging vertelde hem dat *Les Sylphides* het laatste van de drie balletten was die op het programma stonden. Een menigte goedgeklede mensen stond met drankjes op de trappen en Harald maakte daaruit op dat hij in de pauze was gekomen.

Hij liep naar de artiesteningang en ontmoette een obstakel in de persoon van een portier in uniform die de deur bewaakte. 'Ik moet Karen Duchwitz spreken,' zei Harald.

'Geen denken aan,' kreeg hij van de portier te horen. 'Ze moet zo op.'

'Het is heel belangrijk.'

'U zult moeten wachten tot na de voorstelling.'

Harald zag wel dat de man niet zou toegeven. 'Hoelang duurt het ballet?'

'Ongeveer een halfuur, afhankelijk van hoe snel het orkest speelt.'

Harald herinnerde zich dat Karen een kaartje voor hem had achtergelaten bij de kassa. Hij besloot dat hij haar wilde zien dansen.

Hij liep de marmeren foyer in, haalde zijn kaartje op en betrad de zaal. Hij was nooit eerder in een theater geweest en keek verbaasd naar de weelderig vergulde versieringen, de oplopende rangen en de rijen rode pluchen stoelen. Hij vond zijn plaats op de vierde rij en ging zitten. Pal voor hem zaten twee Duitse officieren in uniform. Hij keek op zijn horloge. Waarom begon het ballet niet? Elke minuut bracht Peter Flemming dichterbij.

Hij pakte een programma dat op de stoel naast hem was achtergelaten en bladerde het door op zoek naar Karens naam. Ze stond niet bij de bezetting, maar een inlegvel dat uit het boekje viel, vermeldde dat de prima ballerina wegens ziekte verstek moest laten gaan en dat haar plaats zou worden ingenomen door Karen Duchwitz. Er stond ook bij dat de enige mannelijke rol in het ballet ook zou worden gedanst door een invaller, Jan Anders, waarschijnlijk omdat de eerste man van de bezetting ook het slachtoffer was geworden van de darmziekte. Dit moest een zorgelijk moment zijn voor het gezelschap, dacht Harald. De hoofdrollen werden vertolkt door studenten, terwijl de koning zich in het publiek bevond.

Enkele ogenblikken later zag hij tot zijn schrik meneer en mevrouw Duchwitz twee rijen voor hem hun plaatsen innemen. Hij had moeten weten dat ze het grote moment van hun dochter niet zouden willen missen. Aanvankelijk maakte hij zich zorgen dat ze hem zouden zien tot het tot hem doordrong dat het niet meer uitmaakte. Nu de politie zijn schuilplaats had ontdekt, hoefde hij het voor niemand meer geheim te houden.

Hij herinnerde zich met een schuldig gevoel dat hij het Amerikaanse sportjack van meneer Duchwitz droeg. Volgens het etiket van de kleermaker op de binnenzak was het vijftien jaar oud, maar Karen had haar vader vast niet om toestemming gevraagd. Zou vader Duchwitz het herkennen? Harald zei bij zichzelf dat hij gek was om zich daar druk over te maken. Beschuldigd worden van het stelen van een jasje was wel de minste van zijn zorgen.

Hij betastte de filmcassette in zijn zak en vroeg zich af of er nog een kans was dat Karen en hij konden ontsnappen in de Hornet Moth. Heel veel hing af van de trein van Peter Flemming. Als die vroeg was, zouden Flemming en mevrouw Jespersen voor Karen en Harald terug zijn op Kirstenslot. Misschien konden ze voorkomen dat ze werden gepakt, maar het was moeilijk om bij het vliegtuig te komen als de politie het bewaakte. Aan de andere kant werd het vliegtuig nu niet bewaakt, omdat Hansen was uitgeschakeld. Als de trein van Flemming pas in de vroege ochtend aankwam, was er misschien een kans dat ze konden opstijgen.

Mevrouw Jespersen wist niet dat Harald haar had gezien. Ze dacht dat ze tijd genoeg had. Dat was het enige wat in het voordeel van Harald was.

Wanneer begon die stomme voorstelling nou?

Toen iedereen in de zaal zat, kwam de koning de koninklijke loge binnen. Het publiek stond op. Het was de eerste keer dat Harald koning Christian X in levenden lijve zag, maar het gezicht was bekend van foto's. De hangsnor verleende het gelaat een permanente grimmige uitdrukking die gepast was voor de monarch van een bezet land. Hij droeg avondkleding en stond kaarsrecht. Op foto's droeg de koning altijd dezelfde soort hoed en nu zag Harald voor het eerst dat hij zijn haar begon te verliezen.

Toen de koning zat, nam het publiek ook weer plaats en gingen de lichten uit. Eindelijk dacht Harald.

Het doek ging op en er werden ruim twintig vrouwen zichtbaar die bewegingloos in een kring stonden met één man in het midden. De danseressen waren allemaal in het wit gekleed en stonden in vaag blauw licht dat op maanlicht leek. Het lege podium verdween aan de zijkant in donkere schaduwen. Het was een dramatische opening en ondanks zijn zorgen raakte Harald geboeid.

315

De muziek speelde een langzame, dalende frase en de danseressen kwamen in beweging. De kring werd groter en vier mensen bleven bewegingloos midden op het toneel achter, de man en drie vrouwen. Een van de vrouwen lag op de grond alsof ze sliep. Een langzame wals werd ingezet.

Waar was Karen? Alle meisjes waren hetzelfde gekleed in een strak lijfje dat de schouders bloot liet en een lange rok die golfde onder het dansen. Het was een sexy pakje, maar de sfeerverlichting liet ze allemaal op elkaar lijken en Harald kon niet zeggen wie Karen was.

Toen bewoog de slapende danseres zich en herkende hij Karens rode haren. Ze gleed naar het midden van het toneel. Harald voelde spanning en bezorgdheid, omdat hij bang was dat ze iets verkeerd zou doen en haar grote dag zou bederven, maar ze leek zelfverzekerd en beheerst. Ze begon te dansen op de punten van haar tenen. Het leek pijnlijk en Harald kromp ineen, maar ze leek te zweven. Het gezelschap vormde patronen om haar heen, lijnen en cirkels. Het publiek zat doodstil, helemaal door haar geboeid en Harald voelde zijn hart zwellen van trots. Hij was blij dat ze had besloten dit te doen, ongeacht de consequenties.

De muziek veranderde van toonaard en de mannelijke danser bewoog. Toen hij over het podium sprong, vond Harald dat hij onzeker leek tot hij zich herinnerde dat hij ook een invaller was. Karen had zelfverzekerd gedanst, waardoor elke beweging moeiteloos leek te gaan, maar in de bewegingen van de jongen zat een zekere spanning, waardoor zijn dansen gevaarlijk leek.

De dans werd besloten met de langzame frase uit het begin en Harald begreep dat er geen verhaal was, dat de dans even abstract zou zijn als de muziek. Hij keek op zijn horloge. Er waren pas vijf minuten verstreken.

Het ensemble ging uit elkaar en nam steeds nieuwe formaties aan die een reeks solodansen begeleidden. Alle muziek leek in driekwarts maat te zijn en was erg melodisch. Harald die van de dissonanten uit de jazz hield, vond het bijna te lieflijk.

Het ballet fascineerde hem, maar toch zwierven zijn gedachten naar de Hornet Moth en naar Hansen die vastgebonden in de kofferruimte van de Rolls lag en naar mevrouw Jespersen. Had Peter Flemming misschien de enige trein in Denemarken gevonden die op tijd reed? Waren mevrouw Jespersen en hij in dat geval dan al naar Kirstenslot gegaan? Hadden ze Hansen gevonden? Lagen ze al op hem te wachten? Hoe kon Harald dat nagaan? Misschien moest hij door het bos naar het klooster lopen in de hoop dat hij zag of er een hinderlaag was.

Karen begon aan een solo en hij merkte dat hij meer gespannen was voor haar dan voor de politie. Hij had zich geen zorgen hoeven maken: ze was ontspannen en beheerst, wervelde rond op haar tenen en sprong even blij alsof ze het ter plaatse verzon. Het verbaasde hem dat ze een krachtige stap kon doen en over het podium kon rennen en springen om ineens in een volmaakt bevallige pose tot stilstand te komen, alsof ze geen gewicht had. Ze leek te spotten met de wetten van de natuurkunde.

Harald werd nog nerveuzer toen Karen met Jan Anders begon te dansen. Dat werd een pas de deux genoemd, dacht hij, hoewel hij niet zeker wist hoe hij daaraan kwam. Anders bleef haar dramatisch hoog optillen. Haar rok bolde op en toonde haar prachtige benen. Anders hield haar soms met één hand omhoog, terwijl hij een pose aannam of over het toneel liep. Harald was bang voor haar veiligheid, maar steeds weer kwam ze gemakkelijk en gracieus neer. Niettemin was Harald opgelucht toen de pas de deux afgelopen was en het ensemble begon. Hij keek weer op zijn horloge. Dit moest de laatste dans zijn. Goddank.

Tijdens de laatste dans voerde Anders een paar spectaculaire sprongen uit en tilde Karen weer enkele keren op. Toen de muziek naar een climax toe werkte, sloeg het noodlot toe.

Anders tilde Karen weer op en hield haar omhoog met zijn hand onder in haar rug. Ze strekte zich evenwijdig aan de grond. Haar benen bogen met gestrekte tenen naar voren en ze bracht haar armen over haar hoofd naar achteren, waardoor ze een boog vormde. Ze hielden die pose een ogenblik aan. Toen gleed Anders uit.

Zijn linkervoet gleed onder hem weg. Hij wankelde en viel plat op zijn rug. Karen tuimelde naast hem op het toneel en kwam op haar rechterarm en rechterbeen terecht.

Het publiek hapte naar adem van schrik. De andere dansers renden op de twee gevallen gestalten af. De muziek speelde nog een paar maten door en stierf toen weg. Een man in een zwarte broek en een zwarte trui kwam uit de coulissen lopen.

Anders kwam overeind en hield zijn elleboog vast. Harald zag dat hij huilde. Karen probeerde overeind te komen, maar viel terug. De man in het zwart maakte een gebaar en het doek viel. Het publiek begon opgewonden te praten.

Harald merkte dat hij stond.

Hij zag meneer en mevrouw Duchwitz twee rijen voor hem overeind komen en hun rij uit lopen waarbij ze zich verontschuldigden bij de mensen die ze passeerden. Ze waren kennelijk van plan naar de kleedkamers te gaan. Harald besloot hen te volgen.

Het kostte vreselijk veel tijd om uit de rij te komen. In zijn bezorgdheid moest hij zich weerhouden om niet gewoon over de knieën van iedereen te lopen. Maar hij bereikte het middenpad tegelijk met de ouders van Karen. 'Ik kom met u mee,' zei hij.

'Wie ben jij?' vroeg haar vader.

Haar moeder beantwoordde zijn vraag. 'Dat is Harald, de vriend van Josef, je hebt hem eerder ontmoet. Karen is verkikkerd op hem, laat hem meekomen.'

Meneer Duchwitz gaf grommend toestemming. Harald had geen idee hoe mevrouw Duchwitz wist dat Karen 'verkikkerd' op hem was, maar hij was opgelucht dat hij werd geaccepteerd als lid van de familie.

Toen ze de uitgang bereikten, werd het publiek stil. De familie Duchwitz en Harald draaiden zich bij de deur om. Het doek was op. Het toneel was leeg, afgezien van de man in het zwart.

'Majesteit, dames en heren,' begon hij. 'Gelukkig bevond de arts van het gezelschap zich vanavond onder het publiek.' Harald nam aan dat iedereen die betrokken was bij het balletgezelschap aanwezig wilde zijn bij de koninklijke voorstelling. 'De dokter is al in de kleedkamers en onderzoekt onze twee dansers. Hij heeft me verteld dat geen van beiden ernstig geblesseerd lijkt te zijn.'

Applaus klaterde op.

Harald was opgelucht. Nu hij wist dat het goed met haar zou komen, dacht hij voor het eerst aan de gevolgen die het ongeluk kon hebben voor hun ontsnapping. Zelfs als ze bij de Hornet Moth konden komen, zou Karen dan kunnen vliegen?

De man in het zwart vervolgde: 'Zoals u in het programma hebt kunnen lezen, werden beide hoofdrollen vanavond gespeeld door invallers, net als veel van de andere rollen. Ik hoop niettemin dat u het met me eens bent, dat ze heel goed hebben gedanst en bijna tot het eind een voortreffelijke prestatie hebben geleverd. Dank u.'

Het doek viel en het publiek applaudisseerde. Het ging weer op voor het gezelschap minus Karen en Anders, dat buigend het applaus in ontvangst nam.

Meneer en mevrouw Duchwitz liepen naar buiten gevolgd door Harald.

Ze liepen haastig door de deur naar de kleedkamers. Een zaalwachter bracht hen naar de kamer van Karen.

Ze zat met haar rechterarm in een mitella. Ze zag er verbluffend knap uit in de crèmewitte jurk met haar blote schouders en de zwelling van haar borsten boven het lijfje. Harald voelde zich ademloos en wist niet of het van bezorgdheid of begeerte was.

De arts zat voor haar geknield en legde een zwachtel aan om haar rechterenkel.

Mevrouw Duchwitz rende op Karen af en zei: 'Mijn arme lieverd!' Ze sloeg haar armen om Karen. Dat was wat Harald graag had willen doen.

'O, met mij gaat het best,' zei Karen, hoewel ze er bleek uitzag.

Meneer Duchwitz sprak de dokter aan. 'Hoe gaat het met haar?'

'Prima,' zei de man. 'Ze heeft haar pols en enkel verstuikt. Die zullen een paar dagen pijn doen en ze moet het minstens twee weken rustig aan doen, maar daar komt ze wel overheen.'

Harald was opgelucht dat ze niet ernstig geblesseerd was, maar hij dacht meteen: kan ze vliegen?

De arts maakte de zwachtel vast met een veiligheidsspeld en stond op. Hij klopt haar op de blote schouder. 'Ik kan beter naar Jan Anders gaan kijken. Hij viel niet zo hard als jij, maar ik maak me een beetje bezorgd over zijn elleboog.'

'Dank u, dokter.'

Zijn hand bleef tot ergernis van Harald even op haar schouder liggen. 'Jij zult weer geweldig dansen, maak je geen zorgen.' Hij vertrok.

'Arme Jan,' zei Karen, 'hij blijft maar huilen.'

Harald vond dat Anders moest worden geëxecuteerd. 'Het was zijn schuld – hij liet jou vallen!' zei hij verontwaardigd.

'Ik weet het, daarom is hij zo van streek.'

Meneer Duchwitz keek Harald geërgerd aan. 'Wat doe jij hier?'

Weer was het zijn vrouw die antwoordde. 'Harald woont al even op Kirstenslot.'

Karen schrok. 'Moeder, hoe wist je dat?'

'Dacht je dat niemand merkte dat de restjes iedere avond uit de keuken verdwenen? Wij moeders zijn niet zo stom, hoor.'

'Maar waar slaapt hij dan?' vroeg meneer Duchwitz.

'In de ongebruikte kerk, neem ik aan,' antwoordde zijn vrouw. 'Om die reden wilde Karen zo graag dat die afgesloten bleef.'

Harald was ontzet dat zijn geheim zo gemakkelijk was ontsluierd. Meneer Duchwitz keek kwaad, maar voordat hij kon ontploffen, kwam de koning binnen.

Iedereen zweeg.

Karen probeerde te gaan staan, maar hij hield haar tegen. 'Mijn beste jongedame, blijft u alstublieft zitten. Hoe voel u zich?'

'Het doet pijn, majesteit.'

'Dat geloof ik graag. Maar geen blijvend letsel, neem ik aan?'

'Volgens de dokter niet.'

'U danste geweldig, hoor.'

'Dank u, majesteit.'

De koning keek Harald vragend aan. 'Goedenavond, jongeman.'

'Ik ben Harald Olufsen, majesteit, een schoolvriend van Karens broer.'

'Welke school?'

'Jansborg Skole.'

'Noemen ze het schoolhoofd nog steeds Heis?'

'Jawel, majesteit, en zijn vrouw Mia.'

'Nou, zorg goed voor Karen.' Hij wendde zich tot haar ouders. 'Hallo, Duchwitz, prettig u weer te zien. Uw dochter is zeer getalenteerd.'

'Dank u, majesteit. U kent mijn vrouw Hanna nog?'

'Uiteraard.' De koning schudde haar hand. 'Dit is erg verontrustend voor een moeder, mevrouw Duchwitz, maar ik weet zeker dat het goedkomt met Karen.'

'Ja, majesteit. De jeugd geneest snel.'

'Inderdaad! Goed, laten we eens gaan kijken hoe het met de arme kerel gaat die haar liet vallen.' De koning liep naar de deur.

Voor het eerst zag Harald de metgezel van de koning, een jongeman die assistent, lijfwacht of misschien allebei was. 'Deze kant uit, meneer,' zei de jongeman en hij hield de deur open.

De koning liep naar buiten.

'Tjonge!' zei mevrouw Duchwitz op verrukte toon. 'Heel erg charmant!'

'Ik denk,' zei meneer Duchwitz, 'dat we Karen beter naar huis kunnen brengen.'

Harald vroeg zich af of hij een kans zou krijgen om haar alleen te spreken.

'Moeder zal me uit deze jurk moeten helpen,' zei Karen.

Meneer Duchwitz liep naar de deur en Harald volgde hem zonder te weten wat hij anders kon doen.

'Vinden jullie het erg,' zei Karen, 'als ik eerst even alleen met Harald praat voordat ik me verkleed?'

Haar vader keek geërgerd, maar haar moeder zei: 'Goed – maar schiet wel op.' Ze verlieten de kamer en mevrouw Duchwitz sloot de deur.

'Is het echt goed met je?' vroeg Harald aan Karen.

'Wel als jij me een kus hebt gegeven.'

Hij knielde naast de stoel en kuste haar lippen. Toen kon hij de verleiding niet weerstaan en hij kuste haar blote schouder en haar keel. Zijn lippen gleden naar beneden en hij kuste de ronding van haar borsten.

'O, hemeltje, stop daarmee, het is te fijn,' zei ze.

Met tegenzin trok Harald zijn hoofd terug. Hij zag dat de kleur terug was op haar gezicht en ze was ademloos. De gedachte dat zijn kussen dat hadden gedaan, verbaasde hem.

'We moeten praten,' zei ze.

'Ik weet het. Ben je in staat om de Hornet Moth te vliegen?'

'Nee.'

Daar was hij al bang voor geweest. 'Weet je het zeker?'

'Het doet te veel pijn. Ik kan verdorie niet eens een deur openen. En ik kan nauwelijks lopen, dus kan ik onmogelijk het roer bedienen met mijn voeten.'

Harald bedekte zijn gezicht met zijn handen. 'Dan is het allemaal voorbij.'

'De dokter zei dat het maar een paar dagen pijn zou doen. We kunnen gaan zodra ik me beter voel.'

'Er is iets wat ik je nog niet verteld heb. Hansen kwam vanavond weer rondneuzen.'

'Ik zou me over hem maar geen zorgen maken.'

'Deze keer was hij in het gezelschap van een vrouwelijke rechercheur, mevrouw Jespersen, die een heel stuk intelligenter is. Ik heb ze afgeluisterd. Ze ging de kerk in en ontdekte alles. Ze vermoedde dat ik daar woonde en dat ik van plan ben met het vliegtuig te ontsnappen.'

'O nee! Wat deed ze?'

'Ze is haar baas gaan halen, die toevallig Peter Flemming is. Ze heeft Hansen op wacht achtergelaten en zei tegen hem dat hij me neer moest schieten als ik zou proberen om op te stijgen.'

'Je néérschieten? Wat ga je doen?'

'Ik heb Hansen bewusteloos geslagen en vastgebonden,' zei Harald niet zonder trots.

'O, mijn hemel! Waar is hij nu?'

'In de kofferruimte van jouw vaders auto.'

Ze vond dat grappig. 'Jij duivel!'

'Ik dacht dat we maar één kans hadden. Peter zit in een trein en ze wist niet wanneer hij aan zou komen. Als jij en ik vanavond voor Peter en mevrouw Jespersen terug kunnen zijn op Kirstenslot, zouden we nog op kunnen stijgen. Maar nu je niet kunt vliegen…'

'We kunnen het nog steeds doen.'

'Hoe?'

'Jij kunt de piloot zijn.'

'Dat kan ik niet – ik heb pas één les gehad!'

'Ik kan je door alles heen praten. Poul zei dat je een natuurtalent was. En ik zou een gedeelte van de tijd met mijn linkerhand de stuurknuppel kunnen bedienen.'

'Meen je dat echt?'

'Ja!'

'Goed dan,' zei Harald plechtig. 'Dan doen we dat. Bid alleen dat Peters trein te laat is.'

30

Hermia had Peter Flemming op de veerboot gezien.

Ze zag hem over de reling geleund naar de zee kijken en herinnerde zich een man met een rossige snor en een mooi tweed kostuum op het perron in Morlunde te hebben gezien. Zonder twijfel reisden verschillende mensen net als zij van Morlunde helemaal naar Kopenhagen, maar de man kwam haar vaag bekend voor. De hoed en de bril zetten haar een poosje op het verkeerde been, maar uiteindelijk diepte ze hem op uit haar geheugen: Peter Flemming.

Ze had hem tijdens de gelukkige tijd met Arne ontmoet. De twee mannen waren in hun jeugd bevriend geweest, maar op de vuist gegaan, toen hun families ruzie kregen.

Nu was Peter politieman.

Zodra ze zich dat herinnerde, drong het tot haar door dat hij haar volgde. Ze voelde een huivering van angst alsof het een kille wind was.

Ze begon in tijdnood te raken. Over drie nachten was het vollemaan en ze had Harald Olufsen nog steeds niet gevonden. Als ze vanavond de film van hem kreeg, wist ze niet zeker of ze die tijdig thuis zou krijgen. Maar ze was niet van plan het op te geven – omwille van Arnes nagedachtenis, omwille van Digby en alle piloten die hun leven waagden om de nazi's tegen te houden.

Maar waarom had Peter haar niet meteen gearresteerd? Ze was een Engelse spion. Wat was hij van plan? Misschien was Peter net als zij op zoek naar Harald.

Toen de veerboot aanlegde, volgde Peter haar in de trein naar Kopenhagen. Zodra de trein reed, liep ze hem helemaal af en ontdekte hem in een eersteklascoupé.

Ze keerde bezorgd terug naar haar plaats. Dit was een erg vervelende ontwikkeling. Ze mocht Peter niet naar Harald leiden. Ze moest hem afschudden.

Ze had genoeg tijd om iets te bedenken. De trein werd regelmatig opgehouden en reed om tien uur in de avond Kopenhagen binnen. Tegen de tijd dat de trein in het station stilstond, had ze een plan. Ze zou naar het Tivoli Park gaan en Peter in de menigte zien kwijt te raken.

Toen ze uit de trein stapte, keek ze achterom over het perron en zag Peter uit het eersteklas rijtuig stappen.

Ze liep met een normale pas de trap op en door de kaartjescontrole het station uit. Het schemerde. Het Tivoli park was maar enkele stappen van het station. Ze liep naar de hoofdingang en kocht een kaartje. 'We sluiten om middernacht,' waarschuwde de lokettist haar.

Ze was hier in de zomer van 1939 met Arne geweest, het was een feestavond geweest en vijftigduizend mensen hadden zich in het park verdrongen om naar het vuurwerk te kijken. Nu was Tivoli een zielige afspiegeling van wat het ooit was geweest; net een zwart-witfoto van een fruitschaal. De paden kronkelden nog steeds tussen fraaie bloembedden door, maar de sprookjesachtige verlichting in de bomen was uitgeschakeld en de paden werden verlicht door speciale lampen met een lage lichtopbrengst om te voldoen aan de verduisteringsregels. De schuilkelder buiten het Pantomime Theater zorgde voor een sombere toets. Zelfs de orkesten leken gedempt te spelen. Voor Hermia was het bovendien erg dat er niet zoveel mensen waren, waardoor iemand haar gemakkelijker zou kunnen volgen. Ze bleef staan, deed of ze naar een jongleur keek en wierp een blik achterom. Ze zag Peter dicht achter haar bij een stalletje een glas bier kopen. Hoe kon ze hem afschudden?

Ze liep een menigte in rond een openlucht podium waarop een operette werd opgevoerd. Ze werkte zich naar voren tot ze vooraan stond en liep aan de overkant weg, maar toen ze verder liep, kwam Peter nog steeds achter haar aan. Als dit veel langer doorging, zou hij doorkrijgen dat ze hem probeerde af te schudden. Dan zou hij zijn verlies slikken en haar arresteren.

Ze begon bang te worden. Ze liep om het meertje heen en kwam bij een openlucht dansvloer waar een groot orkest een foxtrot speelde. Minstens honderd paren waren aan het dansen en nog meer stonden toe te kijken. Eindelijk proefde Hermia iets van de sfeer van het oude Tivoli. Toen ze een goed uitziende jonge man alleen aan de kant zag staan, kreeg ze inspiratie. Ze liep op hem af met haar breedste glimlach. 'Zou u met me willen dansen?' vroeg ze.

'Natuurlijk!' Hij nam haar in zijn armen en voerde haar de vloer op. Hermia danste niet echt goed, maar met een bekwame partner lukte het wel. Arne was onovertroffen, stijlvol en meesterlijk geweest. Deze man was zelfverzekerd en doortastend.

'Hoe heet u?' vroeg hij.

Bijna had ze hem haar echte naam verteld, maar op het laatste moment zei ze: 'Agnes.'

'Ik ben Johan.'

'Ik ben erg blij u te ontmoeten, Johan, en u danst een voortreffelijke foxtrot.' Ze keek achterom naar het pad en zag dat Peter de dansers gadesloeg.

Helaas eindigde het nummer abrupt. De dansers applaudisseerden voor het orkest. Enkele paren verlieten de vloer en andere kwamen erop. 'Nog een dans?' vroeg Hermia.

'Ik zou het een genoegen vinden.'

Ze besloot eerlijk tegen hem te zijn. 'Luister, ik word gevolgd door een afschuwelijke man en ik probeer aan hem te ontsnappen. Wilt u ons helemaal naar de andere kant leiden?'

'Wat opwindend!' Hij keek over de vloer naar de toeschouwers. 'Wie is het? Die dikke man met dat rode gezicht?'

'Nee. De man in het lichtbruine kostuum.'

'Ik zie hem. Hij is redelijk knap.'

Het orkest zette een polka in. 'O, jeetje,' zei Hermia. De polka was moeilijk, maar ze moest het proberen.

Johan was kundig genoeg om het haar gemakkelijker te maken. Hij kon ook nog tegelijk praten. 'De man die u lastigvalt – is hij een volslagen vreemde, of iemand die u kent?'

'Ik heb hem eerder ontmoet. Neem me mee naar de verste kant bij het orkest – dat is goed.'

'Is hij uw vriend?'

'Nee. Ik ga u zo verlaten, Johan. Als hij achter me aan rent, wilt u hem dan laten struikelen of zoiets?'

'Als u dat wilt.'

'Dank u.'

'Ik denk dat hij uw man is.'

'Absoluut niet.' Ze waren dicht bij het orkest.

Johan leidde haar naar de rand van de dansvloer. 'Misschien bent u wel een spion en is hij een politieman die u probeert te vangen, terwijl u geheimen van de nazi's steelt.'

'Zoiets,' zei ze vrolijk en ze gleed uit zijn armen.

Ze liep snel van de vloer af en verdween achter de muziektent tussen de bomen. Ze rende over het gras tot ze bij een ander pad kwam en liep toen naar de uitgang. Ze keek achterom. Peter liep niet achter haar.

Ze verliet het park en liep snel naar het buurtstation dat bij het centraal station lag, maar dan aan de overkant van de straat. Ze kocht een kaartje naar Kirstenslot. Ze voelde zich uitgelaten. Ze had Peter afgeschud.

Er stond verder niemand anders op het perron dan een aantrekkelijke vrouw met een hemelsblauwe baret.

31

Harald naderde de kerk voorzichtig.

Het had geregend en het gras was nog nat. Een lichte bries joeg de wolken voort en af en toe scheen een driekwart vollemaan door de openingen. De schaduw van de klokkentoren kwam en ging met het maanlicht.

Hij zag geen vreemde auto's in de buurt geparkeerd, maar dat stelde hem niet echt gerust. De politie zou eventuele voertuigen hebben verborgen, als ze echt een val wilden opzetten.

Er was nergens licht in de ruïne van het klooster. Het was middernacht en de soldaten waren op twee na naar bed: de schildwacht in het park bij de kantinetent en een veterinaire ziekenbroeder die dienst had in het paardenhospitaal.

Harald luisterde buiten de kerk. Hij hoorde een paard snuiven in het klooster. Uiterst voorzichtig ging hij op het houtblok staan en gluurde over de vensterbank.

Hij kon het vage silhouet van de auto en het vliegtuig zien in het zacht weerkaatste maanlicht. Er kon daar iemand op hem wachten.

Hij hoorde een gedempt gegrom en een bons. Het geluid werd na een minuut herhaald en hij nam aan dat het Hansen was, die los probeerde te komen. Harald kreeg meteen weer hoop. Als Hansen nog vastgebonden was, wilde dat zeggen dat mevrouw Jespersen nog niet was teruggekeerd met Peter. Er was nog steeds een kans dat Karen en hij in de Hornet Moth konden opstijgen.

Hij kroop door het venster en liep zachtjes naar het vliegtuig. Hij pakte de zaklamp uit de cabine en scheen ermee door de kerk. Er was niemand.

Hij opende de kofferruimte van de auto. Hansen was nog steeds geboeid en gekneveld. Harald controleerde de knopen. Die zaten nog stevig vast. Hij deed de klep weer dicht.

Hij hoorde iemand luid fluisteren: 'Harald! Ben jij dat?'

Hij scheen met de zaklamp op het venster en zag Karen naar binnen kijken.

Ze was in een ambulance thuis gebracht. Haar ouders waren met haar meegereden. Voordat ze bij het theater afscheid hadden genomen, had ze beloofd zo gauw mogelijk het huis uit te sluipen en bij hem in de kerk te komen als de kust veilig was.

Hij deed de zaklamp uit en opende de grote kerkdeur voor haar. Ze hinkte naar binnen met een bontjas over haar schouder en een deken in haar arm. Hij sloeg zijn armen om haar heen, maar lette voorzichtig op haar rechterarm in de mitella. Hij knuffelde haar en was een ogenblik verrukt van de warmte van haar lichaam en de geur van haar haren.

Toen werd hij praktisch. 'Hoe voel je je?'

'Het doet verrekte pijn, maar ik ga niet dood.'

Hij keek naar haar jas. 'Heb je het koud?'

'Nog niet, maar dat komt wel op vijftienhonderd meter boven de Noordzee. De deken is voor jou.'

Hij nam de deken van haar over en pakte haar goede hand. 'Wil je dit echt doen?'

'Ja.'

Hij kuste haar zacht. 'Ik hou van je.'

'Ik ook van jou.'

'Echt? Dat heb je nooit eerder gezegd.'

'Ik weet het – ik vertel het je nu voor het geval dat ik deze reis niet overleef,' zei ze op haar gebruikelijke nuchtere toon. 'Jij bent de beste man die ik ooit heb ontmoet, tien keer beter dan wie ook. Je hebt hersens, maar je kijkt nooit op mensen neer. Je bent lief en vriendelijk, maar je hebt genoeg moed voor een heel leger.' Ze streelde zijn haren. 'Op een grappige manier zie je er zelfs leuk uit. Wat kan ik nog meer wensen?'

'Sommige meisjes willen graag dat een man goedgekleed gaat.'

'Inderdaad. Maar daar kunnen we wat aan doen.'

'Ik zou je graag vertellen waarom ik van jou hou, maar de politie kan elk moment komen.'

'Dat is goed, maar ik weet al waarom. Het is omdat ik geweldig ben.'

Harald opende deur van de cabine en gooide de deken naar binnen. 'Je kunt beter instappen,' zei hij. 'Hoe minder we te doen hebben zodra we buiten in het zicht staan, des te groter is onze kans om weg te komen.'

'Goed.'

Hij zag dat het moeilijk voor haar zou zijn om in de cabine te komen, dus sleepte hij een kist aan waar ze op kon gaan staan. Maar toen kreeg ze haar geblesseerde voet niet naar binnen. Instappen ging toch lastig – de cabine was krapper dan de voorbank van een kleine auto – en het leek onmogelijk met twee gekwetste ledematen. Harald besefte dat hij haar naar binnen zou moeten tillen.

Hij tilde haar op met zijn linkerarm onder haar schouders en zijn rechterarm onder haar knieën. Toen ging hij op de kist staan en liet haar op de passagiersstoel zakken aan de rechterkant van de cabine. Op die manier kon ze de Y-vormige stuurknuppel in het midden bedienen met haar goede linkerhand en Harald, naast haar in de stoel van de piloot, zou zijn rechterhand kunnen gebruiken.

'Wat is dit op de vloer?' vroeg ze en stak haar hand uit.

'Het pistool van Hansen. Ik wist niet wat ik er anders mee moest doen.' Hij sloot de deur. 'Alles goed?'

Ze schoof het raampje open. 'Prima. De beste plaats om op te stijgen zal over de oprijlaan zijn. De wind staat net goed, maar waait naar het kasteel, dus moet je het vliegtuig helemaal naar de voordeur van het kasteel duwen en dan omdraaien om in de wind op te stijgen.'

'Goed.'

Hij opende de kerkdeuren. Vervolgens moest hij het vliegtuig naar buiten rollen. Gelukkig was het op een intelligente manier geparkeerd met de neus recht naar de deur. Aan het onderstel was een stevig stuk touw vastgemaakt. Harald pakte het touw stevig vast en trok. De Hornet Moth was zwaarder dan hij had gedacht. Afgezien van de motor zat er bijna honderdtachtig liter benzine in plus Karen. Het was een heel gewicht om te trekken.

Om het toestel in beweging te krijgen, liet Harald het schommelen op de wielen en bracht het toen met een ruk in beweging. Zodra het eenmaal in beweging was, ging het gemakkelijker, maar het bleef zwaar. Met behoorlijk wat inspanning trok hij het uit de kerk het park in en kwam tot de oprijlaan.

De maan kwam achter een wolk vandaan. Het was zo licht in het park dat het bijna dag leek. Het vliegtuig stond vol in het zicht van iedereen die de goede kant op keek. Harald moest snel werken.

Hij maakte de vergrendeling los die de linkervleugel tegen de romp hield en zwaaide de vleugel op zijn plaats. Vervolgens klapte hij de flap aan de binnenkant van de bovenste vleugel naar beneden. Die hield de vleugel op zijn plaats, terwijl hij om de vleugel naar de voorkant liep. Daar draaide hij de borgpen van de onderste vleugel om en zette die vast. Hij borgde hem met de leren riem. Hij herhaalde dat met de pen van de bovenste vleugel en borgde die door de noodsteun om te klappen.

Het had hem drie of vier minuten gekost. Hij keek door het park naar het kamp van de soldaten. De schildwacht had hem gezien en kwam aanlopen.

Hij herhaalde de hele procedure met de rechtervleugel. Tegen de tijd dat hij klaar was, stond de schildwacht naast hem toe te kijken. Het was de vriendelijke Leo. 'Wat zijn jullie aan het doen?' vroeg hij nieuwsgierig.

Harald had een verhaal klaar. 'We gaan een foto maken. Meneer Duchwitz wil het vliegtuig verkopen, omdat hij er geen benzine voor kan krijgen.'

'Een foto? Midden in de nacht?'

'Het wordt een opname bij maanlicht met het kasteel op de achtergrond.'

'Weet mijn kapitein ervan?'

'O ja, Meneer Duchwitz heeft met hem gepraat en kapitein Kleiss vond het geen probleem.'

'Dan is het goed,' zei Leo en toen fronste hij weer zijn voorhoofd. 'Wel vreemd dat de kapitein mij er niets over heeft verteld.'

'Hij vond het waarschijnlijk niet belangrijk.' Harald besefte dat Leo niet het buskruit had uitgevonden. Als het hele Duitse leger zo zorgeloos was, zou het niet heel Europa hebben veroverd.

Leo schudde zijn hoofd. 'Een schildwacht moet op de hoogte worden gebracht van ongebruikelijke gebeurtenissen die tijdens zijn wacht zullen plaatsvinden,' zei hij alsof hij een regel uit een boek opzei.

'Ik weet zeker dat meneer Duchwitz ons niet zou hebben gezegd om dit te doen, als hij niet eerst met kapitein Kleiss had gepraat.' Harald leunde tegen het staartvlak en duwde.

Leo zag hoeveel moeite het hem koste om de staart in beweging te krijgen en kwam hem helpen. Samen draaiden ze het vliegtuig zodat het op de oprijlaan in de richting van het kasteel stond.

'Ik kan het beter even aan de kapitein gaan vragen,' zei Leo.

'Als je zeker weet dat hij het niet erg vindt om gewekt te worden.'

Leo keek weifelend en bezorgd. 'Misschien slaapt hij nog niet.'

Harald wist dat de officieren in het kasteel sliepen. Hij bedacht een manier om Leo op te houden en zelf sneller vooruit te komen. 'Nou, als je toch helemaal naar het kasteel moet, kun je me net zo goed helpen deze kist te duwen.'

'Goed.'

'Ik neem de linkervleugel, jij de rechter.'

Leo hing zijn geweer over zijn schouder en leunde tegen de metalen steun tussen de boven- en de ondervleugel. Nu ze samen duwden, kwam de Hornet Moth veel gemakkelijker vooruit.

Hermia haalde de laatste trein die van het Vesterport station vertrok. Na middernacht reed die Kirstenslot binnen.

Ze wist niet zeker wat ze moest doen als ze bij het kasteel was. Ze wilde geen aandacht op zich vestigen door op de deur te gaan bonzen en de bewoners wakker te maken. Ze zou misschien tot de ochtend moeten wachten voordat ze naar Harald vroeg. Dat zou betekenen dat ze de nacht in de buitenlucht moest doorbrengen. Maar daar zou ze niet dood aan gaan. Als er daarentegen nog licht brandde in het kasteel, kon ze wellicht iemand vinden aan wie ze iets kon vragen, een bediende misschien. Het verlies van kostbare tijd maakte haar nerveus.

De enige die samen met haar uit de trein stapte, was de vrouw met de hemelsblauwe baret.

Even sloeg de angst toe. Had ze een vergissing begaan? Was het mogelijk dat deze vrouw haar volgde en dat ze de plaats had ingenomen van Peter Flemming?

Ze moest het controleren.

Buiten het verduisterde station bleef ze staan en opende haar koffertje om zogenaamd iets te zoeken. Als de vrouw haar schaduwde, zou zij ook een voorwendsel moeten zoeken om te wachten.

De vrouw kwam uit het station en liep haar zonder aarzelen voorbij. Hermia bleef in haar koffertje rommelen en sloeg haar uit een ooghoek gade. De vrouw liep rechtstreeks op een zwarte Buick af die in de buurt stond geparkeerd. Iemand zat achter het stuur te roken. Hermia kon het gezicht niet zien, alleen de gloed van de sigaret. De vrouw stapte in. De auto startte en reed weg.

Hermia haalde gemakkelijker adem. De vrouw had de avond in de stad doorgebracht en haar man was haar van het station komen halen. Vals alarm, dacht Hermia opgelucht.

Ze begon te lopen.

Harald en Leo duwden de Hornet Moth over de oprijlaan, langs de tankauto waaruit Harald benzine had gestolen, helemaal naar het plein voor het kasteel en draaiden het daar in de wind. Leo rende naar binnen om kapitein Kleiss te wekken.

Harald had slechts een minuut of twee.

Hij pakte de zaklamp uit zijn zak, deed die aan en hield hem in zijn mond. Hij draaide de grepen aan de linkerkant van de romp om en opende de kap. 'Brandstof aan?' riep hij.

'Brandstof aan,' riep Karen terug.

Harald trok aan de ring en bewoog de hendel op en neer van een van de twee brandstofpompen om de carburator te vullen. Hij sloot de kap en vergrendelde die. Hij haalde de zaklamp uit zijn mond en riep: 'Gashendel ingesteld en magneetontstekers aan?'

'Gashendel ingesteld en magneetontstekers aan.'

Hij ging voor het vliegtuig staan en draaide de propeller rond. Net als Karen draaide hij hem een tweede keer rond en toen een derde keer. Ten slotte gaf hij er een harde ruk aan en stapte snel achteruit.

Er gebeurde niets.

Hij vloekte. Er was geen tijd om moeilijkheden op te lossen.

Hij herhaalde de procedure. Er was iets mis, dacht hij terwijl hij het nog eens probeerde. Toen hij de propeller eerder had gedraaid was er iets gebeurd dat nu niet gebeurde. Hij probeerde zich wanhopig te herinneren wat het was.

Weer weigerde de motor te starten.

Ineens wist hij wat hij miste. Er was geen klik als hij de propeller draaide. Hij herinnerde zich dat Karen hem had verteld dat de klik van de impulsstarter kwam. Zonder dat zou er geen vonk zijn.

329

Hij rende naar haar open raampje. 'Er is geen klik!' zei hij.

'Vastgelopen magneetonsteker,' zei ze kalm. 'Gebeurt vaak. Open de rechterkap. Je ziet de starter tussen de magneetontsteker en de motor. Geef er een flinke tik op met een steen of zoiets. Dan lukt het meestal wel.'

Hij opende de rechterkap en scheen met de zaklamp op de motor. De starter was een platte metalen cilinder. Hij zocht op de grond. Er lagen geen stenen. 'Geef me iets uit de gereedschapstas,' zei hij tegen Karen.

Ze vond het gereedschap en overhandigde hem een sleutel. Hij tikte ermee op de impulsstarter.

Een stem achter hem riep: 'Stop daar meteen mee.'

Hij draaide zich om en zag kapitein Kleiss gekleed in een uniformbroek en een pyjamajasje over het voorplein naar hem toe komen met Leo op zijn hielen. Kleiss was niet gewapend, maar Leo had een geweer.

Harald stopte de sleutel in zijn zak, sloot de kap en liep naar de neus.

'Uit de buurt van dat vliegtuig!' riep Kleiss. 'Dit is een bevel!'

Plotseling klonk de stem van Karen. 'Staan blijven of ik schiet u dood!'

Harald zag haar arm uit het raampje steken. In haar hand had ze het pistool van Hansen dat recht op Kleiss was gericht.

Kleiss bleef staan net als Leo.

Harald had er geen idee van of Karen wist hoe ze het ding moest af-vuren – maar dat had Kleiss ook niet.

'Laat het geweer op de grond vallen, Leo,' zei Karen.

Leo liet zijn wapen vallen.

Harald greep de propeller en draaide.

Er klonk een luide en uiterst bevredigende klik.

Peter Flemming reed voor Hermia uit naar het kasteel met Tilde Jes-persen op de passagiersstoel naast hem. 'We parkeren uit het zicht en kijken wat ze doet als ze hier is,' zei hij.

'Goed.'

'Wat er is gebeurd op Sande…'

'Praat daar alsjeblieft niet over.'

Hij onderdrukte zijn woede. 'Wat, nooit?'

'Nooit.'

Hij zou haar willen wurgen.

In de koplampen van de auto werd een dorpje zichtbaar met een kerk en een herberg. Vlak achter het dorpje reden ze op een grote poort af.

'Het spijt me, Peter,' zei Tilde. 'Het was een vergissing, maar het is voorbij. Laten we gewoon vrienden en collega's zijn.'

Hij had het gevoel dat het allemaal niets meer uitmaakte. 'Verrek maar,' zei hij en draaide het terrein van het kasteel op.

Rechts van de oprijlaan lag de ruïne van het klooster. 'Dat is gek,' zei Tilde. 'De kerkdeuren staan wagenwijd open.'

Peter hoopte op wat actie om niet te hoeven denken aan de afwijzing van Tilde. Hij stopte de Buick en zette de motor uit. 'Laten we gaan kijken.' Hij haalde een zaklamp uit het handschoenenkastje.

Ze stapten uit de auto en liepen de kerk in. Peter hoorde een gedempt gekreun gevolgd door een bons. Het leek uit de Rolls-Royce te komen die op blokken midden in de ruimte stond. Hij opende de kofferruimte en scheen met zijn zaklamp op een geboeide en geknevelde politieman.

'Is dat jouw man, die Hansen?' vroeg hij.

'Het vliegtuig is er niet!' zei Tilde. 'Het is verdwenen!'

Op dat moment hoorden ze een vliegtuigmotor starten.

De Hornet Moth kwam bulderend tot leven en leek voorover te buigen, gespannen om te vertrekken.

Harald liep snel naar de plaats waar Kleiss en Leo stonden. Hij pakte het geweer op en richtte het dreigend met een vertoon van zelfvertrouwen dat hij niet voelde. Langzaam liep hij achteruit bij hen vandaan om de draaiende propeller naar de linkerdeur. Hij stak zijn hand uit naar de kruk, zwaaide de deur open en smeet het geweer op de bagageplank achter de stoelen.

Toen hij instapte, zorgde een plotselinge beweging ervoor dat hij langs Karen uit het raampje aan de andere kant keek. Hij zag dat kapitein Kleiss vooruitsprong naar het vliegtuig en op de grond dook. Hij hoorde een knal die zelfs bij het lawaai van de motor oorverdovend klonk, toen Karen Hansens pistool afvuurde. Maar Harald kon zien dat de sponning van het raam haar verhinderde om haar hand ver genoeg naar beneden te brengen en haar schot miste de kapitein. Kleiss dook onder de romp door, kwam aan de andere kant overeind en sprong op de vleugel.

Harald probeerde de deur dicht te slaan, maar Kleiss belemmerde dat. De kapitein greep Harald bij zijn revers en probeerde hem uit de stoel te trekken. Harald probeerde zich aan de greep van Kleiss te ontworstelen. Karen hield het pistool in haar linkerhand en kon zich niet omdraaien in de nauwe cabine om op Kleiss te schieten. Leo kwam aanrennen, maar kon niet dicht genoeg bij komen om zich in het gevecht te mengen.

Harald trok de sleutel uit zijn zak en haalde uit met al zijn kracht. Het uiteinde van het gereedschap trof Kleiss onder het oog, waar hij begon te bloeden, maar hij hield vast.

Karen stak haar arm voor Harald langs en schoof de gashendel helemaal naar voren. De motor brulde luider en het vliegtuig bewoog naar voren. Kleiss verloor zijn evenwicht. Hij zwaaide een arm naar buiten, maar hield Harald met de andere hand vast. De Hornet Moth begon meer snelheid te krijgen en hotste over het gras. Harald raakte Kleiss nog een keer en deze keer schreeuwde hij het uit, liet los en viel op de grond.

Harald sloeg de deur dicht.

Hij stak zijn hand uit naar de stuurknuppel in het midden, maar Karen zei: 'Laat de stuurknuppel aan mij over – ik kan hem met mijn linkerhand bedienen.'

Het vliegtuig had in de richting van de oprijlaan gestaan, maar zodra het snelheid begon te krijgen, week het af naar rechts. 'Gebruik de roerpedalen!' schreeuwde Karen. 'Hou hem in een rechte lijn!'

Harald trapte de linkerpedaal in om het toestel weer op de oprijlaan te krijgen.

Er gebeurde niets, dus trapte hij uit alle macht. Na een ogenblik zwaaide het vliegtuig helemaal naar links. Het schoot over de oprijlaan heen en dook in het lange gras aan de andere kant.

Ze gilde: 'Er is een vertraging, daar moet je op anticiperen.'

Hij begreep wat ze bedoelde. Het was net zoiets als het sturen van een boot, alleen dan erger. Hij trapte met zijn rechtervoet om het vliegtuig weer terug te brengen en zodra het begon te draaien, corrigeerde hij met zijn linkervoet. Deze keer zwaaide het niet zo wild. Toen het weer op de oprijlaan was, slaagde hij erin die richting op te sturen.

'Nu zo houden,' schreeuwde Karen.

Het vliegtuig versnelde.

Aan het andere uiteinde van de oprijlaan gingen de koplampen van een auto aan.

Peter Flemming schakelde in de eerste versnelling en gaf plankgas. Net toen Tilde het portier aan de passagierskant opende, schoot de auto vooruit. Ze liet de deur met een kreet los en viel achterover. Peter hoopte dat ze haar nek had gebroken.

Hij stuurde over de oprijlaan en liet het portier aan de andere kant klapperen. Toen zijn motor begon te gieren, schakelde hij in de tweede versnelling. De Buick begon snelheid te krijgen.

In het licht van zijn koplampen zag hij een kleine tweedekker over de oprijlaan recht op hem af komen. Hij wist zeker dat Harald Olufsen in dat vliegtuig zat. Hij ging Harald tegenhouden, ook al kostte het hun allebei het leven.

Hij schakelde in de derde.

Harald voelde de Hornet Moth naar voren hellen toen Karen de stuurknuppel naar voren duwde, waardoor de staart omhoogkwam. Hij riep: 'Zie je die auto?'

'Ja – probeert hij ons te rammen?'

'Ja.' Harald keek strak de oprijlaan af en concentreerde zich op het vliegtuig dat hij met de roerpedalen recht op koers moest houden. 'Kunnen we op tijd opstijgen en over hem heen vliegen?'

'Ik weet het niet zeker...'

'Je moet een besluit nemen!'

'Hou je klaar om te draaien als ik het zeg!'

'Ik ben klaar!'

De auto was gevaarlijk dichtbij. Harald kon zien dat ze er niet overheen zouden komen. Karen gilde: 'Draaien!'

Hij trapte de linkerpedaal in. Het vliegtuig reageerde bij de hogere snelheid minder traag en draaide scherp van de oprijlaan – te scherp. Hij vreesde dat zijn reparatie van het onderstel het misschien niet zou houden. Hij corrigeerde snel.

Uit zijn ooghoek zag hij de auto dezelfde kant op draaien, nog steeds met het doel de Hornet Moth te rammen. Het was een Buick, zag hij. In zo'n zelfde type auto had Peter Flemming hem naar de Jansborg Skole gereden. De auto maakte een scherpe bocht in een poging op ramkoers met het vliegtuig te blijven.

Maar het vliegtuig had een roer, terwijl de auto werd gestuurd door zijn wielen en op het natte gras maakte dat een groot verschil. Zodra de Buick op het gras kwam, raakte de wagen in een slip. Bij het zijdelings wegglijden viel het maanlicht even op het gezicht van de man achter het stuur die het voertuig in bedwang probeerde te houden en Harald herkende Peter Flemming.

Het vliegtuig zwaaide heen en weer en kwam weer recht. Harald zag dat hij met de tankauto ging botsen. Hij stampte op de linker pedaal en de rechtervleugel miste de tankwagen op een paar centimeter.

Peter Flemming had niet zoveel geluk.

Harald wierp een blik achterom en zag de Buick volledig stuurloos met een vreselijke onontkoombaarheid op de tankauto afglijden. Hij botste op topsnelheid tegen de vrachtwagen. Er klonk een dreunende ontploffing en een tel later werd het hele park verlicht door een gele gloed. Harald probeerde te zien of de staart van de Hornet Moth misschien vlam had gevat, maar het was onmogelijk om recht achteruit te kijken, dus hoopte hij er het beste van.

De Buick was een vlammenzee.

'Stuur het vliegtuig!' gilde Karen tegen hem. 'We gaan opstijgen!'

Hij richtte zijn aandacht weer op het roer. Hij zag dat hij op de kantinetent afging en drukte het rechterpedaal in om die te missen.

Toen ze weer een rechte koers volgden, kreeg het vliegtuig meer snelheid.

Hermia was gaan rennen toen ze de vliegtuigmotor hoorde starten. Zodra ze op het terrein van Kirstenslot kwam, zag ze een donkere auto die erg veel leek op de auto van het station, over de oprijlaan razen. Terwijl ze toekeek, raakte hij in een slip en botste op een vrachtauto die langs de oprijlaan stond geparkeerd. Er was een vreselijke ontploffing en auto en vrachtwagen gingen samen in vlammen op.

Ze hoorde een vrouw 'Peter!' gillen.

Bij het licht van de vlammen zag ze de vrouw met de blauwe baret. Alle stukjes vielen op hun plaats. De vrouw had haar wel geschaduwd. De man in de wachtende Buick was Peter Flemming geweest. Ze hadden haar niet hoeven volgen, omdat ze wisten waar ze naartoe ging. Ze waren voor haar bij het kasteel aangekomen. En toen?

Ze zag een kleine tweedekker over het gras rollen. Het leek alsof het toestel ging opstijgen. Toen zag ze de vrouw met de blauwe baret knielen, een pistool uit haar schoudertas halen en op het vliegtuig richten.

Wat gebeurde hier? Als de vrouw met de baret een collega van Peter Flemming was, dan moest de piloot aan de goede kant staan, besloot Hermia. Het kon zelfs Harald zijn die ontsnapte met de film in zijn zak.

Ze moest voorkomen dat de vrouw op het vliegtuig schoot.

Het park werd verlicht door de vlammen van de tankauto en bij dat heldere licht zag Harald mevrouw Jespersen een pistool op de Hornet Moth richten.

Hij kon niets doen. Hij stevende recht op haar af en als hij naar de ene of de andere kant uitweek, verschafte hij haar alleen een beter doelwit. Hij knarste met zijn tanden. De kogels konden door de vleugels of de romp gaan zonder ernstige schade aan te richten. Aan de andere kant konden ze de motor onklaar maken, de besturing beschadigen, de benzinetank lek schieten, of Karen of hem doden.

Toen zag hij een tweede vrouw met een koffertje over het gras rennen. 'Hermia!' riep hij verbaasd toen hij haar herkende. Ze sloeg mevrouw Jespersen met haar koffertje op het hoofd. De vrouwelijke rechercheur viel opzij en liet haar pistool vallen. Hermia sloeg nog eens en pakte toen het pistool op.

Het vliegtuig schoot over hen heen en Harald besefte dat ze in de lucht waren.

Hij keek op en zag dat ze op het punt stonden de klokkentoren van de kerk te rammen.

32

Karen duwde de Y-vormige stuurknuppel helemaal naar links, zodat die tegen Haralds knie bonkte. De Hornet Moth helde opzij onder het klimmen, maar Harald kon zien dat de bocht niet scherp genoeg was en dat het toestel de klokkentoren ging raken.

'Links roer!' schreeuwde Karen.

Hij herinnerde zich dat hij ook kon sturen. Hij stampte met zijn linkervoet op het pedaal en voelde het vliegtuig meteen steiler overhellen. Nog steeds was hij ervan overtuigd dat de rechtervleugel tegen het metselwerk zou botsen. Het vliegtuig kwam pijnlijk langzaam rond. Hij zette zich schrap voor de botsing, maar de vleugelpunt miste de toren op een paar centimeter.

'Jezus Christus,' zei hij.

De vlagerige wind liet het vliegtuig bokken als een pony. Harald had het gevoel dat ze elk moment uit de lucht konden vallen. Maar Karen bleef draaien en klimmen. Harald knarsetandde. Het vliegtuig was honderdtachtig graden rond. Toen het weer op het kasteel aanvloog, legde ze het eindelijk recht. Terwijl ze hoogte wonnen, werd de vlucht rustiger en Harald herinnerde zich dat Poul Kirke had gezegd dat er in de buurt van de grond meer turbulentie was.

Hij keek naar beneden. Er kwamen nog steeds vlammen uit de tankauto en bij het licht daarvan kon hij zien dat de soldaten in hun nachtkledij uit het klooster kwamen. Kapitein Kleiss stond met zijn armen te zwaaien en orders uit te delen. Hermia Mount was nergens te zien. Bij de deur van het kasteel stonden een paar bedienden omhoog te kijken naar het vliegtuig.

Karen wees op een meter op het instrumentenpaneel. 'Hou die in het oog,' zei ze. 'Het is de bochtaanwijzer. Gebruik het roer om de naald recht omhoog op twaalf uur te houden.'

Helder maanlicht scheen door het doorzichtige dak van de cabine, maar gaf niet voldoende licht om de instrumenten af te lezen. Harald scheen met de zaklamp op de meter.

Ze bleven klimmen en het kasteel werd kleiner achter hen. Karen bleef links, rechts en naar voren kijken, hoewel er niet veel meer was te zien dan het maanverlichte Deense landschap. 'Maak je riem vast,' zei ze. Hij zag dat die van haar vast zat. 'Het voorkomt dat je met je hoofd tegen het dak van de cabine bonst als het onrustig wordt.'

Harald maakte zijn riem vast. Hij begon te geloven dat ze waren ontsnapt. Hij stond zichzelf een triomfantelijk gevoel toe. 'Ik dacht dat ik het niet zou overleven,' zei hij.

'Ik ook – verschillende keren.'

'Jouw ouders zullen gek worden van bezorgdheid.'

'Ik heb een briefje voor ze achtergelaten.'

'Dat is meer dan ik heb gedaan.' Hij had er niet aan gedacht.

'Laten we gewoon in leven blijven, dan maken we ze gelukkig.'

Hij streelde haar wang. 'Hoe voel je je?'

'Een beetje koortsig.'

'Je hebt verhoging. Je zou water moeten drinken.'

'Nee, dank je. We hebben een vlucht van zes uur voor de boeg en geen toilet. Ik wil niet in jouw bijzijn op een krant moeten plassen. Het zou het einde kunnen betekenen van een mooie vriendschap.'

'Ik zal mijn ogen dichtdoen.'

'En het vliegtuig vliegen met gesloten ogen? Vergeet het maar. Ik red het wel.'

Ze maakte grapjes, maar hij maakte zich zorgen over haar. Hij voelde zich uitgeput door wat ze hadden meegemaakt en zij had precies hetzelfde gedaan met een verstuikte enkel en een verstuikte pols. Hij hoopte dat ze niet flauw zou vallen.

'Kijk op het kompas,' zei ze. 'Wat is onze koers?'

Hij had het kompas bekeken toen het vliegtuig in de kerk stond en wist hoe hij het moest aflezen. 'Tweehonderddertig.'

Karen helde naar rechts over. 'Ik neem aan dat onze koers naar Engeland twee-vijftig is. Vertel me wanneer we op koers zijn.'

Hij scheen met de zaklamp op het kompas tot het de juiste koers aangaf. 'Dat is het.'

'Tijd?'

'Twaalf uur veertig.'

'We zouden dit eigenlijk moeten opschrijven, maar we hebben geen potloden meegenomen.'

'Ik geloof niet dat ik hier iets van zal vergeten.'

'Ik zou graag boven die wolken komen,' zei ze. 'Wat is onze hoogte?'

Harald scheen met de lamp op de hoogtemeter. 'Vierduizend zevenhonderd voet.'

'Dan ligt deze wolk op ongeveer vijfduizend.'

Enkele ogenblikken later werd het vliegtuig omgeven door iets wat op rook leek en Harald begreep dat ze de wolk waren binnengevlogen.

'Blijf op de snelheidsmeter schijnen,' zei Karen. 'Laat me weten als onze snelheid verandert.'

'Waarom?'

'Als je blind vliegt, is het moeilijk om het vliegtuig in de juiste stand te houden. Ik zou de neus omhoog of omlaag kunnen brengen zonder het te beseffen. Maar als dat gebeurt, zullen we het weten, omdat onze snelheid dan toe- of afneemt.'

Hij vond het zenuwslopend om blind te zijn. Zo moesten ongelukken gebeuren, dacht hij. Een vliegtuig kon in een wolk gemakkelijk tegen een berg aan vliegen. Gelukkig waren er geen bergen in Denemarken. Maar als een andere piloot door dezelfde wolk vloog, zou geen van beide piloten dat weten tot het te laat was.

Na een paar minuten ontdekte hij dat er genoeg maanlicht door de wolk drong om de flarden langs de raampjes te zien schieten. Toen waren ze er tot zijn opluchting uit en kon hij de schaduw van de Hornet Moth zien die door de maan op de wolk onder hen werd geworpen.

Karen bewoog de stuurknuppel naar voren om horizontaal te gaan vliegen. 'Zie je de toerenteller?'

Harald scheen er met de zaklamp op. 'Die staat op tweeduizend twee-honderd.'

'Schuif de gashendel langzaam terug tot hij is gedaald naar negen-tienhonderd.'

Harald deed wat ze zei.

'We gebruiken vermogen om een andere hoogte te kiezen,' legde ze uit. 'Meer gas en we gaan omhoog, gashendel terug en we dalen.'

'En hoe regelen we onze snelheid dan?'

'Door de hoogte van het vliegtuig. Neus naar beneden om sneller, neus omhoog om langzamer te gaan.'

'Begrepen.'

'Maar trek de neus nooit te snel op, want dan raak je in een vrille. Dat wil zeggen dat je het draagvermogen verliest en uit de lucht valt.'

Harald vond dat een beangstigende gedachte. 'En wat doe je dan?'

'Neus naar beneden en omwentelingen verhogen. Het is gemakke-lijk – alleen je instinct vertelt je dat je de neus op moet trekken en dat maakt het erger.'

'Ik zal eraan denken.'

Karen zei: 'Neem de stuurknuppel een poosje over. Kijk of je recht en horizontaal kunt vliegen. Goed, jij hebt de besturing.'

Hij pakte de stuurknuppel met zijn rechterhand.

'Jij hoort te zeggen: "Ik heb de besturing." Op die manier komen de piloot en copiloot nooit in een situatie waarin ze van elkaar denken dat de ander het vliegtuig bestuurt.'

'Ik heb de besturing,' zei hij, maar hij had niet het gevoel. De Hornet Moth leidde een eigen leven en draaide en dook in de turbulentie. Hij ontdekte dat hij al zijn concentratie nodig had om de vleugels hori-zontaal en de neus in dezelfde positie te houden.

'Merk je,' vroeg Karen, 'dat je de knuppel voortdurend naar achteren moet trekken?'

'Ja.'

'Dat komt, omdat we wat brandstof hebben gebruikt waardoor het zwaartepunt van het vliegtuig is verschoven. Zie je die hendel aan de bovenvoorkant van jouw deur?'

Hij wierp een korte blik naar boven.

'Dat is de trim van het hoogteroer. Ik heb die voor het opstijgen helemaal naar voren gezet, toen de tank vol en de staart zwaar was. Nu moet het toestel opnieuw worden getrimd.'

'Hoe doen we dat?'

'Eenvoudig. Hou de stuurknuppel minder stevig vast. Voel je dat hij vanzelf naar voren wil?'

'Ja.'

'Haal de trimhendel naar achteren. Je zult ontdekken dat het niet meer nodig is om constant druk uit te oefenen op de stuurknuppel.'

Ze had gelijk.

'Stel de trimhendel zo in dat je niet meer aan de knuppel hoeft te trekken.'

Harald trok de hendel geleidelijk terug. Voordat hij het wist duwde de stuurknuppel in zijn hand naar achteren. 'Te veel,' zei hij. Hij duwde de trimhendel een fractie naar voren. 'Zo is het ongeveer goed.'

'Je kunt ook het roer trimmen door de knop in dat getande rek onderaan het instrumentenpaneel te verschuiven. Wanneer het vliegtuig goed is getrimd, moet het recht en horizontaal vliegen zonder druk op de besturing.'

Harald haalde zijn hand van de stuurknuppel om het te proberen. De Hornet Moth bleef horizontaal vliegen.

Hij pakte de stuurknuppel weer vast.

Het wolkendek onder hen was niet dicht en bij tijd en wijle konden ze door openingen de maanverlichte aarde onder hen zien. Spoedig lieten ze Seeland achter zich en vlogen boven zee. 'Controleer de hoogtemeter,' zei Karen.

Hij vond het moeilijk om op het instrumentenpaneel te kijken, omdat hij instinctief het gevoel had dat hij zich moest concentreren op het vliegen van het toestel. Toen hij zijn blik losmaakte van wat er buiten gebeurde, zag hij dat hij op zevenduizend voet zat. 'Hoe is dat gebeurd?' vroeg hij.

'Je houdt de neus te hoog. Dat is natuurlijk. Onbewust ben je bang de grond te raken, dus blijf je klimmen. Breng de neus naar beneden.'

Hij duwde de stuurknuppel naar voren. Zodra de neus naar beneden ging, zag hij een ander vliegtuig. Het had grote kruisen op de vleugels. Harald voelde zich misselijk van angst.

Karen zag de jager op hetzelfde moment. 'Verrek,' zei ze. 'De Luftwaffe.' Ze klonk even bang als Harald zich voelde.

'Ik zie het,' zei Harald. Het toestel zat links onder hen op een afstand van ongeveer een halve kilometer en klom in hun richting.

Ze pakte de stuurknuppel over en bracht de neus scherp naar beneden. 'Ik heb de besturing.'

'Jij hebt de besturing.'

De Hornet Moth begon aan een duik.

Harald herkende in het andere vliegtuig een Messerschmitt Bf110, een tweemotorige nachtjager met een opvallend staartvlak met dubbele stabilisator en een lange cockpitkap die op een broeikas leek. Hij herinnerde zich dat Arne met een mengeling van ontzag en afgunst over de bewapening van de Bf110 had gepraat. In de neus zaten kanonnen en mitrailleurs en Harald kon de achterste mitrailleurs uit de achterkant van de kap zien steken. Dit was het vliegtuig dat werd gebruikt om geallieerde bommenwerpers neer te halen nadat ze waren gedetecteerd door het radiostation op Sande.

De Hornet Moth was totaal weerloos.

'Wat gaan we doen?' vroeg Harald.

'Weer in die wolken proberen te komen voordat hij binnen bereik is. Verdorie, ik had je niet zo hoog moeten laten klimmen.'

De Hornet Moth dook steil. Harald wierp een blik op de snelheidsmeter en zag dat ze honderddertig knopen hadden bereikt. Het voelde aan als het neerwaartse gedeelte van een achtbaan. Hij besefte dat hij zich aan de rand van zijn stoel vastklemde. 'Is dit veilig?' vroeg hij.

'Veiliger dan te worden neergeschoten.'

Het andere vliegtuig kwam snel dichterbij. Het was veel sneller dan de Moth. Er was een flits, gevolgd door het geratel van mitrailleurvuur. Harald had verwacht dat de Messerschmitt op hen zou schieten, maar toch kon hij een kreet van schrik en angst niet onderdrukken.

Karen draaide naar rechts in een poging aan de kogels te ontkomen. De Messerschmitt schoot onder hen door. Het geschut zweeg en de motor van de Hornet Moth dreunde verder. Ze waren niet geraakt.

Harald herinnerde zich van Arne te hebben gehoord dat het voor een snel vliegtuig behoorlijk moeilijk was om een langzaam toestel neer te schieten. Misschien had dat hen gered.

Toen ze draaiden, keek hij uit het raampje en zag de jager in de verte verdwijnen. 'Ik denk dat hij buiten bereik is,' zei hij.

'Niet voor lang,' reageerde Karen.

En inderdaad was de Messerschmitt aan het draaien. De seconden tikten weg, terwijl de Hornet Moth naar de bescherming van de wolk dook en de snelle jager een wijde bocht maakte. Harald zag dat hun luchtsnelheid honderdzestig knopen was geworden. De wolk was erg dichtbij – maar niet dichtbij genoeg.

Hij zag de flitsen en hoorde de knallen toen de jager het vuur opende. Deze keer was het vliegtuig dichterbij en had de jager een betere aanvalshoek. Tot zijn afschuw zag hij een rafelige scheur verschijnen in de stof van de onderste linkervleugel. Karen duwde de stuurknuppel opzij en de Hornet Moth helde over.

Toen zaten ze ineens in de wolk.

Het mitrailleurvuur stopte.

'Goddank,' zei Harald. Hoewel het koud was, transpireerde hij.

Karen trok de stuurknuppel naar achteren en haalde hen uit de duik. Harald scheen met de zaklamp op de hoogtemeter en zag de meter minder snel tegen de klok in draaien om vlak boven de vijfduizend voet te stoppen. De luchtsnelheid nam geleidelijk af tot de normale kruissnelheid van tachtig knopen.

Ze liet het vliegtuig weer overhellen om van richting te veranderen, zodat de jager hen niet kon inhalen door gewoon hun vorige koers te volgen.

'Breng het toerental terug tot ongeveer zestienhonderd,' zei ze. 'We gaan vlak onder deze wolk vliegen.'

'Waarom blijven we er niet in?'

'Het is moeilijk om lange tijd in een wolk te vliegen. Je raakt gedesoriënteerd. Je weet niet meer wat boven en onder is. De instrumenten vertellen je wat er gebeurt, maar je gelooft ze niet. Zo zijn er een heleboel vliegtuigen neergestort.'

Harald vond de hendel in het donker en trok hem terug.

'Was het toeval dat de jager opdook?' vroeg Karen. 'Misschien kunnen ze ons zien met hun radiostralen.'

Harald fronste nadenkend zijn voorhoofd. Hij was blij met een puzzel die zijn gedachten afleidde van de gevaren. 'Ik betwijfel het,' zei hij. 'Metaal kaatst radiogolven terug, maar ik geloof niet dat het ook geldt voor hout en linnen. Een grote aluminium bommenwerper zou de stralen terugkaatsen naar de antennes, maar bij ons is dat alleen de motor en die is waarschijnlijk te klein om op hun detectoren zichtbaar te zijn.'

'Ik hoop dat je gelijk hebt,' zei ze, 'anders zijn we er geweest.'

Ze kwamen onder de wolk. Harald verhoogde het toerental tot negentienhonderd en Karen trok de stuurknuppel naar achteren.

'Blijf rondkijken,' zei Karen. 'Als we hem weer zien, moeten we snel naar boven.'

Harald deed wat ze had gezegd, maar er was niet veel te zien. Anderhalve kilometer voor hen scheen de maan door een opening in de wolken en Harald kon de onregelmatige geometrie van akkers en bossen onderscheiden. Ze moesten boven het grote centrale eiland Funen vliegen, dacht hij. Dichterbij bewoog een fel licht waarneembaar door het donkere landschap en hij vermoedde dat het een trein of een politieauto was.

Karen draaide naar rechts. 'Kijk naar links,' zei ze. Harald zag niets. Ze draaide de andere kant op en keek uit haar raam. 'We moeten alle kanten uit kijken,' legde ze uit. Hij merkte dat ze hees begon te worden van het schreeuwen boven het lawaai van de motor.

De Messerschmitt verscheen voor hen.

Op een halve kilometer voor hen viel de jager uit de wolk, was vaag zichtbaar in het maanlicht dat weerkaatste van de grond en vloog van hen weg. 'Vol vermogen!' schreeuwde Karen, maar dat had Harald al gedaan. Ze rukte de stuurknuppel naar achteren om de neus op te trekken.

'Misschien ziet hij ons niet,' zei Harald optimistisch, maar zijn hoop werd meteen de grond in geboord toen de jager een steile bocht draaide.

Het duurde een paar tellen voordat de Hornet Moth reageerde op de besturing. Eindelijk begonnen ze naar de wolk te klimmen. De jager kwam in een grote kring rond en steigerde om hun klim te volgen. Zodra hij hun kant uit kwam, opende hij het vuur.

Toen was de Hornet Moth in de wolk.

Karen veranderde meteen van koers. Harald juichte. 'Weer ontsnapt!' zei hij. Maar zijn sluimerende angst gaf de triomf in zijn stem een breekbare ondertoon.

Ze klommen door de wolk. Toen het maanlicht de kolkende mist om hen heen begon te verlichten, begreep Harald dat ze in de bovenste wolkenlaag waren. 'Gas terugnemen,' zei Karen. 'We zullen zo lang mogelijk in de wolk moeten blijven.' Het toestel kwam horizontaal. 'Let op de snelheidsmeter,' zei ze. 'Zorg ervoor dat ik niet klim of duik.'

'Goed.' Hij keek ook op de hoogtemeter. Ze zaten op achtenvijftighonderd voet.

Op dat moment verscheen de Messerschmitt op slechts enkele meters afstand.

Hij zat rechts onder hen en vloog recht op hen af. Gedurende een onderdeel van een seconde zag Harald het verschrikte gezicht van de Duitse piloot, wiens mond openging in een kreet van afschuw. Voor allemaal lag de dood vlak om de hoek. De vleugel van de jager schoot onder de Hornet Moth door en miste het onderstel op een haar.

Harald trapte op de linkerpedaal en Karen rukte de stuurknuppel naar achteren, maar de jager was al uit het zicht verdwenen.

'Mijn god,' zei Karen, 'dat was op het nippertje.'

Harald staarde naar de kolkende wolk en verwachtte de Messerschmitt weer te zien verschijnen. Een minuut verstreek en toen nog een. 'Ik denk,' zei Karen, 'dat hij even bang was als wij.'

'Wat gaat hij doen, denk je?'

'Een poosje boven en onder de wolk vliegen in de hoop dat wij opduiken. Als we geluk hebben volgen we allebei een andere koers en raken we hem kwijt.'

Harald controleerde het kompas. 'We vliegen naar het noorden,' zei hij.

'Ik ben van koers geraakt door al dat keren en draaien,' zei ze. Ze helde naar links over en Harald hielp met het roer. Toen het kompas twee-vijftig aangaf, zei hij: 'Genoeg,' en legde ze het toestel weer vlak. Ze kwamen uit de wolk. Samen zochten ze in alle richtingen de hemel af, maar er was geen ander vliegtuig.

'Ik voel me zo moe,' zei Karen.

'Dat verbaast me niets. Laat mij de besturing overnemen. Rust een poosje.'

Harald concentreerde zich op recht en horizontaal vliegen. De eindeloze minieme aanpassingen begonnen instinctief te gaan.

'Hou de meters in het oog,' waarschuwde Karen hem. 'Let op de snelheidsmeter, de hoogtemeter, het kompas, de oliedruk en de brandstofmeter. Als je vliegt moet je die de hele tijd controleren.'

'Goed.' Hij dwong zich om elke een of twee minuten op het instrumentenpaneel te kijken. In tegenstelling tot wat zijn instinct hem vertelde, viel het vliegtuig niet uit de lucht zodra hij dat deed.

'We moeten nu boven Jutland zitten,' zei Karen. 'Ik vraag me af hoever we naar het noorden zijn afgedwaald.'

'Hoe komen we dat te weten?'

'We zullen laag moeten vliegen als we de kust passeren. Dan moeten we een paar kenmerken van het terrein kunnen onderscheiden om onze positie op de kaart vast te stellen.'

De maan stond laag aan de horizon. Harald controleerde zijn horloge en zag tot zijn verbazing dat ze al bijna twee uur vlogen. Het had een paar minuten geleken.

'Laten we gaan kijken,' zei Karen na een poosje. 'Breng de omwentelingen terug tot veertienhonderd en laat de neus zakken.' Ze vond de atlas en bestudeerde die bij het licht van de zaklamp. 'We moeten lager,' zei ze. 'Ik kan het land niet goed genoeg zien.'

Harald bracht het toestel naar beneden tot drieduizend voet en toen twee. De grond was bij het maanlicht zichtbaar, maar er waren geen opvallende kenmerken, alleen akkers. Toen zei Karen: 'Kijk – is dat een stad voor ons?'

Harald tuurde. Het was moeilijk te zeggen. Er waren geen lichten in verband met de verduistering die was ingesteld om steden vanuit de lucht moeilijk zichtbaar te maken. Maar de grond voor hen leek in het maanlicht een andere samenstelling te hebben.

Plotseling begonnen er brandende lichtjes in de lucht te verschijnen.

'Wat is dat, verdorie?' gilde Karen.

Was iemand met vuurwerk op de Hornet Moth aan het schieten? Vuurwerk was sinds de bezetting verboden.

'Ik heb nooit lichtspoormunitie gezien,' zei Karen, 'maar…'

'Verrek, is dat het?' Zonder op instructies te wachten duwde Harald de gashendel helemaal naar voren en trok de neus op om hoogte te winnen.

Terwijl hij dat deed, gingen schijnwerpers aan.

Er klonk een knal en er ontplofte iets in de buurt. 'Wat was dat?' riep Karen.

'Volgens mij moet dat een granaat zijn geweest.'

'Schiet iemand op ons?'

Harald besefte ineens waar ze waren. 'Dit moet Morlunde zijn! We vliegen recht boven de verdediging van de haven!'

'Draaien!'

Hij helde opzij.

'Niet te steil klimmen,' zei ze, 'anders raak je in vrille.'

Een volgende granaat ontplofte boven hen. Lichtbundels priemden overal om hen heen door de duisternis. Harald had het gevoel alsof hij het vliegtuig met wilskracht optilde.

Ze draaiden honderdtachtig graden. Harald ging recht vliegen en bleef klimmen. Er ontplofte weer een granaat, maar nu achter hen. Hij begon het gevoel te krijgen dat ze het misschien zouden overleven.

Het schieten stopte. Hij draaide weer tot ze op de oorspronkelijke koers vlogen en bleef klimmen.

Een minuut later passeerden ze de kust.

'We laten het land achter ons,' zei hij.

Ze antwoordde niet. Hij keek opzij en zag dat haar ogen gesloten waren.

Hij wierp een blik achterom naar de kustlijn die beneden hen in het maanlicht verdween. 'Ik vraag me af of we Denemarken ooit zullen terugzien,' zei hij.

33

De maan ging onder, maar gedurende enige tijd was de hemel wolkeloos en kon Harald de sterren zien. Daar was hij dankbaar voor, omdat het voor hem de enige manier was om te weten wat boven en onder was. De motor bromde geruststellend. Hij vloog op vijfduizend voet met een luchtsnelheid van tachtig knopen. Er was minder turbulentie dan hij zich herinnerde van zijn eerste vlucht en hij vroeg zich af of dat kwam omdat hij boven zee vloog of omdat het nacht was – of beide. Hij bleef op het kompas zijn richting controleren, maar hij wist niet of en hoeveel de Hornet Moth door de wind uit de koers werd geblazen.

Hij liet de stuurknuppel los en streelde het gezicht van Karen. Haar wang was heet. Hij trimde het vliegtuig en haalde toen een fles water uit het kastje onder het instrumentenpaneel. Hij goot er wat van op zijn hand en bette haar voorhoofd om haar af te koelen. Ze ademde normaal, hoewel haar adem heet aanvoelde op zijn hand. Ze leek in een koortsige slaap te zijn gedommeld.

Toen hij zijn aandacht weer op de buitenwereld richtte, zag hij dat de dag begon aan te breken. Hij keek op zijn horloge. Het was even na drie uur in de ochtend. Ze moesten halverwege zijn.

Bij het vage licht zag hij wolken voor zich uit. Hij kon geen boven- of onderkant onderscheiden, dus vloog hij erin. Er was ook regen en het water bleef op de voorruit zitten. In tegenstelling tot een auto had de Hornet Moth geen ruitenwissers.

Hij herinnerde zich wat Karen had gezegd over disoriëntatie en besloot geen plotselinge bewegingen te maken. Voortdurend in het kolkende niets staren was vreemd hypnotisch. Hij zou willen dat hij met Karen kon praten, maar hij dacht dat ze de slaap nodig had na wat ze allemaal had meegemaakt. Hij had geen benul meer van het verstrijken van de tijd. Hij begon vormen te zien in de wolken. Hij zag een paardenhoofd, de motorkap van een Lincoln Continental en het besnorde gezicht van Neptunus. Voor hem zag hij op elf uur en een paar meter lager een vissersboot met matrozen aan dek die verbaasd naar hem opkeken.

Dat was geen illusie, besefte hij, en meteen was hij klaarwakker. De mist was opgetrokken en hij zag een echte boot. Hij keek op de hoogtemeter. Beide wijzers stonden naar boven. Hij was bijna op zeeniveau. Zonder het te merken had hij hoogte verloren.

Instinctief trok hij de stuurknuppel naar achteren om de neus op te trekken, maar terwijl hij dat deed hoorde hij Karens stem in zijn hoofd zeggen: *Maar trek nooit te steil op of je raakt in vrille. Dat wil zeggen dat je je draagvermogen verliest en dan valt het vliegtuig uit de lucht.* Hij besefte wat hij had gedaan en herinnerde zich hoe hij dat moest corrigeren, maar hij wist niet zeker of hij er de tijd voor had. Het vliegtuig begon al hoogte te verliezen. Hij bracht de neus naar beneden en duwde de gashendel helemaal naar voren. Hij was op dezelfde hoogte als de vissersboot toen hij er voorbij vloog. Hij nam het risico de neus een fractie op te trekken en wachtte tot de wielen de golven zouden raken. Het toestel vloog door. Hij trok de neus nog iets verder op en riskeerde een blik op de hoogtemeter. Hij was aan het klimmen. Hij slaakte een heel diepe zucht.

'Hou je aandacht erbij, stomkop,' zei hij hardop. 'Blijf wakker.'

Hij klom verder. De wolk loste op en hij vloog een heldere ochtend in. Hij keek op zijn horloge. Het was vier uur. De zon stond op het punt om op te komen. Omhoog kijkend door het doorzichtige dak van de cabine zag hij de poolster aan zijn rechterhand. Dat hield in dat het kompas de juiste richting aangaf en hij nog steeds naar het westen vloog.

Bang om te dicht bij de zee te komen, bleef hij een halfuur klimmen. De temperatuur daalde en koude lucht kwam naar binnen door het raam dat hij kapot had gemaakt voor de geïmproviseerde brandstofleiding. Hij sloeg de deken om zich heen om warm te blijven. Op tienduizend voet wilde hij horizontaal gaan vliegen, toen de motor kuchte.

Aanvankelijk wist hij niet wat het voor geluid was. Het geluid van de motor was zoveel uren hetzelfde gebleven, dat hij het niet meer hoorde.

Toen was het er weer en hij besefte dat de motor oversloeg.

Hij had het gevoel dat zijn hart stil bleef staan. Als de motor nu weigerde, zouden ze in zee terechtkomen.

De motor kuchte weer.

'Karen!' schreeuwde hij. 'Wakker worden.'

Ze sliep door. Hij haalde zijn hand van de stuurknuppel en schudde haar bij haar schouder. 'Karen!'

Haar ogen gingen open. Ze leek beter door het slapen, kalmer en minder warm, maar er verscheen een uitdrukking van angst op haar gezicht zodra ze de motor hoorde. 'Wat is er aan de hand?'

'Ik weet het niet!'

'Waar zijn we?'

'Mijlenver overal vandaan.'

De motor bleef hoesten en sputteren.

'We zullen misschien op zee moeten landen,' zei Karen. 'Wat is onze hoogte?'

'Tienduizend voet.'

'Staat de gashendel helemaal open?'

'Ja, ik was aan het klimmen.'

'Dat is het probleem. Zet het gas halfdicht.'

Hij trok de hendel naar achteren.

'Wanneer het gas helemaal openstaat,' zei Karen, 'trekt de motor koudere lucht aan vanbuiten en niet uit de motorruimte. Op deze hoogte is die buitenlucht koud genoeg om ijs te vormen in de carburator.'

'Wat moeten we doen?'

'Dalen.' Ze pakte de stuurknuppel en duwde die naar voren. 'Beneden is de luchttemperatuur hoger en zal het ijs smelten – uiteindelijk.'

'Als het dat niet doet…'

'Kijk uit naar een schip. Als we in de buurt daarvan neerkomen, worden we misschien gered.'

Harald keek de zee van horizon tot horizon af, maar zag geen schepen.

Met de overslaande motor hadden ze weinig vermogen en verloren snel hoogte. Harald haalde de bijl uit het kastje om zijn plan uit te voeren een vleugel af te hakken en als vlot te gebruiken. Hij stopte de waterflessen in de zakken van zijn jasje. Hij wist niet of ze op zee lang genoeg in leven zouden blijven om van dorst om te komen.

Hij keek naar de hoogtemeter. Die daalde tot duizend voet, toen tot vijfhonderd. De zee zag er donker en koud uit. Er was geen schip te zien.

Een ongewone kalmte daalde over Harald neer. 'Ik denk dat we gaan sterven,' zei hij. 'Het spijt me dat ik je hierbij heb betrokken.'

'Het is nog niet te laat,' zei ze. 'Kijk eens of je een paar omwentelingen meer kunt geven, zodat we niet te hard neerplonzen.'

Harald duwde de gashendel naar voren. Het geluid van de motor werd hoger. Hij sloeg over, pakte en sloeg weer over.

Harald zei: 'Ik geloof niet…'

Toen leek de motor te pakken.

Hij brulde gestaag gedurende een paar tellen en Harald hield zijn adem in. Toen sloeg hij weer over. Eindelijk liet hij een gestaag gebrul horen. Het vliegtuig begon te klimmen.

Harald merkte dat ze allebei juichten.

Zonder een enkele keer over te slaan ging het toerental naar negentienhonderd. 'Het ijs is gesmolten!' zei Karen.

Harald kuste haar. Dat was vrij moeilijk. Hoewel ze schouder aan schouder, dij tegen dij zaten in de nauwe cabine, was het ongemakkelijk om op de stoel te draaien, vooral met de riem om. Maar het lukte hem.

'Dat was fijn,' zei ze.

346

'Als we dit overleven, ga ik je elke dag kussen voor de rest van mijn leven,' zei hij opgetogen.

'Echt?' zei ze. 'De rest van je leven zou een heel lange tijd kunnen zijn.'

'Dat hoop ik wel.'

Ze keek blij. Toen zei ze: 'We moeten de brandstof controleren.'

Harald draaide zich om op zijn stoel om naar de meter tussen de twee rugleuningen te kijken. Die was moeilijk af te lezen, omdat er twee schaalverdelingen op stonden, een voor gebruik in de lucht en een voor op de grond als het toestel achterover helde.

Maar allebei stonden ze in de buurt van 'Leeg'.

'Verdorie, de tank staat bijna droog,' zei Harald.

'Er is geen land in zicht.' Ze keek op haar horloge. 'We zijn vijfenhalf uur in de lucht geweest, dus vermoedelijk duurt het nog een halfuur voordat we boven land zijn.'

'Dat is niet erg, ik kan de tank bijvullen.' Hij maakte zijn riem los en draaide zich moeilijk om tot hij met zijn knieën op de stoel zat. De kan met benzine stond op de bagageplank achter de stoelen. Ernaast lag een trechter en het ene uiteinde van een stuk tuinslang. Harald had het raampje voor de start ingeslagen en nu stak hij de slang door het gat, terwijl het andere uiteinde vastgebonden zat aan de vulopening aan de zijkant van de romp

Maar nu zag hij dat het buitenste gedeelte van de slang flapperde in de vliegwind. Hij vloekte.

'Wat is er?' vroeg Karen.

'De slang heeft zich tijdens het vliegen losgewerkt. Ik heb hem niet goed genoeg vastgebonden.'

'Wat moeten we doen? We moeten bijtanken.'

Harald keek naar de benzinekan, de trechter, de slang en het raampje. 'Ik moet de slang in de vulopening stoppen. En dat kan niet van binnenuit worden gedaan.'

'Je kunt niet naar buiten gaan!'

'Wat doet het met het vliegtuig, als ik de deur open?'

'Mijn hemel, dat zal net een enorme luchtrem zijn. Het zal ons vertragen en naar links laten draaien.'

'Kun je dat hebben?'

'Ik kan de luchtsnelheid handhaven door de neus te laten zakken. Ik denk dat ik met mijn linkervoet op het rechter roerpedaal kan duwen.'

'Laten we het proberen.'

Karen bracht het vliegtuig in een lichte duikvlucht en zette haar linkervoet toen op het rechter roerpedaal. 'Ja.'

Harald opende de deur. Het vliegtuig draaide meteen scherp naar links. Karen duwde het rechter roerpedaal in, maar ze bleven draaien. Ze trok de stuurknuppel naar rechts, maar het vliegtuig bleef naar links gaan. 'Het lukt niet, ik kan hem niet houden!' riep ze.

Harald sloot de deur. 'Als ik die raampjes eruit sla, scheelt dat bijna de helft aan luchtweerstand,' zei hij. Hij haalde de sleutel uit zijn zak. De ramen waren gemaakt van een soort celluloid dat sterker was dan glas, maar hij wist dat het niet onbreekbaar was, want hij had twee dagen geleden het achterraampje eruit getikt. Hij bracht zijn rechterarm zo ver mogelijk naar achteren, raakte het raampje hard en het celluloid brak. Hij tikte het resterende materiaal uit de sponning.

'Klaar om het nog eens te proberen?'

'Even wachten – we hebben meer luchtsnelheid nodig.' Ze boog opzij en duwde het gas open waarna ze de trimhendel twee centimeter naar voren schoof. 'Goed.'

Harald opende de deur.

Weer draaide het toestel naar links, maar deze keer minder scherp en Karen leek het met het roer te kunnen corrigeren.

Op de stoel geknield stak Harald zijn hoofd buiten de deur. Hij kon het uiteinde van de slang om de kap van de vulopening zien klapperen. Met zijn rechterschouder hield hij de deur open en met zijn gestrekte rechterarm greep hij de slang. Nu moest hij die in de tank zien te krijgen. Hij kon de open klep zien, maar niet de vulopening. Hij kreeg het uiteinde van de slang ruwweg in de buurt van de klep, maar het stuk rubber in zijn hand flapperde alle kanten uit en hij kreeg het uiteinde niet in de tank. Hij had net zo goed kunnen proberen midden in een orkaan een draad door het oog van een naald te halen. Hij probeerde het verscheidene keren, maar het werd steeds hopelozer toen zijn hand kouder werd.

Karen tikte hem op zijn schouder. Hij trok zijn hand weer de cabine in en sloot de deur.

'We verliezen hoogte,' zei ze. 'We moeten klimmen.' Ze trok de stuurknuppel naar achteren.

Harald blies op zijn hand om die te warmen. 'Zo lukt het me niet,' zei hij tegen haar. 'Ik krijg de slang niet in de vulopening. Ik moet het andere eind van de slang kunnen vasthouden.'

'Hoe?'

Hij dacht even na. 'Misschien kan ik een voet buiten de deur zetten.'

'Lieve hemel.'

'Laat me weten wanneer we voldoende hoogte hebben gewonnen.'

Na een paar minuten zei ze: 'Goed, maar hou je klaar om de deur te sluiten als ik op je schouder tik.'

Met zijn gezicht naar achteren en zijn linkerknie op de stoel zette Harald zijn rechtervoet op de versterkte strook van de vleugel. Hij hield voor de veiligheid met zijn linkerhand zijn stoelriem stevig vast, boog naar buiten en pakte de slang. Hij liet die door zijn hand glijden tot hij de punt vasthield. Toen boog hij verder naar buiten en stopte het uiteinde in de vulopening.

De Hornet Moth kwam in een luchtzak. Het toestel schokte. Harald verloor zijn evenwicht en dacht dat hij van de vleugel zou vallen. Hij trok tegelijk hard aan zijn stoelriem en aan de slang in een poging overeind te blijven. Het touwtje dat het andere eind van de slang in de cabine vasthield, brak en toen de slang naar buiten schoot, liet Harald hem ongewild los. De slang dwarrelde weg in de vliegwind.

Bevend van angst kroop hij terug in de cabine en sloot de deur.

'Wat is er gebeurd?' vroeg ze.'Ik kon niets zien!'

Het duurde even voordat hij in staat was om te antwoorden. Toen hij wat was bijgetrokken, zei hij: 'Ik heb de slang laten vallen.'

'O, nee.'

Hij controleerde de brandstofmeter. 'We zijn leeg.'

'Ik weet niet wat we kunnen doen!'

'Ik zal op de vleugel moeten gaan staan en de benzine er rechtstreeks vanuit de kan in moeten gieten. Daar zal ik twee handen voor nodig hebben – ik kan een kan van achttien liter niet met één hand vasthouden, dat is te zwaar.'

'Maar dan kun je je nergens aan vasthouden.'

'Jij zult met je linkerhand mijn riem moeten vasthouden.' Karen was sterk, maar hij wist niet zeker of ze zijn gewicht kon houden als hij uitgleed. Er was echter geen andere keus.

'Dan zal ik de stuurknuppel niet kunnen bedienen.'

'We moeten er maar op hopen dat het niet nodig is.'

'Goed, maar laten we dan wat meer hoogte winnen.'

Hij keek om zich heen. Er was geen land in zicht.

'Warm je handen,' zei Karen.'Stop ze onder mijn jas.'

Nog steeds geknield op de stoel draaide hij zich om en drukte zijn handen tegen haar middel. Onder de bontjas droeg ze een lichte zomertrui.

'Stop ze onder mijn trui. Kom, op mijn huid, ik vind het niet erg.'

Ze was heet onder zijn aanraking.

Hij hield zijn handen daar, terwijl ze klommen. Toen sloeg de motor over.'De brandstof is op,' zei Karen.

De motor sloeg weer aan, maar hij wist dat ze gelijk had.'Vooruit dan,' zei hij.

Ze trimde het toestel. Harald schroefde de dop van de kan en de kleine cabine werd gevuld met de onplezierige stank van benzine, ook al blies de wind door de kapotte raampjes naar binnen.

De motor sloeg weer over en begon te haperen.

Harald tilde de kan op en Karen pakte zijn riem.'Ik heb je goed vast,' zei ze.'Maak je geen zorgen.'

Hij opende de deur en zette zijn rechtervoet op de vleugel. Hij schoof de kan naar de stoel. Hij zette zijn linkervoet naar buiten, zodat hij op de vleugel stond en boog de cabine in. Ze keek doodsbang.

Hij pakte de kan op en ging op de vleugel staan. Hij maakte de fout om langs de achterrand van de vleugel naar de zee eronder te kijken. Zijn maag kwam omhoog en door de misselijkheid liet hij de kan bijna vallen. Hij sloot zijn ogen, slikte en kreeg zichzelf onder controle.

Hij opende zijn ogen, vastbesloten om niet naar beneden te kijken. Hij boog over de vulopening. Zijn riem spande over zijn maag door het trekken van Karen. Hij hield de kan schuin.

De constante beweging van het vliegtuig maakte het onmogelijk om recht te schenken, maar na enkele ogenblikken slaagde hij erin daar rekening mee te houden. Hij boog vooruit en achteruit in het vertrouwen dat Karen hem goed vast zou houden.

De motor bleef nog een paar tellen haperen en ging toen weer normaal draaien.

Hij wilde wanhopig graag weer naar binnen, maar ze hadden brandstof nodig om het land te bereiken. De benzine leek even stroperig en langzaam als honing te stromen. Er werd iets weggeblazen in de vliegwind en hij morste bij de klep, maar het meeste leek in de vulopening te verdwijnen.

Ten slotte was de kan leeg. Hij liet hem vallen en greep dankbaar met zijn linkerhand de deurstijl vast. Hij kroop de cabine weer in en sloot de deur.

'Kijk,' wees Karen vooruit.

In de verte lag aan de horizon een donkere vorm. Het was land.

'Halleluja,' zei hij zacht.

'Bid alleen dat het Engeland is,' zei Karen. 'Ik weet niet hoever we door de wind uit de koers zijn geraakt.'

Het leek een hele tijd te duren, maar uiteindelijk veranderde de donkere vorm in een groen landschap. Toen konden ze een strand, een stadje met een haven, uitgestrekte akkers en een heuvelrug onderscheiden.

'Laten we dichterbij gaan kijken,' zei Karen.

Ze daalden tot tweeduizend voet om het stadje te bekijken.

'Ik zou niet weten of het Frankrijk of Engeland is,' zei Harald. 'Ik ben nooit in die landen geweest.'

'Ik ben in Parijs en Londen geweest, maar die leken helemaal niet op deze plaats.'

Harald controleerde de brandstofmeter. 'We moeten gauw landen.'

'Maar we moeten weten of het vijandelijk gebied is.'

Harald keek door het dak naar boven en zag twee vliegtuigen. 'Daar komen we gauw genoeg achter,' zei hij. 'Kijk maar naar boven.'

Ze keken allebei naar de twee kleine toestellen die snel uit het zuiden naderden. Toen ze dichterbij kwamen, staarde Harald naar de vleugels en wachtte tot de emblemen zichtbaar werden. Zouden het Duitse kruisen zijn? Was alles voor niets geweest?'

De vliegtuigen kwamen dichterbij en Harald zag dat het Spitfires waren met de ronde RAF-emblemen. Dit was Engeland.

Hij slaakte een triomfantelijke kreet. 'We hebben het gehaald!'

De vliegtuigen kwamen dichterbij en gingen aan weerszijden van de Hornet Moth vliegen. Harald kon de piloten zien die hen aanstaarden. 'Ik hoop niet,' zei Karen, 'dat ze ons aanzien voor vijandelijke spionnen en ons neerschieten.'

Het was een vreselijke mogelijkheid. Harald probeerde een manier te bedenken om de piloten te laten weten dat ze vrienden waren. 'Witte vlag,' zei hij. Hij trok zijn hemd uit en duwde dat door het kapotte raampje. Het witte katoen flapperde in de wind.

Het leek te werken. Een van de Spitfires ging voor de Hornet Moth vliegen en schommelde met zijn vleugels. 'Dat betekent "Volg mij," geloof ik,' zei Karen, 'maar ik heb niet genoeg brandstof.' Ze keek naar het landschap beneden. 'Zeebries uit het oosten, te oordelen naar de rook uit de boerderijen. Ik ga landen op dat veld.' Ze liet de neus zakken en draaide.

Harald keek bezorgd naar de Spitfires. Na een ogenblik draaiden ze en begonnen te cirkelen, maar ze bleven op hoogte, alsof ze wilden zien wat er nu ging gebeuren. Misschien waren ze tot de conclusie gekomen dat de Hornet Moth geen grote bedreiging vormde voor het Britse Rijk.

Karen daalde tot duizend voet en vloog met de wind mee langs het veld dat ze had uitgekozen. Er waren geen obstakels zichtbaar. Ze draaide in de wind voor de landing. Harald bediende het roer en hielp het vliegtuig recht te laten vliegen.

Toen ze twintig voet boven het veld waren, zei Karen: 'Gas helemaal dicht, alsjeblieft.' Harald trok de hendel terug. Ze liet de neus van het toestel met de stuurknuppel voorzichtig iets omhoogkomen. Toen Harald de indruk had, dat ze bijna de grond raakten, bleven ze nog een meter of vijftig doorvliegen. Er was een bons toen de wielen de grond raakten.

Het vliegtuig verloor in een paar tellen snelheid. Eenmaal gestopt keek Harald door het kapotte raampje en zag op een paar meter afstand een jongeman op een fiets, die vanaf het pad langs het veld met open mond naar hen staarde.

'Ik vraag me af waar we zijn,' zei Karen.

'Hallo daar!' riep Harald in het Engels naar de fietser. 'Waar zijn we hier?'

De jonge man keek hem aan alsof hij een ruimtewezen was. 'Nou,' zei hij ten slotte, 'het is beslist niet het vliegveld.'

Epiloog

Vierentwintig uur nadat Harald en Karen in Engeland waren geland, waren de foto's die Harald had genomen bij het radarstation op Sande vergroot afgedrukt en op een muur geprikt van een grote kamer in een statig gebouw in Westminster. Op sommige waren pijlen en aantekeningen gezet. In de kamer zaten drie mannen in RAF-uniform de foto's te bestuderen en op gedempte toon met elkaar te praten.

Digby Hoare leidde Harald en Karen de kamer binnen en sloot de deur, waarop de officieren zich omdraaiden. Een van hen, een lange man met een grijze snor, zei:'Hallo Digby.'

'Goedemorgen, Andrew,' zei Digby en hij vervolgde:'Dit is vice-luchtmaarschalk Sir Andrew Hogg. Sir Andrew, mag ik u juffrouw Duchwitz en meneer Olufsen voorstellen.'

Hogg schudde Karens linkerhand, omdat haar rechter nog in een mitella zat. 'U bent een uitzonderlijk dappere jonge vrouw,' zei hij. Hij sprak Engels met een afgebeten accent waardoor het klonk alsof hij iets in zijn mond had en Harald moest moeite doen om hem te verstaan.'Een ervaren piloot zou wel twee keer nadenken voordat hij de Noordzee overstak in een Hornet Moth,' voegde Hogg eraan toe.

'Om u de waarheid te vertellen had ik er geen idee van hoe gevaarlijk het was toen ik opsteeg,' antwoordde ze.

Hogg wendde zich tot Harald.'Digby en ik zijn oude vrienden. Hij heeft me uitgebreid verslag gedaan van alles wat u hebt verteld en ik kan u niet zeggen hoe belangrijk die informatie is. Maar ik wil nogmaals met u praten over uw theorie hoe deze drie apparaten samenwerken.'

Harald concentreerde zich en diepte uit zijn geheugen de Engelse woorden op die hij nodig had. Hij wees op de overzichtsopname die hij van de drie bouwsels had gemaakt.'De grote antenne draait steeds rond, alsof die voortdurend de lucht afzoekt. Maar de kleinere gaan op en neer en heen en weer en ik had de indruk dat die vliegtuigen moesten volgen.'

Hogg viel hem in de rede door tegen de andere twee officieren te zeggen:'Ik heb vanochtend bij dageraad een radio-expert op een verkenningsvlucht boven het eiland gestuurd. Hij ving radiogolven op met een golflengte van twee punt vier meter die waarschijnlijk worden uitgezonden door de grote Freya en ook vijftig centimeter golven die vermoedelijk afkomstig zijn van de kleinere apparaten die Wurtzburgs moeten zijn.' Hij wendde zich weer tot Harald. 'Ga verder, alstublieft.'

'Ik nam dus aan dat het grote apparaat al op grote afstand waarschuwt voor de nadering van bommenwerpers. Van de kleinere apparaten volgt er één een enkele bommenwerper en de andere volgt de jager die naar boven is gestuurd om de bommenwerper aan te vallen. Op die manier kan iemand die de apparaten bedient, een jager heel nauwkeurig naar de bommenwerper leiden.'

Hogg wendde zich weer tot zijn collega's. 'Ik geloof dat hij gelijk heeft. Wat denkt u?'

Een van hen zei: 'Ik zou toch nog wel graag de betekenis weten van *himmelbett*.'

'*Himmelbett*?' zei Harald. 'Dat is het Duitse woord voor zo'n bed met…'

'Een hemelbed,' zei Hogg tegen hem. 'We hebben gehoord dat de radarapparatuur werkt in een *himmelbett*, maar we weten niet wat het betekent.'

'O!' zei Harald. 'Ik had me al afgevraagd hoe ze de zaak zouden organiseren. Dit verklaart het.'

Het werd stil in de kamer. 'O ja?' vroeg Hogg.

'Nou, als u de leiding zou hebben over de Duitse luchtverdediging, zou het zinvol lijken om uw grenzen op te delen in blokken luchtruimte van bijvoorbeeld tien kilometer breed en veertig kilometer diep en een combinatie van drie apparaten toe te wijzen aan elk blok… of *himmelbett*.'

'U zou gelijk kunnen hebben,' zei Hogg nadenkend. 'Dat zou ze een bijna ondoordringbare verdediging verschaffen.'

'Als de bommenwerpers naast elkaar vliegen wel,' zei Harald. 'Maar als u uw piloten achter elkaar in lijn laat vliegen en ze allemaal door een enkel *himmelbett* stuurt, kan de Luftwaffe maar één bommenwerper volgen, waardoor de andere een veel betere kans hebben om erdoor te komen.'

Hogg keek hem een ogenblik lang doordringend aan. Toen keek hij naar Digby en zijn twee collega's en vervolgens weer naar Harald.

'Een soort stroom van bommenwerpers,' zei Harald die niet zeker wist of ze het wel begrepen.

De stilte bleef duren en Harald vroeg zich af of er iets mis was met zijn Engels. 'Begrijpt u wat ik bedoel?' vroeg hij.

'O ja,' zei Hogg eindelijk. 'Ik begrijp precies wat u bedoelt.'

De volgende ochtend reed Digby met Harald en Karen vanuit Londen naar het noordoosten. Na drie uur kwamen ze bij een landhuis dat was gevorderd als verblijf voor luchtmachtofficieren. Ze kregen allebei een kleine kamer met een veldbed, waarna Digby hen voorstelde aan zijn broer Bartlett.

In de middag gingen ze allemaal met Bart mee naar de dichtstbijzijnde RAF-basis waar zijn squadron was gestationeerd. Digby had geregeld dat ze de briefing bij konden wonen en hij had de plaatselijke commandant verteld dat het deel uitmaakte van een geheime oefening. Er werden verder geen vragen gesteld. Ze luisterden hoe de commandant uitleg gaf over de nieuwe formatie die de piloten bij de bombardementsvlucht van de komende nacht zouden toepassen – de bommenwerperstroom.

Hun doelwit was Hamburg.

Hetzelfde gebeurde met andere doelen op vliegvelden in het hele oosten van Engeland. Digby vertelde Harald dat meer dan zeshonderd bommenwerpers vannacht zouden deelnemen aan een wanhopige poging om een gedeelte van de sterkte van de Luftwaffe te onttrekken aan het Russische front.

De maan kwam die avond om enkele minuten over zes op en de motoren van de Wellingtons begonnen om acht uur te bulderen. Op het grote bord in de controlekamer stond het tijdstip van opstijgen genoteerd naast de codeletter van elk vliegtuig. Bart was de piloot van G voor George.

Toen de nacht viel en de radiotelegrafisten zich meldden vanuit de bommenwerpers, werden hun posities aangegeven op een grote tafelkaart. De vlaggetjes bewogen steeds dichter naar Hamburg toe. Digby rookte bezorgd de ene sigaret naar de andere.

De voorste bommenwerper, C voor Charlie, meldde dat hij werd aangevallen door een jager en toen stopte de uitzending. A voor Able naderde de stad en wierp brandbommen af om het doelwit voor de volgende bommenwerpers te verlichten.

Op het moment dat die hun bommen begonnen af te werpen, dacht Harald aan de Goldsteins in Hamburg en hij hoopte dat zijn familie in veiligheid zou zijn. Als onderdeel van de leerstof van zijn laatste schooljaar had hij een Engelse roman moeten lezen en hij had gekozen voor *War in the Air* van H. G. Wells, dat een nachtmerrieachtig beeld had geschetst van een stad die werd aangevallen vanuit de lucht. Hij wist dat dit de enige manier was om de nazi's te verslaan, maar toch was hij bang voor wat Monika kon overkomen.

Een officier kwam naar Digby toe en zei op kalme toon dat ze het radiocontact met Barts toestel hadden verloren. 'Het hoeft niet meer te zijn dan een radioprobleem,' zei hij.

Een voor een maakten de bommenwerpers contact om te melden dat ze terugkwamen – allemaal behalve C voor Charlie en G voor George. Dezelfde officier kwam vertellen: 'De staartschutter van F voor Freddie zag een van onze toestellen neerstorten. Hij weet niet welke, maar ik ben bang dat het G voor George was.'

Digby verborg zijn gezicht in zijn handen.

De vlaggetjes die de vliegtuigen voorstelden, kwamen over de kaart van Europa op de tafel terug. Alleen C en G bleven boven Hamburg. Digby belde met Londen en zei toen tegen Harald: 'De bommenwerperstroom werkte. Ze schatten dat de verliezen lager zijn dan we in een jaar hebben gehad.'

'Ik hoop dat alles goed is met Bart,' zei Karen.

In de kleine uren begonnen de bommenwerper terug te komen. Digby liep naar buiten en Karen en Harald voegden zich bij hem om naar de grote vliegtuigen te kijken die over de landingsbaan aankwamen en hun vermoeide maar triomfantelijke bemanning uitbraakten. Toen de maan onderging, waren ze allemaal terug op Charlie en George na.

Bart Hoare keerde nooit naar huis terug.

Harald voelde zich neerslachtig toen hij zich uitkleedde en de pyjama aantrok die Digby hem had geleend. Hij had moeten juichen. Hij had een ongelooflijk gevaarlijke vlucht overleefd, uiterst belangrijke informatie doorgegeven aan de Engelsen en gezien dat die informatie de levens van honderden vliegers had gered. Maar het verlies van Barts vliegtuig en het verdriet op Digby's gezicht deden Harald aan Arne denken, en aan Poul Kirke en de andere Denen die waren gearresteerd en bijna zeker zouden worden geëxecuteerd voor hun aandeel in de triomf. Hij kon alleen maar verdriet voelen.

Hij keek uit het raam. De dageraad kondigde zich aan. Hij trok de dunne, gele gordijnen voor het kleine raam dicht en stapte in bed. Hij lag daar met een rot gevoel en kon niet slapen.

Na een poosje kwam Karen binnen. Ook zij droeg een geleende pyjama waarvan de mouwen en broekspijpen waren opgerold om ze korter te maken. Haar gezicht stond somber. Zonder iets te zeggen stapte ze naast hem in bed. Hij hield haar warme lichaam in zijn armen. Ze drukte haar hoofd tegen zijn schouder en begon te huilen. Hij vroeg niet waarom. Hij wist bijna zeker dat dezelfde gedachten door haar hoofd waren gegaan. Ze huilde zich in zijn armen in slaap. Na een poosje doezelde hij weg. Toen hij zijn ogen weer opende, scheen de zon door de dunne gordijnen. Hij staarde vol verbazing naar het meisje in zijn armen. Hij had vaak gedagdroomd dat hij met haar in bed lag, maar dat het zo zou zijn, had hij nooit voorzien.

Hij kon haar knieën voelen en een heup die tegen zijn dij drukte en iets zachts tegen zijn borst waarvan hij dacht dat het een borst kon zijn. Hij sloeg haar slapende gezicht gade, bekeek haar lippen, haar kin, haar rossige wimpers, haar wenkbrauwen. Hij had het gevoel dat zijn hart op barsten stond van liefde.

Ten slotte opende ze haar ogen. Ze glimlachte en zei: 'Hallo, mijn lieverd.' Toen kuste ze hem.

Na een poosje bedreven ze de liefde.

Drie dagen later verscheen Hermia Mount.

Harald en Karen liepen een pub binnen in de buurt van het paleis van Westminster, waar ze Digby zouden ontmoeten en daar zat ze aan een tafeltje met een gin en tonic voor zich.

'Hoe ben je thuisgekomen?' vroeg Harald haar. 'De laatste keer dat we je zagen, sloeg je brigadier rechercheur Jespersen met jouw koffertje op haar hoofd.'

'De verwarring bij Kirstenslot was zo groot dat ik stiekem kon verdwijnen voordat iemand me had opgemerkt,' zei Hermia. 'Onder beschutting van de duisternis liep ik naar Kopenhagen en ik bereikte de stad tegen zonsopkomst. Toen ben ik vertrokken op de manier zoals ik was gekomen: met de veerboot van Kopenhagen naar Bornholm, daarna de oversteek op een vissersboot naar Zweden en een vliegtuig vanuit Stockholm.'

Karen zei: 'Ik weet zeker dat het niet zo gemakkelijk ging als jij het laat klinken.'

Hermia haalde haar schouders op. 'Het was niets vergeleken bij jullie beproeving. Wat een reis!'

'Ik ben erg trots op jullie allemaal,' zei Digby, hoewel Harald uit de liefdevolle blik op zijn gezicht meende te moeten opmaken, dat hij bijzonder trots was op Hermia.

Digby keek op zijn horloge. 'En nu hebben we een afspraak met Winston Churchill.'

Er werd luchtalarm gegeven toen ze Whitehall overstaken, dus ontmoetten ze de eerste minister in het ondergrondse complex dat bekendstond als de Cabinet War Rooms. Churchill zat achter een klein bureau in een benauwd kantoortje. Aan de muur achter hem hing een grote kaart van Europa. Een eenpersoonsbed met een groene sprei stond tegen een muur. Hij was gekleed in een krijtstreep kostuum en had zijn jasje uitgedaan, maar hij zag er vlekkeloos uit.

'U bent dus de jongedame die de Noordzee is overgevlogen in een Tiger Moth,' zei hij tegen Karen en schudde haar de linkerhand.

'Een Hornet Moth,' verbeterde ze hem. De Tiger Moth was een open vliegtuig. 'Ik denk dat we in een Tiger Moth doodgevroren waren.'

'O ja, natuurlijk.' Hij wendde zich tot Harald. 'En u bent de jongeheer die de bommenwerperstroom heeft uitgevonden.'

'Een idee dat uit de discussie naar boven kwam,' zei hij ietwat verlegen.

'Dat is niet het verhaal zoals ik het heb gehoord, maar uw bescheidenheid siert u.' Churchill keek naar Hermia. 'En u bent degene die de hele onderneming hebt georganiseerd. Mevrouw, u bent twee mannen waard.'

'Dank u, meneer,' zei ze, hoewel Harald uit haar wrange glimlach kon opmaken dat ze het geen groot compliment vond.

'Met uw hulp hebben we Hitler gedwongen honderden jagers terug te trekken van het Russische front om ze in te zetten bij de verdediging van het vaderland. En het zal jullie misschien interesseren dat ik deels als gevolg van dat succes vandaag een verdrag heb ondertekend met de Unie van Socialistische Sovjet Republieken. Engeland staat niet langer alleen. We hebben een van de grootste wereldmachten als bondgenoot. Rusland mag dan buigen, het is nog lang niet gebroken.'

'Lieve hemel,' zei Hermia.

'Dat zal morgen voorpaginanieuws zijn,' mompelde Digby.

'En wat zijn de jongelui van plan hierna te gaan doen?' vroeg Churchill.

'Ik zou graag dienst nemen bij de RAF,' zei Harald meteen.'Om goed te leren vliegen en dan te helpen bij de bevrijding van mijn land.'

Churchill keek Karen aan. 'En u?'

'Iets dergelijks. Ik weet zeker dat ze me geen piloot zullen laten worden, hoewel ik veel beter kan vliegen dan Harald. Maar ik zou me graag aansluiten bij de vrouwelijke luchtmacht als die bestaat.'

'Nou,' zei de eerste minister, 'wij zouden een andere mogelijkheid willen opperen.'

Harald keek verbaasd.

Churchill knikte naar Hermia, die zei: 'We willen dat jullie allebei terugkeren naar Denemarken.'

Dat was het enige wat Harald niet had verwacht. 'Terugkeren?'

Hermia ging verder: 'Om te beginnen sturen we jullie naar een opleiding – vrij lang, zes maanden. Jullie leren een radio bedienen, het gebruik van codes, omgaan met vuurwapens en explosieven en zo verder.'

'Met welk doel?' vroeg Karen.

'Jullie worden met een parachute in Denemarken gedropt en krijgen radiotoestellen, wapens en valse papieren mee. Het zal jullie taak worden om een nieuwe verzetsbeweging op te zetten die de Nachtwakers moet vervangen.'

Haralds hart begon sneller te kloppen. Dat was een zeer belangrijke taak. 'Ik had mijn zinnen gezet op leren vliegen,' zei hij. Maar het nieuwe idee was nog spannender – ook al was het gevaarlijk.

Churchill kwam tussenbeide. 'Ik heb duizenden jongemannen die willen vliegen,' zei hij bruusk. 'Maar tot dusver hebben we niemand gevonden die zou kunnen doen wat we van u beiden vragen. U bent uniek. U bent Deens, u kent het land, u spreekt de taal. En u hebt bewezen buitengewoon moedig en vindingrijk te zijn. Laat ik het zo stellen: als u het niet doet, zal het niet gedaan worden.'

Het was moeilijk om weerstand te bieden aan de wilskracht van Churchill – en Harald wilde dat eigenlijk ook niet. Hem werd de kans geboden om te doen wat hij graag had willen doen en het vooruit-zicht lokte hem erg aan. Hij keek naar Karen. 'Wat vind jij ervan?'

'We zouden samen zijn,' zei ze, alsof dat voor haar het allerbelangrijk-ste was.

'Gaan jullie dan?' vroeg Hermia.

'Ja,' zei Harald.

'Ja,' zei Karen.

'Goed,' zei de eerste minister. 'Dat is dan geregeld.'

Nawoord

Het Deense verzet werd ten slotte een van de succesvolste ondergrondse bewegingen van Europa. Het bezorgde de geallieerden een
constante stroom van militaire inlichtingen, verrichtte duizenden sa-
botagedaden tegen de bezettingsmacht en zorgde voor geheime rou-
tes waardoor bijna alle Deense joden ontsnapten aan de nazi's.

Dankbetuiging

Zoals altijd werd ik bij mijn onderzoek geholpen door Dan Starer van Research for Writers, New York City (*dstarer@researchforwriters. com*). Hij bracht me in contact met de meeste van de hieronder genoemde mensen.

Mark Miller van De Havilland Support Ltd. was mijn vraagbaak op het gebied van de Hornet Moth, wat ermee mis kan gaan en hoe je ze moet repareren. Rachel Lloyd van de Northamptonshire Flying School deed haar best om me te leren vliegen in een Tiger Moth. Peter Gould en Walt Kessler hielpen me ook op dit vlak, net als mijn vliegende vrienden Ken Burrows en David Gilmour.

Mijn gids in alle Deense aangelegenheden was Erik Langkjaer. Voor de details van het leven in Denemarken tijdens oorlogstijd ben ik dank verschuldigd aan Claus Jessen, Bent Jorgensen, Kurt Hartogsen, Dorph Petersen en Soren Storgaard.

Informatie over het leven in een Deense kostschool kreeg ik onder dankzegging van Klaus Eusebius Jakobssen van de Helufsholme Skole og Gods, Erik Jorgensen van het Birkerod Gymnasium en Helle Thune van Bagsvaerd Kostskole og Gymnasium, die me allemaal welkom heetten op hun school en geduldig mijn vragen beantwoordden.

Ik ben dankbaar voor de informatie van Hanne Harboe van het Tivoli Park; Louise Lind van het Stockholmse Postmuseum; Anita Kempe, Jan Garnert en K.V. Tahvanainen van het Stockholmse Telemuseum, Hans Schroder van de Flyvevabnets Bibliotek, Anders Lunde van de Dansk Boldspil-Union; en Henrik Lundbak van het Museum van het Deens Verzet in Kopenhagen.

Jack Cunningham vertelde me over de bioscoop in de Admiralty en Nail Cook van HOK International verschafte me er foto's van. Candice DeLong en Mike Condon hielpen me met de wapens. Josephine Russell vertelde hoe het was om voor ballerina te studeren. Titch Allen en Pete Gagan hielpen me met antieke motorfietsen.

Mijn dank gaat uit naar mijn redacteuren en agenten: Amy Berkower, Leslie Gelbman, Phyllis Grann, Neil Nyren, Imogen Tate en Al Zuckerman.

Ten slotte dank ik de leden van mijn familie voor het lezen van samenvattingen en concepten: Barbara Follett, Emanuele Follett, Marie-Claire Follett, Richard Overy, Kim Turner en Jann Turner.